GOLDMANN

Buch

Dieses Buch rückt einer Institution zu Leibe, die zu den mächtigsten der Welt zählt und immer noch als eine über dem Weltlichen stehende, heilbringende Anstalt gesehen wird, obwohl sie doch zweitausend Jahre lang nichts tat, als nach Macht und Besitz zu streben, ihre Herde zu unterdrücken, sich zu diesem Zweck ein Dogmengebäude zu basteln, das mit der Lehre Jesu nichts gemein hat, die Menschenrechte zu mißachten und kein Delikt des Strafgesetzbuchs auszulassen: die katholische Amtskirche, vertreten durch ihre obersten Hirten, die Bischöfe, Kardinäle und den Papst in Rom.

Welche Rezepte die Himmelslobby anwendet, weshalb es sich auszahlt, Hirte zu sein statt Schaf, was Tag und Nacht in den vatikanischen Palästen geschieht, wie einer sein muß, um Bischof oder Papst zu werden – das alles erzählt der international renommierte Autor anhand einer Fülle von Beispielen aus Geschichte und Gegenwart kirchlicher Seilschaften.

Autor

Horst Herrmann, Jahrgang 1949, Dr. theol. (habil.), 1970–1981 ordentlicher Professor des katholischen Kirchenrechts an der Universität Münster, 1975 Dekan. Wegen einer Denkschrift gegen das bestehende Verhältnis von Staat und Kirche 1975 Entzug der kirchlichen Lehrerlaubnis (der erste Fall in der BRD!). Seit 1981 ordentlicher Professor der Soziologie in Münster. Mitglied des PEN. Von Horst Herrmann liegen 22 Bücher (in mehrere Sprachen übersetzt) und 150 Beiträge zu religions- und patriarchatskritischen Themen vor. Er hat im In- und Ausland Hunderte von Vorträgen gehalten.

Horst Herrmann gilt als der profilierteste Vertreter seines Fachgebiets und wurde international unter anderem bekannt durch seine in mehreren Ländern politisch diskutierten und in Italien und Spanien bereits verwirklichten Vorschläge zur Neuordnung kirchlicher Finanzierungssysteme.

Von Horst Herrmann liegen im Goldmann Verlag bereits vor:

Die sieben Todsünden der Kirche (12356)
Die Kirche und unser Geld (12344)
Der Anti-Katechismus (zusammen mit Karlheinz Deschner; 12343)

HORST HERRMANN

KIRCHEN FÜRSTEN

Zwischen Hirtenwort und Schäferstündchen

GOLDMANN VERLAG

Umwelthinweis:
Alle bedruckten Materialien dieses Taschenbuches
sind chlorfrei und umweltschonend.
Das Papier enthält Recycling-Anteile.

Der Goldmann Verlag
ist ein Unternehmen der Verlagsgruppe Bertelsmann

Genehmigte Taschenbuchausgabe 1994

Umschlaggestaltung: Design Team München
Druck: Presse-Druck, Augsburg
Verlagsnummer: 12387
Lektorat: Silvia Kuttny
Herstellung: Ludwig Weidenbeck
Made in Germany
ISBN 3-442-12387-9

1 3 5 7 9 10 8 6 4 2

Inhalt

Warum halten Kirchenfürsten gar nichts von der Demokratie? Oder: Ein Patriarch, der Macht aufgibt, ist keiner

Was treibt man im Vatikan, wenn Tage und Nächte lang sind? Oder: Wie der Heilige Vater seine Hausaufgaben macht

Wann kehren Kirchenfürsten mal vor der eigenen Tür? Oder: Was Oberhirten noch immer an Sex and Crime fasziniert

Literaturhinweise und Anmerkungen

Personenregister

I.

INSPEKTION EINER HERREN-KULTUR ODER: WAS HIRTEN SICH SCHON LEISTETEN

»Nichts ist mächtiger als die Kirche, Mensch . . . Die Kirche ist stärker als der Himmel . . . um der Kirche willen ist der Himmel, nicht wegen des Himmels ist die Kirche da!«

Patriarch Johannes I. Chrysostomus
Heiliger, Kirchenlehrer

Der Erzbischof schüttelte immer wieder den Kopf: »In pantaloni, in pantaloni!« Daß sein Begleiter, der deutsche Theologiestudent, in Hosen und Krawatte, aber nicht im Talar mitgehen wollte, ging ihm nicht in den Kopf. Erst als ein passendes Kleidungsstück aufgetrieben war, bestiegen wir beide das Taxi zum Vatikan. Ich hatte zum erstenmal im Leben einen solchen Talar an. Er stammte aus den Beständen Seiner Exzellenz und erschien mir ziemlich abgewetzt.
Da der Kirchenfürst aus Kolumbien, den ich in einem römischen Café kennengelernt hatte, sehr hinfällig war und zugleich über gute Beziehungen verfügte, öffneten sich alle Türen. So gelangte ich, als einziger in Schwarz, wenn auch nicht mehr »in pantaloni«, in den Saal, in dem die Kardinäle der Weltkirche an diesem 11. Oktober 1962 in ihre Roben schlüpften. Das Datum ist nicht uninteressant: Es war der Tag, an dem das Zweite Vatikanische Konzil eröffnet wurde.
Da stand ich Tübinger Student mit meinen 22 Jahren unter lauter Purpurträgern. Da nur Kardinäle zugelassen waren, mußten die an Bedienung gewohnten Herren selbst Hand anlegen. Keine Ehefrau half mit, rückte zurecht. Geheim- und Privatsekretäre blieben draußen. Die höchsten Repräsentanten einer Kirche waren unter sich. Ich habe viele schwitzende Greise mit berühmten Namen gesehen, herrscherliche Gestalten in mancherlei Unterwäsche.
Später ging ein Raunen durch den Saal. Der Papst erschien, Johannes XXIII., totenbleich, wächsern, abwesend. Unter all den rotge-

kleideten Herren, seinen Kardinälen, nahm er wohl nur die beiden Ausnahmen wahr: den Erzbischof im Rollstuhl und mich, den einzigen Nicht-Roten. Schwarz ist zwar eine passende kirchliche Farbe, und nach theologischer Meinung soll diese Klerikerdüsternis sogar auf das Jenseits weisen, als »Fremdkörper« und »Zeichen« für die Welt, doch Kenner der oberhirtlichen Farbskala wissen, daß Schwarz noch längst nicht die eigentliche Farbe des Himmelreichs ist: Violett (Prälaten), Lila (Bischöfe), Purpur (Kardinäle), Weiß (Papst) weisen noch entschiedener auf das Reich hin.
Johannes XXIII. erblickte also die beiden Ausnahmen. Er kam auf uns zu, seltsam entfernt, wie in Trance. Dann legte er mir die Hand auf den Kopf. Und während anschließend gut zweitausend Bischöfe im Petersdom versammelt waren, um ein mit großer Spannung erwartetes Konzil zu eröffnen, ging ich stundenlang in der volksfernen, heimatlosen Pracht auf und ab, rauf und runter. Kein Befugter fragte mich, was ich im Vatikan suchte. Es war unglaublich, aber ich konnte herumlaufen, wie ich wollte. Alle wichtigen Leute und alle, die sich für wichtig hielten, jubelten im Dom, und der Vatikanische Palast stand leer. In diesen einsamen Stunden schauten nur marmorne Figuren auf mich herab, viele Päpste und Heilige. Ich denke, ich habe während meiner ganzen Studienzeit nicht soviel über Glanz und Elend des römischen Kirchenfürstentums gelernt wie in diesen paar Stunden im kalten Zentrum einer Männermacht. So eine Theologie vor Ort sollte einer schon erlebt haben, der über »Kirchenfürsten« informiert.
Ich schrecke aus dem Schlaf hoch. Es ist wie im bösen Traum: Mitten aus der weiten Wüste kommen Menschen auf mich zu, Schemen im Sand, undeutliche Schatten. Aber sie bleiben keine Chimären, sie werden lebendig, nehmen Körper an, haben sogar Namen, die in theologischen Standardwerken vorkommen, uns aber merkwürdig berühren: Theodor von Mopsuestia, Eusebios von Kaisareia, Johannes Goldmund. Was um alles in der Welt haben wir mit denen zu tun? Die Toten sollen uns doch in Ruhe lassen.
Irrtum. Was diese und andere Menschen vor über 1500 Jahren gedacht und getan haben, wirkt sich noch heute auf unser Leben aus. Wann und wo? Kirchgänger bekennen noch immer Dogmen von

damals, halten sich an Irrtümer und Wahrheiten, die seinerzeit – in den heißesten und mörderischsten Kämpfen der Geistesgeschichte – von Kirchenfürsten festgelegt wurden. Und selbst die konfessionslosen Zeitgenossen, denen Dogmen ebenso schnuppe sind wie Kirchenfürsten, kommen nicht ungeschoren davon. Privilegien, die sich die frühe Kirche hat sichern lassen, sind teuer geblieben: Kirchenfürsten halten noch immer das geistige Terrain von damals besetzt (sie nennen es »Wächteramt«) – und lassen sich (in Milliardenhöhe) für das sogenannte »Mehr« bezahlen, das sie angeblich gegenüber den Weltleuten besitzen.[1] Bischöfe und Päpste reden nicht nur in allen Angelegenheiten, die sie für politisch wichtig halten (z. B. Ehe- und Familienrecht) den Regierungen und Parlamenten ins Gewissen, sie möchten für diese Einmischung auch bezahlt werden. Die Himmelslobby ist unverdrossen tätig; sie kostet die Steuerzahler (ohne Kirchensteuereinnahmen) viele Milliarden jährlich.[2] Wofür eigentlich?

Die Kirchenfürsten sagen, das habe mit dem religiösen Erbe des »Abendlandes« zu tun, und berufen sich auf die grandiose Überlieferung ihrer Institution. Nun ist Tradition heute zwar kein populärer Wert mehr. Aber sie wird, auf ihre katholische Weise, mitten unter uns lebendig. Die Hirten zwingen sie uns auf, ob wir wollen oder nicht. Auch die bereits Kirchenfreien werden von dieser Tradition belastet: Auch sie haben die Aussagen der Kirchenherren zu Problemen des »Sittengesetzes« mitzuertragen, das sich – auf dem Umweg über »christliche« Politik und Rechtsprechung – in der Bundesrepublik und anderswo zu halten versteht. Und auch sie zahlen noch immer für die Bischöfe jener Kirche mit, die sie selbst schon verlassen oder der sie nie angehört haben.

»Nichts soll erneuert werden, was nicht überliefert ist.« Diese Worte des römischen Bischofs Stephan I. (254–257) gelten nach dem Historiker E. Caspar als der älteste allgemeine Grundsatz des Papsttums. Sie wurden bis in die jüngste Zeit hinein zitiert.[3]

Der innerkirchliche Stellenwert von »Tradition« ist unverhältnismäßig hoch. Wenn kein anderes Argument mehr zur Verfügung steht, wenn Sachgründe verstummen, ist noch immer die Tradition zur Hand. Als Pius IX. 1870 das Dogma seiner Unfehlbarkeit vorbereitete, benutzte er Worte und Begriffe, die mehr als 1300 Jahre zuvor ein Patriarch von Konstantinopel dem damaligen Bischof von Rom geschrieben hatte. Freilich zitierte der Papst den Patriarchen nur deshalb, weil dieser seinerzeit die feierlichste Anerkennung der Vorzüge des römischen Stuhls und der Unfehlbarkeit ausgesprochen hatte, die es gab.[4]

Das ist kein Zufall. Denn stets wird »Tradition« von den Oberhirten in einem extrem institutionsfreundlichen Sinn gedeutet. Immer spricht sie für die jeweilige Sache dieser Herren. Nie erscheint sie gegengerichtet, gar gefährlich. Das hängt mit der stets siegreichen kirchenfürstlichen Übung zusammen, abweichende Überlieferungen schlichtweg zu unterschlagen oder als nebensächlich abzutun. Beispiele dafür gibt es genug: Die Hirten nennen eine »Wolke von Zeugen« für die Befürworter der Ehelosigkeit ihrer Priester; daß es eine zumindest ebenso große Zahl von Bestreitern des Zölibats gab, ist keinen Hinweis wert. Ähnliches gilt für die Tradition der Ehe, der Geburtenregelung, der Doktrin von Wahrheit und Irrtum (»Ketzerproblem«), der Lehre über Krieg und Frieden. Auf jedes Traditionsargument, das Kirchenfürsten für eine bestimmte Lehrmeinung ins Feld führen, paßt ein gegenteiliges, das mühelos auch aus der Tradition des Christentums erhoben werden kann. Selten setzte sich freilich das bessere Argument durch; siegreich blieb das gewalttätigere.

Doch waren die vordergründig siegreichen Gruppen trotz jahrhundertelang geübten Lugs und Trugs mit ihrem Prinzip der »damnatio memoriae« (Totschweigen, Totschlagen der abweichenden Ansicht, Dokumentenunterdrückung) nicht so erfolgreich, wie sie es selber gern gesehen hätten. Und heute setzt die Gegenbewegung ein: Sie bringt Unterschlagenes, Unterdrücktes, Unterjochtes ans Licht, legt Hintergründe frei, kehrt unter dem Teppich hervor, stellt an den Pranger, was sich etabliert glaubte, macht Verstummte reden – und seien diese schon tausend Jahre tot.

Heutige Kirchenfürsten scheinen von der gewandelten Situation so betroffen zu sein, daß es ihnen die Sprache verschlägt. Obgleich sie anderen, gelegen oder ungelegen, zu allem und jedem irgendeine »Handreichung« anbieten, ein Hirtenwort, eine Empfehlung, eine

Denkschrift, sagen sie zu ihrem eigenen Dilemma gar nichts. Da ist alles ungelegen. Bischöfe rechneten offenbar nicht damit, daß die Jahrhunderte der christlichen Geschichte sich doch noch zu Wort melden, daß das letzte Wort über die kirchenfürstliche Tradition noch nicht gesprochen ist. Doch die Betroffenheit der Oberhirten (und ihrer Lautverstärker, der Schultheologen) ist noch längst nicht öffentlich genug. Noch dürfen sie sich um eine Antwort drücken. Allerdings kennen sie bereits die Alternative: Entweder rücken sie vom schlimmen Erbe des Kirchenfürstentums ab und leugnen es (das bringt neue Lüge, anderen Tod), oder sie bekennen sich dazu (das bedeutet das Eingeständnis, auf Mord und Totschlag zu gründen, und die Selbstaufgabe).

Ein schwarzes Schaf unter den vielen weißen, Erwin Kräutler, Bischof von Xingu (Brasilien), rang sich kürzlich zu einem bemerkenswerten Eingeständnis durch. Nach einer Meldung der Katholischen Nachrichtenagentur vom 6. März 1991 meinte er, die katholische Kirche sei vor 500 Jahren im »europäischen Gewand ohne Respekt vor den indianischen Kulturen« in Lateinamerika eingefallen, habe sich »am größten Massaker der Menschheitsgeschichte« mitschuldig gemacht, und ihre Missionare hätten alles religiöse Empfinden der Indios als »vom Satan kommend« verdammt. Nur wenn die Kirche ihre Verbrechen bei der Missionierung des Subkontinents eingestehe und aus ihnen lerne, könne sie glaubhaft bestehen.

Viel Freude wird der ehrliche Bischof, die Ausnahme, seinem Papst nicht gemacht haben: Johannes Paul II. lehrt bei seinen Reisen zum Tatort das Gegenteil, plaudert zynisch von der Freiheit, die seine Kirche den »Heiden« Lateinamerikas gebracht habe – und verschweigt bewußt die historische Wahrheit. Dieser Papst frohlockt 1979 auf Haiti über die »Zeit des Heils für diesen Kontinent zu Gottes Ruhm und Ehre«, die mit der Missionierung eingesetzt habe, und jubelt über die Kirche als die »erste Instanz, die sich für die Gerechtigkeit einsetzte«.[5] Der Augenzeuge B. de Las Casas (1474–1566) hatte die kirchenfürstliche Gerechtigkeit allerdings anders beschrieben: »Da nun die Indianer, welches jedoch nur ein paarmal geschah, einige Christen in gerechtem und heiligem Eifer erschlugen, so machten diese das Gesetz unter sich, daß allemal

hundert Indianer umgebracht werden sollten, sooft ein Christ von ihnen getötet wurde.« Und: »Sie machten auch breite Galgen, so daß die Füße fast die Erde berührten, hingen zur Verherrlichung und Ehre des Erlösers und der zwölf Apostel je dreizehn und dreizehn Indianer an jeden derselben, legten dann Holz und Feuer darunter und verbrannten sie alle lebendig.«[6]
Eine katholische Tradition. Freilich hat kein einziger Papst auch nur einen Indio ermordet. Die Päpste sind da völlig unschuldig, so unschuldig wie Hitler, der auch nie einen Juden umbrachte, an deren Vergasung. Papst Wojtyla sprach im übrigen jenen »Apostel und Lehrmeister Brasiliens« de Anchieta selig, der seinerzeit gemeint hatte, »Schwert und Eisenrute« seien »die besten Prediger«. Wojtyla rühmte den seligen Verbrecher als »Missionar, der kam, Jesus Christus zu verkünden, um das Evangelium zu verbreiten. Ja, er kam mit dem einzigen Ziel, die Menschen zu Christus zu führen, sie zum Leben als Kinder Gottes, die für das ewige Leben bestimmt sind, anzuleiten.«[7] Die blutbefleckte Vergangenheit der brasilianischen Mission: kein Thema für ein Hirtenwort.
Ich halte es für geboten, die »heilige Überlieferung« (als eine lebendige) mitzubetrachten, wenn vom Heute gesprochen wird. Kein Kirchenfürst kann sich von der Tradition seines Amtes lösen, die Vorgänger im Amt bleiben gegenwärtig, und der »Herr der Kirche« ist sowieso derselbe, oder nicht? Also nur Mut, meine Herren von der Amtskirche! Stehen Sie zu Ihrer Vergangenheit! Halten Sie Ihre Herde nicht von den Informationen fern, die Ihnen selbst zur Verfügung stehen!
Erschreckend, wie Kirchenfürsten ihre »heiligen Ämter« etablierten und wie sie sich in diese drängten, welche Mittel sie anwandten, welche Methoden sie bevorzugten: Fälschung und Betrug, Mord und Totschlag. Da gibt es keine Besserstellung, kein heiliges »Mehr«. Denn die Traditionen des heiligen Amts unterscheiden sich in gar nichts von den schlimmsten, derer sich die Menschen erinnern. Das scheint die Betroffenen nicht zu bekümmern.
Doch halt, ich bin drauf und dran, ungerecht zu urteilen, denn es gibt einen Unterschied: Während andere, »weltliche«, Verbrecher sich mehr oder weniger offen zu ihren Taten bekannten, schuf kir-

chenfürstliche Ideologie sich eine oberste Instanz, die das bischöfliche und päpstliche Lügen, Betrügen, Morden legitimieren – und damit kaschieren – sollte: Über allem stand ja der Anspruch auf den Heiligen Geist . . .
Er hält sich. Der Katholische Erwachsenenkatechismus, den die Deutsche Bischofskonferenz 1985 herausgab, ist sich ganz sicher: »Schließlich ist die Kirche als Tempel des Heiligen Geistes selbst heilig.«[8] Diese Heiligkeit wird von den Kirchenfürsten, die es wissen müssen, gedeutet als »Ausgesondertsein aus dem Bereich des Weltlichen und Zugehörigkeit zu Gott«. Stark kontrastiert zu dieser Hirten-Wahrheit die historisch begründete Meinung von Gertrude und Thomas Sartory, die – wie wachsende Minderheiten in der Kirche – kritisieren: »Das Christentum ist die mörderischste Religion, die es je gegeben hat.«[9]
Zwar können mittlerweile selbst Bischöfe nicht mehr lügen und die geschichtlichen Schandtaten ihrer Organisation so ungeschminkt und ungestraft unterschlagen wie früher, doch haben sie schon wieder geläufige Ausreden parat. Sie sprechen davon, daß die »Spannung zwischen der Heiligkeit der Kirche und der Sündigkeit ihrer Glieder« ein »erschreckendes Ausmaß annehmen« könne – aber nur »zuweilen«, »etwa im späten Mittelalter«.[10] Daß die Gesamtgeschichte ihres Kirchenfürstentums mörderisch ist und keine Ausnahmen zuläßt, geben die Herren wohlweislich nicht zu.
Daher beten jeden Sonntag Kirchengläubige im sogenannten Apostolischen Glaubensbekenntnis, dem »Credo«, den uralten Satz nach (der allerdings gar nichts mit den Aposteln zu tun hat, sondern mit den Machtpolitikern der Frühzeit): »Ich glaube an die eine, heilige, katholische und apostolische Kirche.« Kapierten die Gläubigen, was sie plappern, müßte ihnen der Satz im Mund steckenbleiben. Denn kein einziges schmückendes Beiwort ist wahr: Die Kirche, für die sie sich vollmundig stark machen, ist weder die »eine« (sondern eine von vielen) noch die »apostolische« (sondern eine selbstgegründete), noch eine »katholische« (sondern aufs Weltganze gesehen zunehmend eine Minderheit). Vor allem ist sie keine pauschal »heilige« Kirche. Wer »progressiv« argumentiert, von einer »Kirche der Zukunft« spricht, die schließlich einmal heilig sein

werde und zumindest reformiert, hat nichts dazugelernt. Er handhabt eine verdächtig unhistorische Methode. Er ist schnell bereit, seiner Utopie zweitausend Jahre Kirchengeschichte zu opfern. Er gibt offen oder insgeheim zu, daß bisher so gut wie alles falsch lief. Er blickt, radikal und voller Weltveränderungswillen, in die große Zukunft einer an Haupt und Gliedern erneuerten Kirche, als stünde die Wende unmittelbar bevor.[11] Doch das Gegenteil ist wirklich und wahr.

Weil mancher Oberhirte partout nicht länger Exzellenz sein will, sondern »Vater Bischof«, weil Pfarrer jetzt Krawatten und mausgraue statt rabenschwarze Pullis tragen, die Nonnen kürzere Röcke, weil Galilei nun schon vor Jahren rehabilitiert und so mancher hilfreiche Heilige – nur weil er nie lebte – aus dem Kalender gestrichen wurde, weil so vieles doch »aufbrach«, sich zur Welt hin »öffnete«, zum »Dialog«, weil Theologen evidenter denn je am »Wir-auch«-Syndrom leiden, einmal den Sozialismus preisen und neuerdings wieder nicht: Das alles mag manche glauben lassen, der Katholizismus sei liberal, seine Theologie fortschrittlich geworden. Ob das aber reicht, um vor dem Hintergrund von zweitausend Jahren Kriminalgeschichte an eine neuerdings »heilige Kirche« glauben zu können? Ob die Bischöfe und ihre Theologieprofessoren je daran glaubten?

Der Krieg von Christen gegen Christen, von Oberhirten gegen Oberhirten war keine Ausnahme der Kirchengeschichte, sondern die Regel. Päpste kämpften jahrhundertelang gegen ihre Konkurrenten (»Gegen-Päpste«) und Bischöfe gegen Bischöfe oder auch gegen Klöster, ja, Mönche gegen ihre Äbte. Keiner schont den andern. Du sollst nicht töten? Päpste erschienen bald mit Helm, Panzer und Schwert auf der Weltbühne. Sie hatten eigene Heere, ihre eigene Marine. Um Schlösser, Grafschaften, Grundbesitz führten sie Krieg. Ganze Herzogtümer wurden von den »Nachfolgern des hl. Petrus« geraubt. Überall warben sie Söldner und schlachteten ihre Gegner ab.

Die Mutter eines unter Sixtus IV. im 15. Jahrhundert Hingerichteten schreit auf der Straße, den abgehauenen Kopf bei den Haaren fassend: »Das ist das Haupt meines Sohnes, das ist die Treue des

Papstes. Er versprach, wenn wir ihm Marino überließen, gäbe er meinen Sohn frei. Nun hat er Marino; in unseren Händen ist auch mein Sohn, aber tot! Seht, so hält ein Papst sein Wort!«[12]

Päpste kennen, wie ich nachweisen werde, bis in unser Jahrhundert hinein kein Erbarmen; noch 1870 läßt Pius IX., damals Herr eines eigenen Staatswesens, Menschen hinrichten. Als Gregor XVI. 1846 stirbt, hinterläßt er nicht nur Dutzende von Todesurteilen, sondern auch 2000 politische Gefangene.[13] Nichts Neues. Seine Nachfolge sucht ein Hirte zu erlangen, der dem römischen Volk zwar verspricht, es werde unter ihm besser leben als zuvor, doch müsse es damit rechnen, daß er – zur Züchtigung – neue Hochgerichte und Galgen errichten werde.[14]

Tradition? Über Paul IV. (†1559) sagt der gewiß nicht zimperliche Herzog Alba, selbst als grausamer Unterdrücker berüchtigt, er habe sich noch vor keinem menschlichen Gesicht so gefürchtet wie vor dem dieses Papstes.[15] Unter Gregor XIII. (†1585) ruft ein aufgegriffener Bandit, dem päpstliche Amnestie versprochen wird, er wolle lieber Räuber bleiben, denn dies Leben sei sicherer als das unter der Herrschaft eines Papstes.[16] Als Nachfolger Sixtus V. aus Anlaß seiner Thronbesteigung um Gnadenerweise gebeten wird, entgegnet er: »Solange ich lebe, stirbt jeder Verbrecher.«[17] Über Urban VIII. (†1644) berichten die Quellen, der Pontifex habe inmitten eines von ihm angezettelten Landnahme-Krieges, »mitten in der Feuersbrunst katholischer Kirchen und Klöster« ausgeharrt wie ein eiskalter Block.[18] Und während der schwedische König viel Eifer für die Sache der Protestanten gezeigt habe, sei dem Papst der »allein selig machende katholische Glaube« völlig gleichgültig gewesen.[19]

Urban VIII. interessierte sich für den Zugewinn an Grund und Boden, nicht für den Gewinn an Glauben. Sein Schreibtisch war übersät mit Plänen von Kanonen und Festungswerken; in Tivoli errichtete er eine Gewehrfabrik, die Räume der vatikanischen Bibliothek dienten ihm als Waffenlager.[20] Der den Hirten beschäftigende Kleinkrieg im Kirchenstaat kostete die Herde im übrigen zwölf Millionen Dukaten, angesichts der päpstlichen Einnahmen zu jener Zeit eine horrende Summe.[21] Kein Wunder, daß unter solchen Umständen ein junger Adeliger, der mit Degen und Pistole nach Rom gekommen war, um Soldat zu werden, sich bekehrte, eine Hirtenkarriere auf sich nahm – und als Papst Innozenz XI. endete.[22] Verständlich auch, daß dieser Papst, 1689 gestorben, noch 1956 von Pius XII. unter die Seligen dieser Kirche aufgenommen wurde.

Pius V. (†1552) wurde 1712 sogar heiliggesprochen, ein Papst, dessen Unbeherrschtheit sprichwörtlich war. Der Heilige sprach, kaum wurde ihm widersprochen, in den unflätigsten Ausdrücken. Die von seinen Tribunalen gefällten Urteile waren ihm meist zu mild. Es war ihm nicht genug, daß die Inquisition die jüngeren Vergehen bestrafte; die zehn und zwanzig Jahre zurückliegenden mußten neu erforscht und abgeurteilt werden.[23] Fand sich ein Ort im Kirchenstaat, wo unterdurchschnittlich wenige Strafen verhängt wurden, beschimpfte er die »unreinen« Behörden und verlangte Nachbesserung. Aufgrund seiner Anordnung mußte ein Arzt, der einen Kranken länger als drei Tage besuchte, die Behandlung einstellen – falls der bettlägerige Patient nicht nachweisen konnte, daß er mittlerweile wieder gebeichtet hatte.[24] Eine weitere Anweisung des frommen Kirchenfürsten an seine Vollzugsorgane: »Ein gemeiner Mann, der seine Geldstrafe nicht bezahlen kann, soll beim erstenmal mit auf den Rücken gefesselten Händen einen Tag lang vor der Kirchentür stehen, beim zweitenmal durch die Stadt gegeißelt werden, beim drittenmal wird man ihm die Zunge durchbohren und ihn auf die Galeeren schicken.«[25] Die blutrünstigen Maßnahmen des Herzogs Alba fanden die volle Zustimmung des Heiligen; der Papst schickte dem Schlächter dafür einen geweihten Hut und einen Degen.[26] Denn, so die streitlustige Hirtendoktrin, wer ohne Waffen verhandle, müsse sich alles diktieren lassen, wer aber mit Waffen dazwischenfahre, schreibe alles vor.

Papst Leo IX., der unter anderem Ehefrauen und Konkubinen von Priestern zu »Kirchensklavinnen« deklarierte (was dem Kirchenfürstentum über Jahrhunderte billige Arbeitskräfte sicherte), ignorierte 1053 die Friedensbestrebungen der Reformer von Cluny, ignorierte sein eigenes Wehrverbot für Kleriker, ignorierte Treueid und Lehensdienst, den ihm die getauften Normannen versprachen, und bekriegte sie.[27] Dabei verwandte er den Begriff des »heiligen Krieges«, eine der folgenreichsten und verhängnisvollsten Entscheidungen des Papsttums, die nicht zuletzt das Elend des Kreuzzugsjahrhunderts einleitet. Leo IX., einer der fünf »heiligen« Päpste der letzten tausend Jahre, erklärte seine Soldaten zu Märtyrern und Heiligen; ein Beispiel, das bald zum Mißbrauch des Begriffs »heilig« führte. Vierzig Jahre später waren die Kreuzzüge, allesamt heilige Kriege, geboren, die mit wechselnden Namen und Zielen die folgenden neunhundert Jahre überdauern sollten.

Bischöfe und Äbte hielten sich, das Vorbild der Päpste vor Augen, in ihren eigenen Territorien nicht zurück. Sie waren jahrhundertelang die Söhne, Brüder, Vettern des weltlichen Adels, waren so machtgierig und habsüchtig wie dieser, auch gewiß nicht weniger verhaßt. Das bezeugen die Bischofs- und Abtsmorde im Mittelalter, die Pfaffenkriege und Pfaffenjagden sowie unzählige literarische Dokumente.

In Katechismen und Büchern der Kirchengeschichte ist von solchen Dingen auffallend wenig zu lesen. Der alte oberhirtliche Grundsatz des »quieta non movere« (Nur nicht in Bewegung versetzen, was beruhigt ist!) behauptet sich. Man will sich die Hände nicht schmutzig machen – und muß es dennoch tun. Denn die Fakten schweigen nicht mehr, halten sich nicht »beruhigt«. Wer meint, das fünfte Gottesgebot habe jemals uneingeschränkt auch für Hirten gegolten, irrt. Die Devise lautete: Du sollst Gottes Feinde töten, wo immer du auf sie triffst! Und du sollst zuerst definieren, wen du für Gottes Feind hältst! Und du sollst am tunlichsten deine eigenen Feinde als die der Kirche – und Gottes – ausgeben! Denn das verschafft dir freie Hand. Niemand vor Stalin und Hitler hat in Europa das menschliche Leben so unentwegt aufs äußerste verachtet, in den Staub getreten, ja, diese Vernichtung als »gottgewollt« verkündet wie die Fürsten der Kirche.

Der englische Bischof Joseph Hall sagte im 17. Jahrhundert: »Man ist seines Lebens dort sicherer, wo es gar keinen Glauben gibt, als dort, wo alles zur Sache des Glaubens gemacht wird.«[28] Der Oberhirte hatte recht. Daß die Kleriker, um der Verteidigung der eigenen Werte willen, in bestimmten Abständen von der »erzieherischen« oder »ausgleichenden« Funktion eines handfesten Krieges sprechen, der sich gegen das Reich des Bösen richtet, verwundert nicht. Offen-

sichtlich können Kirchenfürsten, um ihres lieben Friedens willen, nicht auf den »Verteidigungsfall« verzichten. Was nach menschlicher Erfahrung an dessen Ende steht – der Tod von Millionen –, zählt gering im Vergleich zu der Aussicht, durch »Umverteilung« alte Werte zu sichern und neue Güter zu ergattern. Daß Päpste und Bischöfe Kriegsgewinnler hohen Grades sind, muß nicht erst nachgewiesen werden: Nicht nur daß Gewinne durch »Landnahme« ihren heutigen Besitz ausmachen – kurz nach dem jeweiligen Friedensschluß ist auch das Hirtenwort gefragt, das außerhalb der eigenen Reihen nach Schuldigen sucht und nach innen Schuldlosigkeit (römisch-katholisch) oder Vergebung (evangelisch) verspricht.
Allerdings ist diese Einsicht noch lange kein Allgemeingut. Hirten und Herden verschließen sich ihr – freilich nicht aus Scham über die Untaten der eigenen Organisation. Im Gegenteil. Sie schämen sich nicht, sie leugnen und verdrängen schamlos, was sie wissen oder wissen müßten. Wie lange wird es dauern, bis es als Schande gilt, sich zum Kirchenfürstentum zu bekennen? Wie lange wird es noch als humaner gelten, die Millionen Toten, die auf dem Gewissen der Hirten lasten, zu ignorieren, als sie zu nennen und zu ehren? Was muß denn noch passieren, bis auch der letzte Christ sich dafür entscheidet, die Geschichte des Grauens abzubrechen, um ein freier Mensch zu werden?
Sind die Gotteslämmer heute schon fähig, freie Menschen zu werden? Oder begnügen sie sich noch immer damit, sich unter den Stab eines sogenannten Hirten zu ducken? Papst Julius III. antwortete im 16. Jahrhundert auf die mitleidige Frage eines Mönches, ob er denn nicht unter der (geistlichen) Herrschaft über die ganze Welt zusammenbräche: »Ach, wenn Ihr wüßtet, mit wie wenig Verstand die Welt regiert wird, würdet Ihr Euch wundern.«[29] Vielleicht sprach er das wahre Wort vor allem in Hinsicht auf seine eigene Herde.
»Quieta non movere« – alles so lassen, wie friedhofsruhig es auch liegt? Den Rat eines Prälaten beherzigen und statt aufklärender Sachbücher lieber Betrachtungs- und Gebetbücher schreiben? Damit gutes Geld verdienen, ohne viel Neues zu sagen und viel forschen zu müssen? Oder sich der Wirklichkeit stellen? Ein Bischof sah Gegenwart und Zukunft seiner Kirche schon vor Jahren: »Wenn man dem

kommenden Geschlechte von Erbschuld, Sünde, Erlösung und Buße sprechen wird, wird ihm der Sinn dieser Begriffe und Worte nicht mehr verständlich sein. Langsam werden die alten Dome in Museen verwandelt und, wenn Religionsdiener noch über die Straßen gehen, wird die Jugend fragen, welchen Anteil sie am produktiven Leben des Volkes haben... Dann wird sich eine Armee von Antichristen aus allen Ländern in Rom versammeln, um auch das letzte Sinnbild einer vergangenen religiösen Epoche der abendländischen Menschheit, St. Peter, zu stürmen. Es soll das größte archäologische Museum und der Friedhof der christlichen Geschichte Europas werden.«[30]

Soweit sind wir noch nicht. Noch geben sich Oberhirten als Retter eines Kontinents und nicht als Erben einer unseligen Vergangenheit, die diesen Kontinent wie keine andere Weltanschauungsgemeinschaft verwüstete. Noch spricht der amtierende Papst – wie im August 1991 in Tschenstochau – von der Soziallehre seiner Organisation als einem Programm beim Bau der »Zivilisation der Liebe«, noch will er die Jugend Europas im »historischen Kampf zwischen Gut und Böse« auf die traditionellen christlichen Werte verpflichten, noch bietet er seine »Neue Evangelisation« als Ideologieersatz an.[31] Noch können die harmlos Blinden selig gepriesen werden, denen kein Hirte die Augen öffnet. Noch sind jene glücklich, denen die eigene Kirche eine Terra incognita bleibt. Denn noch werden sie nichts vom Frieden ihrer kleinen, lieben Seelen verlieren.

Warum wären viele auch mal ganz gern Papst geworden? Oder: Mit Lug und Trug ins Gottesreich

> »Die Römer sind ungestüm im Verlangen und undankbar, wenn sie etwas erhalten haben. Ihre Rede ist groß, ihre Taten sind klein. Sie versprechen alles und halten nichts, süße Schmeichler und beißende Verleumder, arglistige Heuchler und nichtswürdige Verräter.«
>
> *Bernhard von Clairvaux*
> *Heiliger, Kirchenlehrer*

Wer im Fernsehen sieht, wie prunkvoll Papst und Bischöfe sich mal wieder herausgeputzt haben, um einen relativ normalen »Gottesdienst« zu feiern, mag sich sagen: Die haben es – zumindest finanziell – geschafft. Da reihen sich Edelsteine auf den Roben, da glänzt Gold auf der Brust, da wird an keiner Stelle gespart. Alles ist vom Feinsten. Dasselbe gilt von den Palästen, in denen die Oberhirten residieren. Weder die Residenzen in den Bischofsstädten noch der Papstpalast im Vatikan zeugen von biblischer Bescheidenheit. Bei soviel Machtgehabe wirkt es fast schon selbstverständlich, daß sich Herren, die in solchen Häusern wohnen, entsprechend titulieren lassen: »Exzellenz«, »Eminenz«, »Heiligkeit«. Oberhirte J. Meisner gibt, um ein Beispiel apostolischer Denkweise in der Nachfolge Christi zu nennen, in einem deutschen Who's who[1] noch 1986 allen Ernstes als biographisches Detail nicht seine Erhebung zum Kardinal an, sondern formuliert nach Kirchenfürstenmanier: »1983 Kardinalspurpur«.

Es geht mir nicht um jene kirchliche Ehrsucht, die die Moraltheologie gar nicht nennt: Titel, Farben, Orden haben ihre Funktion in der Kirchenorganisation. Zwar hatte Jesus aus Nazareth einmal gemeint, kein Mensch solle einen anderen auf Erden mit Titeln wie »Vater« oder »Meister« belegen. Doch blieb dieses Wort – wie die meisten Anweisungen Jesu – im kirchenfürstlichen Alltag völlig ohne Wirkung. Wohin wir schauen, tragen Hirten ihre mehr oder minder pompösen Titel. Sie sind Stadtpfarrer, Prälaten, Oberkirchenräte, Geistliche Räte, Monsignori, Domkapitulare, General-

vikare, Militärdekane. An jedem Ort oder in allen Fernsehprogrammen kann man sie sich ansehen, die farblich stark Unterschiedenen, die mit den schwarzen Westen und den weißen Kragen, die mit den lilafarbenen Knöpfen, die mit den roten, die mit den purpurnen Hütchen, den mit dem weißen Käppchen. Bischöfe und Päpste schämen sich noch heute nicht, Wappen und Wahlsprüche nach Fürstenart zu führen oder bei Unterschriften ein Kreuzchen vor den eigenen Namen zu machen, als habe das Kreuz Jesu auch nur das geringste mit diesem Angeber-Schnickschnack zu tun.
Woher sie das Recht nehmen, sich so evangeliumsgemäß zu benehmen? Nichts gegen eine elitäre Kleidung. Nichts gegen den Putz eines Kardinals: rote Socken, purpurne Kappe, Schuhe mit Silberschnallen, Samt und Seide. Kommen bei Staatsakten viele wichtige Leute zusammen, leuchtet das Kardinalskäppchen schon von weitem aus der demokratisch grauschwarzen Menge. Das schmückt die Einladenden ungemein. Im übrigen steht es jedermann frei, sich so anzuziehen, wie es ihm seine Heilige Schrift vorschreibt.
Woher sie das Geld nehmen, sich so bunt zu schmücken? Wenn jemand meint, er bezahle mit seiner Kirchensteuer oder Spende auch den eigenen Bischof, und der Konfessionslose tue das nicht, irrt er. Auch aus der Kirche Ausgetretene tragen zum Unterhalt der Prälaten bei. Die Rechtsgrundlagen für solche bundesdeutschen Spezialitäten sind alte Verträge zwischen Staat und Kirche. 1817 wurde – um ein Beispiel zu nennen – eine Übereinkunft zwischen Papst Pius VII. und Maximilian I. Joseph, König von Bayern, geschlossen, die in ihrem Artikel IV die Einkünfte »für baierische Erzbischöfe, Bischöfe, Pröbste, Dechanten, Canoniker, Vicare« der Erzdiözesen München und Bamberg sowie der Diözesen Augsburg, Würzburg, Regensburg, Passau, Eichstätt und Speyer festlegte.[2]
Das Konkordat Bayerns mit dem Hl. Stuhl von 1924 übernahm diese Bestimmungen ausdrücklich. Das Bundesland zahlte denn auch 1986 an Jahresrenten für die bayrischen Erzbischöfe und Bischöfe 900000 DM, an Gehaltszulagen für Weihbischöfe 180000 DM, an Jahresrenten für Domkapitulare 8,95 Millionen DM – und zur »Ergänzung des Einkommens je eines hauptamtlichen Mesners an den Domkirchen« nochmals 200000 DM.[3]

Auch wenn Bischöfe in den letzten Jahren die schlimmsten Auswüchse beseitigten, weil die Schleppe der Kardinalsgewänder nicht mehr meterlang auf dem Kirchenboden hinterherschleift und kein Hermelinbesatz mehr das Prachtgewand des Hirten ziert, bleibt noch genug. Hirten können und wollen es sich leisten, denn noch stehen die Bewunderer bereit. Die Herde wurde zwar wesentlich kleiner, aber sie ist noch willig, Pomp und Prunk für gottgefällig zu halten. So denken brave Schafe: Statt sich darüber zu informieren, aus welch dunkler Zeit der Flitter ihrer Hirten stammt, interpretieren sie ihn als eine zeitlose Geste gegen Gott.
Ähnlich zeitlos soll wohl auch die Tatsache wirken, daß einzelne Bistümer und der Vatikan über Milliarden an Geld und Gut verfügen. Woher kommen diese Schätze? Wie Rom nicht an einem Tag erbaut wurde, sammelte auch der Vatikan, eine der gewaltigsten Finanzmaschinerien der Erde und ein wichtiges Rädchen im kapitalistischen System, seinen immensen Reichtum nicht über Nacht an. Die Einzelheiten werden uns noch beschäftigen. Hier ist, zur Einführung in das kirchenfürstliche Denken, nur der Hinweis auf den in den siebziger Jahren ausgeheckten Plan vatikanischer Oberhirten nötig, die Republik Italien »um 2,2 Milliarden Dollar Mineralölsteuer zu betrügen«[4]. Daß es sich dabei nicht um den einzigen, nicht um den ersten und wohl auch nicht um den letzten Versuch von Bischöfen handelt, sich betrügerischer Machenschaften zu bedienen, um das Wohl der eigenen Organisation zu fördern, ist jedem bekannt, der sich mit vatikanischen Verhältnissen vertraut machte.
Sehr viele Menschen verschließen ihre Augen vor dem, was offenliegt. Sie sind unfrei, und sie möchten sich diese Unfreiheit bewahren. Sie lieben ihre Blindheit wie einen Schatz. Sie wollen einfach nicht sehen. Sie weigern sich zu glauben, daß der Papst und seine Bischöfe nur wenig mit dem Himmel, aber sehr viel mit der Welt zu schaffen haben. Die Menschen, von ihren Hirten aus gutem Grund »Gläubige« geheißen, durften nie lernen, daß alles auch anders sein könnte, als ihr Katechismus es ihnen vorgaukelt.
Mitschuldig an diesem Zustand der Unmündigkeit sind jene würdelosen Enkel Voltaires, die mit tausend Kameras hinter dem Wojtyla-Papst herrennen, um ein bißchen religiöse Exotik, ein wenig katho-

lische Abwechslung zum angeblich »trostlosen Frust des Unglaubens«[5] aufzutun. Sie sind in der Regel nicht im geringsten am Thema interessiert. Sie tun ihren Job, sie bringen ihren Arbeitgebern Einschaltquoten und Auflagen und damit Geld, indem sie für das gelangweilte Publikum eine Scheinwelt inszenieren.

Dabei ist die Wirklichkeit verhältnismäßig leicht zu durchschauen, und die Hirten begriffen denn auch sehr schnell, was zu tun ist, wenn Geld und Macht auf dem Spiel stehen: Mit der relativ einfachen Tatsache, daß niemand weiß, ob es ein Leben im Jenseits gibt oder nicht, ließen sich im Lauf der Geschichte das meiste Geld machen und der größte Einfluß gewinnen. Der richtige Betrieb einer Religion bringt nicht nur sehr viel Macht über andere, sondern auch sehr viel Geld ein. Richtige Bischöfe und Prälaten müssen sich Tag für Tag um genau dieses Geld kümmern. Die Quellen dürfen nicht versiegen. Daher müssen Oberhirten immer wieder von ihren eigentlichen Aufgaben sprechen, vom »geistlichen Dienst« beispielsweise, weil diese Rede zum einen die wahre Lage verschleiert und zum anderen die traditionellen Möglichkeiten offenhält, an Geld und Macht zu kommen.

Ich möchte die Köpfe und die Herzen der Lesenden von diesem Ballast befreien. Die Menschen, vor allem die noch »Gläubigen«, sollen verlernen, vom Pompösen, Bedeutenden, Gewaltigen fasziniert zu sein.[6] Sie sollen lernen, bischöfliche und päpstliche Worte, gerade sie, auf die wahren Gehalte und Intentionen hin zu durchschauen. Um dieses Ziel zu erreichen, müssen sie die glaubenstypischen Ängste ablegen, beispielsweise die Angst vor dem Alleinsein des Schafs, die Angst vor dem Ausbleiben der sogenannten Hirtensorge, die Angst vor dem Leerwerden, vor dem Liebesentzug.

Von frühester Jugend an gibt es im Leben des typischen Gläubigen die belehrenden Zeigefinger, die auf allerlei Bedeutendes, Gewaltiges, Großes hinweisen – und stets dasselbe meinen: die Repräsentanten einer Religion (Gott, Papst, Bischof), ihre Erscheinung, ihre Worte. Nach ein paar Jahren Erziehung ist der Mensch dann zum Gotteslamm abgerichtet. Er kennt die Kategorien der Bedeutsamkeit wie das Vaterunser. Er weiß, daß ein Bischof mehr zu sagen hat als ein Busfahrer, ein Papst faszinierender wirkt als ein Pizzabäcker, ein

Kleriker wichtiger ist als ein Laie. Auch wenn er, beispielsweise als Politiker, später seinen Kinderglauben aufgibt und sich nicht mehr um die dogmatischen Details des Religionsunterrichts kümmert, bleibt ihm diese Erinnerung. Er wird im Zweifelsfall immer davon ausgehen, daß Oberhirten wichtigere und auch bessere Bürger sind. Er wird sich hüten, bei Bischöfen unangenehm aufzufallen. Er wird viel daransetzen, gute Noten bei jenen zu erreichen, von denen er früher einmal hörte, sie seien als besonders moralische Instanzen einzustufen.
Ich begegne häufig solch autoritär geprägten Menschen und wundere mich schon lange nicht mehr, daß nur sehr wenige die frühen Prägungen ablegen und zur Wirklichkeit übergehen konnten. Offensichtlich sitzen die Traumata sehr tief. Vom zartesten Kindesalter an wird ja der Christ bewußt zum Schaf gemacht: Er soll lernen, zum Hirten aufzublicken, der die einzig richtige Meinung und den sichersten Schutz verspricht. Er soll sich wohl fühlen nur in jener Herde, die sich aus ähnlich zugerichteten Schafsmenschen zusammensetzt und die geleitet ist von selbsternannten, besserwisserischen Hirtenmenschen. Was er nie lernen darf? Eine solche Klassengesellschaft zu durchschauen, zu leugnen und zu verlassen, um endlich auf eigenen Füßen zu stehen.
Dazu eine kleine Geschichte. In einer süddeutschen Kleinstadt mußten noch vor einigen Jahren die jungen Priesteramtskandidaten in voller Montur vom Priesterseminar zum Bischofsdom ziehen, zwei und zwei, um eine klerikale Kulisse für das Festhochamt des Hochwürdigsten Herrn Diözesanbischofs abzugeben.
Volle Montur? Langer Talar, weißes Chorhemd, auf dem Kopf eine Art schwarze Mütze mit vier Zacken, das »Birett« (wer will, kann sich diese Kleidung noch immer besehen, wenn Kleriker sich fürs Volk feinmachen und Festgewänder anlegen). Niemand lachte seinerzeit über diese Männer. Die Organisation, der sie angehörten, hieß sie eben, eine unter Weltleuten den Frauen reservierte Kleidung zu tragen, Röcke und so fort. Die Chorhemden wiesen damals neckische Spitzen auf. Heute wirken sie schlichter und modernstem liturgischem Design angepaßt. Die Kirchenfürsten gehen mit der Zeit, ja, sie »reformieren« bisweilen en détail, wo's nicht weh tut.

Aber grundsätzlich hebt gerade die Mode den Hirten sorgsam von den Schafen ab, weil Kleider auch geistliche Leute machen.
Niemand sollte lachen, wenn die Jungkleriker sonn- und feiertags in den Dom zogen. Da der Herr »Regens« (in Violett, er war schließlich ein aufgestiegener Pfarrer, der das subalterne Schwarz hinter sich gelassen hatte) gravitätisch hinter den Seminaristen dreinwandelte, war äußerste Zurückhaltung geboten. So schwiegen die jungen Herren lieber, und selbst jene, denen die Doktrin schon nichts mehr anhaben konnte, verhielten sich angepaßt. Die Frommen, die vom Straßenrand aus das hehre Schauspiel mitverfolgten, schwiegen ebenfalls. Ich denke mit Luther, sie schmatzten vor Andacht und Erbauung.
Nur einem Kind gelang es eines Sonntags, das Alibispiel zu entlarven. Es rief, ein kleiner, zweifelnder Ketzer, seiner Mama zu: »Guck mal, so viele Friseure!« Und von Stund an war es mit der Ehrfurcht vor den weißen Spitzen-Rochetten vorbei. Keiner von denen, die als Hochwürdige Herren angesprochen wurden, konnte die Erinnerung an das Kind und seine schlagartige Enthüllung einer bestimmten Hirtenmode und deren Ideologie vergessen. Die geistlichen Gewänder, in die Männer der Kirche sich so gern hüllen, als hätten sie etwas zu verhüllen, blieben Friseurkittel. Auch wenn die Junghirten weiterhin in den Dom zogen, um ihre Eignung für Repräsentationszwecke zu beweisen.
Des Kaisers neue Kleider ...
Leider sind nicht alle Geschichten, die sich um das Kirchenfürstentum und sein Personal ranken, ähnlich harmlos. Ganz dunkel wird es, wenn es sich um die höheren Chargen handelt. Je höher ein Mann in der Kirchenorganisation steht, desto gefährdeter ist er von Machtmißbrauch – und desto eher scheint er bereit, zu seinen Gunsten zu handeln. Die Kirchengeschichte bietet Tausende von Beispielen und Zeugen, die diese Meinung stützen. Kein Jahrhundert, auch nicht das unsere, nimmt sich von der Zeugenschaft aus.
Es ist unter diesen Umständen nicht schwierig aufzuzeigen, wie sündig und unmoralisch das Kirchenfürstentum ist. Sündige Kirche? Der Sündenbegriff der Oberhirten ist überholt; er orientiert sich an einer statischen Weltsicht.[7] Als sittliches Übel oder als

»Unordnung« wird alles angesehen, was die bisherige Ordnung stören könnte. Der Mut zum freien Weiterdenken, der Mut zum Wagnis, der Wille zur Häresie werden negativ beurteilt. Autorität und Ausübung von Autorität, Tradition, »Väterreihe« und Gesetzesnorm werden als gut gedeutet. Jeder Ungehorsam gegenüber diesen »moralischen Instanzen« gilt als sittliche Unordnung, als »Sünde«. Was das Individuum betrifft, so wird Prinzipientreue über alles gesetzt, werden Bereitschaft zum Wandel, zur Überprüfung der überkommenen Überzeugungen von vornherein abgewertet.

Hinter diesen Moralbegriffen verbirgt sich ein Verhängnis der überholten Welt. Sie sind wesentlich mitschuldig am Verderben der Erde, an der sogenannten »Sündhaftigkeit« von Millionen Menschen. Selbstgenügsamkeit, statische und legalistische Kasuistik, Hängen an Gesetzespünktchen und Traditiönchen machen zwar in den eigenen Augen »gerecht«, auch »heilig«, doch sind sie – blind gegenüber den Zeichen der Zeit, dem Wandel der Menschen zum Besseren – in dieser Selbstgerechtigkeit auch tödlich gefangen. Hoffnung geht von ihnen nicht aus. Nicht von ungefähr verlassen Menschen in Scharen den einstigen Pferch.

Wer Kirchenfürsten über die schwindende Akzeptanz ihres Unternehmens klagen hört, weiß, was er davon zu halten hat: Klagen müßten die Fürsten nicht über die endlich zum Denken gekommenen Menschen, sondern über sich und ihresgleichen. Klagen müßten sie über ihre eigenen Ämter, Kanzeln und Heiligen Stühle, klagen auch über die Methoden, mit denen ihre Vorgänger (und sie selbst?) an die Macht gelangten. Klagen über Lug und Trug als den Fundamenten, auf denen ein Gottesreich nach eigenem Gusto errichtet werden konnte. In solchen Klagen bewiesen sie moralisches Bewußtsein. Aber die Hoffnung auf Moral ist vergeblich. Kirchenfürsten bleiben, was sie sind: Blinde und Führer von Blinden (Mt 15, 14).

Allerdings nennen sie sich niemals so treffend. Sie dachten sich einträglichere Titel aus und kämpften um diese gegeneinander bis aufs Blut. Titel, aus denen sich mehr Profit machen ließ als aus dem einzig wahren, dem der »Führer von Blinden«. Sie heißen sich daher als Päpste unter anderem »Diener der Diener Gottes« und als Bischöfe »Nachfolger der Apostel«. Hinter diesen Berufsbezeichnungen verbergen sich, wie sich aus der Geschichte des päpstlichen und des bischöflichen Amtes nachweisen läßt, Karrierekämpfe, Betrügereien, Morde.

Der Name »Papst« und die Anrede »Eure Heiligkeit« sind zwar üblich, doch sagen sie nichts über die innerkirchlich-hierarchische oder die politische Stellung des Papstes aus. Diese kommt in der offiziellen Titulatur des Souveräns zum Ausdruck: »Bischof von Rom, Statthalter Jesu Christi, Nachfolger des Apostelfürsten, Summus Pontifex der gesamten Kirche, Patriarch des Abendlandes, Primas von Italien, Erzbischof und Metropolit der römischen Kirchenprovinz, Souverän des Staates der Vatikanstadt, Diener der Diener Gottes«[8]. Diese Titulatur enthält ältere und neuere Bestandteile: Sehr alt ist die Bezeichnung »römischer Bischof«, sehr jung (von 1929) die des »Souveräns des Staates der Vatikanstadt«. Der Titel »Statthalter (Stellvertreter) Jesu Christi« verdrängte erst im 12. Jahrhundert, als er endlich durchsetzbar erschien, die bis dahin gebräuchliche Bezeichung »Statthalter des Petrus«. Unbestritten oder gar biblisch, jesuanisch ist kein einziger Papst-Titel.

Der regierende Papst Johannes Paul II. verzichtete zwar auf den Gebrauch einiger der vatikanischen Hoheitstitel von einst, nicht jedoch auf ihren Anspruch. So gebraucht er den früheren »Majestätsplural« nicht mehr. Karol Wojtyla spricht, wie andere Menschen auch, inzwischen wieder im Singular. Er sagt nicht mehr »Wir«, wenn er von sich spricht, sondern »Ich«. Er versucht damit, nicht nur der Vertreter einer sich als unnahbar interpretierenden Institution zu sein, sondern Mensch unter Menschen zu werden. Und doch ist da ein Haken: Der katholische Journalist D. A. Seeber stellte fest, daß »bei einer so fordernden Sprache wie der Johannes Pauls II. das ›Ich‹ trotz liebenswürdiger Verbindlichkeit noch sehr viel autoritätsvoller erscheint als das distanzierte ›Wir‹«[9].

Diese Wirkung ist in einem nach wie vor sakral motivierten Sprachgestus begründet, der sich weder vom Amt des Sprechers noch von der Person des Amtsinhabers ablösen läßt. Das Kirchenfürstentum weiß, warum sein höchster Repräsentant so und nicht anders spricht: Ein Papst soll von Amts wegen die Wahrheit und nichts als die Wahrheit bezeugen und die entsprechenden moralischen Forderungen stellen. Diesem Anspruch gegenüber verbietet sich das bloße Plaudern von selbst. Die Päpste Johannes XXIII. und Johannes Paul I. waren auch von daher gesehen nicht die vorbildlichsten Päpste. Wojtyla rückt von diesen Vorgängern ab, wenn er sich als Lehrer der Wahrheit ausgibt, der sich kein Abweichen auf Nebensächliches erlaubt.

Ein Lehrer der Menschheit muß streng sein. Er kann sich zwar hin und wieder verbindlich geben, doch wird er in seinen wesentlichen Forderungen unnachgiebig bleiben. Damit den Gestrengen freilich überhaupt noch jemand hören will, muß der Papst sein Amt als »Dienst« ausgeben. Nicht nur die Bezeichnung »Diener der Diener Gottes«, die Gregor I. im 6. Jahrhundert als Kampftitel gegen den Patriarchen von Konstantinopel einführte[10], weist in diese Richtung, sondern auch die neueste Entwicklung der Lehre vom Papstamt. Neuerdings ist ja auf allen oberhirtlichen Kanälen vom »Dienst« zu hören, den die Herren den Menschen leisten. Kein Sterbenswörtchen mehr von Machtausübung und von Gewalt, von Ausbeutung der Menschen durch Religionsväter. Nein, inzwischen wollen die Hirten nur noch dienen. Ihre Worte sind Dienstworte, ihre Lehren Heilslehren, ihre Taten Diensthandlungen an der leidenden Menschheit. Den Bocksfuß ihrer Dienste, die nach wie vor uneingeschränkte Macht über die »Laien«-Gläubigen, die sich Tag für Tag erneuert, verstecken sie schamhaft. Da sich nichts an dieser Gewaltausübung ändert, bleibt die Rede vom »Dienst« ein Etikettenschwindel, bloße Augenwischerei.

Das grundlegende Kirchenrecht, ein reines Papstrecht, ist unverändert machtzentriert, Ausdruck eines absolutistischen Denkens und Handelns. Mögen sie noch so viele Fensterreden halten, immer noch geht es den Hirten, dem Papst zuerst, um Macht, Einfluß und Geld. Da dieses Streben nicht mehr so unverhüllt propagiert werden kann wie in früheren Zeiten der Papstgeschichte, muß der Mantel des Liebesdienstes alles zudecken, verschleiern, verhüllen. Auch Kirchenfürsten können dazulernen.

Das vatikanische Monopol ist nicht unerfahren. Zumindest weiß es, wie es überleben konnte. Es liefert eine untadelig erscheinende

Weltorientierung, ein System von angeblich sinnvollen Aussagen. Daß es immer häufiger gezwungen ist, aus barem Unsinn Tiefsinn zu machen, fällt seinem Stammpublikum nicht auf. Richtige Gläubige haben nichts Richtiges gelernt, es sei denn zu gehorchen. Daher übernehmen sie lammfromm die oberhirtlichen Handlungsanweisungen und wissen künftig, was sie zu tun und zu lassen haben. Gerade jener Naiv-Katholizismus, der der Beobachter-Intelligenz platt erscheint, ist goldrichtig; er läßt sich in wenigen Sätzen mitteilen, zum Nachbeten befehlen.

Ayatollah Khomeini hinterließ tiefere Spuren im Vatikan als im Iran. Wenn vor den Augen der ganzen Welt bewiesen wird, daß fundamentalistische Vorgaben Massenwirkungen haben, bleibt kein Kirchenfürst unbeeindruckt. Und die Herren im Vatikan machen sich ihre Gedanken: Zum einen verfügt unser Reich, in mehr als eineinhalb Jahrtausenden Machtkumpanei korrumpiert, längst über keine jenseitig ausgerichtete Basis mehr, auf der wir die weltgeschichtliche Auseinandersetzung mit den Bewegungen des Ostens angehen könnten. Zum anderen hilft uns die erprobte Zuwendung zur Macht politisch weiter. Wir setzen auf die neue Karte, schieben alle gefährlich intellektualistischen Theologien beiseite, machen künftig nur noch in schlichtem Glauben, in der alten Ideologie von Hirt und Herde.

Prälaten sind klüger als Professoren. Der Weg, den Theologen weisen, führt in die Irre: Wer Christsein als praktiziertes Sozialengagement deutet, wer es als Teilhabe an direkter Demokratie interpretiert, als Solidarität mit den Schwachen, hat nichts vom Wesen des Kirchenfürstentums verstanden. Solche Deutungen nützen nur von Fall zu Fall. Sie müssen in regelmäßigen Abständen die päpstlichen Fensterpredigten füllen. Den Kern erreichen sie nicht. Kirchenfürsten wollen den Erhalt ihrer Macht – und gegenwärtig erreicht der Hirte diesen Zweck, nach Khomeinis Vorbild, am besten durch ein diffus irrationales Hinlenken der Herde aufs Jenseits.

Prüfsteine gibt es genug. Die Lenkbarkeit der Schafe läßt sich förmlich examinieren: Wer die gerade erwünschten Unterwerfungsriten praktiziert, zählt zu den besten im Pferch. Kindermachen, obgleich die schon vorhandenen Kinder verhungern, gibt gute Noten. Den

Zölibat wenigstens formell einhalten, läßt auf Karriere hoffen. Papstworte zitieren statt komplizierte Exegese betreiben, fördert sauberes Denken. Ich wundere mich nicht, daß Vertreter der angeblichen »Befreiungstheologie« (wann hätte Theologie je befreit?) Solidaritätsadressen an Herrn Wojtyla senden.
Der Tag, da sich die »Weltreligionen« gegen die »Gottlosigkeit« verbünden werden, dürfte nicht mehr weit sein. Die Interessen aller Hirten sind dieselben. Wojtyla bereitet sich längst auf die Wende vor. Er vermeidet zum Beispiel alles, was die »getrennten Brüder« allzu öffentlich schockierte. Er geht mit ihnen um wie mit künftigen Parteigängern. Er bläst ihnen die neuesten Standardworte ein: Dialog, Friede, Versöhnung. Im Verein mit ihnen erklärt er die Weltlichkeit unserer Zeit zum gemeinsamen Feind. Und Theologen wie Hans Küng, die instinktsicher ausmachten, woher der neue Wind weht, arbeiten den Interessen der Weltreligionen zu. Ihre Stichwörter lauten Weltethik, Weltgewissen. Kirchenfürsten, die nichts so sehr fürchten wie die Aufklärung der Menschen über die eigene Wirklichkeit, freuen sich zu Recht über diese Helfershelfer, die schon auf der richtigen Linie Wojtylas liegen.
Mit einer solchen Herde im Rücken fühlt sich Johannes Paul II. stark. Er ist gewappnet für den künftigen Streit um die wahrste Wahrheit. Denkende Menschen mögen entsetzt sein über den strategischen Rückfall ins Mittelalter, über die Vision einer katholischen Zukunft, die Wojtyla-Katechismen nachplappert. Doch genießt der Papst seine neuesten Erfolge. Kein Staatsmann, die osteuropäischen eingeschlossen, wagt es zur Zeit, dem »Lehrer der Menschheit« ins Wort zu fallen, keiner erhebt wesentliche Einwände gegen die sich anbahnende geistig-geistliche Führerschaft des obersten Kirchenfürsten in der außerislamischen und außerbuddhistischen Welt. Im Gegenteil. Die Berufspolitiker hingen längst ihr Mäntelchen in den Wind. Wieder gilt es als chic, sich im Vatikan sehen und belehren zu lassen. Die Herren verstehen sich glänzend. Sie betreiben dasselbe Geschäft mit den Untertanen. Der hörige, unterwürfige, leidensbereite, von oben lenkbare Mensch ist wieder gefragt[11], und Hirten machen sich ihre Konjunktur.
Was historisch gegen die Kirchenfürsten spricht, was nachfragen

ließe, was Aufklärung erforderte, hat es vergleichsweise schwer. Noch immer sind Darstellungen der Kirchengeschichte so gehalten, daß – verglichen mit ihnen – selbst die phantastischen Konstruktionen eines Erich von Däniken als wissenschaftlich begründet erscheinen. Doch finden die »Kirchengeschichten« noch immer Glauben. Noch immer gibt es allzu viele Gotteslämmer, die zu nichts anderem taugen als dazu, dem Monopol der Hirten die erwünschte Gefolgschaft zu leisten. Sie bringen ihren Führern autoritäre Erwartungshaltungen entgegen. Sie lassen sich durch die Geschichte der Institution nicht abschrecken; so abgebrüht sind sie gegen Leid und Tod. Sie haben jenen Jesus aus Nazareth, auf den sich Kirchenfürsten profitabel berufen, nicht verstanden. Sein Leben sagt ihnen nichts. Sie schätzen nicht den Rebellen Jesus, nicht den Anstifter von Unruhe (Mt 10, 34), sondern ihre Fürsten, die ihnen sagen, wie sie sich Gott, Gottessohn, Kirche vorzustellen haben. Veränderung ist nicht ihre Sorge, sondern Vorsorge (Mt 6, 19–34), Entlastung von der Verantwortung. Sie lieben alle, die ihnen das Denken abnehmen. Sie geben den Humus für die Glaubenswächter ab. Solange von der Kirche Bezahlte wachen, können sich die Schafe ausruhen. Ihr Glaube macht ihnen keine schlaflosen Nächte.
Da der Herr Jesus nicht wiederkam, konstruierte jenes Kirchenfürstentum, das nichts mit ihm zu tun hat, sein Surrogat: Glaube, Moral, Disziplin. All dies bräche sofort zusammen, käme der Tag der Wiederkunft, des Gerichts. Aber da mit solchen Ereignissen nicht zu rechnen ist (was Papst und Bischöfe am besten wissen), kann unbesorgt weitergewurstelt werden. Unter der Devise der Besitzstandwahrung kommt der Hirte voran. So läßt es sich auf dem Friedhof weiterleben. Gott schweigt, Gott sei Dank. Um so gesprächiger sind die Vaterfiguren des Monopols. Auf die ist mehr Verlaß als auf einen stummen Gott. Wann immer Unruhe und Störung drohen, fängt der Papst an zu warnen. So hat es seine Herde am liebsten.
Kirchenfürsten verkünden nie das Heil als solches. Immer beschwören sie zuvor einen adäquaten Notstand. Diagnose und Therapie halten sich in jedem Fall die Waage. Kein Papst, der auf sich hält, wird eine Krise öffentlich zur Kenntnis geben, für deren Lösung er

nicht selbst als Rezept gilt. Dieser Umstand erklärt die Herzenskälte so vieler Kirchenherren. Was sie nicht selbst – zum eigenen Vorteil – »lösen« können und wollen, interessiert sie von vornherein nicht. Nothilfe muß exklusiv sein und Geld, Ruhm, Macht bringen. Andernfalls rentiert sie sich nicht. »Seelsorge« geschieht im Dienst des Systems oder gar nicht. In den allermeisten Fällen geht der Priester, wie von Jesus aus Nazareth zeitlos beschrieben, am Opfer vorbei. Am allerwenigsten interessiert er sich, wie von Jesus aus Nazareth noch nicht beschrieben, für jene Menschen, die seinen eigenen Praktiken (Normen, Dogmen, Disziplinierungen) zum Opfer fielen.
Gewiß verspüren neuzeitliche Menschen Sehnsucht nach Wärme. Ihr Hunger nach Beheimatung ist nicht gestillt. Doch kommt ihnen keine Hilfe von den Besserwissern im Beamtenstand, die sich das Kirchenfürstentum hält. Eines der untrüglichsten Kennzeichen für den bevorstehenden Tod dieser Organisation ist die Tatsache, daß ihre Elite keine Lösungen anzubieten hat, die die tatsächlichen Probleme der Menschen betreffen, sondern gegenüber ungerechten Verhältnissen nur Narkotika feilbietet. Kirchenfürsten fällen dauernd Endurteile, lärmen aufgeregt von Endlösungen, von zeitlosen Rezepturen, machen ihre letzte Instanz für ihre letzten Werte verantwortlich – und bewirken nichts. Wer nur noch fundamentalistisch denkt, wer überorthodox handelt, wer autoritäre Erwartungen fördert, mag in einem Ghetto der Selbstgerechten glücklich werden, die reale Welt erreicht er nicht.
Die von vielen gesuchte Heimat kann nicht von denen geboten werden, der Hunger nicht von jenen gestillt, die nur alte Aufgüsse in veralteten Gefäßen anzubieten haben – und die stolz auf ihre Immobilität sind. Kirchenfürsten verbreiten Untertanenethik. Sie wissen, wie unnütz sie geworden sind. Sie kümmern sich nicht mehr um die Mehrheit. Ihr »Auftrag« ist auf ein Minimum reduziert. Sie tun nur noch das Unvermeidliche. Ihr Reformgerede bezieht sich auf innerklerikale Spezialitäten, auf den Zölibat, auf Querelen um Jungfrauengeburt und päpstliche Unfehlbarkeit. Mit alldem helfen sie bei keinem einzigen Weltproblem weiter. Die Päpste wollen es auch gar nicht. Sprächen sie zu tatsächlichen Problemen, entlarvten sie sich schnell und nachdrücklich als Unwissende.

Der Herr im Vatikan sitzt nämlich auffallend allein auf seinem Heiligen Stuhl. Er hat sich selbst zunehmend isoliert. Waren 1982 noch 47 Prozent der deutschen Katholiken davon überzeugt, die Religion des Papstes könne auf die meisten Zeitfragen eine hilfreiche Antwort geben, sind es 1989 nur noch 36 Prozent.[12] Die Bereitschaft, sich wichtigen Lehrentscheidungen des Papstes zu beugen, ist auf 16 Prozent gesunken, ein noch nie erreichter Tiefstand. Nur noch 16 Prozent der Katholiken zwischen 20 und 29 Jahren gehen in Deutschland jeden Sonntag zur Messe. 1989 sind in der Bundesrepublik über 93000 Katholiken aus der Kirche ausgetreten, gegenüber dem Vorjahr ein Plus von über 16 Prozent. Es ist zweifelhaft, ob unter diesen Umständen aufrechterhalten werden kann, das christliche Sittengesetz sei auch künftig die Basis für beispielsweise die Rechtsprechung in Ehe- und Familiensachen. Den Hirten wie den von ihnen beeinflußten Juristen kommen nicht nur die Argumente abhanden, sondern auch die Menschen.
Die militante Taktik Wojtylas zeigt sich allerdings von diesen Entwicklungen unbeeinflußt. Im März 1991 forderte der Papst die slowakische Bevölkerung, stellvertretend für alle, dazu auf, alle »Reste von Materialismus und Atheismus« im Land »auszumerzen« (O-Ton »Katholische Nachrichtenagentur«, 15. 3. 1991). Erinnert schon die Wortwahl an unselige Zeiten, stammt sie doch aus dem Wörterbuch des Unmenschen, und wirkt allein die Verbindung von Atheismus und Materialismus im Vergleich zu der unauflöslichen Ehe zwischen Kirchenfürstentum und Geld gewagt, so ist auch die Tatsache bedenkenswert, daß Johannes Paul II. nicht einmal andeutungsweise von Toleranz gegenüber Andersdenkenden spricht.
Und die Herde? Sie schweigt, nimmt hin, schluckt immer wieder – und fühlt sich im Pferch gläubig wohl. Ihr wurde suggeriert, sie müsse an ein bestimmtes System glauben. An ein System, das schlicht antidemokratisch ist und bleibt, aber als gottgewollt gepriesen wird. Was nur ist von einem Gott zu halten, der mit Demokratie nichts zu tun haben möchte? Der im Inneren des Kirchenfürstentums, wo seine angeblich treuesten Anhänger wirken, demokratische Verhältnisse haßt wie die Pest?
Es wird Zeit, diesen Zustand zu ändern. Der Papst wird sich sträu-

ben. Er wird wissen, weshalb. Schließlich müßte er, wenn seine Gläubigen ungläubig, ungehorsam würden, alles aufgeben, was sein Amt so attraktiv macht: Geld, Macht, Einfluß. Wie hatte doch der Historiker Ammianus Marcellinus schon im 4. Jahrhundert gemeint? Die Kämpfe um den römischen Bischofsstuhl seien damit zu begründen, daß die »Päpste« Möglichkeiten hätten, besonders feudal zu leben. Um dieselbe Zeit begegnet der hochgebildete Stadtpräfekt Praetextatus, ein Heide wie Ammianus Marcellinus, Bekehrungsversuchen des damaligen Oberhirten mit dem Satz: »Macht mich zum Bischof von Rom, und ich werde sofort Christ.«[13]

Am feudalen Zuschnitt des Papstamtes und seinen spezifischen Lebensmöglichkeiten hat sich nichts geändert, wie wir noch sehen werden. So kommt der gegenwärtige Amtsinhaber nur einer Standespflicht nach, wenn er lamentieren läßt, er habe mit der Annahme seiner Wahl zum Papst einen Opfergang angetreten und eine »ungeheure Last« auf sich genommen.[14] Niemand hat Wojtyla gezwungen, Nachfolger jenes ersten »Papstes« Petrus zu werden, der selbst nichts vom Papsttum hat wissen können. Niemand hat Johannes Paul II. verpflichtet, in die unheilige Tradition einzutreten. Er machte sich am 16. Oktober 1978 durch Annahme der Wahl selbst zum Papst. Er gefällt sich seither in seinem Amt – und dafür sollte er nicht auch noch auf Mitleid spekulieren. Das Lamento Wojtylas ist berufsspezifisch; es pflegt ein bestimmtes Papst-Image – und bereitet Legenden wie Heiligenbiographien vor. Im Vatikan gibt es einen Raum, in den sich die neugewählten Päpste zurückziehen, um »unter Tränen« darüber nachzudenken, was ihnen gerade geschah. Die Prälaten nennen ihn »sala del pianto«, Tränensaal (für die Tränen, die Menschen über Päpste vergossen, ist kein Saal vorgesehen). Pius X. soll sich nach der Wahl volle drei Stunden darin aufgehalten und geweint haben. Johannes XXIII. sagte 1958 angeblich, als er danach gefragt wurde, ob er die Wahl annehme: »Ich vernehme deine Stimme mit Furcht und Zagen. Das Wissen um meine Armseligkeit erklärt meine Verwirrung.«[15] Gregor VII. aber, einer der schnödesten Vertreter päpstlicher Allgewalt, rief 1073 nach seiner (nicht überraschenden) Wahl sehr theatralisch aus, er sei in die Tiefe des Meeres geraten, die Flut verschlinge ihn, Furcht und Zittern

seien über ihn gekommen, und Finsternis bedecke ihn.[16] Daß Furcht und Zittern gerade durch diesen Papst über die Erde kamen und Finsternis einmal mehr von einem Papstthron ausging, interessierte diesen Herrn weit weniger. Gerade diesem ehemaligen Mönch, der sich schnell und gründlich zum Kirchenfürsten mauserte, ist der Papsttitel »Knecht der Knechte Gottes« zu verdanken – ein besonderer Hohn auf die Millionen Menschen, die tatsächlich geknechtet wurden, und dies zu allen Zeiten gerade von der Papstkirche.
Es ist ein beliebter Kniff der Vorwärtsverteidiger, das hohe Amt von der »unwürdigen« Person des Amtsinhabers zu unterscheiden. So wird es – theoretisch – möglich, einen schlimmen Papst nach dem andern wegzudiskutieren und zugleich das Papsttum in seinem »Wesen« zu stabilisieren. Doch ist diese Methode ebenso verdächtig wie die folgenlose Zeremonie bei der Amtseinführung (früher: »Krönung« mit der, selbstverständlich, »dreifachen Krone«) des Papstes. Ein über fast tausend Jahre gepflegter Brauch erinnerte den jeweiligen Herrn daran, daß auch er nur ein Mensch sei. Dreimal wurde auf dem Weg zum Altar ein Wergbündel verbrannt und dem Pontifex maximus zugerufen: »Heiliger Vater, so vergeht die Herrlichkeit der Welt.« Genützt hat das fromme Zeremoniell nicht viel; mochte der Amtsträger persönlich noch so bescheiden sein (die einzelne Ausnahme unter hundert Päpsten), sein glorioses Amt verbrannte nicht ein einziges Mal zu nichts. Im Gegenteil, Glanz und Glorie hielten sich, triumphierten, eskalierten auf Kosten der vielen, denen niemand zurufen mußte, sie seien nur Menschen. Sie wußten es auch so und bekamen es ständig zu spüren.

Weshalb das Märchen vom Fischer und seiner Frau in Rom spielen könnte

Die Legende ist alt: Petrus war Fischer, bevor er zum Apostel gewählt, und Apostel, bevor er zum Ersten der Zwölf ausersehen wurde. Und sie hat eine Fortsetzung, denn sie nimmt im Lauf der Kirchengeschichte unterderhand an Fülle und Ausschmückung zu (und wird noch immer offiziell beibehalten): Petrus kam eines Tages nach Rom, wurde dort der Gründer einer Christengemeinde, stieg schließlich zum ersten Bischof Roms auf, blieb 25 Jahre am Ort, durfte sich mit Recht auch Papst heißen lassen, sah viele Nachfolger auf seinem Stuhl voraus, starb in einer Verfolgungszeit um 64/67 n. Chr. am Kreuz (mit dem Kopf nach unten), wurde an der Stelle begraben, wo heute der Petersdom steht, und unter Pius XII. ebendort wieder aufgefunden.[17]

An alldem stimmt so gut wie nichts. Man kann sogar annehmen, daß ein Mann, der den Namen Simon und später »Petrus« (der Felsenartige) geführt haben soll, nicht einmal historisch ist. Vielleicht diente er nur als Kunstfigur, als eine Art Kleiderständer, an dem alle Optionen des herkömmlichen wie des gegenwärtigen Petrusglaubens (»Petrinologie«) aufgehängt werden konnten. Es bleibt die Frage, ob er wirklich lebte. Selbst wenn dies bejaht wird, ist fraglich, ob er wirklich in Rom war. Und wenn dies stimmt, so braucht er dort keine Gemeinde gegründet zu haben. Selbst wenn er dies getan hätte, hat er sich doch nie als »Papst« verstanden. Und auch wenn er sich so gedeutet hätte, dürfte er wohl kaum mit einer Reihe von Nachfolgern gerechnet haben, schon gar nicht mit einer solchen wie der historischen Papstreihe.

Alle Fragen, Zweifel, Einwände zusammengenommen bietet sich ein krauses geschichtliches Bild vom »Papsttum«. Der Fischer (und seine Frau: Wenn er gelebt hat, war Simon Petrus verheiratet) kann freilich nichts dafür, daß ein förmliches Papstmärchen entstand. Er ließ es sich, sowenig wie Jesus aus Nazareth, träumen, daß jene Institution, die sich bis in die gegenwärtige Dogmatik hinein auf ihn beruft, einmal milliardenschwer sein würde – und auf eine mörderische Tradition zurückblicken könnte. Wer aber noch heute an das Märchen glauben läßt, und – mehr noch – wer es aus Profitgründen und gegen besseres Wissen verteidigt, der kann etwas dafür. Dieser Hirte ist schuldig an der Herde.

»Du bist Petrus, und auf diesen Felsen will ich meine Kirche bauen«, so steht es in 1,40 Meter hohen goldenen Lettern im Petersdom. Dieses Wort, das zwischen den Konfessionen am meisten umstrittene Wort der Bibel, sprach Jesus nie. Es ist die freie Erfindung einer Nachwelt, die Jesus schon nicht mehr kannte. Die sogenannte

Petrus-Verheißung (Mt 16, 17–19), auf die sich die kirchenfürstliche Ideologie und ihr Papst stützen, bildet einen nachträglichen Einschub.[18] Sie ist eine gewollte spätere Zutat. Der irdische Jesus hat nichts mit ihr zu tun. Sie stammt vom Evangelisten. Der neutestamentliche Text, mit dem Rom den Vorrang des Petrus und der Päpste (»Primat«) legitimieren wollte und noch immer will, gibt nichts Diesbezügliches her. Der traditionelle Argumentationsstrang Roms, eine machtbezogene Überinterpretation, ist weder historisch noch bibelkundlich (exegetisch) zu belegen. Jesus hat mit keinem Papst etwas gemein; das spricht für ihn.

Die Schlüsselübergabe, in deren Verlauf der Fischer Simon von Jesus die Gewalt erhalten haben soll, Sünden zu vergeben oder nicht, ist Ausgeburt reinen Wunsch- und Machtdenkens. Die »Schlüssel«-Ideologie, früher in Hunderten von papstfreundlichen Darstellungen den Analphabeten des Pferchs bildhaft gemacht, hat nur einen Zweck: die Adressaten glauben zu machen, sie hätten zum einen Angst vor irgendwelchen nicht vergebenen Sünden zu entwickeln und zum anderen Hoffnung zu haben, bei entsprechendem Gehorsam gegen die Schlüsselinhaber irgendwelche Sünden doch noch vergeben zu bekommen. Die professionellen Angst- und Hoffnungmacher im Kirchenfürstentum verstehen ihr Geschäft. Sie machen sich unersetzlich – und leben seit Jahrhunderten sehr gut davon.

»Auf diesen Felsen will ich meine Kirche bauen, und die Pforten der Hölle werden sie nicht überwältigen.« Was an diesem Wort nicht stimmt, ist klar. Und noch mehr: Nicht die »Pforten der Hölle« schafften es bisher nicht, die Felsenkirche zu überwältigen, sondern das römische Papsttum selber konnte die eigene Organisation bislang nicht zerstören. Ansätze zur Zerstörung gab es genug. Manche Päpste setzten alles daran, durch Denken, Handeln, Lebenswandel die angebliche Verheißung ad absurdum zu führen. Gelungen ist es ihnen noch immer nicht ganz. Aber sie haben Jahrhundert für Jahrhundert große Fortschritte in ihrem Zerstörungswerk gemacht; ihr Fürstentum Katholische Kirche ist bereits lebendig tot.

Kein Wunder bei den Voraussetzungen, die die höchsten Kirchenfürsten schufen: Der Apostel, auf den sie sich berufen, war selbst nie Bischof (oder gar Papst) in Rom. Ein Romaufenthalt des Petrus ist nicht bewiesen.[19] Die Mitteilung des Papstes Pius XII. vom Vorabend des Weihnachtsfestes 1950, das »Petrusgrab« sei endlich gefunden, stellte sich als fromme Lüge heraus.[20] Auch wenn die einschlägige Literatur üppig wuchert, ist das wissenschaftlich haltbare Ergebnis gleich Null: Weder wurde ein Apostelgrab zweifelsfrei gefunden, noch stammen die aufgefundenen Knochen von Petrus. Im letzteren Fall hat es sogar peinliche Enthüllungen gegeben: Die zunächst als Gebeine eines alten Mannes identifizierten Knochen wurden bei weiteren Untersuchungen als die mehrerer Menschen, darunter einer Frau, erkannt.[21] Das unter St. Peter entdeckte gewaltige Gräberfeld weist eine Vielzahl heidnischer Mausoleen aus der Zeit zwischen 130 und 200 auf; nur ein einziges Mausoleum ist christlich ausgeschmückt. Und das sogenannte Petrusgrab, eine Nische, hat die Maße eines Kindergrabes.

Paul VI. ließ sich nicht überzeugen; er brauchte die Unwahrheit: Noch am 26. Juni 1968 predigte er, die »Reliquien des hl. Petrus« seien »in einer Weise identifiziert worden, die Wir als überzeugend annehmen können«[22]. Lassen wir die Päpste bei ihrem Glauben; schließlich kann jeder glauben, was ihm am rentierlichsten erscheint. Und Profit ließ und läßt sich aus dem armen Petrus in Rom wahrhaftig machen. Gerade weil es ihn nie gab, ist der römische Petrus so profitabel. Dasselbe Prinzip bewährte sich schon gegenüber Jesus aus Nazareth: Weil dieser sich im Zentrum seiner Predigt, dem unmittelbar bevorstehenden Hereinbruch des »Gottesreiches«, so augenfällig irrte[23], konnte er künftig als Objekt des Glaubens dienen. Eines Glaubens, der sich nicht mehr um irgendein Gottesreich zu scheren brauchte, sondern sich handfest, sichtbar, kirchenfürstlich auf Erden etablieren konnte.

Warum Rom Hauptsitz eines solchen Glaubens werden konnte, ja mußte, leuchtet ein. Der politische und wirtschaftliche Rang der Hauptstadt des Imperiums verlangte nach einer solchen Entwicklung. Und die Hirten wären die letzten gewesen, sich den Erfordernissen der Epoche, dem Gebot der Stunde zu verschließen. Ebenso wie andere Gemeinden aus dem Umstand, an lokal bedeutsamen Regierungssitzen beheimatet zu sein, ihren innerkirchlichen und staatsrechtlichen Gewinn zogen, machten auch die Römer ihren

Profit. War man schon einmal Gemeinde in der Hauptstadt des Weltreichs, wollte man auch etwas davon haben. Also mußte ein Gründer her, ein wichtiger Gründer, der wichtigste überhaupt: Petrus. Noch besser wäre freilich der Herr Jesus gewesen, aber der war nicht zur Hand. Er war bereits »auferstanden« und konnte deshalb schlecht selbst in Rom gewesen sein.
Aber die Römer behalfen sich. Sie schleppten alle möglichen Jesus-Reliquien in ihre Stadt (und stellen sie noch heute aus) und bastelten sich eine »Petrinologie« zusammen, die sich sehen lassen konnte. Die faktische Macht der Stadt und der zunehmende Reichtum der Gemeinde verlangten nach dem legitimierenden theologischen Überbau. Und schon war, der Intention nach, der Apostolizitätsbeweis gefunden, der dreiste Zugriff auf den Erstapostel gesichert.
Um dem Ersatzglauben eine sichere Basis auf Erden zu schaffen, mußten Papsttum und Kirchenfürstentum als Institutionen errichtet werden. An dieser Aufgabe arbeiteten die interessierten Kreise schon sehr früh. Freilich wurde Petrus, auf den sich später alles stützen sollte, noch im ausgehenden 2. Jahrhundert in Rom nicht als Bischof gezählt. Im 4. Jahrhundert ist plötzlich alles anders: Jetzt soll er 25 Jahre in Rom gewirkt haben.[24] Und nach ihm sollen Bischof um Bischof, Papst um Papst an derselben Stelle gethront haben – alles eine Erfindung, um durch die »Geschlossenheit der Namensreihe« nachzuweisen, daß die mit Petrus einsetzende Tradition des römischen Stuhles ohne Unterbrechung fortbestehe. Wahrscheinlich gab es weder einen Petrus in Rom, noch ist die behauptete ununterbrochene Reihe authentisch. Die römische Bischofsliste, die Personen und Papstnamen aufzeichnet, ist vielmehr als getürkt anzusehen;[25] immer wieder wird sie redigiert, umgeschrieben, zurechtgemacht. Die Bischofsdaten, die sie für die ersten beiden Jahrhunderte aufführt, bleiben höchst unsicher und – nach dem Historiker K. Heussi – »für die ersten Jahrzehnte bare Willkür«[26].
Was soll's? Die Römer haben den Willen zum Glück. Obgleich ihre Bischöfe zwei Jahrhunderte lang nichts von ihrem Primat wissen und die in der frühen Kirche herrschende Meinung keinen Vorrang Roms kennt, setzt Rom seine Ansprüche gegen die Restkirche

durch: in langen und blutigen Auseinandersetzungen um die sogenannte wahre Lehre. Heilige beschimpfen sich dabei unflätig, nennen sich Lügner, fälschen die Schriften der Andersdenkenden, verweigern sich gegenseitig die Kirchengemeinschaft. Schließlich ermatten die Gegner Roms, unterwerfen sich um des lieben Friedens willen, nehmen die Meisterung der Geschichte durch eine römische Dogmatik hin und nennen das Ganze Glaubensgehorsam.
Was das Erste Vatikanische Konzil 1870 als Begründung des päpstlichen Primats auf Petrus zurückführt, stammt aus dem Jahr 382, von Damasus I.[27] Und Papst Leo I. formuliert den siegreichen, den römischen Standpunkt im 5. Jahrhundert aus: Waren die Kirchenväter zuvor noch – mit Gründen – davon ausgegangen, daß in der Person des Petrus alle Apostel und Bischöfe an der göttlichen Binde- und Lösegewalt teilhätten, so trennt Leo »seinen« Petrus von allen übrigen und verkündet, allein der Gründer der römischen Gemeinde habe alle Gewalt vom Herrn empfangen – und sie schließlich den übrigen Aposteln (Bischöfen) weitergereicht. Folglich besitze nur der römische Bischof, der Rechtsnachfolger Petri, die »Vollgewalt« im Kirchenfürstentum. Diese Auffassung setzte sich durch; die Bischöfe und ihr stärkstes Instrument gegen den Papst, das Allgemeine Konzil, konnten sich im Lauf der Geschichte trotz verschiedener Anläufe nicht behaupten. Das Erste Vatikanum brachte ihnen die endgültige Niederlage: Der Papst, neuerdings unfehlbar, bekam den begehrten Universalepiskopat zugesprochen und bestätigt – und die fein säuberlich selektierenden Damasus I. und Leo I. blieben nach anderthalb Jahrtausenden im Recht.
Das Gesetzbuch der römischen Kirche schrieb 1917 diese Auffassung fest; was es konstatierte, nämlich die Herrschaft des Papstes über jedes Konzil, war bestes Mittelalter, war die »Rückkehr zu dem mittelalterlichen Recht«[28]. Herr des Allgemeinen Konzils ist und bleibt der Bischof von Rom; er allein kann ein Konzil einberufen, die Gegenstände der Beratung und ihre Reihenfolge bestimmen, dem Konzil präsidieren, das Konzil suspendieren oder beenden. Das Konzil, Selbstdarstellung des absolutistischen Papsttums, hat mit den neuzeitlichen Formen demokratischer Repräsentanz nichts gemein; anderslautende Meinungen verkennen die Lage.

Was heute festzustellen ist, stellt den Endpunkt einer jahrhundertelangen Entwicklung dar. Denn spätestens mit Leo I. war die Bahn für weitergehende Ansprüche Roms frei. Die Päpste, mehr und mehr Kirchenfürsten und weniger denn je Apostel, verließen die eingeschlagene Linie nie mehr. Obwohl die gesamte alte Christenheit keinen durch Jesus gestifteten Ehren- und Rechtsprimat des römischen Bischofs kennt, obgleich dieser Primat im Widerspruch zur Lehre aller alten Kirchenväter, auch der berühmtesten, steht, hält Rom an ihm fest und baut ihn aus. Nicht theologische Gründe stützen die Siegesgewißheit der Römer, sondern politische und wirtschaftliche. Der päpstliche Anspruch führt die imperiale Tradition Roms »auf kirchenfürstlich« weiter. Er besetzt die Leerräume der Macht. Der seit dem Mittelalter gebräuchliche Papst-Titel »Pontifex maximus« spricht für sich: Er ist vom früheren Ehrennamen des römischen heidnischen Oberpriesters übernommen.

Die Päpste gehen künftig ganz in ihrem neuen Amt auf. Johannes XII. (955–963), einer der berüchtigtsten unter ihnen, mit knapp sechzehn Jahren zum Papst gemacht, »eine der erbärmlichsten und niederträchtigsten Figuren ..., die je in der Geschichte Roms und der Kirche eine Rolle gespielt haben«[29], ein Mann, unter dessen Regierung Meßkelche als Hurenlohn galten, begründete eine neue Tradition: Er legte bei seiner Wahl den Taufnamen ab und gab sich einen Amtsnamen.[30] Zwar wurde er selbst, der Unwürdige, des Mordes, des Meineids, der Blutschande mit zwei Schwestern, der Kirchenschändung angeklagt und schließlich im Dezember 963 abgesetzt. Doch folgten die Päpste dem Beispiel des von einem betrogenen Ehemann übel zugerichteten Johannes (der ehebrecherische Papst erlag nach einer Woche den Wunden) und legten sich künftig programmatische Phantasiebezeichnungen zu. Diese erfüllten in den seltensten Fällen ihren Zweck. So heißt sich der Papst, der 1481 den furchtbaren »Hexenhammer« legitimiert und indirekt für Tausende von Frauenmorden verantwortlich zeichnet, schlicht Innozenz VIII. (der »Unschuldige«). Unter Innozenz III. (†1216) kommt es zum Vierten Kreuzzug, von dem der führende Kreuzzugshistoriker S. Runciman sagt, es habe »niemals ein größeres Verbrechen an der Menschheit gegeben«[31]. Innozenz IV. (†1254), auch er ein »Un-

schuldiger« und nach dem Urteil von F. Gregorovius »ein gewissenloser Priester..., vor nichts zurückschreckend, was ihm der eigene Vorteil bot«[32], ermöglicht 1252 in seiner Inquisitionsbulle die willkürliche Anwendung der Folter.
Andere Päpste nennen sich »Clemens« (der Milde), »Pius« (der Fromme), »Benedikt« (der Gesegnete). An Beispielen für die treffende Namenswahl fehlt es nicht: Pius V. (†1572) ist einer der schlimmsten Ketzerverfolger, ein Judenhasser sondergleichen, gleichwohl heiliggesprochen. Clemens IV. (†1268) verfolgt die Staufer bis aufs Blut. Als Siziliens König Manfred schon gefallen ist, nennt ihn der barmherzige Papst einen »stinkenden Kadaver«, einen »Pestmenschen«[33]. Clemens V. (†1314) ist ein völlig der Korruption verfallener Kirchenfürst; seine Kurie zu Avignon gilt den Zeitgenossen als klementinischer Jahrmarkt, als Handelsunternehmen für geistliche Würden, die dieser Papst jedem Parasiten verlieh, der zahlen konnte. Und Geld konnte Clemens V. brauchen, denn seine Mätresse, eine Ahnin Talleyrands, kostete ihn mehr »als das heilige Land«[34].
Clemens VI. (†1352) meinte freilich, seine Vorgänger hätten nicht verstanden, Papst zu sein.[35] Dementsprechend zog er private Konsequenzen: Finanzmanipulationen größten Stils sind für ihn charakteristisch; allein die vom Papst beanspruchten Taxen für den Erwerb vakanter englischer Pfründen überstiegen die Einkünfte des Königs von England um das Fünffache. Französische Könige erhielten von Clemens Millionenanleihen in Goldgulden für die Fortsetzung des Hundertjährigen Krieges; der deutsche Kaiser Ludwig IV. hingegen wurde Sonntag um Sonntag aufs neue in den Kirchenbann getan. Als Clemens V. stirbt, wird er nach seinem Wunsch in einem Grabmal mit vierundvierzig Marmorsäulen beigesetzt (von Calvinisten 1562 zerstört). Auch seine sämtlichen Favoriten nebst den Frauen, Kindern und Enkeln seines fürstlichen Hauses sollten in diesem Monument ruhen – die in der Weltgeschichte einmalige Selbstverherrlichung einer Papstdynastie.[36]
Und die »gesegneten« Benedikte unter den Päpsten? Einer von ihnen, seines Zeichens der achte (1012–1024), ein Graf von Tusculum, war ein brutaler Haudegen[37], der seinen Kirchenstaat konsolidierte,

ein Heer aufstellte, die Sarazenen schlug, Juden hinrichten ließ (weil er ihnen, abergläubisch, die Schuld an einem Orkan und einem Erdbeben gab) – und die Priesterehe unter Strafe stellte. Benedikt IX. (1033–1045), als Zwölfjähriger zum Papst gekauft, »führte im Palast des Lateran ungehindert das Leben eines türkischen Sultans; er und seine Familie erfüllten Rom mit Raub und Mord«[38]. Dieser Gebenedeite verkaufte die päpstliche Krone und Würde weiter. Benedikt XIII. (†1730) erhob einen wahrhaftigen Verbrecher namens Coscia zum Kardinal und lieferte ihm Kirchenstaat und Kirche aus. Als der Papst starb, betrugen die Schulden seiner Kurie 60 Millionen Goldscudi. Noch zwanzig Jahre nach diesem unseligen Pontifikat erwies es sich als fast unmöglich, des Gesindels der Günstlinge, die sich in Rom eingenistet hatten, Herr zu werden.[39]
Dieser Exkurs in die Geschichte der höchsten Kirchenfürsten mit den klingenden Namen zeigt, wohin eine durch und durch menschliche Institution gelangen muß, die sich selbst als gottgewollt feiert. Gott ins Spiel gebracht? Der Gott im Kirchenfürstentum, der oberhirtlich empfohlene Gott, der Gott Roms, tut, was von ihm verlangt wird. Er hat nicht viel zu sagen in diesem schlimmen Spiel; sein Eingreifen würde ungemein stören, und deswegen ist er zum Schweigen verurteilt. Die jeweiligen Amtsinhaber aber tun, was sie nicht lassen können. Einmal auf den Geschmack gekommen, kämpfen bereits frühe römische Bischöfe mit allen Mitteln um Einfluß, Vorrang, Macht über alle übrigen Kirchenfürsten. In kürzester Zeit grassieren die neuen Wendungen vom »Primat« im Sprachschatz der päpstlichen Kanzlei, deren Erlasse sich schon im 4. Jahrhundert nicht mehr von kaiserlichen Dekreten unterscheiden.[40] Zwar stoßen die Herrscherallüren der römischen Emporkömmlinge immer wieder auf den Widerstand der konkurrierenden Bischofssitze in Ost und West. Auch ignorieren gerade die bedeutenden Bischofsresidenzen (Karthago, Byzanz, Marseille) das neureiche Rom – und werden dafür vom Papst mit Schimpfwörtern belegt.[41] Besonders scharf ist die Opposition in Afrika, wo es im frühen 5. Jahrhundert noch fast 500 Bischofssitze gibt. Afrikanische Bischöfe verbitten sich alle Einmischungen, gehen ihre eigenen Wege, wollen keine päpstlichen Gesandten mehr sehen, »um nicht dem übel qualmenden Hochmut

der Welt« Tür und Tor zu öffnen.[42] Doch bleibt das ungeliebte Rom immer wieder Sieger. Leo I.: »Durch die göttliche Religion solltest du, Rom, deine Herrschaft weiter ausbreiten als früher durch weltliche Macht.«[43]

Rom? Seit langem ein Gemisch von Politik und Religion, ein Sammelbecken von Karrieristen des »wahren« Glaubens. Keine Stadt der Erde kann sich einer auch nur annähernd gleichen Zahl von Schriften rühmen, die positiv oder negativ zu ihr Stellung nähmen. Das römische Christentum? Der große Historiker Theodor Mommsen sieht in ihm das zersetzende Element großer Staaten, den Störfaktor der Geschichte, die machtgierige Religion, die alles vernichtet, was sich ihr entgegenstellt, die alle Mittel anwendet, um das eine Ziel zu erreichen, ein imperialistischer Machtfaktor ersten Ranges zu werden. Der katholische Theologe Joseph Bernhart erblickt im Vatikan geradezu den »Thron der Welt«[44], eine Institution »hart, eigengesetzlich wie die Natur, erbarmungslos Einzelschicksale für das Heil des Ganzen opfernd«. Ein Mittel- und Glanzpunkt jenes Kirchenfürstentums, das sich noch immer so profitabel Katholische Kirche heißt.

Johannes Paul II. klittert Geschichte: »Der Baum der Kirche, den Jesus im Heiligen Land gepflanzt hat, hat nicht aufgehört, sich zu entfalten. Sämtliche Länder des alten Römischen Reiches sind darauf aufgepfropft worden.«[45] Wojtyla gebraucht dieses Bild nicht ungern, spricht es doch nicht vom Selbstvollzug einer Gemeinschaft, sondern von der passiven (und blutigen) Angliederung an eine bestehende Institution, die ihrerseits direkt von Jesus aus Nazareth gegründet sein soll und die »ihr Zentrum in Rom hat«.

Der historische Erfolg? Der Papst, eine italienische, eine römische Instanz; seine Kurie, italianisiert bis ins Detail des Denkens und Handelns, ihre Ideologie in Jahrhunderten wasserdicht gemacht, ohne Rücksicht auf andere Weltanschauungen oder gar auf den abweichenden Glauben. In kirchenfürstlichen Kreisen denkt es sich leichter als anderswo: Das Wesentliche, das Machtpolitische wird geradezu intuitiv erfaßt; ein Bedürfnis, zum Zweifel vorzustoßen, findet sich nicht. Sicherheit vermittelt die Tradition der Lehre – besser: der Bürokratie –, eine Macht, der Papst und Kurie gegenüber der Unsicherheit menschlichen Ringens um die Wahrheit stets den Vorzug geben. Und die Jubelperser des Papstes – das Kirchenfürstentum ist voll von ihnen bis heute – wissen, wie man es anstellt, wenn man aufsteigen und sich halten will: Sie folgen, streng biblisch, dem Rat des Predigers (Ekkl 4, 32), nach dem es besser ist, mit dem Strom zu schwimmen als gegen ihn. Für jeden ketzerischen Gedanken fehlt ihnen die Größe.

Gregor I. (†604), von seinen Claqueuren »der Große« geheißen und heiliggesprochen, von Mommsen richtiger »ein im Grunde kleiner großer Mann« genannt[46], ein Mönch ohne eine Spur antiker Bildung, doch voll der heiligen Meinung, »der Heilige Geist sei an die Regeln der Grammatik nicht gebunden«[47], nach dem Papsthistoriker J. Haller ein geist- und geschmackloser Autor, führte das Papsttum zu weiteren Gipfeln: Er schuf nicht nur die Vokabel vom »Heiligen Krieg«, sondern reservierte sich auch die Bezeichnung »Papst« – und die Magie der Verehrung nahm ihren Lauf. Gregor soll auch, nachdem er auf dem römischen Sklavenmarkt Jünglinge »aus Anglien« gesehen hatte[48], »die ihm durch seine Schönheit auffielen« (honni soit qui mal y pense), zum Begründer der päpstlichen Mission geworden sein. Eine folgenschwere Entscheidung, die künftig viel Blut kosten und dem Hl. Stuhl unzählige Seelen und immense Summen einbringen wird.

Gregor I., der Heilige, äußert ganz offen Schadenfreude, als der oströmische Kaiser Mauritius ermordet und der römische Bischof damit von einem lästigen Konkurrenten um die Macht befreit wird. Als er selbst stirbt, rottet sich das Volk vor dem päpstlichen Palast zusammen, um Gregors Schriften öffentlich zu verbrennen (die damals übliche Art, einen Menschen aus dem Gedächtnis zu tilgen). Sein Nachfolger meint, Gregor, als Papst bereits der größte Grundbesitzer Italiens, habe die Armen nur aus Ruhmsucht reich beschenkt. Und der Klerus Roms wird, des Mönchsgehabes Gregors gründlich überdrüssig, die nächsten siebzig Jahre (und 13 Nachfolger) lang keinen Mönch mehr zum Papst erheben.[49]

Nicht aus theologischem Können, nicht wegen innerer Überzeugungskraft, sondern aus gegenteiligen Gründen – nicht obwohl, sondern weil die Bischöfe Roms theologisch lange nicht so hervor-

traten wie andere des Westens und des Ostens, gerade weil sie sich nicht dem Wort, sondern der Gewalt verschrieben, nahmen sie allmählich den übrigen Bischofssitzen ihre ursprüngliche Selbständigkeit. Dabei wurden sie entscheidend gefördert durch ihren Sitz in der (alten) Reichshauptstadt, begünstigt durch deren Reichtum, Glanz, Einfluß. Schließlich beerbte die Kirche Roms geradezu das weströmische Reich, klerikalisierte es, trat sozusagen an seine Stelle.[50] Der Fischer (von seiner Frau ist längst keine Rede mehr) hat gesiegt: Petrus ist Apostelfürst, Petrus hat politische Macht errungen – und einen immensen Immobilienbesitz in Rom und im entstehenden Kirchenstaat obendrein.
Die Resultate des päpstlichen Machtwahns brauchen sich nicht vor denen anderer Herren zu verstecken. Auf einem Schriftstück des 10. Jahrhunderts aus der Trierer Stadtbibliothek[51] ist Gregor I. zu sehen, wie er hinter einem Vorhang, dem seinerzeit üblichen Raumteiler, dem Sekretär in die Feder diktiert. Dieser, klerikal neugierig, bohrt ein Loch in den Vorhang – und sieht den Papst, dem eine auf der Schulter sitzende Taube, der Heilige Geist, die Worte eingibt. Kein Wunder, daß eine Instanz, die auf derart direkte Weise mit Gott Kontakt pflegt, Gehorsam beansprucht: Ein geflügeltes Wort sagt schon bald, daß »glauben dem Papst gehorchen« bedeute.[52] Kein Wunder, daß der römische »Vicegott« (F. Gregorovius) meinen konnte, er, Pius IX., könne durch Zuruf selbst Gelähmte heilen.[53] Nun, viele Römer sind mit der Entwicklung zufrieden. Im 19. Jahrhundert schreibt die Jesuitenzeitschrift »La Civiltà Cattolica«: »Wie einst die Juden das auserwählte Volk Gottes waren, so ist es im Neuen Bund das römische Volk. Es ist von übernatürlicher Würde.«[54]

Wie perfekt Kirchenfürsten Grundbücher fälschten

Das Kirchenfürstentum stabilisierte sich im Lauf seiner Geschichte so erfolgreich, daß Adolf Hitler seine Organisationsform als beispielhaft ansah und Benito Mussolini im Papsttum ein Modell der Dauerhaftigkeit für das faschistische Regime gefunden zu haben

meinte.[55] Nicht zu übersehen ist, verfolgt man solche Gedanken, daß es »die Kirche« als solche nie gab. Stets mußten Kirchenfürsten auf weltliche Stützen zurückgreifen, um angeblich Geistliches zu stabilisieren. Jede Organisation von Dauer braucht nicht nur eine übergreifende Ideologie, sondern – und das wußten die Römer besonders gut – auch eine faßbare, irdische, in Quadratmetern und Banknoten zählbare Basis. Wer diese Wesenskomponente des Kirchenfürstentums geringschätzt, beweist nur eine gelungene katholische Bildung. Der Wirklichkeit kommt er nicht nahe.
Die Kirchengeschichte als »die Reihe von Entfaltungen des von Christo der Menschheit mitgeteilten Licht- und Lebensprinzips«[56] zu verklären, mag Dogmatikerübung sein. Was »Kirchenfürstentum« real ist, was es historisch nachweislich ist, kommt in solchen Kathederblüten nicht zum Ausdruck. Wer Kirchengeschichte derart blumig mißverstehen will, verkennt auch die höchst irdische Tatsache, daß die Herren der Kirchengeschichte, die Päpste, stets darauf angewiesen waren, sich eine gesunde wirtschaftliche Basis zu schaffen. Kurz: Ohne Geld, Grund und Boden gäbe es schon längst keinen Papst noch ein Kirchenfürstentum mehr, hätte es nie Päpste gegeben.
Gewiß haben geistliche Herren und Damen auch selbst hart für ihr Fortkommen gearbeitet. Aus der langen Geschichte des Klosterwesens wissen wir beispielsweise, daß die Weltflucht der Klosterleute zur Quelle kollektiven Reichtums wurde. Arbeitet eine Kommune bienenfleißiger Menschen, die bedürfnislos leben, Jahr um Jahr für ihr Kloster, erwirtschaftet sie zwangsläufig Überschüsse. Einen Teil davon mag sie Bedürftigen abgegeben haben, den Rest hat sie ins Eigene investiert.[57] Doch ist dies nicht die einzige und noch nicht einmal die wichtigste Möglichkeit gewesen, den Besitz zu mehren. Es ist im Zusammenhang mit kirchenfürstlichem Grund und Boden noch heute hin und wieder die Rede von »Schenkungen«. Das klingt gut, ist aber nicht gut. Denn die gewaltigsten Schenkungen, die die Kirchengeschichte kennt, waren Fälschungen.
Daß einmal ein Kaiser Konstantin im 4. Jahrhundert dem Papst Silvester I. (†335) und seinen Nachfolgern Rom und das ganze Abendland »geschenkt« haben soll, ist eine fromme Fabel. Das haben sich,

viel später, im 8. Jahrhundert, jene Hirten in Rom ausgedacht – und die entsprechenden Dokumente gefälscht –, die Interesse an Grundbesitz und abendländischer Ideologie in einem hatten. Papst Stephan II. (†757) wandte sich, nachdem seine früheren Besitzungen im Krieg dezimiert worden waren, an den Frankenkönig Pippin III. und dessen Söhne. Dabei klagte er herzerweichend, erinnerte die Adressaten daran, was sie angeblich schon versprochen hatten und vor allem an die Tatsache, daß der Apostelfürst Petrus »ein starker Eintreiber« sei.[58] Folgerung: »Also, seht zu und beeilt euch, alles, was ihr ihm darzubringen verheißen habt, einzuhändigen, damit ihr nicht auf ewig trauert und nicht im zukünftigen Leben verdammt bleibt.« Die Franken fielen auf den Schwindel herein, und Petrus besaß recht früh noch ein paar Grundstücke in Rom. Die germanische Petrus-Verehrung, die dem Wunsch nach einem starken, schwertbewehrten Mann entsprang, schuf sich ihren sichtbaren Ausdruck. Petrus, der die Himmelstür bewachte, beschenkte man gern.

Der Münchner Kirchenhistoriker Ignaz von Döllinger (†1890), wegen seiner kompromißlos wissenschaftlichen Haltung zur sogenannten Unfehlbarkeit des Papstes exkommuniziert, meinte, für jeden Kenner verschwinde mit der Aufdeckung der Fälschungen »auch der ganze historische Boden des Papalsystems«[59]. Besonders gelte dies für die »Pseudo-Isidorischen Dekretalen«, eine um die Mitte des 9. Jahrhunderts entstandene kirchenrechtliche Sammlung von gefälschten Briefen ur- und frühkirchlicher Oberhirten. Mit Hilfe dieser frei erfundenen Sätze, die päpstliche Primatsrechte betrafen (was sonst?), sollten, als Not am Mann war, spätere päpstliche Optionen als historisch fundiert erwiesen werden. Zwar wurden diese Fälschungen im Lauf des 16. Jahrhunderts aufgedeckt, aber – so Döllinger – »die Grundsätze haben so tiefe Wurzeln in den Boden der Kirche getrieben und sind so verwachsen mit dem kirchlichen Leben, daß die Aufdeckung des Betrugs nicht einmal eine nachhaltige Erschütterung des herrschenden Systems zur Folge gehabt hat«.[60]

Klerikale Fälschungen hatten es in sich. Sie beschafften nicht nur dem geistlichen Überbau die richtige irdische Basis. Sie dienten nicht allein dazu, Kaiser und Könige übers Ohr zu hauen. Sie ließen sich auch blendend dazu verwenden, die weltlichen Herrscher klein zu halten: Gregor VII. behauptet dreist, eine »im Archiv der Peterskirche verwahrte Urkunde« beweise, daß Karl der Große ganz Gallien dem römischen Stuhl zinspflichtig gemacht und ganz Sachsen dem Papst geschenkt habe.[61] Die Urkunde, Beweisstück für eine autoritätsgläubige Zeit, wurde allerdings erst im 10. oder 11. Jahrhundert, jedenfalls lange nach Karls Tod, angefertigt, als die Kirchenfürsten sahen, wie kirchenpolitisch entscheidend ein solches »Dokument« sein und welch weitreichende Konsequenzen es haben konnte.

Päpste hielten die »Konstantinische Schenkung« für so wichtig, daß der jeweilige künftige Kaiser des Heiligen Römischen Reiches Deutscher Nation die (gefälschte!) Urkunde bestätigen mußte. Und ganz unblutig ging es (selbstverständlich) auch nicht ab: Wer die Echtheit des Dokuments bezweifelte, wurde als »Ketzer« angesehen – und verfolgt. Es liegt beispielsweise noch ein Protokoll vor, das das Verhör eines Johannes Dränsdorf vom 13. bis 17. Februar 1425 in Heidelberg wiedergibt. Er hatte die Schenkung bezweifelt und wurde verbrannt. Der 1458 in Straßburg hingerichtete oberdeutsche Waldenserführer Friedrich Reiser nannte sich »Bischof der Gläubigen, die die Konstantinische Schenkung verwerfen«[62].

Es berührt merkwürdig, auf diesem Hintergrund lesen zu müssen, daß frühkirchliche und mittelalterliche Fälschungen nicht als Betrügereien im modernen Sinn zu verstehen seien. Vielmehr hätten sie den Versuch dargestellt, »die durcheinandergeratene kleine oder große Welt wieder in eine rechte, von Gott gewollte Ordnung zu bringen«[63]. Ob echt, ob falsch – stets sei geprüft worden, »ob ein Dokument in das Bild hineinpaßte, das man sich von der göttlichen Ordnung machte«[64]. Göttliche Ordnung? Rechtfertigung des Betrugs? Verhöhnung der Blutopfer? Zynismus gegen die Betrogenen und Ermordeten?

Damals sollen andere Vorstellungen von Fälschung geherrscht haben als heute? Wie dem auch in den Denkanstrengungen der Apologeten sei, die Vorstellungen von Sünde im allgemeinen und von sexuellen Vergehen im besonderen sind doch wohl von Kirchenfürsten über anderthalbtausend Jahre hinweggerettet worden, oder nicht? Offenbar sind es zwei Paar Stiefel, wenn man für die Hirten oder gegen sie argumentiert: Der Fälschungsbegriff ist, so gesehen, plötzlich ein anderer, der Sündenbegriff derselbe; andere im Kirchenfürstentum gebräuchliche und rentierliche Vokabeln wie Gnade, Ablaß, Dogma einmal ganz beiseite.

Jedenfalls war auf betrügerischem Fundament gut oberhirtlich leben. Das ehemalige Kloster St. Maximin bei Trier gehörte vom 10. bis zum 12. Jahrhundert neben Fulda zu den großen Fälschungszentren auf dem Boden des mittelalterlichen Deutschen Reiches. Hier wurde, so neueste Forschungen des Historikers Theo Klötzer, »mehr und öfter gefälscht«[65], als man bisher anzunehmen bereit war. Immer ging es darum, die religiöse Autorität der Hirten abzusichern oder Angriffe auf kirchenfürstlichen Grund und Boden abzuwehren. Da ein mittelalterliches Dokument so lange als »echt« galt, bis seine Unechtheit eindeutig bewiesen war, hatten die Hirten leichtes Spiel. Fälschungen und Gegenfälschungen stritten sich um die Wahrheit. Und weil das ältere Dokument stets dem jüngeren vorging, datierten die Herren alle »Beweismittel«, die sie schwarz auf weiß besitzen wollten, möglichst weit zurück. Manche mittelalterlichen Urkundensammlungen in geistlichem Besitz sind zu zwei Dritteln ebenso raffinierte wie (heute) wertlose Fälschungen. Als »pergamentene Waffen« ließen sie sich allerdings wacker nutzen.

Päpste wußten, was sie wollten. Sie ließen sich mit Grund und Boden beschenken – und gaben ihrerseits Wertloses ab. Ein Beispiel: Die Petrus-Statuette im Domschatz zu Aachen trägt ein Glied von der angeblichen »Ketten-Fessel« des Apostelfürsten. Die sorgsam angefertigte Reliquie soll Papst Leo III. Kaiser Karl dem Großen verehrt haben.[66] Der Pontifex hatte seine Gründe. Er war gegen starke Widerstände gewählt worden und brauchte einen Beschützer; wenige Jahrzehnte zuvor hatte man einen Vorgänger ermordet. Leo III. (†816) war noch ängstlicher geworden, nachdem er während einer feierlichen Bittprozession in Rom überfallen und vom Pferd gestoßen worden war. Auch hatte man versucht, ihm die Augen auszustechen und die Zunge abzuschneiden. Das fehlgeschlagene Attentat machte ihn vorsichtig, die Heiligenlegende aber hatte ihr

Wunder.[67] Als Karl der Große in Rom war, wußte Leo III., was er zu tun hatte. Zum einen reinigte er sich in einem feierlichen Eid vor dem Herrscher von den umlaufenden Gerüchten, sein Lebenswandel sei nicht eben päpstlich. Zum andern krönte er – Überrumpelung oder nicht, »göttliche Inspiration« oder nicht – am Weihnachtstag des Jahres 800 Karl zum Kaiser. Damit war er am Ziel: Der Papst als Kaisermacher, das prägte sich der Zeit und der Nachwelt ein. Ein vom Papst gekrönter Kaiser konnte künftig nur noch Beschützer des Kirchenfürstentums sein. Leo III., im 17. Jahrhundert unter die Heiligen eingereiht, hatte auf der ganzen Linie gesiegt.

Nikolaus I. (†867) lehrte wenig später, Rom, also er und seinesgleichen, sei die höchste Appellationsinstanz auf Erden. Nur solche Konzilien seien rechtsgültig, deren Beschlüsse ihm vorgelegen hätten, und jeder Mensch sei ein Sünder – und deswegen dem Papst und dessen Richterspruch unterworfen, Kaiser und Könige keinesfalls ausgenommen.[68] Die weltlichen Herrscher wußten, woran sie waren. Sie konnten noch so glänzen, als Menschen blieben sie sündhaft. Wollten sie absolviert werden, mußten sie sich wie der Geringste ihrer Untertanen dem kirchenfürstlichen Urteil unterwerfen. Diese Doktrin saß fürs erste; die Potentaten taten gut daran, den sich mehr und mehr behauptenden Oberhirten in Rom nicht zu verärgern. Geschenke, Grund und Boden zumal, sind beim Papst nicht ungern gesehen.

Das Phänomen, das sich bis ins letzte Jahrhundert hinein Kirchenstaat nannte (ein entlarvendes Wort) und das als absolutistischen Herrscher den römischen Papst kannte, wurde im Lauf der Jahrhunderte Stück um Stück durch Kriege und durch Grundbuchfälschungen (»Schenkungen«) zusammengetragen. Das weltliche Herrschaftsgebiet der Päpste gründete zunächst auf dem sogenannten Patrimonium Petri, das sich seit dem 4. Jahrhundert herausbildete. Zielstrebige Expansionspolitiker taten in den kommenden Jahrhunderten das ihre für das Kirchenfürstentum; immer wieder wurden neue Territorien erobert und dem Grundbestand angegliedert. Im 13. Jahrhundert hatte Kaiser Friedrich II. auch die Rekuperationen anzuerkennen, die Wiedereroberungen verlorengegangenen Grundbesitzes durch Kriegspäpste, in Größe ganzer Herzogtümer. Nach-

dem das Schisma im eigenen Haus (als es drei Päpste gleichzeitig gab und dem einzelnen entsprechend weniger Geld zufiel) überwunden war, gelang es den Kirchenfürsten der Renaissance schließlich, den Kirchenstaat völlig zu unterwerfen und das zentralistisch geordnete Staatswesen relativ unangefochten zu regieren.
Wie die »milde Diktatur« der Päpste in der »christlichen Republik«[69] aussah, die ganz und gar nichts mit irgendeiner republikanischen Idee zu tun hatte? Verfolgungen Andersdenkender waren an der Tagesordnung, Judenpogrome und Ketzerverbrennungen. Der beispielgebende Sixtus V. (†1590) griff mit harter Hand gegen die Räuberplage in seinem Reich durch. Diejenigen Legaten und Verwalter, die ihm viele abgeschlagene Köpfe von Banditen zusandten, wurden offen belobigt. Die Verbrecherjagd ist so typisch für diesen Kirchenfürsten, daß noch sein Grabmal Männer zeigt, die Köpfe dahertragen wie Jagdtrophäen.[70] Barmherzigkeit war seine Sache nicht: Ein kleiner Junge hatte sich der Festnahme durch päpstliche Polizisten widersetzt, die seinen Esel hatten beschlagnahmen wollen. Wegen Widerstands gegen Vollzugsorgane wurde der Kleine zum Tode verurteilt, und sein oberster Gerichtsherr, der Stellvertreter Christi, lehnte es ab, ihn zu begnadigen. Das Kind wurde erwürgt.
Auf der anderen Seite zeigte sich Sixtus V. mehr als großzügig. Ging es um eigene Belange, fand der Herr des Kirchenstaats Mittel und Wege, die Kassen zu füllen. Er erhöhte die Beträge für bereits bestehende und damit käufliche Ämter auf das beinahe Fünffache. Zudem richtete er nach und nach neue käufliche Ämter ein: für Schatzmeister, Notare, Gefängnisvorsteher. Ständig erhöhte der Souverän Steuern und Zölle, pumpte durch Münzverschlechterung neues Geld in Umlauf und machte sogleich weitere Geschäfte mit den Wechselstellen. Der Kirchenschatz dieses Finanzgenies wurde in der Engelsburg aufbewahrt; die riesigen Truhen bargen drei Millionen Scudi in Gold und über eine Million in Silber.[71] Obgleich der Papst sich um seinen Staat so sehr sorgte, daß er – unter Androhung von Geldstrafen – den Anbau von Maulbeerbäumen befahl (um der für die päpstliche Seidenindustrie notwendigen Raupe Futter zu verschaffen), blieb er ungeliebt. Nach seinem Tod war

zu hören, Sixtus V. sei »verstorben, ohne großen Schmerz für Rom und Italien, denn er war von hartherzigem und winkelzügigem Gemüt und wünschte mehr gefürchtet als geliebt zu werden; haftete ihm doch vieles an, was für einen Fürsten lobenswert, für den Stellvertreter Christi kaum zulässig oder erwünscht ist«[72]. Wer so lamentierte, hatte freilich nichts vom Wesen des Kirchenfürstentums begriffen.

Allerdings: Mit dem Kirchenstaat, dem nach Sixtus V. eher unscheinbare Herren vorstanden, ging es künftig nicht mehr recht aufwärts. Voltaire sprach vom Papsttum, das sich durch Fälschung und Betrug seine sogenannten Rechte verschafft habe, als einem Hort primitiver Rückständigkeit[73], den es endlich zu vernichten gelte. Doch überlebten der Staat wie sein Herrscher selbst die große Revolution in Europa. Unter allen abendländischen Großstädten wurde die Sklaverei im päpstlichen Rom am längsten aufrechterhalten.[74] Die Selbstbestimmung des Staatsvolks wurde nicht nur ignoriert, sondern mit den schärfsten Ausdrücken verworfen. Der Französischen Revolution, die die Aufklärung über die bestehenden ungerechten Verhältnisse wollte und die Befreiung aller Menschen zu ihren ursprünglichen Rechten anstrebte, standen die Päpste schroff ablehnend gegenüber. Menschenrechte wie Gewissens-, Meinungs- und Religionsfreiheit wären das letzte gewesen, das in die oberhirtliche Rechnung gepaßt hätte. Die Päpste waren froh, als der »Spuk« vorüber war und der restaurative Wiener Kongreß ihnen 1815 ihren Staat zurückgab.

Die kurialen Behörden arbeiteten weiter, als habe es den Schock der Revolution und der Enteignung nicht gegeben.[75] Der Papst wurde wieder, was er gewesen war, ein hochverschuldeter Landesfürst mit einer altmodischen Verwaltung und einer Fülle von kaum zu durchschauenden Gesetzen, mit Polizei, Militär (»Schlüsselsoldaten«) und einem wahren Heer von Geheimagenten und Spitzeln, mit Zensur, Steuer, Zoll – allen in Kategorien der Menschenrechte Denkenden ein Ärgernis. Das Geschenk des Wiener Kongresses, die Restauration des fossilen Kirchenstaats, erwies sich als schwere Belastung. Ein Papst, der in der Toskana die Einführung der Gefängnisstrafe für Protestanten empfahl, die ihren Glauben propagierten, ein Hirt, der

Todesurteile sprechen und noch 1870 vollstrecken ließ, ein Kirchenfürst, der Truppen nach Art einer Fremdenlegion unterhielt, ein römischer Bischof, der Steuern in immenser Höhe eintrieb, ein Stellvertreter Christi, dessen Herrschaft auf die Bajonette ausländischer Truppen angewiesen war – entsprach das je der hohen Theorie? Offensichtlich schon, offenbar ganz genau, denn freiwillig gaben die Hirten ihre Beute nicht heraus.

Doch die Lage im Kirchenstaat wurde immer anarchischer; der Ministerpräsident des Papstes fiel einem Attentat zum Opfer. Die Zeit ließ sich nicht mehr lange anhalten. Im Herbst 1860 entschieden sich in den Provinzen Umbrien und Marken 230 000 Menschen gegen die päpstliche Herrschaft und nur 1600 für Pius IX.[76] Das hielt den geistlichen Herrn und Souverän, der Tausende politischer Strafurteile gegen seine Untertanen abzeichnete[77], zwar nicht ab, nach wie vor ein Viertel der landwirtschaftlichen Fläche Italiens zu beanspruchen und den Seinen die Freiheiten zu versagen, die sie außerhalb des Kirchenstaats schon errungen hatten. Auch nahmen 300 Bischöfe aus allen Weltteilen 1862 den »besonderen Ratschluß der göttlichen Vorsehung« und die »besondere göttliche Fügung« für das zusammengestohlene Territorium von 40 000 Quadratkilometern Land in Anspruch.[78] Doch kam bald das Ende dieser Basis des Kirchenfürstentums.

Als der starrsinnige Pius IX. (dessen Seligsprechungsprozeß seit 1907 läuft!) 1870 seinen Staat einbüßte und sich bei einer Volksabstimmung 133 861 Wähler für den Anschluß an Italien und nur 1507 dagegen aussprachen[79], zog sich der Papst schmollend in seinen Palast zurück. Entschädigungsangebote, selbst eine steuerfreie Jahresrente von rund drei Millionen Goldmark, nahm er nicht an. Aber nicht etwa, weil er der (richtigen) Meinung gewesen wäre, das Territorium sei ohnedies von seinen Vorgängern auf unrechte Weise erworben, sondern weil er auf eine kriegerische Lösung hoffte. Schon 1871 war er allen Ernstes daran interessiert, daß das Deutsche Reich ihn in einem »Kreuzzug über die Alpen« aus seiner mißlichen Lage befreie und die »Beraubung des Hl. Stuhles« rückgängig mache.[80] Er fand in den Reihen der treuesten deutschen Gläubigen viele parteipolitische Waffenbrüder.[81]

Doch hätte er lange warten können. Auch sein Nachfolger, Leo XIII., der sich nicht »in die Rolle eines auf weltlichem Gebiet entthronten Herrschers hineinfinden«[82] wollte, mußte Geduld aufbringen. Und noch zwei weiteren Päpsten, Pius X. und Benedikt XV., wurde diese Tugend abverlangt. Wer freilich gegen die päpstliche Auffassung von der »römischen Frage« (also vom Sichfestkrallen an den Kirchenstaat) verstieß, wurde streng gemaßregelt.[83] Die Päpste ließen nicht mit ihrer Rechtsauffassung spaßen; von den Fälschungen, der Basis ihres »Rechts«, sprachen sie nie.
Befreit wurden die im Vatikanpalast isolierten Päpste erst 1929 durch Mussolini. Die vatikanischen Pforten öffneten sich, Pius XI. ergriff Besitz von seinem Territorium und ließ sich in einer Prozession auf dem Petersplatz herumtragen. Die fast sechzigjährige »Gefangenschaft« war zu Ende. Seither gibt es den souveränen Vatikanstaat, eine absolute Monarchie auf 0,44 Quadratkilometern Land. Staatsoberhaupt ist der Papst; er hat die höchste legislative, exekutive und judikative Gewalt inne – und braucht diese mit niemandem zu teilen oder sich in irgendeinem Detail seiner Regierung kontrollieren zu lassen. Das ist einmalig undemokratisch auf der ganzen Welt, die »reinste Inkarnation des Absolutismus« (J. Bernhart), gestützt nicht nur auf alle überholten Vorstellungen des Gottesgnadentums, sondern auf die (ebenso verfallenen) der »Statthalterschaft Gottes auf Erden«. Ich komme auf die Einzelheiten dieser Spielart des Kirchenfürstentums noch zu sprechen.
Die faschistische Entschädigungszahlung von 1929 bildete den Grundstock für künftige Spekulationen an Banken und Börsen. Die riesige Summe kam zu dem Geld hinzu, das die Päpste schon in den Taschen hatten: Leo XIII. wies, eine letzte Geste des Sterbenden, 1903 auf den »eisernen Notpfennig« des Vatikans hin, der in einem bis dahin vor allen verborgenen Tresor ruhte, fünf Millionen französische Francs, seine Hinterlassenschaft an den Nachfolger. Neben diesem Notgroschen hinterließ Leo freilich noch eine Summe von 70 bis 80 Millionen.[84] Gedarbt wurde – von der Herde abgesehen – im Kirchenfürstentum nie.
Die Faschisten stellten ein für allemal klar, wie Katholiken mit Kirchenfürsten umzugehen haben. Die Konfession des Papstes galt

künftig in Italien als »einzige Staatsreligion«, und Abweichlern (etwa verheirateten Priestern) blieb der Zutritt zu öffentlichen Ämtern verwehrt. Ehescheidungen waren nicht zugelassen; alle Italienerinnen und Italiener mußten in Ehesachen vor das päpstliche Gericht. Daß der Name Mussolini wegen solcher und ähnlicher Leistungen mit goldenen Lettern in die Geschichte der Kirche eingetragen werde, stand 1929 in einem Glückwunschtelegramm aus Köln. Es kam von Konrad Adenauer.[85]

Der Kirchenstaat ist zwar geschrumpft, doch glänzen selbst noch seine Reste. Einmal ist der päpstliche Grundbesitz nicht auf die Vatikanstadt beschränkt[86], und noch immer ist der Vatikan von einer Aura des Geheimnisvollen, Majestätischen, Unantastbaren umgeben. Er soll nach wie vor eine Art Gralsburg des Glaubens an ewige Werte sein, ein ragender Fels der Wahrheit inmitten der Wüsteneien modernen Zweifels. Denn, so ein Hirte: »Der Geistliche ist mehr als ein Kaufmann, weil er mit ewigen Waren handelt. Er ist mehr als ein Kriegsmann, denn er streitet mit dem Satan. Er ist mehr als ein König oder Kaiser, denn er ist der Stellvertreter des Königs der Könige. Er ist mehr als ein Heiliger, denn vor ihm, wenn er erscheint, müssen sich die Knie aller beugen; im Himmel und auf Erden. Die Hoheit des geistlichen Standes ist unaussprechlich ...«[87] Recht so, denn »fürwahr, eine solche Macht übertrifft selbst die der Himmelsfürsten, ja sogar die der Himmelskönigin«[88].

Bereits im 3. Jahrhundert ließen sich die Herren »heiliger Vater« nennen; im folgenden Jahrhundert kommen Handkuß und Fußfall hinzu. Kirchenvater Cyprian fordert, daß man vor dem Bischof aufstehe »wie einst vor heidnischen Götterbildern«[89]. Eine Kirchenordnung jener Zeit nennt den Bischof »Abbild des allmächtigen Gottes, König, Herr über Leben und Tod«. Im 4. Jahrhundert tituliert ein Bischof den andern »Deine Heiligkeit«, und eine zeitgenössische Synode verlangt von den Kandidaten für das Hirtenamt ein »gewisses« Vermögen.

Mit Macht und Hoheit angetan? Die Kirchenfürsten. Mit Grund und Boden reich gesegnet? Das Kirchenfürstentum. Die Hirten des Vatikans tun nichts, um diesen Eindruck zu verwischen. Jeder von ihnen ist der geborene »fra commodo« (bequemer Bruder, Aussitzer), sonst wäre er bald seinen Posten los. Jeder muß gelernt haben, wirklich brisanten Fragestellungen auszuweichen oder sie erst dann zu erledigen, wenn sie nicht mehr aktuell sind und ein vatikanisches Urteil niemanden mehr aufregt.[90] Fürs erste lebt der Vatikan von seiner überkommenen Glorie und pflegt seine Muße. »A Roma si va avanti con piedi di piombo«, Rom kommt auch mit Bleifüßen ganz gut voran.

Warum es viele Gegenpäpste gab, aber keine Päpstin Johanna

Die Kirchenverfassung ist eindeutig, und auch das gängige Kirchenbild, die Vorstellung, die sich die meisten Menschen von »der Kirche« machen, stimmt: Wer römisch-katholische Kirche sagt, kann ebensogut Kirchenfürstentum, Bischof, Papst sagen. »Der Papst, der die Kirche genannt werden kann«, war die schlagende Antwort früherer Jahrhunderte auf die entsprechende Frage, und die Antwort verlor noch immer nicht viel von ihrer zeitlosen Gültigkeit. Kirchengeschichte muß als Papstgeschichte verstanden werden, und die Geschichte des Kirchenfürstentums durchaus als Historie der Hirtenverbrechen.

Ein Fresko des Pinturicchio zeigt um 1492/1494 den damaligen Papst Alexander VI., wie er, die Hände fromm gefaltet, den auferstandenen Christus verehrt. Das Gesicht dieses außerordentlich profilierten Papstes zeigt, so ein Führer durch die Vatikanischen Museen, »kalte Intelligenz, unbändiges Wollen, Raffinement, Sinnlichkeit«[91]. Nichts Ungewöhnliches. Denn solche Eigenschaften sind berufsspezifisch. Päpste, die nicht über sie verfügten, fielen in der Geschichte des Kirchenfürstentums nicht auf.

Von interessierter Seite, die passenden Historiker nicht ausgenommen, ist zu hören, der Gang durch diese Geschichte gleiche einer Wanderung durch eine allmählich ansteigende Hochebene, aus der einzelne Gipfel aufragten, die dem Gebirge Profil und Charakter gäben.[92] Ich kann diese Faszination nicht teilen, der selbst Gotteslämmer protestantischen Glaubens erliegen.[93] Das Papsttum er-

scheint mir wohl – wie dem englischen Politiker und Historiker Thomas Macaulay (†1859) – als ein Gebilde menschlicher Staatsklugheit.[94] Nicht aber als ein hochragendes Gebirge. Eher sprechen die historischen Erfahrungen, die jeder macht, der alles (und nicht nur das ins Bild Passende) studiert, dafür, in der Geschichte des Papsttums eine Wanderung durch eine Tiefebene zu sehen, in der es nicht selten richtige Sumpflöcher gibt. In diesen versinken Evangelium, Menschenrecht, Menschenwürde. Ragende Gipfel im Kirchenfürstentum mache ich nicht aus. Die in einschlägigen Darstellungen als Höhepunkte gepriesenen Papstgestalten erweisen sich bei nüchterner Betrachtung als Tiefpunkte – selbst im Kirchenfürstentum, das ja viel gewohnt ist.
Freilich: So darf man nicht nach Rom schauen, sonst wird es nichts mit der Glaubenskarriere. Ein Kardinal sagte noch in diesem Jahrhundert, auf die richtige Geschichtsschreibung in Sachen Päpste und Kurie angesprochen, »weniger Wahrheit und mehr Liebe« seien am besten.[95] Einträglicher ist es, so ein anderer kirchenfürstlicher Rat[96], nach außen alles zu loben, vieles nicht zu sehen, oberhirtlich vorgegebene Slogans wie ein Lautsprecher zu wiederholen und, vor allem, nicht zuviel Eifer zu zeigen (wie Talleyrand wußte). Anders wird sich keiner im Kirchenfürstentum halten. Bereits Kirchenlehrer Bernhard von Clairvaux urteilte über die Herren am Hl. Stuhl, sie versprächen alles und hielten nichts, seien »süße Schmeichler und beißende Verleumder, arglistige Heuchler und nichtswürdige Verräter«[97].
Eben deswegen ging es mit dem Papstamt ebenso aufwärts wie mit dem, was seine Inhaber gern »geistliche Gewalt« (in Lehre, Disziplin, Moral) nannten – und was sie, versteckt oder offen, als ihre persönliche Machtsphäre verstanden. Kein Wunder, daß sich mehr und mehr Machtmenschen um den verheißungsvollen Posten bemühten, der ihrem Herrenwillen Möglichkeiten wie kein zweiter bot. Das Kirchenfürstentum, wie es sich geschichtlich entwickelte (besser: wie es bewußt entwickelt wurde), ist ein Totalitätssystem und kann schon deshalb nicht auf Machtausübung verzichten.[98] Seine Hirten können nicht anders, selbst wenn sie ausnahmsweise wollten; Machtpolitiker der Mitra zu sein, ist ihre providentielle

Aufgabe. Und was sie voneinander halten? Wenn sie mit der sooft beschworenen Tradition der Ihren nichts anfangen können, weil sie sich fallweise mit ihren Interessen nicht deckt? Urban VIII. gibt im 17. Jahrhundert die Devise aus: Der Spruch eines lebenden Papstes ist mehr wert als die Satzungen von hundert toten.[99]

Gewiß verbirgt sich unter hundert Päpsten der eine oder der andere, der es ernst meinte mit dem Evangelium – und nicht nur todernst mit dem Kirchenfürstentum, für das er doch gewählt war. Solche Einzelfälle galten den Zeitgenossen eher als Störfaktoren und, wenn es hoch kam, den Nachfolgern als Musterbeispiele dafür, wie man es auch hätte machen können, hätte es der eigene Machtinstinkt erlaubt. Die im Sinn des Evangeliums vorbildlichen Päpste (warum soll es solche nicht auch geben?) sind an einer Hand abzuzählen. Sie galten den Ihren als Bagatellen, als Randerscheinungen. Cölestin V. beispielsweise, der 1294 schon nach wenigen Monaten entsetzt auf sein Amt verzichtete und, von seinem brutalen Nachfolger eingesperrt, in einer knapp vier Quadratmeter kleinen Zelle vegetierte, bis er starb. 1313, als sich der Wind gerade gedreht hatte und Rom eine Vorzeigefigur (»Engelpapst«) brauchte, wurde Cölestin auffallend schnell heiliggesprochen.[100]

Mit derartigen Einzelerscheinungen brauchte sich die Generallinie des kirchenfürstlichen Amtes aber nicht über Gebühr abzugeben; Päpste dieser Art taugen allenfalls als Exempel einer absonderlichen Art von Heiligkeit, für die Kirchenfürsten nichts übrig haben. Was Rom brauchte, waren Draufgänger, Machtpolitiker, die dem Kirchenfürstentum zu weiterer Macht verhalfen, und, wenn es denn schon sein mußte, auch Papst-Theologen und -Juristen, die die Fülle ihres Amtes auch theoretisch mehrten. Höhepunkte der Geschichte, Gipfelgestalten?

Leo I. (†461) zum Beispiel, der lehrte, der römische Bischof sei identisch mit Petrus und dürfe daher auch dieselbe Unterwürfigkeit fordern? Oder Bonifaz VIII. (†1303), mörderischer Verfolger jenes hl. Cölestin, ein skrupelloser Politiker, der seine Auffassung vom Kirchenfürstentum schon in der Einleitung der berüchtigten Bulle »Clericis laicos« (1296) programmatisch vorstellte (»Laien sind der Kleriker Feinde«) und nichts unversucht ließ, den behaupteten Primat seines Amtes gegen alle Welt durchzusetzen? Seine über Jahrhunderte hinweg leidenschaftlich diskutierte Bulle »Unam Sanctam« (1302), unmittelbar gegen den französischen König gerichtet, reiht ein anachronistisches Postulat an das andere, definiert den Primat in Worten unbegrenzter Macht, spricht von der päpstlichen Gewalt, die sich über alle Kronen und Völker erstrecke, entmündigt alles außerkirchliche Dasein, behauptet ein geistliches Vorrecht, Besserwissen, Übergewicht in sämtlichen Angelegenheiten der Welt.[101] Der Papst, der nichts als Haß säte, sprach in dieser Bulle ex cathedra, von Amts wegen. Ob er auch unfehlbar lehrte, galt selbst den Seinen als fraglich. Leo XIII. distanzierte sich jedenfalls 1885, also über 500 Jahre später, von dem Vorgänger und dessen Herrschaftsansprüchen. Aber erst, als es nicht mehr anders ging, als der Vatikan sich nur noch lächerlich machte.

Bonifaz VIII., der erste Papst, der befahl, daß an wichtigen Plätzen des Imperiums Statuen seiner Person aufgerichtet und verehrt werden sollten[102], schuf nirgends Dauerhaftes, machte sich überall Gegner. Er lehrte, es sei fürs Heil eines jeden Menschen unerläßlich, dem römischen Papst unterworfen zu sein. Er herrschte Frankreichs König an, damals immerhin Vertreter einer Weltmacht wie der Präsident der USA heute, er solle sich gefälligst dazu bekennen, dem Papst zu unterstehen. Er hieß den deutschen König einen Majestätsverbrecher, führte die erste Judenverbrennung in Italien durch, stahl als reichster Geldmagnat Italiens für seine vielen Verwandten mit List und Gewalt riesige Ländereien zusammen.

Der Gesandte Aragons berichtet seinerzeit an seinen König: »Der neue Papst beschäftigt sich nur mit drei Dingen: lange zu leben, Geld zu verdienen und seine Familie zu bereichern... An etwas Geistiges verliert er keinen Gedanken.«[103] Bonifaz VIII. begründet das Prinzip, nach dem eine römische oder italienische Adelsfamilie, die reich werden wollte, zumindest einen Papst stellen mußte.[104] Kein Papst vor ihm und nach ihm hat den privaten Grundbesitz so mehren können wie er. Das meiste von dem, was er vor 700 Jahren zusammenraffte, blieb bis ins 20. Jahrhundert im Besitz seiner Familie.

Das von Bonifaz VIII. ausgerufene Jubeljahr 1300, in dem er den

Besuchern der sogenannten Ewigen Stadt Ablässe in jeder Menge versprach, wurde zu einem ungeheuer ertragreichen Geschäft für das Kirchenfürstentum. Zwei Millionen Pilger sollen damals nach Rom geströmt sein, um sich ihr Seelenheil zu erkaufen. Die Hirten der beiden Großkirchen – St. Peter und St. Paul vor den Mauern – mußten das viele Geld mit Rechen zusammenharken;[105] die päpstliche Bank strich anschließend die Summen ein. Die Geldgier des Papstes war schon bei den Zeitgenossen so sprichwörtlich wie seine Rachsucht, mit der er noch Unterlegene verfolgte, und wie seine pathologische Eitelkeit. Er erging sich vor seinen Kardinälen, abwechselnd als Papst und als Kaiser kostümiert, mit den Worten: »Ego Caesar, ego Imperator«.

Aber Bonifaz VIII. war – im Gegensatz zu den erwähnten Außenseiterpäpsten – kein Einzelfall. Er paßte genau in den Rahmen seines Amtes. Was er lehrte, kann nicht anders verstanden werden als eine Weiterführung dessen, was die Vorgänger ausgedacht hatten: Innozenz III. (†1216), der die Idee von der geistlichen Weltherrschaft mit allen Mitteln durchsetzte, und Gregor VII. (†1085), der im verheerenden »Investiturstreit« den Königen dieser Welt bewies, wozu der geistliche König und Priesterkaiser inzwischen in der Lage war. Das Kirchenfürstentum schmiedete die Instrumente seiner Herrschaft und legte sie vor: Ordnung, Gesetz, Besitz. Innozenz III. gestaltete seine Kurie zu einem Platz der internationalen Hochfinanz um, so daß Spötter von einem »Evangelium secundum Marcam« (statt Marcum) sprachen, von einem Evangelium nicht nach dem Evangelisten Markus, sondern nach der Mark Silber.[106] Er schuf die Grundlagen für eine Gesetzgebung, die ins Unermeßliche ausuferte: Tausende und Abertausende von Normen, Regeln, Verboten und Geboten, Urteilen und Dispensen flossen vom päpstlichen Hof aus in alle Welt – und brachten Angst wie Hoffnung für die Untertanen, aber reiches Geld für den Papst, der über sämtliche Gesetze und Gnaden wachte. Denn, so Innozenz III., nicht dem Weltenrichter haben die Menschen beim Jüngsten Gericht Rede und Antwort zu stehen, sondern ihm, dem Herrn zu Rom.[107]

Innozenz muß schon bei Amtsantritt eine Fälscherbande ausheben, die direkt neben der Kurie gegen gute Bezahlung fabrikmäßig ge-

fälschte Urkunden ausstellte. Dann richtet er professionell die eigene Gnaden-Werkstatt ein. Der päpstliche Hof wird nach betriebswirtschaftlichen Gesichtspunkten organisiert; künftig liegen eigene Geschäfts- und Gebührenordnungen vor. Der Kirchenstaat, unter diesem Papst mehr und mehr vergrößert, läßt sich jetzt straff regieren. In der Außenpolitik ist Innozenz ähnlich erfolgreich: England zahlt (bis 1366) jährlich tausend Pfund Sterling Tribut an Rom, und die deutsche Königswahl steht fortan unter »apostolischer Gunst«. Das bedeutet im Klartext, daß der dem Papst genehmste Kandidat eigens benannt wird. Hinzu kommt der päpstliche Anspruch, die Wahlmänner seien in einer besonderen Gruppe zu suchen (den späteren Kurfürsten), an deren Spitze die drei Oberhirten von Köln, Mainz und Trier stehen. Damit gerät nicht nur die Wahlprozedur in die Hände von Kirchenfürsten, auch die päpstliche Fremdeinwirkung wird (bis 1356) zum Bestandteil der Königswahl.[108]
Gregor VII. hatte zuvor in seinem »Dictatus Papae«, einem schauerlichen Schriftstück, ausgiebig von früheren Fälschungen Gebrauch gemacht, eine Frühform der sogenannten Unfehlbarkeit seines Amtes behauptet[109], die erbliche Heiligkeit der Päpste beansprucht, sein angebliches Recht verteidigt, unliebsame Monarchen auf der ganzen Erde abzusetzen. Allen Ernstes: Dieser Papst lehrte, mit der vorschriftsmäßigen Amtseinführung werde jeder Papst auch persönlich heilig, denn das Papstamt mache seine Inhaber moralisch wertvoller. Er selbst habe das an sich verspürt. Im Gegensatz dazu stehe das Amt des Königs, das seine Träger stets schlechter mache.[110]
Gregor behauptete gegen die Ostkirche, nur die römische Kirche sei vom Herrn gestiftet. Er legte größten Wert auch auf die äußeren Abzeichen der amtlichen Macht: kaiserliche Insignien für den Papst, Hoheitstitel, Fußkuß. Dieser Papst führte die Papstkrone ein, Bonifaz VIII. fügte ihr einen zweiten Reif an, sein unmittelbarer Nachfolger, der selige Benedikt XI., den dritten.[111] Viele dieser hoheitlichen Zeichen wurden bis vor wenigen Jahrzehnten beansprucht. Ich selbst sah die absonderlich ägyptisch-byzantinischen Großwedel aus Straußenfedern (»flambelli«) links und rechts vom päpstlichen Thron, mit denen die Stellvertreter Christi ihre Machtansprüche unterstrichen.

Bilder und Zeichen sind wichtige Indikatoren einer Herrschaft. Da die weitaus meisten Menschen früher weder lesen noch schreiben konnten (weil sie es im Gegensatz zu den Hirten nicht lernen durften), blieben sie auf bildliche Darstellungen angewiesen. Nicht ohne Grund stellten Kirchenfürsten ihre eigenen Ansprüche für »das Volk« bildlich so dar, daß die Betrachter blind blieben. Bis heute sind viele dieser augenlenkenden Bilder erhalten: Darstellungen der Schlüsselübergabe an Petrus, der »Schenkungen«, der Schlüsselweitergabe von Petrus an den Papst.[112] Überall vorhanden, sollten diese Bilder eine Ideologie plastisch machen – und zum Glauben derer beitragen, die die Wahrheit nicht wissen durften.
Gregor VII. war durchdrungen von der übersteigerten Petrusmystik, die dem Kirchenfürstentum auf all seinen Ebenen Vorteile brachte und auf die nicht zu verzichten war. Sie bildete die Grundlage für die abwegigsten Forderungen dieses Machtmenschen, der die monarchische Papstherrschaft festigte und erklärte, alle weltlichen Reiche auf Erden seien Lehen des Apostels Petrus. Daß dieser Potentat seine Forderungen mit dem Schwert durchzusetzen versuchte, rundet das Bild ab. Seine fanatische Kriegsdoktrin ließ ihn einen eigenen Heerhaufen aufstellen und anführen, die »Militia Sancti Petri«. Mit seinem Lieblingsspruch »Wer sein Schwert rein hält vom Blut, sei verflucht« zog er mit der Soldateska los, sah den Apostel als himmlischen Feldmarschall, nannte sich selbst »Dux« (modern: General, Duce). Ein »heiliger Satan« (so das Urteil des Zeitgenossen Petrus Damiani), ein Dämon der Gewaltanwendung, der ein zutiefst trauriges Bild des Papsttums abgibt, aber durchaus kein Zerrbild, wie es Apologeten gern sähen. So wie er *ist* das Kirchenfürstentum.
»Wenn am Sitz des heiligen Petrus über himmlische Dinge entschieden wird, wieviel mehr dann über irdische und weltliche«, lehrte Gregor. Folgerichtig fühlten sich im Zentrum solcher Macht besonders jene wohl, die auszogen, ihr Leben möglichst herrscherlich zu verbringen. Von vielen Seiten drängten die Machtmenschen auf den Heiligen Stuhl; wildeste und blutigste Kämpfe um den Hochsitz kirchlicher (und irdischer) Gewalt sind nicht ungewöhnlich. Lorenzo Medici schmeichelt Papst Innozenz VIII. (†1492), die Heilig-

keit habe sich anders verhalten als viele Päpste und sich nicht gar so unverhohlen nach der Macht gedrängt; ein krasses Fehlurteil.[113] Paul III. sieht sich und seine Vorgänger mit schärferen Augen: Als er 1534 endlich Papst wird, rügt er seinen Vorgänger, der ihm »zwölf Jahre des Papsttums, die eigentlich mir gehörten, gestohlen« habe.[114] Und ein in der Wahl von 1592 unterlegener Kardinal heult, er habe eine Nacht verbracht, die schmerzvoller gewesen sei als jeder unglückliche Augenblick in seinem Leben, und blutigen Schweiß vergossen.[115]

Gegenpäpste finden sich über Jahrhunderte hinweg, und noch immer ist es nicht leicht zu sagen, wer im konkreten Fall der »richtige« und wer der »unwahre« Papst war. Selbst die offizielle Zählung des Vatikans stößt auf Schwierigkeiten. Angebliche Nachfolger des Petrus traten nicht allein durch irrige Eintragungen in die offiziellen Listen in die Welt.[116] Auch finden sich nicht nur Fehlzählungen oder ganz und gar legendäre Päpste. Vielmehr gibt es veritable Gegenpäpste; insgesamt waren es nach neuerer Zählung nicht weniger als 36 (der letzte offiziell geführte regierte von 1440 bis 1449). Das Große Abendländische Schisma (1378–1415) kannte drei Päpste zu gleicher Zeit; jeder von ihnen behauptete einen legitimen Anspruch auf das Amt, ernannte neue Kardinäle, schröpfte und schor seine spezielle Herde, hielt sich seine Kurie, begründete eine eigene Papstreihe – und niemand wußte über Jahrzehnte hinweg zu sagen, welcher von den vielen der echteste war.

Das Problem der Gegenpäpste reicht bis in unsere Zeit: Der bisher letzte, noch nicht in der offiziellen Liste geführt, erhob sich vor wenigen Jahren gegen den römischen Paul VI. Und als Angelo Roncalli 1958 zum Papst gewählt war, nahm er den Namen Johannes XXIII. an und wurde unter diesem bekannt. Doch gab es bereits einen Johannes XXIII. (1410–1415), einen Mann, dessen Karriere vom Seeräuber zum Nachfolger Petri ebenso spannend verlief wie seine Absetzung auf dem Konzil von Konstanz. Das Papstbuch führt diesen Johannes XXIII. senior als Stellvertreter Christi, und der Johannes XXIII. unseres Jahrhunderts hätte sich korrekt »iunior« nennen müssen.[117]

Gegenpäpste hatten keine schlechteren Gründe als die sogenannten regulären Päpste, den Sitz in Rom anzustreben. Es war schließlich nicht die schlechteste Laufbahn, die sich einem Machtwilligen eröffnete. Kein Wunder, daß es bei den Papstwahlen immer wieder zu Handgreiflichkeiten kam. Ein Beispiel: Die Erhebung des berühmten Juristenpapstes Alexander III. (1159) endete im Tumult. Als sich Alexander, dem die meisten Kardinäle ihre Stimme gegeben hatten, den purpurnen Papstmantel umlegen wollte, verstieg sich der – unterlegene, da nur von zwei Kardinälen gewählte – Gegenpapst Viktor IV. »zu solcher Unverschämtheit und solchem Wahnsinn, daß er den Mantel... wie ein Besessener... mit eigenen Händen brutal herunterriß und unter lautem Getöse mit sich schleppte«[118].

Der ideologische Boden, den die Realitäten des Kirchenfürstentums bilden, braucht keine Papstfabeln wachsen zu lassen, um Staunen und Schrecken zu verbreiten. Selbst die römische Lokalsage von der »Päpstin Johanna« reicht nicht an die Wirklichkeit heran: Daß im 9. Jahrhundert eine Frau zum Papst gewählt worden sei, die über zwei Jahre regiert und bei einer Prozession auf offener Straße ein Kind entbunden habe, wurde über Jahrhunderte gelehrt und – auch von Bischöfen – geglaubt. Ein Kirchenfürst führt die Katastrophe der Niederkunft eines Papstes geradezu als Beweis dafür an, daß hin und wieder auch Päpste vom bösen Geist getrieben werden.[119] Und etwa seit 1100 wird der Brauch erwähnt, daß der neue Papst sich auf einem »durchbrochenen« Stuhl niederläßt.[120] Die Öffnung sollte es ermöglichen, das Geschlecht des Erwählten zu überprüfen. Die entsprechende Sequenz – »Hat er oder hat er nicht?« »Er hat. Gott sei Dank!« – gab immer wieder Anlaß zu Volkswitzen und zu gelehrten Abhandlungen über die heilige Handlung. Allerdings dürfte der durchbrochene Sitz ebenso fabelhaft sein wie die Entlarvung einer Päpstin, die sich – so Boccaccio – nach diesem Ereignis ins Privatleben zurückzog.

Weshalb die Heiligkeit »Seiner Heiligkeit« nicht lupenrein ist

Daß sich die Päpste seit langem »Eure Heiligkeit« titulieren lassen, hat nichts mit dem Evangelium zu tun, auf das sie sich gern berufen. Denn Jesus aus Nazareth hatte das genaue Gegenteil über alle Titel menschlicher Hoheit gesagt: »Ihr sollt keinen auf Erden Vater (papa) heißen; einer ist euer Vater, der im Himmel« (Mt 23, 9). Und »ihr sollt keinen auf der Erde euren Meister heißen oder euren Lehrer, denn einer ist euer Lehrer, Christus« (Mt 23, 10). Aber da das Kirchenfürstentum, wie gesagt, ohnedies nichts mit Jesus gemein hat, kann es auch seine Schriftvergessenheit pflegen, wie immer es will, und Titel benutzen, die jener »Herr« verbot. Spricht es jedoch dem Papst den Titel »Heiligkeit« zu, darf wohl untersucht werden, ob sich unter den fast dreihundert Päpsten der Geschichte wirklich der eine oder andere heiligmäßige Mensch findet.

Wer unbedingt heiliggesprochen werden möchte, hat statistisch die größten Chancen, sein Ziel zu erreichen, wenn er eine Papst-Karriere macht. Ein Viertel der bisherigen Amtsinhaber schaffte es schon. Das ist eine relativ hohe Zahl. Für Familienväter oder Pfarrer vom Land stehen die Aussichten wesentlich ungünstiger. Bisher wurde erst ein einziger Dorfpfarrer kanonisiert, aber insgesamt 78 Päpste gelten als heilig. Die ersten paar Dutzend wurden unbesehen heiliggesprochen (obgleich schon ihre Namen historisch unzuverlässig sind). Das Kirchenfürstentum nahm es mit solchen Bagatellen nicht so genau.

Später ging die Flut an heiligen Päpsten zurück. Bisweilen herrschte fast schon Ebbe, und nicht jeder Amtsinhaber konnte damit rechnen, durch einen seiner Nachfolger die höchste Würde zugesprochen zu bekommen. Inzwischen ist wieder Land in Sicht. Im 20. Jahrhundert gibt es bis jetzt zumindest einen heiliggesprochenen Papst: Pius X. Für andere läuft das Verfahren. Pius XII. zählt zu diesen Kandidaten, ein ganz besonderer Stellvertreter, der alle faschistischen Staatsverbrecher Europas unterstützte – und dem die Deutsche Bundespost 1984, als alles schon bekannt war, eine Sonderbriefmarke widmete. Im offiziellen Begleittext zum Ausgabetag,

vom Kommissariat der deutschen Bischöfe (Bonn) verfaßt, heißt es: »Pius XII. war während seines fast zwanzigjährigen Pontifikats ein Künder des Friedens, Helfer der Menschen und Zeuge des Glaubens.« Auch soll er, folgt man der kirchenamtlichen Lüge, »während der Zeit der nationalsozialistischen Diktatur und des Krieges Millionen von Menschen, die durch Verfolgung, Rassenhaß, Krieg, Vertreibung und Hunger bedroht waren, nach Kräften« geholfen haben.[121]
Ein deutscher Bundeskanzler brachte es im Juni 1986 sogar fertig, anläßlich eines Staatsbesuchs im Vatikan gegenüber Johannes Paul II. sein Bedauern darüber zu äußern, daß Pius XII. »durch einen Schriftsteller deutscher Zunge Unrecht widerfahren« sei. Helmut Kohl entschuldigte sich dafür, daß Rolf Hochhuth den Stellvertreter Christi auf Erden angegriffen hatte. Da die Entschuldigung auch noch »im Namen des deutschen Volkes«[122] erfolgte, schließe ich mich ausdrücklich vom Volk des Herrn Kohl aus.
Heilige Päpste? Zum Beispiel der Priestersohn Damasus (†384), schwer zu durchschauen, skrupellos und hart, ein Charakter, der freilich wegen dieser Merkmale gut zur Heiligenhistorie paßt. Durch Terror und Bestechung Papst geworden, erkannte er früh die Möglichkeiten seines Amtes. Er schaffte es, Kaiser Gratian den Titel »Pontifex maximus« auszureden – und die bis heute gebräuchliche heidnische Bezeichnung auf den Bischof von Rom zu übertragen. Damit war ein Grundstein für die kommende Machtfülle des Papsttums gelegt. Auch nannte Damasus seinen eigenen – römischen – Thron die »Sedes Apostolica« und unterminierte so die Stellung der übrigen Hirten. Rom wurde zur geistlichen Vormacht, die römische Gemeinde zur autoritären Herrin über andere, statt eine von vielen oder wenigstens die erste unter gleichen zu bleiben. Damasus nannte Rom »allen anderen Städten der Welt vorangestellt«, seinen Bischofssitz, den er erst nach monatelangen Krawallen und blutigen Straßenschlachten erobert hatte, einen Platz ohne »Fleck und Runzel«[123]. Damasus hatte sich nur mit Hilfe einer eigens angeheuerten Söldnertruppe durchsetzen können. Seine Spießgesellen waren die schlagkräftigeren Prügler gewesen, seinem Geld war es geglückt, die Mehrheit zu bestechen. Über 150 Tote lagen in Rom, als der heilige

Mann endlich seinen Thron besteigen konnte. Die Mordzüge gegen seine persönlichen Feinde gingen allerdings weiter. Kirchengeschichtler aber loben seinen »kindlich-frommen Sinn«, nennen ihn einen »gottbegeisterten Priester«[124]. Der Papstverbrecher wird noch immer in den offiziellen Heiligenkalendern geführt. Das Fest zu Ehren des seinerzeit wegen Ehebruchs und Mordes angeklagten Kirchenfürsten ist auf den 11. Dezember datiert.
Daß Damasus – nach seinem Sekretär, dem hl. Kirchenlehrer Hieronymus, »Licht der Welt und Salz der Erde«[125] – anderen Hirten vorlog, die beiden wichtigsten Apostel, Petrus und Paulus, hätten seine Gemeinde gegründet, rundet das Bild ab. Erstmals war es gelungen, den konkreten Fischer Simon vergessen zu machen und an seine Stelle eine Abstraktion namens Petrus zu setzen. Mit dieser würde sich in Zukunft jeder Stellvertreter identifizieren, um die Tradition der Gewalt fortzusetzen. Kein Wunder, daß Päpste ohne den nicht auskommen wollen, den sie zu ihrem ersten machten. Kein Wunder, daß sie sogar den Boden unter ihrer größten Kirche, dem nach diesem benannten Petersdom, aufreißen ließen, um Reste des ersten zu finden. Damasus, der alles darangesetzt hatte, möglichst »viele Leiber der Heiligen« aufzuspüren, um den Glanz der eigenen Kathedra zu mehren, hatte wenig Erfolg. Obwohl er »eifrig die Eingeweide der Erde« durchsuchte[126] und der zeitliche Abstand zu Petrus noch relativ gering war, hat Petrus sich ihm versagt; der Apostelfürst wollte sich erst anderthalbtausend Jahre später durch Pius XII. finden lassen.
Damasus, wegen seiner Predigtkünste »Ohrenkitzler der Damen« genannt[127], hatte begonnen; die Nachfolger brauchten nur weiterzumachen. Am Hof dieses Kirchenfürsten wurde bereits besser gegessen und üppiger getrunken als an der Tafel der Könige, und hin und wieder kam auch der arme Landklerus vorbei, um sich beim Obersten Oberhirten »ungesehen zu betrinken«[128]. Weitere Erfolge blieben nicht aus: Damasus gelang es, den weltlichen Arm für die spezifischen Belange der Hirten einzusetzen und damit eine verhängnisvolle Entwicklung einzuleiten. Die Staatsgewalt wurde in der Folgezeit zum Instrument oberhirtlicher Herrschsucht – bis hin zur Inquisition. Wen Kirchenherren künftig beseitigen lassen woll-

ten, ob »Ketzer«, Juden oder »Hexen«, den oder die konnten sie einer Staatsmacht übergeben, die ihren Wunsch erfüllte, die Endlösung bereithielt. Blutige Hände machte sich der Kirchenfürst damit nicht, und blutrünstiges Denken und Fühlen waren ohnedies sein Kennzeichen.

Wie ging es weiter? Das 16. Jahrhundert weist geschichtlich interessante Päpste auf: Eingeleitet wird es von Alexander VI., einem skrupellosen Potentaten, vor dessen Nachstellungen Frauen, sogar die eigene Tochter, nicht sicher sein konnten. Stendhal schreibt über die Kardinäle, die diesen Mann zum Papst machten: »Frömmigkeit war selten im Heiligen Kollegium, Atheismus allgemein.«[129] An eine Heiligsprechung Alexanders VI., der von verschiedenen Mätressen neun Kinder hatte, war nicht einmal unter kurialen Verhältnissen zu denken. Freilich bestand auch der Gegenspieler Alexanders VI., der Dominikanermönch Girolamo Savonarola (vom Papst als »Ketzer« ermordet), bis heute keinen Heiligsprechungsprozeß.[130] Noch immer halten Oberhirten lieber zu ihresgleichen als zur geschichtlichen Wahrheit.

Auch die Nachfolger Alexanders VI., darunter Kriegsherren wie Julius II., Lebemänner wie Leo X. und Machtpolitiker wie Clemens VII., hatten wenig Chancen, heiliggesprochen zu werden – obgleich solche Eigenschaften im Amt sonst auch nicht störten. Dasselbe galt für Paul IV., nach Hans Kühner »wohl die grausamste Gestalt der ganzen Papstgeschichte, der personifizierte Scheiterhaufen der Inquisition«[131]. Ein pathologischer Haß auf Andersdenkende und Meinungsfreie ließ diesen Paul IV. sagen, selbst wenn sein eigener Vater Ketzer gewesen wäre, hätte er, der päpstliche Sohn, das Holz für das Feuer zusammengetragen. Paul IV. hat auch ein Massenverbrechen an zwangsbekehrten Juden zu verantworten: 24 Flüchtlinge wurden auf seine Anweisung hin verbrannt.[132] Weitere Taten aus diesem Pontifikat sind die Errichtung des Ghettos für römische Juden sowie die Einführung des sogenannten Index, der alle für katholische Leser verbotenen Bücher aufzählt.

Paul IV., nach dessen Tod die Bevölkerung das Gebäude der Inquisition einäscherte, die Statue des Papstes umwarf und deren Kopf mit der Tiara durch die Straßen schleifte[133], war nicht heiligzusprechen.

Die kirchenfürstliche Tugend des Tötens hin oder her – soweit konnten es die Verantwortlichen nicht treiben. Das 16. Jahrhundert kennt nur einen heiligen Papst. Pius V. (†1572) war ein relativ einfach denkender Mensch. Er glaubte, viel von der sogenannten Übernatur zu verstehen. Sicher ist, daß er von der Welt und ihren Menschen wenig begriff. Freilich kapierte dieser Stellvertreter Christi noch so viel von seiner Aufgabe, daß er sich in einen Mordanschlag gegen Königin Elisabeth I. von England verwickeln ließ, die er 1570 wegen »Ketzerei« als abgesetzt erklärt hatte. Zwar stellen die beamteten Verteidiger des Kirchenfürstentums den Mordplan des hl. Pius (und dessen Finanzierung mit zigtausend Dukaten) immer noch in Abrede. Doch ist an den Fakten nicht zu zweifeln.[134]
Gefährlich wurde das simple Denken des Papstes allen, die wagten, menschlicher zu denken als er selbst. Pius V. tat sich als einer der hartnäckigsten Ketzerjäger im Kirchenfürstentum hervor, und dies will, aufs Ganze der Verfolgergeschichte gesehen, etwas heißen. Die kriminelle Energie des Heiligen Vaters schuf sich ihr Ventil. Regelmäßige Hinrichtungen von Kritikern gehörten zu diesem heiligmäßigen Pontifikat. Mit der Bulle »Hebrorum gens sola« hinterließ Pius V. eines der erschütterndsten Dokumente des oberhirtlichen Kampfes gegen die Juden, das den Unbußfertigen, deren Vorväter den Juden Jesus ermordet haben sollen, schwerste körperliche Strafen androht.[135] Pius V. ließ die Juden aus seinem Staat vertreiben (ausgenommen Rom und Ancona). Wagte es ein Bekehrter, alte Freunde im Ghetto zu besuchen, ließ der Papst ihn tagelang foltern.
Zeitbedingte Grausamkeit? Allgemeine Humanität? Heroischer Tugendgrad? Vorbild im Himmel für alle Zeiten? Der »Ketzer«- und Judenverfolger schlimmsten Ausmaßes wurde 1712 heiliggesprochen, zur Zierde des Kirchenfürstentums, zur Schande für die Menschheit. Bleibt die Frage, warum nur der Verfolgerpapst Pius V. und nicht auch der Verfolgerpapst Paul IV. kanonisiert wurde. Beide unterscheiden sich nicht im Grad ihres Hasses auf Andersgläubige. Ausschlaggebend mag der Machtinstinkt der Institution gewesen sein, die einen Pius V. gegen die (unbefragten) Gläubigen eher durchzusetzen wagte als einen Paul IV.
Und wie war es um die heroischen Tugenden eines Papstes aus dem

20. Jahrhundert bestellt? Verglichen mit dem 16. Jahrhundert, wo es selbst den bemühtesten Repräsentanten des Kirchenfürstentums schwerfiel, ideale und zugleich massentaugliche Hirten zu finden, verfügt unser Jahrhundert über eine Menge von perfekten Papstgestalten, die miteinander im edlen Wettstreit um die Krone der Heiligsprechung liegen. Das wahre Gotteslamm von heute ist versucht, diese Krone einem jeden seiner Oberhirten – nach seinen jeweiligen Verdiensten – zuzuerkennen. Denn kleine Päpste gab es im 20. Jahrhundert schlichtweg nicht, meint das einschlägige Jubelschrifttum. So darf die gläubige Bevölkerung des Pferchs gespannt sein, welcher von ihren Großhirten das Rennen macht. Geschafft hat es bisher nur einer, Pius X. (1835–1914), der 1954 von Pius XII. zur Ehre der Altäre erhoben wurde.

»Von der Politik verstehe ich nichts, mit der Diplomatie habe ich nichts zu tun, meine Politik ist der da«, damit deutete Pius X. auf den Gekreuzigten.[136] Allein dieser Ausspruch hätte genügt, den Papst in den Augen der im Kirchenfürstentum Herrschenden zum Vorzeige-Heiligen zu prädestinieren. Daß der ziemlich unansehnliche Pius X. diesen Hirten treu diente, beweist seine Regierung. Sie erfüllte den Zweck, den die Interessenpolitiker ihrem Kirchenfürstentum zugelegt haben. Unter der Devise, ein Reformpapst und weiter nicht viel sein zu wollen, betrieb Pius X., was den grauen Eminenzen am zuträglichsten war – und ihn zum politischen Heiligen werden ließ. Der naiv-fromme Mann, der seine Politik mit dem Gekreuzigten machen wollte, besorgte wie kein anderer das Geschäft der oberhirtlichen Scharfmacher. Gerade die Tatsache, daß der Kirchenfürst absolut nichts von der politischen Wirklichkeit verstand, die er als Souverän des Vatikans leiten sollte, degradierte ihn zum Werkzeug derer, die wußten, worauf es ankam. Sachfragen ließen sich von dem Naiven nicht beantworten; er blieb jenen ausgeliefert, die bereits für ihn entschieden hatten. Ihm selbst wurde freilich der Eindruck vermittelt, als seien alle Entscheidungen die seinen.

»Rein wie eine Parzivalnatur«, nannte Bischof A. Hudal diesen Stellvertreter.[137] Als tumb fröhlicher Gottesmann wurde Pius X. verkauft: Eine gelenkte Presse rühmte seine Schlichtheit, seine einfache Kleidung, seine Nickeluhr. Dieser Papst der »Kleinen, Armen und Pfarrer« konnte schon aus Herzensgüte nichts falsch machen. Hatte sein unmittelbarer Vorgänger Leo XIII. noch ein Millionenvermögen hinterlassen, durfte von Pius X. allenfalls eine Hinterlassenschaft von Pfennigen erwartet werden. Doch das Erbe, das der Herzensgute hinterließ, war weder in Millionen noch in Pfennigen auszudrücken. Der für alles und jedes taugliche Papst, der nicht anders denken konnte als in den Kategorien gut und böse, schwarz und weiß, teilte die ihn bedrängende Welt entsprechend beschränkt ein. Was dabei herauskam? Protestanten waren böse, Reformatoren galten als »arrogante Feinde des Kreuzes Christi«, ihr Gott war »der Bauch«[138]; Österreich führte den Ersten Weltkrieg als einen »ausnehmend gerechten« Kampf gegen die Alliierten.[139] Inwieweit der Papst selbst auf seine unpolitische Weise zum Krieg beitrug, ist noch nicht erforscht.

Im »laizistischen« Frankreich herrschten, so der Papst, die Bösen, die Vertreter der Meinungsfreiheit. Dem war zu begegnen. Der Heilige hatte – als Bischof – seinem Klerus bereits das Radfahren scharf verboten und als Kardinal »die Zeitirrtümer der Denk-, Gewissens-, Rede-, Kult- und Preßfreiheit« heftig bekämpft.[140] Als Papst konnte er noch weiterreichende Kulturtaten begehen. Die römische Kurie wurde mit Fundamentalisten reinsten Wassers durchsetzt (gewiß die »Guten«). Ein bisher noch nicht in diesem Ausmaß gekanntes Spitzel- und Denunziantenwesen blühte auf, das die Schwarzen von den Weißen unterscheiden half. Die »bösen« Theologen, die anders zu denken wagten als der reine Tor im Vatikan, wurden als Teufel verdächtigt und gewissenlos verfolgt.

Das Kirchenfürstentum grenzte sich endgültig von der Welt ab, vatikanische Geheimpolizisten und Spione im Kirchensold übernahmen die Aufgaben einer zweiten Inquisition, das Abendland mußte sich daran gewöhnen, im Namen des Papstes durchschnüffelt und denunziert zu werden. Bei kirchenfürstlichen Lehrzuchtverfahren wurde die Usance anderer neuzeitlicher Diktaturen eingeführt, den Beschuldigten, als Unpersonen dämonisiert, keinerlei Möglichkeit zur Verteidigung zu lassen. Der Papst bedrohte alle, die es wagten, sich gegen die haltlosen Verdächtigungen ihres Denkens zu verteidigen und damit ihre Menschenrechte wahrzunehmen, mit dem Bann. Diese geistliche Gewohnheit, Verurteilungen von vornherein festzulegen, ist noch nicht beseitigt; sie gehört zum System einer Kirchenherrschaft, die nach außen die Menschenrechte predigt und sie gleichzeitig im Innern ignoriert.

Über dem erst in unseren Tagen aufgedeckten Sumpf, der den Humus für den Diktator und Papstfreund Mussolini abgeben sollte, schwebte eine Gestalt in Weiß, der heilige Papst. Dieser machte sich nicht schmutzig. Er ließ die Dreckarbeit seine Hofkamarilla machen. Pius X., der nicht mehr die Macht hatte, Scheiterhaufen für die Gegner klerikalfaschistischen Denkens zu errichten, sorgte für die Vergiftung der Atmosphäre, ließ das Denken einer Interessengruppe von Hirten zur Weltanschauung der Herden erheben und besudelte auf diese »unpolitische« Weise Millionen Köpfe und Herzen.

Wiederum nichts Besonderes. Päpste standen über Jahrhunderte hinweg an der Spitze eines Mord- und Blutsystems, das mehr Menschenopfer kostete als irgendein Krieg oder eine Seuche. Zogen die Herden je eine Konsequenz? Gewiß kann das Kirchenfürstentum durch sein Oberhaupt heiligsprechen lassen, wen es will. Es kann sich seine Kandidatinnen und Kandidaten nach dem größtmöglichen Profit aussuchen. Doch gibt es gewiß auch dem einen oder anderen ihrer Gläubigen zu denken, daß in jenem Himmel, an den zu glauben diese Kirchenfürsten lehren, vielleicht die eigentlichen Genien der Religion (gemeinhin durch Jahrhunderte hindurch als »Ketzer« verfolgt) nicht zu finden sind, während sehr zweifelhafte Päpste zusammen mit jenen Durchschnittlichen, die nie mit Glaubensproblemen befaßt waren (weil sie sich nicht darum kümmerten), den Chor der Seligen bilden.

Weshalb mußte das richtige Geld von den richtigen Leuten verteilt werden? Oder: Ein teurer Dienst am Gottesvolk

»Wir brennen wahrhaftig vor Geldgier, und indem wir gegen das Geld wettern, füllen wir unsere Krüge mit Gold, und nichts ist uns genug.«

Bischof Hieronymus
Heiliger, Kirchenlehrer

Der Erfolg, den die Päpste mit der Vermehrung ihrer Territorien und Immobilien erzielten, blieb anderen Kirchenfürsten nicht verborgen. Bald wollte jeder Bischof, jeder Abt seinen eigenen Priesterstaat. Alle bedienten sich am Kuchen. Sie führten nach römischem Vorbild ihre Schenkungsnachweise ein, gingen keiner Fehde um ein Stückchen Land aus dem Weg. Erfolglos waren auch sie nicht. Da sie es inzwischen durchgesetzt hatten, geistliche Gnaden zu verteilen oder zu versagen, war es ein leichtes, jeden zu verdammen, der kirchenfürstlichen Besitz antastete oder eine Enteignung auch nur begünstigte. Die noch heute verbreitete und von interessierter Seite wohlgepflegte Angst, dem Kirchenfürstentum etwas anzutun, hat eine lange Tradition. Aber noch immer liegt in völligem Dunkel, welche Liegenschaften, die gegenwärtig den Hirten gehören, auf welche Weise »geschenkt« oder »erobert« worden sind. Es braucht nicht viel Phantasie, sich vorzustellen, daß auf diesem Terrain, würde einmal sorgfältig geforscht, die schlimmsten Betrügereien aufgedeckt werden könnten.

Kirche ist nicht von vornherein ein Synonym für Moral. Oder für Frieden. Oder für Gerechtigkeit. Oft genug ist das Gegenteil wahr. Päpste waren – von ihrer Ideologie und ihrer Praxis her gesehen – die größten Störenfriede in der Geschichte der Staaten; immer wieder waren sie darauf bedacht, die eigene Stellung auf Kosten anderer zu stärken und dafür Mord und Totschlag, Fälschung und Betrug zu begehen. Kirchenfürsten haben immer wieder Blutgelder eingestrichen – so exzessiv, daß ein geflügeltes Wort sagte, das schnellste und leichteste Mittel, reich zu werden, sei das Hexenbrennen.[1]

Vermögen einziehen, Kontributionen auferlegen, vertreiben, verbrennen, das ist die eine Seite des damaligen kirchenfürstlichen Handelns, nichts mehr davon wissen wollen, die andere, die heutige. In den dreißig Jahren, da ich mich mit Kirchenfragen beschäftige, habe ich noch keinen einzigen Satz der Entschuldigung von denen gehört, die es von Amts wegen wissen müssen. Wohl aber viel Abwiegeln bei den Herren mit dem Alles-halb-so-schlimm-Gesicht. Sie decken die Oberhirten bis auf den heutigen Tag. Es findet sich unter Bischöfen kein Grund, weshalb das Kirchenfürstentum dieses unrechte Gut aufgeben sollte. Im Gegenteil: Die Herren bleiben daran interessiert, wie sie am besten ihre finanzielle Liquidität von einem Jahrhundert ins nächste schaffen können. Mehr wollen sie nicht. Mehr vermögen sie auch nicht. Hirten bekommen und besitzen nun einmal seit langem ihr Geld, und dabei soll es bleiben, koste es die Herde, was es wolle.

Warum schon bald umverteilt werden mußte

Bischöfe sind auch Menschen, obgleich, nach der Meinung ihrer Gläubigen, hervorgehobene. Entsprechend verhalten sie sich, entsprechend wirken sie auf andere. Da werden Kirchenfürsten geschildert[2] als klerikale Grandseigneurs, als äußerst bewegliche, als beinahe feminine Gestalten, als handfeste Machtpolitiker, als äußerlich wenig gepflegte Landpfarrer-Bischöfe, als schlicht gebliebene Denker, als geborene Herrschernaturen, als »ragende Felsen im Sturm der Zeitgeschichte«[3], als Männer wie aus einem Guß, »mit Linie«, Herren durch und durch, als hoheitsvolle, unnahbar wirkende Gestalten »wie aus höheren Regionen«[4].
War auch nach der Aufhebung der reichen Bischofssitze durch die Säkularisation von 1803 das Interesse der Adelssöhne am Hirtenberuf (»Berufung«!) schlagartig erlahmt, bemühten sich doch auch die nachrückenden »Bürger-Bischöfe«, nicht allzuviel an geistlichem Glanz einzubüßen. Wer sich heute die Oberhirten in der Öffentlichkeit anschaut, ist nicht selten geblendet von diesem Gleißen. Die Herren geben sich auffallend gern als elitäre Geistliche. Die Mühen ihres Amtes bestehen allem Anschein nach in der Verkündigung der

Frohbotschaft (»Hirtenworte«) und in der Spendung der ihnen reservierten Sakramente (wie der Priesterweihe). Fürs Alltägliche, weniger Geistliche, Grobe halten sie sich ein Rudel von Subalternen: Pressesprecher, Anwälte, Finanzexperten.
Der Eindruck trügt. Denn das bischöfliche Amt selbst, über dessen moderne Konkretionen ich noch spreche, ist historisch gesehen nicht im mindesten so geistlich, wie es seine Inhaber gern hätten. Daß Diözesanbischöfe nicht nur die obersten Hirten in ihrem jeweiligen Pferch sind, daß sie nicht nur Pontifikalämter in Münstern und Domen feiern und sich nicht allein auf Hirtenworte beschränken, kommt nicht von ungefähr. Bereits in den Anfängen war es einigen Gemeindemitgliedern gelungen, die unvermeidlichen administrativ-geschäftlichen, ökonomisch-sozialen Aufgaben an sich zu bringen.[5] Auch die jenseitigste Gruppe brauchte, nachdem »der Herr« partout nicht zurückkommen wollte, Glieder, die sich mit der Einrichtung des Glaubens auf der Erde beschäftigten: Aufseher über die organisatorischen, karitativen und wirtschaftlichen Belange des Lebens. Diese Gemeindebeamten, die bald Bischöfe, Presbyter, Diakone genannt wurden, standen anfangs an Ansehen weit hinter den Aposteln, Propheten, Lehrern zurück. Ihre Hirtenkompetenz erstreckte sich auf die materiellen Bedürfnisse der Herde.
Diese Aufgabe erfüllten die »Kassenmenschen« sehr gut. Sie erwiesen sich (wie zum Teil noch heute) als diejenigen, die am besten mit Geld umgehen konnten, die wußten, wieviel Geld ein- und ausging, die mit der Zeit die Verteilung des Gemeindegelds selbständig und exklusiv regelten – und dabei sicher nicht zu kurz kamen. »Arme habt ihr allezeit unter euch«, soll Jesus aus Nazareth gemeint haben. Wie Bischöfe mit diesen Armen umgingen? Ein Beispiel für die Umverteilung in Rom: Seit dem Jahr 475 gab die Gemeinde ein Viertel der Gesamteinkünfte an den Bischof, ein Viertel an den Klerus, ein Viertel für Kirchbauten – und das letzte Viertel an die Armen.[6] Dieses Prinzip hat sich in der Geschichte wacker bewährt: 75 Prozent für Kircheneigenes, 25 Prozent für andere. Noch heute ist es nicht überwunden.[7]
»Episkopos«, Hüter, Aufseher, Leiter, Vorsitzender, ist eine Bezeichnung aus der profanen römischen Welt. Sakral ist das Wort

ebensowenig wie das Amt, das es benennt. Der Bischof ist ein Staatsbeamter, auf niedrigerer Ebene ein Kommunal- und sogar ein Vereinsfunktionär. Immer sind die Episkopen – innerkirchlich deutlich von den nomadisierenden Charismatikern abgehoben – einer festen Gemeinde, einem festumrissenen Auftrag zugeordnet.[8] Stets haben sie, in allen Titeln, etwas mit dem für patriarchale Gesellschaften typischen »Oben«, »Über«, »Vor« zu tun. Ihr Amt wird in den frühesten Zeugnissen von dem des Familienoberhauptes abgeleitet: Wer Frau und Kinder in Zucht zu halten versteht, kann auch eine Christengemeinde leiten (Titus 1, 7). Das ist typisch paternalistisch gedacht. Und das wird sich über die Jahrhunderte hinweg halten: Bischöfe treten den Ihren gegenüber wie Hausväter ihren unmündigen Kindern.

Jesus hatte nichts dazu gesagt; um so leichter fiel es den aufstrebenden Episkopen, dem »Stifter« genau jenen Geist und jene »Einsetzungsworte« zuzuschreiben, die die faktische Entwicklung legitimierten. Eine förmliche Einrichtung des Bischofsamtes durch Jesus aus Nazareth kann nach dem Theologen Karl Rahner »nur in einer sehr diskreten und indirekten Weise«[9] geschehen sein. Oder gar nicht.

Ursprünglich noch kollegial ausgeübt, wurde das Bischofsamt bald schon monarchisiert: Der einzelne, der das Sagen bekam, grenzte sich zunehmend von seinen Mitchristen ab. Den sogenannten Uraposteln, die die kollegiale Verfaßtheit der jüdischen Synagoge kannten, paßte dies gewiß nicht so sehr ins Konzept wie den von Paulus beeinflußten Gemeindevorstehern. Diese deuteten sich offensichtlich als richtige Leiter, als Leute, die das letzte Wort hatten, als Menschen, die die wahrste Wahrheit predigten, abweichende Meinungen niederrangen, »Ketzer« besiegten. Wer die Wahrheit verteidigen will, benötigt nämlich eine klar umschriebene, indiskutable Amtsgewalt.[10] Daß sich diese Gewalt schließlich aufgipfelt zu einer Machtfülle, die den einzelnen überfordert, ist nur folgerichtig. Am Schluß dieser Entwicklung stehen, wie jeder sehen kann, Kirchenfürsten, Duodezbistümer, Fürstbischöfe, geistliche Landesfürsten, bischöfliche Kurien, eigene Residenzen, Paläste, Bürokratien, ein umfangreicher Hofstaat mit Hofschranzen und so fort.

Die Zeit arbeitete von Anfang an für die Bischöfe, für die Aufseher über das Geld aller – und später auch für die Aufpasser über die wahren Worte. Denn der Herr kam und kam nicht, die frühe Erregung verlangsamte sich, wurde regelhaft und strukturiert, der ursprüngliche Enthusiasmus schwand, aus Geistgemeinden wurden Besitzgemeinden, die Verwalter, Organisatoren, Kassenmenschen gewannen an Ansehen. Als es den Funktionären mit gesichertem Einkommen schließlich gelang, die charismatischen Lehrer auszustechen und deren Lehrkompetenz ganz an sich zu ziehen, waren die Bischofs-Aufpasser im Kirchenfürstentum gemachte Leute. Es war ihr historischer Sieg, das Charisma der frühen Jahre in den amtlich verwalteten Alltag eingebunden zu haben.

Ein phantastisch anmutender Aufstieg der galiläischen Fischerriege zum Herrschertum der Welt, zum Kirchenfürstentum, das als Kirche ausgegeben wird. Hirten sind jetzt Herrenmenschen statt Herdenmenschen. »Klerus«, ein Begriff, der nur ein einziges Mal im Neuen Testament auftaucht, bedeutet dort den Anteil, den die Gemeindevorsteher an der Gütergemeinschaft beanspruchen. Das sagt alles. Und der Begriff »Hierarchie«? Er stammt von einem Schwindler aus dem 6. Jahrhundert, dem sogenannten Pseudo-Dionysius Areopagita, der sich als Schüler des Paulus ausgab und der feudalen Gesellschaftsstruktur seiner Zeit die passende religiös-ideologische Rechtfertigung verschaffte – mit Erfolg unter den Sprengelherrschern und Pferchbesitzern bis heute. Der abwertende Name »Laie«, den die Hirten immer noch gebrauchen, weil er ihnen freie Hand schafft, wird folgerichtig schon Ende des 1. Jahrhunderts in eindeutiger Weise verwandt: im Sinne von Pöbel.[11] Von der Zeit ihres Sieges an konnten die Herren eine eigene Kultur entwickeln. Sie durften walten, wie es ihnen paßte.

Hirtenkultur? Über die blutigste Phase des Mittelalters, das späte 7. Jahrhundert, unterrichten wenige brauchbare Geschichtswerke, dafür viele Heiligenlegenden.[12] Ihre Helden sind die regierenden Bischöfe. Diese Hirten kamen aus alten, steinreichen Adelsfamilien, waren entsprechend vorgebildet, wußten etwas mit ihrem Können anzufangen, trieben ein Bischofsleben lang Machtpolitik, legten größten Wert auf materiellen Aufwand, hauten und schlugen drein, wo es ihnen nötig schien – und wurden von ihren Zeitgenossen schließlich als Heilige verehrt; wahrscheinlich gerade wegen ihres ungewöhnlich elitären Lebensstils. »Heiligkeit« bedeutete konkrete Macht über Menschen; sich den Hirten als zögerlich vorangehenden Erdenpilger vorzustellen, überstieg die Kraft der Herde. Hirten hatten Schutz zu bieten, feste Häuser zu bauen, Soldaten aufzustellen, einen Glauben zu verkünden, der nicht wankte. Sanftmut, Demut, Barmherzigkeit standen keinem von ihnen an, Nächstenliebe galt unter ihnen noch nicht wie heute als Erfolgsrezept (dazu später), und alle Herren wußten sich zu richten.

Ihr Gott, verglichen mit den wahren Sorgen der Hirten längst zweitrangig, durfte pro forma drüben Glorie, hüben Reichtum schenken. Da sich über das Drüben nichts Genaues wissen ließ, über das Hüben ungleich mehr, nahmen die Herren das Ganze selbst in die Hand. Der Adel strebte ins hohe Amt. Sahen Blaublütige kein besseres Betätigungsfeld, drängten sie ins Kirchenfürstentum, wo sie mit offenen Armen aufgenommen wurden. Als sich um die Mitte des 7. Jahrhunderts im burgundischen Autun zwei Bewerber in Waffen um den heiligen Sitz stritten, schuf ein dritter namens Leodegar Ordnung, selbstverständlich nicht ganz waffenfrei. Vom eroberten Stuhl herab sah er künftig auf die gute Sitte, restaurierte zunächst die Hohe Domkirche, stiftete Goldteppiche und gleißendes Altargerät, beschäftigte ständig Silberschmiede, füllte den Domschatz mit Edelmetall, sprach zur Herde herrisch verletzend, vom Pferd herunter – und wurde ringsum verehrt[13], später gar als Heiliger und Märtyrer.

Im 8. Jahrhundert kamen 97 Prozent der Heiliggesprochenen aus dem Adelsstand; die meisten von ihnen waren Kirchenfürsten. Im 12. Jahrhundert stammten nur zehn Prozent der zur Ehre der Altäre Erhobenen aus der Unter- und Mittelschicht; Bischöfe und andere Hirten stellten immerhin noch 57 Prozent.[14] So rekrutierte sich das Kirchenfürstentum hüben und drüben aus den Seinen. Bischöfe nahmen immer, was sie bekommen konnten. Für die mittelalterlichen Oberhirten war es selbstverständlich, in einer alten, einflußreichen Stadt zu residieren und deren Umland mitzukontrollieren. Für Stadt und Bistum waren sie auch politisch wie militärisch verantwortlich; das Gottesreich nach Kirchenfürstenart war am Ort gegenwärtig, seine Feinde mußten abgehalten, zurückgeschlagen, vernichtet werden. Nach dem Sieg über die Bösen fühlten sich Hirt und Herde wieder ein wenig ihrer Macht beziehungsweise ihres Glaubens sicherer. Und nach getaner Arbeit wartete im Jenseits die Siegerehrung.

Langsam und unheimlich sicher breitet sich die bischöfliche Herrschaft aus, besetzt die vordersten Plätze im Denken und Fühlen der Menschen, läßt sich entsprechend feiern und finanzieren. Eine friesische Handschrift des frühen 14. Jahrhunderts[15] gibt die Verpflichtung der Betroffenen wieder: »Das gebot St. Willehad, der der erste Bischof von Bremen war und unter dem wir Christen wurden, von Gottes und des Papstes Leo wegen, daß wir Kirchen bauen und das rechte Christentum halten sollten.« Und schon eine Urkunde aus dem Niedersächsischen Staatsarchiv Hannover, 1091 in Bremen ausgestellt, zeigt exemplarisch, wie Kirchenfürsten vorgingen, wenn sie Gnade gegen Geld eintauschten und Grundbesitz einstrichen. Der damalige bremische Erzbischof Liemar bestätigte in diesem Lehensvertrag, zehn Friesen hätten ihr Land dem hl. Petrus, dem Schutzherrn der Bremer Domkirche, übertragen und ihren Besitz gegen eine jährliche Zinszahlung wieder als Lehen der Kirche zurückerhalten. Dafür würden von Klerikern zu ihrem und ihrer Eltern Seelenheil Messen gelesen.[16]

Der bremische Oberhirt hatte nach friesischem Landrecht (sog. Rüstringer Sendrecht) alle drei Jahre ins Land zu kommen, um neue Kirchen zu weihen, Kinder zu firmen und die Christen zur Buße zu ermahnen. Kam der Kirchenfürst, mußte er freundlich empfangen und mit der besten landesüblichen Kost bewirtet werden. Dem von den Bremer Domherren gewählten neuen Erzbischof stand ein »Willkommenschatz« zu; er belief sich im Land Wursten auf 100 rheinische Gulden. An jedem 30. November war zusätzlich zum Kirchenzins der »Andreasschatz« fällig, der von jedem bewohnten Haus zu bezahlen war. Säumige zahlten das Sechzehnfache. Bei wiederholter Weigerung wurden Kirchenstrafen verhängt.[17]

Die Ereignisse, die zum Herren- und Aufpasseramt der Bischöfe geführt hatten, wurden mehr und mehr durch handelsübliche Legendenmuster verdeckt, und der Mantel der Liebe und des Glaubens deckte bald alle Bluttaten an denen, die nicht so wollten wie die Herren. Und wo nicht missioniert werden konnte, weil es schon auffällig viele Blutopfer des neuen Glaubens gab, wurde umgetauft und der heidnische Fundus an Liturgie und Glaube mit einem oberhirtlichen Sinn versehen. So kamen Christenfeste wie Allerheiligen, Ostern und Weihnachten zustande.[18] Die Kelten zum Beispiel wurden durch Rom bekämpft bis aufs Blut. Ihre besondere Liturgie, die eigene Berechnung des Osterfestes, die Ablehnung der Diözesaneinteilung der römischen Kirche, die Auffassung, Heilige gebe es auch ohne Blutzeugenschaft, die Sinnlichkeit des keltischen Glaubens mußten der Einheitsauffassung (sprich: dem Machtwillen des einen Oberbischofs zu Rom) weichen.[19]

Kein Wunder, daß die Großkonfession in den Lohnsteuerkarten heute »römisch-katholisch« genannt wird. Katholisch sein heißt inzwischen römisch sein. Die Römer haben gesiegt. Ihr Herrenwille legte sich über ein ganzes Kirchenfürstentum, angefangen bei jenem Apostel Paulus, der so stolz war, von Geburt an »römischer Bürger« zu sein (Apg 22, 28). Kein Zufall, daß sich unter Oberhirten römische Machtvorstellungen austoben bis heute. Da gelten Grundsätze wie das »Divide et impera« (Teile und herrsche!) oder das »arrangiare, combinare, dilatare« (arrangieren, kombinieren, auf die lange Bank schieben) als Weisheiten. Da werden Staaten bis in die letzten Jahrzehnte hinein weltanschaulich geknebelt: Spanien bekommt in das (Franco-)Konkordat von 1953 hineingeschrieben, »andere Zeremonien oder äußere Kundgebungen als jene der katholischen Religion« seien ganz einfach verboten.

Wo Hirten herrschen, wird notiert, dokumentiert, beamtenrechtlich und militärisch verwaltet. Da gefallen sich Kirchenfürsten in schriftlichen Selbstzeugnissen, Instruktionen, Befehlen. Ein Beispiel: Die drei Hauptregister der päpstlichen Kurie aus der Zeit von 1378 bis 1523 umfassen nicht weniger als 4135 erhaltene Bände mit mindestens 1,8 Millionen Einträgen[20]; die Beschlüsse von Synoden sind in 53 Bänden zusammengefaßt.

Unter Kirchenfürsten wird – verborgen hinter den frömmsten Sprüchen von Demut – die eigene Unsterblichkeit angezielt. Da soll eine

Tradition hochgehalten werden, die in erster Linie auf derlei basiert – weitab vom mündlichen Zeugnis über Jesus aus Nazareth. Und nicht genug des Lugs mit der Buchreligion. Biographien von »Heiligen« wurden nach Gusto erfunden, umgeschrieben, gefälscht. Das Prinzip war, jedem Bischofssitz seine eigene Gründerfigur zu verschaffen. Rom schaute dem Treiben wohlwollend zu, solange es den Vorrang der eigenen Gründung (durch den angeblichen Petrus) nicht durch konkurrierende Beschaffungsmaßnahmen in Gefahr sah. Auch war es selbst für die eine oder andere tendenziöse Manipulation von Heiligenviten und Gründungsvaterschaften verantwortlich.[21] Schließlich mußten die als »untergeordnet« definierten Bischöfe mit der Zeit jede ihrer Taten vom obersten Bischof legitimieren lassen.

Immer wieder die bigotte, kleingeistige Sucht, die eigenen Taten ins helle Licht zu rücken. Die richtigen Heiligen, die richtigen Gründerväter verewigen auch die (kleineren) Nachfolger. Deren parasitäre Existenz basiert auf dem großen Namen des vermeintlich ersten. Noch heute fällt ein bescheidener Glanz von tausend und mehr Jahren auf die Epigonen, die die jeweiligen Bischofsstühle innehaben.

Das ist typisch kirchenfürstliches Denken und Handeln: die Sehnsucht, aus dem eigenen bißchen Leben ein unsterbliches, weltgeschichtlich halbwegs bedeutsames zu machen; die Sucht, Bauten zu erstellen (Herrschen und Bauen sind eins); die Gepflogenheit geringer Geister, Klöster und Kirchen zu gründen, so viele die Menschen und die Gelder nur hergeben. Der Drang zum Klostergründen, zum Sich-Verewigen in »Regeln« ist unter Gründervätern dieses Zuschnitts ungebrochen. Zu wissen, daß noch nach Jahrhunderten Menschen nach den Normen »leben«, d. h. zugerichtet werden, die ein Ordensgründer mit seltsamer Psyche erfand, gibt diesem größte Genugtuung. Gründeregoismen stellen eine besonders eklige Form oberhirtlicher Hoffart dar. Der Anspruch auf Ewigkeit gehört offenbar zur Imagepflege eines Heiligen. Ein alter herrischer Mann namens Columban muß vor seinem Tod noch ein Kloster in der Lombardei gründen, weil er sich nur vorstellen kann, als Abt eines selbstgegründeten Klosters zu sterben.[22]

Die Religionsmaschinerie lief bald – im wörtlichsten Sinne – wie geschmiert. Dogmen wurden vorgedacht, aufbereitet, durchgedrückt, abweichende Meinungen, die nicht ins kirchenpolitische Kalkül paßten, blutig verworfen. Öffentlich vorgebrachte Zweifel an diesem kirchenfürstlichen Vorgehen stempelten die Oberhirten zu »Ketzereien«, um sie besten Gewissens ausrotten zu können. Über alle Verbrechen legte sich die gesteuerte Rede vom Sieg des Glaubens, eine glatte Lüge. Gesiegt hatte kein Glaube, schon gar keiner, der irgend etwas mit Jesus aus Nazareth zu tun hatte. Gesiegt hatte der Herrenwille, der es nicht nötig fand, über Methoden Rechenschaft zu geben, mit deren Hilfe Kirchenfürsten zur Vorherrschaft gelangten. Noch heute setzen die ersten leisen Skrupel selbst bei aufgeweckteren Christen erst bei den Kreuzzügen ein. Vorher soll es nur Christenverfolgungen, Glaubensboten, Missionare gegeben haben;[23] auch dies die schiere Unwahrheit.
Die Herde wußte, weshalb sie schwieg. Sie wagte nicht mehr zu atmen: Der Angst ihrer Gläubigen hatten die Hirten die Strafen und Bußen des Kirchenfürstentums angepaßt, Sanktionen, die auf Erden griffen und zugleich ins erfundene Jenseits durchschlugen. Das war gut römisch gedacht. Während keltische (und dann irische) Frühchristen keine Hölle kannten, weil sie diese nicht für ihren Glauben brauchten, waren südlicher gelegene Gemeinden stark an einer solchen Glaubenseinrichtung interessiert.[24] Keltische Geistigkeit hatte ihren Sagenkreis: Die sagenhafte Insel Avalon ist darin eine Art Ander- und Gegenwelt, ein Jenseits, das kein Totenreich ist und schon gar keine Hölle. Ihr fehlen nämlich völlig die sadistischen, masochistischen und sonstwie brutalen Merkmale, die typisch sind für römische Phantasien vom Jenseits.[25]
Römisch denkende Kirchenfürsten leisten sich, wenn sie das Jenseits konstruieren, ihre eigene Architektur. Hölle, Fegefeuer, Ablaß, Bußleistung sind Erfindungen, die römisch-rechtlichem Denken entgegenkommen. Hier, bei den Strafen, konnte – im Gegensatz zu Liebesleistungen[26] – gemessen, gerichtet, begnadigt werden. Und wer strafte, wer absolvierte, wer maß zu? Diejenigen Herren im Kirchenfürstentum, denen es geglückt war, ihren Einfluß auf die »Seelen« durchzusetzen. Es war nur eine Frage der Zeit, daß die

gleichen Hirten begannen, sich ihr Buß- und Ablaßgeschäft in klingender Münze bezahlen zu lassen. Und die Gegenbewegung der Reformation? Sie ist nicht durch mangelnden Gehorsam erfolgt, wie römische Hirtenschulen lehren. Sie stammt aus dem Bedürfnis der Herde, fromm zu sein, frömmer jedenfalls, als es die Hirten zuließen.[27]

Gegenwärtig sind die Bischöfe unbestrittene Herren im Fürstentum. Heute haben sie, in Glaubens- wie in Gelddingen, allein das Sagen. Jetzt haben sie ihr Ziel erreicht, auch wenn es immer wieder Kämpfe mit unbotmäßigen Lehrern der Theologie gibt. Heute sind die Bischöfe das, was ihre Vorgänger werden wollten: die richtig wichtigen Leute fürs große, richtige Geld – und für das wichtige, wahre Wort. Recht so: Aus Geld und Geist setzt sich das konkrete Kirchenamt zusammen. Es ist an kirchenfürstlichen Beispielen unschwer nachzuweisen, wie getreulich Geld und Geist zusammenleben und wie perfekt das Geld im Alltag die Stelle des Geistes einnimmt. Aber es muß doch noch ein »Mehr« geben? Die geistliche Seite der Religion, die unsichtbare Kirche, die »Liebeskirche«?

Weshalb Bischöfe eine Fabel ersannen, in der sich alle lieben

Das Kirchenfürstentum präsentiert sich gern als die große Gemeinschaft derer, die sich – inmitten einer lieblosen Umwelt – um des einen gewaltigen Zieles willen lieben. »Seht, wie sie einander lieben«, sollen die Heiden schon früh über die Christen gesagt haben, und nach diesem Prinzip wollen die Herden noch immer geführt sein. Schade, daß es frei erfunden ist – und historisch nicht stimmt.

Hirten und Herden bekämpften sich untereinander von allem Anfang an bis aufs Blut, und Kirchenfürsten waren besonders militant. Schon die beiden Oberapostel Paulus und Petrus, die gegenwärtig wie ein trautes Paar auftreten und sich werbewirksam als solches verkaufen lassen, hatten sich heftig in den Haaren. Weshalb stritten die beiden frühen Kirchenfürsten, der ehemalige Fischer und der Schriftgelehrte? Hatten sie nicht ein und denselben »Herrn«? Nein,

gerade diesen hatten sie nicht. Jeder deutete seinen Jesus nach eigenem Geschmack.
Daß, nach einem Wort des Theologen Franz Overbeck, »Jesus gerade dem Paulus unbegreiflich«[28] gewesen ist, läßt sich begreiflich machen. Das Jude-Sein Jesu ist für Paulus nur noch eine Beiläufigkeit. Statt dessen vermittelt dieser Apostel seiner selbst den Eindruck, als habe sich Jesus in einer ständigen Auseinandersetzung mit dem Judentum, vor allem mit den Pharisäern, befunden. Die echten Zeugen waren demgegenüber unbrauchbar; Paulus mußte alles daransetzen, sie abzuwerten und ihnen einen nur geringen Einfluß auf die Gestaltung seines Christusbildes einzuräumen. Jesus aus Nazareth soll nicht mehr nach dem beurteilt werden, was er wirklich gewollt und getan hat. Er ist »von Ostern her« wichtig geworden. Was Paulus über den Nazarener sagt, ist wenig genug: Jesus war ein loyaler Jude (Gal 3, 16), nicht von einer Jungfrau geboren, sondern von einer Frau (Gal 4, 4). Er hatte mehrere Geschwister (Röm 8, 29), er war allzeit Gott gehorsam (Phil 2, 8). Die Passionsgeschichte, in den Evangelien von zentraler Bedeutung, bleibt bei Paulus unerwähnt.
Die Jerusalemer Urapostel, über die direkte Zeugnisse fehlen, legen sich mit dem Emporkömmling Paulus, der Jesus nicht gekannt hat wie sie, doch alles über den Christus zu wissen vorgibt, immer wieder an. Die Judenchristen, die Paulus schließlich das Heidenapostolat absprechen, behaupten, er rede den Menschen nach dem Mund, sei ein angeberischer, gleißnerischer Mensch, mache den Zugang zu Jesus viel zu leicht, predige nicht Jesus, sondern sich selbst. Sie beschuldigen Paulus des finanziellen Betruges und der Feigheit. Sie halten ihn für verrückt und fallen zuletzt in seine Gemeinden ein, um sie ihm abzunehmen: Der Kampf um das richtige Lehren wird bereits – typisch für die Geschichte des Kirchenfürstentums – zu einem Kampf um Einfluß und Macht.
Paulus wäre nicht Paulus gewesen, hätte er dies hingenommen. Er steckt nicht nur ein, er gibt vielfach zurück. Seine Feindschaft wird unerbittlich. Sie hält bis zu seinem Tod, und nur unhistorisch Denkende glauben dem frommen Märchen vom idealen Apostelfürstenpaar Petrus und Paulus, wie es in vatikanischen Legenden auftaucht.

Von allem Anfang an gab es keine Orthodoxie im Kirchenfürstentum, sondern Streit um ebendiese – und Mord und Totschlag als notwendige Folge solchen Streits unter den Hirten.
Siegreich ist schließlich nur der späte Paulus; von seinen urchristlichen Gegnern verliert sich die geschichtliche Spur. Paulus weiß seine neue Religion durchzusetzen. Er öffnet dem Zeitgeist Tür und Tor, und während sich die Jesuaner politisch und sozial nicht halten können (sondern durch Staatsgewalt und Kirchenobrigkeit unterdrückt werden), überflutet der Paulinismus die westliche Welt. Paulus ist der nüchterne Organisator, der ein wesentliches Element guter Politik kennt, die Anlage auf Dauer. Der seine Organisation so anlegt, als ob es kein Weltenende gäbe. Der mit Rücksicht auf die Kontrollmaßnahmen des kaiserlich-römischen Herrschaftsapparates die politische Seite des Messias-Gedankens eliminiert. Der die Frage nach der Legitimation tatsächlicher Macht gar nicht stellt, sondern sich in seiner Lehre von der Obrigkeit jeder Herrschaft anpaßt. Der das vorgegebene Verwaltungssystem optimal zu nutzen versteht, der seine Gemeinden mit dem Diesseitigsten, dem Geld, an sich zu binden sucht. Der maßgeblich jene Entwicklung fördert, die aus Jesus den Christus werden ließ, den als Erlöser aller Bedürftigen ausgerufenen Gott und Heiland.
Paulus hat die Wende von der Erwartung des nahen Gottesreiches zur Erwartung des ewigen Lebens eingeleitet und die neue Doktrin maßgeblich befestigt. Glaubte die Urgemeinde noch an die Verwirklichung des Reiches auf Erden durch den wiederkommenden Herrn, lehrte Paulus das profitablere Gegenteil: Dieses Reich sei mit Jesu Opfertod und Auferstehung bereits angebrochen. Kein Jesus kommt mehr auf die Erde zurück, zumindest nicht in absehbarer Zeit, sondern der einzelne kommt nach seinem Tod zu ihm in den Himmel – falls er auf dieser Erde seinen Gott nicht reuelos enttäuschte.
Die reine, die wahre Lehre? Die reine, die wahre Liebe? In beiden Fällen Fehlanzeige, was die Kirche und ihre Fürsten betrifft. Ein heute verschwundenes mittelalterliches Fresko in Tirnowo (Bulgarien) zeigte den handgreiflichen Streit zwischen Oberhirten: Ein »rechtgläubiger« Bischof reißt den »irrgläubigen« Kollegen am Bart.[29] Die Zahl der blutigen Auseinandersetzungen unter Bischöfen

um Lehre, Geld und Einfluß ist Legion. Kirchenmorde, nicht selten von gedungenen Killern ausgeführt und mit dem Geld des Opfers finanziert, sind im Kirchenfürstentum lange Zeit Mode wie heute die Entführung von Flugzeugen. Es gab nicht nur mörderische Kämpfe um die Entstehung der Dogmen, die Gläubige heute noch bekennen sollen, sondern auch nicht weniger tödliche Kriege um einzelne Bischofssitze und deren Besetzung. Keine Rede davon, daß solche und ähnliche Kriege im Glaubenseifer ausgelöst worden wären. Der Glaube an einen Glaubenseifer ist absurd, eine Sache für Klosterschüler, ausgeheckt von Theologen, die ihren Oberhirten nach dem Mund redeten, weil sie von deren Geld abhängig waren.
Über allem aber der Ruf nach »Liebe« unter den Brüdern? Das ist höchst konsequent. »Gott ist die Liebe«? Eben. Er muß sie sogar sein. Liebe ist dem System der Hirten-Gewalt immanent. Es läßt sich zeigen, daß Liebe ein Herrschaftskorrelat der Gewalt bleibt.[30] Liebe ist funktionalisiert wie ein Deckmantel: Sie deckt die Gewalt und kaschiert sie. Liebe sichert und schützt Gewalt, indem sie deren Ausübung bemäntelt. Die Folterer wollen nur das Beste der Opfer. Der Stasi-Minister Mielke plärrt in der Volkskammer: »Ich liebe euch doch alle!« Gewalt braucht nicht nackt aufzutreten, wo die Liebe alles zudeckt. Gewalt bleibt nur bestehen, bleibt sie im Licht, im Schatten jener Liebe, ohne die sie nicht überleben kann. »Wie ein Vater seine Kinder liebt, so liebt der Herr die, die ihn fürchten.« (Ps 103, 13) Und: »Wen der Vater liebt, den züchtigt er.« (Spr 3, 12) Auch Gottes Vaterliebe ist ausnahmslos mit dem Anspruch auf Ehrfurcht verknüpft. Sohnesgehorsam provoziert Vaterliebe: Legitimation nach innen und nach außen, Schutz gegen Fremdvölker, Legalisierung des als Besetzung eines »verheißenen Landes« getarnten Land- und Frauenraubes. Und so fort. Der liebe Vater-Gott, den die Hirten predigen, unterscheidet sich nicht im geringsten von denen, die seine vielen Väter sind. Sie haben auf religiösem Terrain ihr verheißenes Land in Besitz genommen: Ein genehmer Gott ist definiert, ein Gott ist geschaffen, der alle Ansprüche derer, die ihn gestaltet haben, im Gehorsam gegen seine Schöpfer-Väter erfüllt. Menschen, die nicht einmal einen Wurm ins Leben rufen können, tun sich leicht mit der Erfindung von Göttern.

Und über allem auch die Floskel vom »Frieden, den die Welt nicht geben kann« (Jo 14, 27)? Kirchenfürst Hieronymus gibt im 4. Jahrhundert die wegweisende Parole aus: »Auch wir wünschen den Frieden, und wir wünschen ihn nicht nur, wir fordern ihn auch, aber den Frieden Christi, den wahren Frieden.«[31] Diesen Frieden, den selbst als »wahren« Frieden gedeuteten, suchen die Oberhirten durch alle Jahrhunderte: gegen alle Andersdenkenden, »Ketzer«, »Hexen«, »Heiden«, Juden, gegen Ungläubige, Andersgläubige, gegen die eigenen Herden sogar, kurz, gegen alle, die nicht so denken können und wollen wie sie selbst. Also ist echter Friede für Kirchenfürsten nur da anzutreffen, wo ihre eigenen Interessen gewahrt werden, wo alle Spekulationen aufgehen. Doch wo hätten sie keine Spekulationsobjekte, keine Interessen!

Weltliche Repräsentation zum Beispiel? Katholik V. Gröne, der die ganze Zunft der Verdreher und Schönfärber vertritt, legitimiert die Entwicklung: »Der oberste Bischof der Kirche wurde genöthigt, sich mit weltlicher Pracht zu umgeben und in Kleidung, Wohnung, Gastmählern Aufwand zu machen, um die Kirche mit ihren kostbaren Bibliotheken, ihren goldenen Gefäßen, purpurnen Gewändern, herrlichen Altären auch der Welt gegenüber würdig zu repräsentieren.«[32]

Unter Kirchenfürsten findet sich keine Demut, sondern nur Machtinteresse von Anfang an. Schon ein Patriarch des 4. Jahrhunderts nennt selbst den Kaiser nur einen »Mitknecht« vor Gott, protzt, er, der Bischof, sei gleichfalls »Fürst«, und zwar »noch ehrwürdiger als jener (der Kaiser)«, prahlt, »daß der Priester viel höher steht als ein König«, daß »sogar die Person des Königs selbst der Macht des Priesters unterworfen . . ., daß dieser ein größerer Herrscher ist als jener«[33]. Und er fügt ein für seinen Berufsstand typisches Zitat an, das die Jahrhunderte überdauern wird: »Die Häupter der Regierung genießen keine solche Ehre wie die Vorsteher der Kirchen. Wer ist der erste am Hofe, wer, wenn er in die Gesellschaft der Frauen, wer, wenn er in die Häuser der Großen kommt? Keiner hat den Rang vor ihm.«

Um Vorrang, um Ehrenplätze geht es, und wehe, ein Bischof achtet den Rang des anderen nicht oder nur geringer! Dann kämpfen die

Herren mit allen Mitteln, dann schrecken sie auch vor Mord nicht zurück. Tragödien, Trauerspiele, die um so düsterer wirken, als sie von Bischöfen inszeniert sind.[34] Das Leben eines Kirchenfürsten ist jahrhundertelang weit mehr durch die Standeskollegen gefährdet als je zuvor durch die sogenannten Heiden. In manchen Städten wird Bischof um Bischof von den Seinen ermordet, bis der »Richtige«, das heißt der Brutalste, der Skrupelloseste sich durchsetzt.[35] Dieser Vater Bischof schließlich hat Anspruch auf Liebe, der Hirt braucht die Gefolgschaft der Herde.

Kein einziges Dogma kommt im Kirchenfürstentum ohne spezifische Blutgeschichte aus; jedes einzelne hat viele Opfer an Geist und Leben gefordert. Bei jedem haben Kirchenfürsten weniger um die wahre Lehre als um ihre eigene Bedeutung – und die Durchsetzung privater Interessen – gestritten. Es kann für einen Hirten wohl nichts Befriedigenderes geben, als mitzuerleben, daß die eigene Meinung sich gegen die der »Mitbrüder im Bischofsamt« durchsetzt – und gar eines Tages als »Dogma« die Zustimmung des Obersten Oberhirten findet. Für dieses Glücksgefühl lohnt es sich schon zu kämpfen, zu verleumden, zu morden.

Auffällig, daß sich bei der Durchsetzung von Glaubenssätzen nur wenige Wortführer behaupten. Diese elitären Denker scheinen als einzige zu wissen, worum es überhaupt geht, und als einzige über den notwendigen Herrenwillen zu verfügen, die eigene Meinung unter allen Umständen durchzuboxen. Von ihnen, den Kirchenvätern und Kirchenlehrern, ist noch heute die Rede. Ihre Namen sind bekannt. Der ungleich größere Rest ist versunken. Die Mehrheit der Konzilsväter scheint ohnedies nicht begriffen zu haben, worum es solch leuchtenden Theologen ging. Auf einer antiochenischen Synode (324/325) sollen die meisten der anwesenden Bischöfe nicht einmal »in Dingen des kirchlichen Glaubens sachverständig« gewesen sein.[36] Auf dem berüchtigten Allgemeinen Konzil von Ephesos (449) fanden sich Kirchenfürsten, die nicht einmal ihren Namen schreiben konnten und ihre Unterschrift durch andere geben lassen mußten. Auf dem Allgemeinen Konzil von Chalkedon, noch heute als eines der wichtigsten gefeiert, tagten vierzig analphabetische Oberhirten. Einsichtig, daß sich auch gewitzte Nicht-Hirten um den wahren

Glauben zu kümmern begannen. Dabei brauchten sie nicht gerade so weit zu gehen wie Kaiser Konstantin I., der – obgleich selbst ungetauft – dem Kirchenfürstentum über das Allgemeine Konzil von Nikaia (325) sogar ein eigenes Dogma von der »Gottessohnschaft Christi« einbrockte.[37] Sie konnten sich auf andere Privilegien berufen (immerhin erkannte Papst Leo I. dem Kaiser »Unfehlbarkeit« zu[38]). Als Pius XI. 1931 die 1500-Jahr-Feier des Konzils von Ephesos feierte, log er in seiner Enzyklika »Lux veritatis« (Licht der Wahrheit), das Konzil sei seinerzeit auf päpstlichen Befehl zustande gekommen. Pius XII. sagte gleichfalls die Unwahrheit, als er 1951 ähnliche Behauptungen über das Allgemeine Konzil von Chalkedon (451) aufstellte. Denn kein einziges der frühen Allgemeinen Konzilien wurde vom römischen Bischof oder Papst einberufen oder präsidiert, auch wenn die heutigen Primatsansprüche es fordern. Konzilien machten die weltlichen Potentaten schon selber, und die Kirchenfürsten waren damals einverstanden. Denn, so ein ungeheuerlicher Brief eines Oberhirten an Kaiser Theodosius II. vom 8. Mai 431, »die Sache des Glaubens muß Euch wichtiger sein als die des Reiches: Eure Majestät müssen mehr auf den Frieden der Kirchen bedacht sein als auf die Sicherheit der ganzen Erde«[39].

Der Friede der Kirchen? Er war offensichtlich in höchster Gefahr. Das oft beschworene Walten des Heiligen Geistes nahm immer wieder die seltsamsten Formen an. Bei der Synode zu Ephesos im Jahr 449 war beispielsweise großer Lärm entstanden, als es um die wahrste Wahrheit ging. Soldaten mußten die tobenden Hirten beruhigen. Als sie in den Versammlungssaal drangen, krochen Bischöfe in dunkle Winkel oder unter die Sitze. Der Patriarch von Konstantinopel suchte zum eigenen Schutz den Altar zu erreichen, wurde von einem anderen Kirchenfürsten zu Boden gerissen und mit Füßen bearbeitet. Roms Legat empfahl sich unter diesen Umständen etwas überstürzt, ließ sein ganzes Gepäck zurück und flüchtete nach Hause, wo er, zum Dank für seine Errettung aus der Hand der Mitbrüder im Bischofsamt, eine Kapelle stiftete.[40]

Nichts Besonderes unter denen, die sich lieben! Kirchenfürsten leisteten sich immer wieder und zu allen Zeiten Ungeheuerliches. Auf dem Konzil von Chalkedon mußten die kaiserlichen Kommissare das pöbelhafte Geschrei der Hirten rügen. Doch die Bischöfe kreischten noch lauter: »Wir schreien um der Frömmigkeit und der wahren Lehre willen!«[41] Beim Konzil von Ephesos (431), auch es eine wahre Räubersynode, sollen die anwesenden Soldaten noch »die friedfertigsten unter den versammelten Kampfhähnen« gewesen sein.[42] Was sich sonst fand, waren streitbare Hirtengruppen, Horden auch von ungebildeten Mönchen, zum Teil Analphabeten, doch glaubensstark – und als Hausmacht des jeweiligen Oberhirten entsprechend schlagkräftig.

Noch nicht genug: Der hl. Kyrill, 1882 zum »Kirchenlehrer« erhoben, setzte seine Lehrmeinung über Maria, die Gottesmutter, mit Hilfe großzügiger Bestechungsgelder durch. Er spendierte, persönlich und durch Dritte, kaufmännisch beschlagen und im rechten Moment alles wagend, der Hofkamarilla zu Byzanz, den Würdenträgern und den einflußreichen Prinzessinnen begehrte Straußenfedern, teure Stoffe, Teppiche, Möbel aus Elfenbein, schob den Staatsbeamten riesige Summen zu, schoß »goldne Pfeile« in die richtige Richtung ab, Geld, viel Geld, Geld für einflußreiche Männer, Geld für die Frauen einflußreicher Männer, Geld für Eunuchen, für Kammerliebchen und Kammerherren.[43] Ein Bestechungsmanöver größten Stils, das seinen Bischofssitz ungemein verschuldete, doch dem gewünschten Dogma zum Durchbruch verhalf. Es gilt noch heute, doch die Gläubigen, die zur Gottesmutter beten, erfahren kaum je einmal, welch heiligen Bestechungskünsten Maria ihren Titel verdankt.

Ich bleibe beim Kirchenfürsten Kyrill, da dieser sonderbare Heilige geradezu typisch ist für seinesgleichen. Er geht unbarmherzig gegen alle Andersdenkenden vor, um der eigenen Wahrheit zum Sieg zu verhelfen. Er läßt die Kirchen seiner Gegner gewaltsam schließen, sie selber vertreiben und, ein weiterer Verstoß gegen staatliche Gesetze, ihr Vermögen ebenso in seiner Tasche verschwinden wie das Privatvermögen des »ketzerischen« Bischofs Theopemptos.[44] Wann immer dieser Kirchenlehrer angreift, stehen Irrtum, Tollheit, Blödsinn, Wahn auf der einen, der gegnerischen Seite. Und auf der eigenen eine Rechtgläubigkeit ohne Makel, der »Glanz der Wahrheit«, das wahre Leben, Gott selbst.[45] Diese Schwarzweißmalerei

hat Methode, und sie wird das oberhirtliche Denken bis heute bestimmen.
Kyrill, ein heiliger Verbrecher[46], läßt im März 415 die in der ganzen damaligen Welt bekannte und gefeierte heidnische Philosophin Hypatia förmlich hinschlachten. Nachdem er sie in seinen Predigten als Hexe diffamiert und Lügen über sie verbreitet hat, wird sie von Mönchen des Heiligen hinterrücks überfallen, in eine Kirche geschleppt, nackt ausgezogen und mit Glasscherben buchstäblich zerfetzt. Endlösung dieser »ersten Hexenverfolgung in der Geschichte«[47]: die öffentliche Verbrennung des zerstückelten Leichnams.
Solche Untaten werden symptomatisch für den Umgang der Besitzer der Wahrheit (»Kirchenlehrer« und -fürsten) mit den Verteidigern des »Irrtums«. Wo wahrheitsfanatische Gruppen tätig sind, wo sie gar eine eigene Theokratie aufrichten können, sind Mißhandlungen und Morde üblich. Die Vernichtungsfeldzüge der Wahrheitslehrer erfolgen, um »das Beste« zu wollen und durchzusetzen. Immer werden sie von Kirchenfürsten angestachelt und geleitet, immer haben sie die Endlösung im Auge, und nicht selten erreichen sie diese. Der geistliche Terror sucht sich sein Ziel, und stets ist er literarisch vorbereitet. Kirchenväter, Kirchenlehrer, Kirchenfürsten sind Schreibtischtäter – und verantwortlich für viel fremdes Blut, das die Ihren vergossen.
Wer Hirte ist, kümmert sich nur um die eigenen Theorien und deren Sieg. Was wirklich auf der Welt geschieht, ist ihm egal. Gewiß, seine Theorie ist stets »um der Menschen willen« da, aber die Praxis sieht anders aus. Thomas von Aquin, noch immer als der größte Theologe aller Zeiten ausgegeben, schreibt im 13. Jahrhundert seine gewaltige Summa theologica vor sich hin, schichtet Wahrheit auf Wahrheit, stellt sich Fragen über Fragen, beantwortet sie sich und denen, die ihn lesen sollen, so subtil wie möglich – und lebt im elfenbeinernen Turm. Die großen Kämpfe seiner Zeit, die um Papst und Kaiser toben, gehen spurlos an der »zeitlosen« Philosophie (philosophia perennis) dieses Herrn vorbei.
Wie Hirten ihre Herde lieben? Kirchenfürsten sorgen sich nachweislich zuerst um sich selbst und erst in zweiter Linie, indirekt um

die Menschen. Das Allgemeine Konzil zu Trient (1545–1563) gilt heute als eine Sternstunde des Hl. Geistes. Seinen Hirten brachte es wichtige Dogmen ein; Luther und die Seinen wurden in jenen Jahren zumindest theoretisch besiegt. Doch verlor die hochheilige Versammlung der Kirchenväter, die sich jahrelang mit den delikatesten Problemen der richtigen Definition einer »Glaubenswahrheit« herumschlug, auch nur ein Wort über den Mord an »Ketzern«, an Juden, an Frauen? Frühere Päpste und Konzilien hatten die Folter legitimiert – die eine geschichtliche Wahrheit. Die andere? Die damals in ganz Europa brennenden Scheiterhaufen haben keinen einzigen der sogenannten großen Konzilsväter und Theologen in Trient interessiert.[48] Und heute? Bischöfe und Päpste predigen häufig und gern; die Schande der eigenen Vorgänger decken sie nie auf.
Daß diese, war es profitabel, logen wie gedruckt, fällt gar nicht mehr auf. Kein Wunder, daß Heinrich Böll mir gegenüber Bischöfe meist als »noch nicht entdeckte Ganoven« bezeichnete. Wieder nenne ich an dieser Stelle nur ein Beispiel unter vielen; wir werden noch weitere kennenlernen. Als die schottische Königin Maria Stuart wieder verheiratet werden sollte und sich ein gewisser Bothwell um sie bemühte, stand der Verbindung die Tatsache entgegen, daß Bothwell bereits verheiratet war. Aber die Kirchenfürsten, deren Theorie von der »unauflöslichen« Ehe nie wankte, wußten praktischen Rat. Weil die neue Verbindung kirchenpolitisch interessant schien, erklärte Oberhirt Hamilton die Ehe Bothwells für ungültig – da sie ohne Dispens von der Blutsverwandtschaft vierten Grades eingegangen worden sei. Was der Erzbischof zu verschweigen geruhte: Die Dispens war mit Sicherheit erteilt worden. Und warum gerade Kirchenfürst Hamilton so sicher sein konnte? Er hatte sie seinerzeit persönlich ausgesprochen.[49]
Solche Fakten erregen keinen wahren Laien. Gläubige sind so erzogen, daß sie alles decken, was Bischöfe tun oder lassen. Kein Schaf wendet sich gegen den Hirten. Daher ist es kaum verwunderlich, daß auch die Verbrechen des Oberhirten Kyrill seinem Ruf unter den Kirchenfürsten nicht schadeten. Dieser Bischof, vielfacher Lüge überführt, für die Verleumdung von Bischofskollegen, für höchste Bestechung, vieltausendfache Vertreibung von Andersdenkenden

verantwortlich, der Beihilfe zum Mord, der Enteignung anderer zu seinen eigenen Gunsten schuldig, wurde bald schon als »Verteidiger der Wahrheit«, als »feuriger Liebhaber der Genauigkeit« gerühmt, ein »überaus tugendhafter Mann«[50]. Freilich schrieb nach seinem Tod ein anderer Kirchenvater über ihn: »Endlich, endlich ist dieser schlimme Mann gestorben. Sein Abschied erfreut die Überlebenden, aber er wird die Toten betrübt haben.«[51]

Schön wär's, wenn Kyrill nur mit den Toten zu tun bekommen hätte. Dann brauchte ich hier nicht an ihn zu erinnern. Doch er ist eben – wie die übrigen seiner Zunft – keine bloß historische Reminiszenz. Was er vor 1500 Jahren durchsetzte, gehört noch heute zum Glaubensgut der »alleinseligmachenden Kirche«. Kein Oberhirt kann diese Tatsache leugnen, sonst gäbe er die eigene Tradition auf und stellte sich außerhalb der im Kirchenfürstentum geltenden Doktrin. Also wird er die Devise ausgeben, alles sei damals nicht halb so schlimm gewesen, eine zeitbedingte Erscheinung eben, eine Usance aller, die etwas erreichen wollten, und so fort. Gott schreibe im übrigen auch auf krummen Linien gerade ...

Die Frage ist, ob es im Verlauf der Geschichte jemals andere als krumme Linien gab. Ob der Zweck die Mittel heiligt. Ob das geistige und das physische Leid so vieler Menschen, der nachträglich zu Gläubigen Gemachten wie der standhaft gebliebenen und blutig verfolgten »Ketzer«, so unbedarft der Vorsehung irgendeines Kirchengottes zugeschoben werden darf. Ich habe größte Vorbehalte gegen das Prinzip, einen Deus ex machina erscheinen und als Komplizen siegreicher Mörder fungieren zu lassen.

Manche sind jetzt getroffen. Sie argumentieren, wenn sie sich überhaupt um Gründe scheren, mit der ältesten Ausrede, die sie haben. Sie sagen, früher sei es vielleicht so gewesen (historische Nachweise lieben sie nicht), inzwischen sei alles anders. Scheinbar einsichtige Schafe suggerieren, alles Schlimme sei endgültig vorbei. Allerdings macht diese Suggestion nur die Toten schuldig und spricht die Lebenden frei. Auch freuen sich manche zu früh: Wer 95 Prozent der eigenen Geschichte als verderbt ansieht und nur die gegenwärtigen fünf Prozent als passabel, der verletzt nicht bloß – übrigens gegen den Willen der Päpste aller Zeiten – die Tradition der eigenen »heili-

gen« Institution, der handelt auch gegen sich selbst unredlich. Er sieht sich nicht als das, was er ist – und nach kirchenfürstlicher Doktrin sein muß: als Erben einer Vergangenheit, die unabdingbar zur Gegenwart des Kirchenfürstentums gehört.
Bleibe ich vordergründig, weil mir der Zugang zum »Wesen der Kirche« abhanden kam? Vordergründig, so schreit jeder Oberhirte, deckt man seine Hintergründe auf. Und immer wollen jene, die wenig wissen, wenig wissen dürfen, religiöse Klatschbasen, Stammtischbrüder, engstirnige Bigotte, am meisten wissen; können jene, denen Hirtenworte genügen, mit denen, die forschten, ins Gericht gehen. Das Objekt läßt es offenbar zu.
Kirchenfürsten wagen sich inzwischen nicht mehr selbst ins schmutzige Geschäft. Fürs Grobe bezahlen sie ihre Untergebenen. Die tragen den Kampf nach vorn. In ihren »Entgegnungen« agieren sie wie immer: unfriedlich, friedensunfähig, friedensunwillig. In ihnen spalten sie die Menschen, einzeln und allgemein, in gute und böse Teile – und ziehen ihre geistes- und freiheitsmörderischen Konsequenzen. Doch verraten die Hirten, die sich so bedeckt halten, ihre eigene Angst: Sie ertragen die Sicherheit der Andersdenkenden nicht, bei all ihrer eigenen Unsicherheit, ihren Identitätskrisen, ihren beseligenden Harmonien. Sie reagieren empört, sie lassen öffentlich mit Haß reagieren – der großen Domäne der Liebesreligion. Sie antworten nach innen, auf dem Weideland, mit Denkverboten, Leseverboten, Index und Zensur, und nach außen, wo ihre Hirtenworte längst lächerlich wirken, mit Verleumdungen, Gift und Galle. Nachdem ihre Scheiterhaufen erlöschen mußten, schmollen sie und warten auf bessere, gewalttätigere Zeiten.
Und manche reagieren, indem sie – höchst diplomatisch – gar nicht reagieren, gar nichts beantworten. Selbst Kirchenfürsten, die irgendwelches Pech im Verlauf ihrer Karriere hatten, sind vom Schweigen betroffen. Bischof Hudal beschreibt Schicksale solch »armer Brüder«[52], um die sich kein Papst kümmerte. Domherren sind in Ungnade gefallen und leben in Obdachlosenheimen, lesen täglich eine Messe, um überhaupt an Geld zu kommen. Der frühere Prager Fürsterzbischof Graf Huyn wird nach dem Ersten Weltkrieg aus politischen Gründen in Rom nur mehr toleriert, bewohnt ein arm-

seliges Zimmer und muß um seine Altersversorgung betteln gehen. Der Bischof von Triest, Aloys Fogar, wird seines Amtes enthoben, weil er »geistig seiner Stellung nicht mehr gewachsen« sei – in Wahrheit aus politischer Opportunität. Der Prager Erzbischof und Primas von Böhmen, Franz Kordac, wird, als sich der Wind dreht, nach Rom in ein Priesterkolleg abgeschoben und vergessen. Der Wiener Kardinal Innitzer, wegen seiner Nazi-Freundlichkeit plötzlich im Vatikan nicht mehr gern gesehen, wird »ad audiendum verbum« (zum Anhören päpstlicher Ermahnungen) zitiert, muß »im Purpur« stundenlang im Vorzimmer auf die Audienz beim Papst warten und kehrt, nachdem er zusammengestaucht worden ist, ohne ein Wort über die Lippen bringen zu können, in seine Unterkunft zurück.[53]

Gäbe es zu dem heiklen Thema, wie Kirchenfürsten miteinander umgehen, noch mehr ehrliche Auskünfte von Zeitgenossen, ließen sich Bände füllen. Aber sie werden sich hüten, den Mantel der Liebe zu lüften. Daher bleibt das meiste unter dem Teppich. Doch niemand kann guten Wissens und Willens behaupten, daß »nur« die vergangenen 1900 Jahre Kirchenfürstentum böse und blutig gewesen seien, die Situation sich aber in den letzten Jahrzehnten unseres Jahrhunderts grundlegend geändert, gebessert habe. Erinnerungslücken werden sorgfältig gepflegt. Die Hirten wissen, weshalb. Denn das Gegenteil von dem, was vielen eingeredet wird, ist wahr: Rein quantitativ gesehen sind Kirchenfürsten im 20. Jahrhundert genauso belastet wie in irgendeinem früheren Zeitraum.

Wo sich ideale Bischofsgestalten fanden: Opportunisten und Widerständler

Ich greife aus den vielen Tauglichkeiten, die sich in diesen Kreisen anbieten, die Kardinaltugend Tapferkeit heraus. Sie hat, wie an lebensnahen Beispielen zu belegen ist, unter Kirchenfürsten zumindest zwei Seiten.

Es war ein katholischer Bischof[54], der

- ▷ von sich sagte, aufgrund seiner Gehbehinderung habe er nicht Offizier werden können, sondern nur Priester. Anders könne ein Mann seines Standes nicht zu höheren Ehren gelangen;
- ▷ meinte, er habe eine kirchliche Laufbahn gewählt und die »Maske der Selbstverleugnung« getragen, um Finanzminister zu werden. Im übrigen sei das Studium der Theologie eine ganz ausgezeichnete Vorbereitung auf den diplomatischen Dienst;
- ▷ sich als junger Kleriker von Voltaire, dessen Bücher alle auf dem Index standen, segnen ließ;
- ▷ feierliche Gottesdienste abhielt, obgleich er selbst niemals betete und die Riten der Liturgie so schlecht beherrschte, daß die Umstehenden laut lachten;
- ▷ für die Französische Nationalversammlung 1789 den sechsten der insgesamt 22 Artikel verfaßte, welche als »Erklärung der Menschenrechte« berühmt wurden;
- ▷ 1789 dem Parlament seines Landes vorschlug, die Kirche, größte Landbesitzerin Europas, vollständig zu enteignen und den Klerus künftig vom Staat dotieren zu lassen;
- ▷ daraufhin von Geistlichen vorgeworfen bekam, er sei nur Bischof geworden, um so den wirkungsvollsten Weg zum Verrat an der Kirche einschlagen zu können;
- ▷ 1790 in Anwesenheit des Königs eine Messe zu Ehren der neuen Konstitution feierte und sich anschließend ins Casino begab, wo es ihm gelang, die Bank zu sprengen;
- ▷ drei Kleriker zu Bischöfen weihte, obgleich er selbst bereits auf seinen Bischofsstuhl verzichtet hatte und sich in offener Auflehnung gegen den Papst befand;
- ▷ Gott nicht verraten konnte, weil er nie an diesen geglaubt hatte, wie Kenner sagten;
- ▷ vom Papst exkommuniziert wurde und bei dieser Gelegenheit bescheinigt erhielt: »Nichts Wünschenswerteres kann sich ereignen, als daß sich einer von der Kirche lossagt, der aus so vielen Gründen verdient, hinausgeworfen zu werden«;
- ▷ den Kirchenbann mit der Einladung an einen Freund beantwor-

tete: »Da jeder Christ mir Feuer und Wasser verweigern muß, so wollen wir kaltes Fleisch essen und eisgekühlten Wein trinken«;

- ▷ allgemein wegen der Vielzahl seiner Amouren, wegen seiner Spielleidenschaft und wegen seiner immensen Börsenspekulationen berüchtigt war;
- ▷ das Bett seiner Geliebten mit einer Wärmflasche vorwärmte und sich bei dieser »Handlung der Nächstenliebe« vom Konkurrenten um die Gunst der Dame zusehen ließ;
- ▷ zumindest zwei »natürliche« Söhne zeugte: den Maler Eugène Delacroix und einen späteren Adjutanten Napoleons;
- ▷ auf Wunsch einer früheren Geliebten (Madame de Staël) Außenminister wurde;
- ▷ für gediegene Dienste im Amt eine gediegene Entlohnung verlangte, aber von denen, die nur Tausende kriegten, geschmäht wurde, weil er Millionen nahm;
- ▷ allein zwischen 1797 und 1804 über dreißig Millionen Francs Bestechungsgelder von fremden Regierungen einsackte;
- ▷ Könige und Fürsten machte – und sie mit gleicher Leichtigkeit wieder fallenließ;
- ▷ seinem Kaiser eine Geliebte, die polnische Gräfin Waleska, »besorgte«;
- ▷ den ererbten Namen aus ältestem Adel einer Frau gab, die, wie jeder wußte, kaum etwas Besseres als eine Dirne war;
- ▷ die anerkannte Schönheitskönigin der Zeit heiratete, obgleich diese von ihrem ersten Mann noch nicht einmal rechtsgültig geschieden war;
- ▷ bis zu seinem Tod mit seiner Nichte zusammenlebte.

Es war immer derselbe Bischof, von Napoleon ein »Haufen Mist in seidenen Strümpfen« geheißen. Es war Charles-Maurice de Talleyrand-Périgord (†1838), der größte Diplomat seiner Zeit.
Bischof Alois C. Hudal (†1963) ist heute eine Unperson. Von ihm will kein Kollege mehr hören. Wohl aber von einem anderen, vom »Löwen von Münster«, Graf von Galen. Ihn kann man offensichtlich noch vorzeigen. Hudal hat »Römische Tagebücher« geführt, die

1976 posthum veröffentlicht wurden. Die »Lebensbeichte eines alten Bischofs« vermittelt ein wirklichkeitsnahes Bild einer Zeit, über die man heute – vor allem in den Kreisen der Täter von damals – lieber schweigt. Hudal nimmt kein Blatt vor den Mund, bekennt sich zu den eigenen Irrwegen von damals und spielt dabei, eher unbewußt, die Rolle eines Repräsentanten der offiziellen Kirche zwischen 1920 und 1960.

Wenn auch dieser Bischof eines Tages in Rom in Ungnade fiel, spätestens nach Veröffentlichung seines Hauptwerks »Die Grundlagen des Nationalsozialismus« (1936), und selbst wenn die päpstliche Diplomatie fürs erste andere Wege geht, so spricht doch die Tatsache für sich, daß ein solcher Mann über lange Zeit hohe Ämter bekleiden und sich unter die »Nachfolger der Apostel« zählen konnte. Altnazi Hudal, der sich in seinen Memoiren bitter über die Untreue des Vatikans beklagt, der seinen Sturz herbeiführte, entlarvt das Dilemma eines Kirchenfürstentums, das sich stets in politische Händel verstricken ließ, um den eigenen Vorteil zu suchen, und das flugs die Ansichten wechselte, wenn ihm die gegenteilige Position lohnender erschien.

Hudal redet noch lange danach von der »providentiellen Aufgabe des Nationalsozialismus wie des Faschismus für die gesamte abendländische Kultur«[55]. Er spricht in den Worten, die er aus Rom kennt (als er noch geschätzter Bischofskandidat war). Er benutzt die alte Doktrin (die der Vatikan gerade aufgab) und handelt in immer neuen Anläufen von der weltgeschichtlichen Sendung des Guten (Faschismus, Nationalsozialismus) gegen das Böse (Bolschewismus, Kommunismus). Der fallengelassene Bischof steht zu dem, was er als Kirchenfürst lernte. Freilich versteht er die Welt der Oberhirten nicht mehr, weil er, der Unbeirrte (nicht der »Unbelehrbare«), plötzlich nicht mehr so reden soll, wie Papst und Bischöfe das früher taten.

1937 widmete Hudal, Träger des Goldenen Parteiabzeichens der NSDAP, sein (mit Druckerlaubnis des Kardinals Innitzer erschienenes) Buch »Nationalsozialismus und katholische Kirche« Adolf Hitler, dem »Siegfried deutscher Hoffnung und Größe«[56]. In seinem Werk über die Grundlagen des Nationalsozialismus verfocht er 1936

die These, es gebe Bolschewismus und Kommunismus gegenüber nur eines: die Vernichtung.[57] Im übrigen sind drei Nationen, so predigt er 1938, »von der Vorsehung auserwählt, um den Kampf gegen die Welt des Bolschewismus zu führen. Die edle italienische Nation, das ritterliche Spanien und unser deutsches Volk«[58]. Das bedeutet im Klartext: Hitler, Mussolini und Franco.
Zum Kriegsbeginn gegen die Sowjetunion mutmaßte der Kirchenfürst, der »Vertrauensvorschuß, den man Deutschland beim Konkordatsabschluß gewährt« habe (gemeint ist das Konkordat von 1933 zwischen Hitler und Pius XI.), sei »durch den Bruch des Hitler-Stalin-Paktes und den Vormarsch der Wehrmacht nach Moskau erneut gerechtfertigt«[59]. Nach dem Untergang der Hitlerdiktatur fand er ein neues Betätigungsfeld: Er tröstet nicht nur den Generalleutnant der SS und früheren Vizegouverneur von Polen Otto von Wächter, der, nach eigenen Angaben vom amerikanischen Geheimdienst vergiftet, in seinen Armen »seine Seele aushauchte«[60]. Er reihte sich auch ein in die große Zahl vatikanischer Fluchthelfer und rühmte sich, nicht wenige »Opfer der Nachkriegszeit«, also Nazis, »mit falschen Ausweispapieren ihren Peinigern durch die Flucht in glücklichere Länder entrissen zu haben«[61]. Prälaten und Bischöfe verhalfen, gegen Geld und mit richtiger Ideologie[62], führenden Faschisten und Nationalsozialisten zur Flucht nach Südamerika, in die »glücklicheren Länder«. Allein die Dankschreiben, die sich im Nachlaß Hudals fanden, sprechen für sich. Die Frau des wegen 400000fachen Mordes im Vernichtungslager Treblinka angeklagten Franz Stangl enthüllte als Zeugin beim Prozeß, der Vatikan habe die Flucht ihres Mannes nach Brasilien organisiert, Bischof Hudal falsche Papiere und Geld besorgt.[63] Schon 1947 hatte der US-Sicherheitsbeamte Vincent La Vista berichtet, der Vatikan sei »die größte Einzelorganisation, die in die illegale Auswanderung von Auswanderern verwickelt ist.« Geholfen werde Personen jedweder Weltanschauung, »solange sie ... für die katholische Kirche« seien. Kirchenfürsten waren nach den Untersuchungen des Theologen und Publizisten Ernst Klee »nach 1945 die effektivsten Helfer von NS-Verbrechern«. Und dieser »zweite Verrat an den Opfern« geschah ohne jeden Zwang, aus freien Stücken – und damit doch wohl: aus

Überzeugung. Jedenfalls war, so Armin Pfahl-Traughber in der »Süddeutschen Zeitung« vom 12.11. 1991, das Engagement der Kirche für die NS-Täter nach 1945 weit größer als das für Juden vor 1945, und das mühsam geglättete Geschichtsbild vom geschlossenen Widerstand der Kirche ist zerstört.
1951, als die Wahrheit sich mal wieder gewendet hatte, richten die österreichischen Bischöfe an Hudal die einmütige Aufforderung, von seinem Amt als Rektor des Deutschen Nationalkollegs in Rom zurückzutreten. Was folgt, ist ein Musterstück an kirchenfürstlicher Drückebergerei. Hudal selbst nennt das Ganze »ein richtiges Gewebe von Widersprüchen«[64] und meint, es ließe sich »ein Preisausschreiben machen, wenn man alle diese einander widersprechenden Aussagen miteinander vergleicht«. Denn schließlich will es keiner mehr gewesen sein. Bischöfe distanzieren sich unterderhand von dem einmütigen Schreiben, versichern Hudal ihrer Wertschätzung und berufen sich auf vatikanischen Druck. Pius XII. meint seinerseits, er stehe unter der Pression der österreichischen Bischöfe. Die Österreicher schieben alles auf die deutschen Oberhirten; diese wollen nichts von einem »Konsens« wissen. Genug der Bischofslügen: Hudal geht freiwillig und schreibt dem Papst, er wolle »auf meine bischöfliche Würde und die anderen Titel verzichten« sowie seinen Namen im päpstlichen Jahrbuch streichen lassen.[65]
Liegt Hudal, Hoftheologe der Nazi-Partei, so falsch? Ist seine Kreuzzugsideologie, die mit Führer und Papst gen Osten ziehen wollte, gegen Ende seines Lebens nicht wieder eher gefragt als noch kurz nach dem Krieg? Sie hat doch ihren angestammten Platz im kirchenfürstlichen Politdenken behauptet. Kriege kommen und gehen, Bischöfe auch, der Kreuzzug bleibt. Hudal sagt dies schon für den Zweiten Weltkrieg ganz offen: Zum einen hatte der Weltkrieg »mit der Person Hitlers... wenig zu tun«[66]. Denn der Krieg wäre auch ohne Hitler gekommen, »um die überall vorstoßende Macht des Kommunismus aller Farben und Schattierungen zu brechen«. Andererseits ist Hudal mit der Vormacht des Westens unzufrieden, denn die USA hätten keinen Kreuzzug gegen den Kommunismus geführt, leider, sondern einen Kampf um den Einfluß »rivalisierender Wirtschaftsmächte«.[67]

Ob das ein richtig »gerechter Krieg« war? Wie dem auch sei, neue Konflikte werden ihre Basis bekommen, neuer Militarismus, neuer Unfriede, der aus der Mitte der Bischofskirche kommt. Der »sacro opportunismo« des Kirchenfürstentums änderte nur seine Taktik, nicht sein Denken. Berufsverbote für ehemalige und heutige Faschisten, für oberhirtliche Kriegshetzer und Militaristen sind ebenso lange unvorstellbar, als deren Ideologie geduldet und sogar versteckt gefördert wird.

Hudal mag im Alter verbittert gewesen sein über den Verrat des Vatikans an seiner Sache. Deswegen braucht er noch lange nicht das Material gegen den »Stellvertreter«-Papst Pius XII. an Rolf Hochhuth geliefert zu haben, wie die langjährige Bedienstete dieses Papstes, Schwester Pasqualina, unterstellte.[68] Dieses Material lag hundertfach in Bibliotheken und Archiven griffbereit. Hudal konnte sich auf andere Weise trösten: Er war nicht der einzige seiner Art und Denkhaltung, und er wird nicht der einzige bleiben. Namen und Viten einiger Amtsbrüder Hudals sprechen in dieser Sache für sich. Keiner von ihnen hatte den Mut, eigenes Versagen offen zuzugeben.

Inzwischen sind die damaligen Täter tot. Doch sind solche Kirchenfürsten deswegen nicht vergessen. Nicht Kardinal Innitzer, der Hudal sagte, er decke das Buch des Bischofs über den Nationalsozialismus »mit seinem Purpur«[69] und gebe die kirchliche Druckerlaubnis für das inkriminierte Werk, freilich mit dem Zusatz, diese dürfe zwar nicht veröffentlicht werden, wohl aber könne der Verfasser sich darauf »jederzeit berufen«[70]. Unvergessen ist der Abt von Maria Laach, Ildefons Herwegen, der 1933 in dem mit Hakenkreuzfahnen geschmückten Kölner Gürzenich sagte: »Weil der Führer aus der Einsamkeit des Dienens und Opferns heraus, getragen von einem unbeirrbaren Glauben an das deutsche Volk, dieses wieder zu einem freudigen Bekenntnis zu sich selbst gebracht hat, ist er zu Millionen gewachsen.«[71] Nicht vergessen ist die Zeitung des Kölner Erzbischofs, die 1941 schrieb: »Es gibt nur wenige große Männer ... zu diesen gehört unstreitig ... Adolf Hitler.«[72]

Nicht vergessen werden darf jener Conrad Gröber, Erzbischof von Freiburg und förderndes Mitglied der SS, der ständig um neuen

deutschen »Lebensraum« flehte, schon 1935 zum Kampf gegen »volksfremde, meist jüdische Revolutionshetzer« aufrief und sich 1940 rühmte, innerhalb von 16 Monaten nicht weniger als 17 größere und kleinere Hirtenschreiben zugunsten der großdeutschen (Hitlerischen) Sache veröffentlicht zu haben.[73] Gröber rühmte noch 1937, als alle Sehenden schon lange sahen, den Abschluß des Reichskonkordats zwischen dem Papst und Hitler. Hier liege der Beweis dafür vor, daß »zwei ihrem Wesen nach totalitäre Gewalten dennoch eine Einigung finden können«. Auch sei dieses Konkordat (heute noch in Geltung!) »für Partei und Staat ein moralischer Erfolg«, der »eine freudige Hinordnung der bekenntnistreuen Katholiken zum nationalsozialistischen Staate zur Folge haben konnte«[74].
Vergessen ist nicht Wilhelm Berning, Preußischer Staatsrat und Bischof von Osnabrück, der seine Briefe »Mit deutschem Gruß und Hitler Heil!« unterschrieb[75] und eine Besprechung Hitlers mit Kirchenfürsten, in der der Diktator die schlimmste Judenhetze betrieben hatte, als »herzlich und sachlich« bezeichnete[76] und der 1944 einem SS-Arzt, der in Auschwitz an der Rampe selektierte, den seelsorgerlichen Rat gab, sein Leben nicht durch Befehlsverweigerung zu gefährden. Auch nicht vergessen wird der Münchner Kardinal Michael Faulhaber, der nach dem Attentat vom 20. Juli 1944 »dem Führer seine und aller bayerischen Bischöfe Glückwünsche zur Errettung aus großer Gefahr« schickte und in seiner Bischofskirche ein Tedeum feierte, um Gottes Vorsehung dafür zu danken, daß der Führer »dem verbrecherischen Anschlag glücklich entronnen ist«[77]. Kann Lorenz Jäger übergangen werden, damals ein besonders schneidiger Divisionspfarrer in Hitlers Wehrmacht und seit Adenauers Zeiten Kardinal in Paderborn? Dieser Jäger gebrauchte das Schmähwort vom »slawischen Untermenschen«, predigte 1942, die Russen seien wegen ihrer Gottfeindlichkeit fast zu Tieren entartet, überstand die Entnazifizierungszeit und forderte schon 1957 wieder die Erfüllung der »Ideale der Kreuzzüge... in neuzeitlicher Form«[78].
Widerstand der Kirchenfürsten, die stets predigen, sie träten für die Sache des Evangeliums ein, gelegen oder ungelegen, kann ich demgegenüber nicht ausmachen. Wohl eine Widerstandslüge der Betrof-

fenen und ihrer Nachbeter, die mittlerweile versuchen, die Oberhirten von ihrer schmählich opportunistischen Kriecherei gegenüber Hitler weißzuwaschen. Nein, Widerstand gab es nicht, wohl die zum 8. Mai 1945 schlagartig erfolgte Bekehrung aller Oberhirten. Die Begeisterung, mit der die Wiener Bevölkerung, an ihrer Spitze Kardinal Innitzer, 1945 den Einmarsch der Roten Armee als »Befreiung Österreichs« begrüßte, entsprach durchaus jener, mit der sieben Jahre zuvor Hunderttausende den Einmarsch Hitlers und seiner Soldaten gefeiert hatten.[79] Jedenfalls wußten die Kollaborateure von damals alles wieder besser, waren immer auf der richtigen, antihitlerischen Seite gestanden, hatten sich nichts vorzuwerfen, nichts zu bekennen. Immerhin hatte der »Osservatore Romano«, halboffizielles Organ des Papstes, das nazistische Deutschtum immer wieder bekämpft, und sei es durch Polemiken gegen die Einführung des Christbaums in Italien.[80]

Kirchenfürsten drehen und wenden sich, wie sie können. Rückgrat ist von ihnen nicht zu verlangen; das bischöfliche Amt qualifiziert sie nicht für dieses. Ihr oberster Hirt, Leo XIII., gab gegen Ende des 19. Jahrhunderts die entsprechende Devise aus: Uns sind alle Staatsformen lieb, solange nur die eigenen Interessen gewahrt bleiben.[81] So konnten die Oberhirten es – nach eigener Meinung wahrscheinlich moralisch höchst integer – mit ihrem Kollegen Talleyrand halten, Frankreichs langjährigem Außenminister und Bischof von Autun: »Nie verriet ich ein Regime. Ich verließ nur rechtzeitig die Machthaber, die sich selbst verrieten.«[82]

Rom, die Ewige Stadt, kam ziemlich gut aus dem Zweiten Weltkrieg heraus, und der Vatikan am besten. Es fehlte diesem nach Aussagen von Augenzeugen weder an Lebensmitteln noch an Heizmaterial.[83] Während viele Menschen verarmten und in Baracken hausen mußten, waren die Hirten versorgt; keinem der zahlreichen Paläste römischer Kirchenfürsten geschah etwas. Not litten die Prälaten nicht; der Krieg, der »für uns gar nicht existiert«[84], konnte ihnen nichts anhaben. Rom war auch keine neutrale Stadt, sondern, so Hudal, mitten im Krieg »ein Mittelpunkt des Kampfes um die Macht von morgen«[85]. Und während ringsum alles in Schutt und Asche fiel, retteten sich der Papst und die Seinen einmal mehr ans richtige Ufer. Von da aus predigten sie – nach dem Krieg –, was am profitabelsten ankam: den Widerstand gegen Nationalsozialismus und Faschismus.

Am besten vorzuzeigen war dabei jener Clemens Graf von Galen, der als angeblicher Löwe von Münster seiner Seligsprechung entgegensieht (falls diese politisch opportun werden und sich durchsetzen lassen sollte). Doch wäre es besser für alle Beteiligten, um der geschichtlichen Wahrheit willen den blinden Dränglern und Geldgebern, die auf die Vermarktbarkeit der »Seligsprechung« Galens spekulieren, nicht nachzugeben und auch diesen Kirchenfürsten ruhen zu lassen. Denn sein Widerstand war sehr fragwürdig. Sein Nachfolger H. Tenhumberg, mit dem ich mehrmals darüber sprach, teilte diese Meinung.

Doch »Galen« wurde in der Phase der Entnazifizierung zu einem Exempel für etwas, das niemand mehr vermutete: für den entschlossenen Widerstand der Kirchenfürsten gegen den Nationalsozialismus. Galen, der zu allem entschlossene Widerständler, war übrigens im Sommer 1945, nicht früher, auch Initiator und Programmierer einer christlichen Volkspartei, seit 1946 Ehrenbürger seiner Bischofsstadt Münster (Hitler war dies vom 3. 4. 1933 bis 1945). Ein Vorbild für alle.

Die früheren Fakten sehen ein wenig anders aus.[86] Graf von Galen, als erster deutscher Bischof nach Hitlers Machtergreifung ernannt und von Göring auf das neue Regime eingeschworen, segnete jahrelang jede Finte der Diktatur mit ab, rief zur Stimmabgabe für den Führer auf, bezeichnete den Angriffskrieg gegen die »jüdisch-bolschewistische Machthaberschaft Moskaus« als gerechten Abwehrkampf und klagte, leider könne er selbst nicht mitmarschieren gegen Moskau. Nach der Befreiung freilich lamentierte er, er habe unter der »Fremdherrschaft« gelitten, »geknechtet und geknebelt«[87].

Ganz kapierte der Graf die Wende nicht: Auch die britische Armee bleibt für ihn Fremdherrschaft, ist Besatzung, nicht Befreiung. Einen wirklichen Befreier hatte Galen früher (1942) nur in Spanien ausgemacht: Franco. Die Internierungslager, die die Briten für jene eingerichtet haben, die wissen, weshalb sie den 8. Mai 1945 als Tag der Katastrophe beklagen, sind für Galen, wörtlich, schlimmer als

Hitlers KZs.[88] Die Frage nach Schuld und Unschuld der jeweiligen Lagerinsassen stellt sich dem Oberhirten nicht.
Dieser sogenannte Löwe, den zu ehren eine Herausforderung der Opfer bedeutete, brüllte zwölf Jahre lang nicht, bewies ein furchtbares Desinteresse am Schicksal der Andersgläubigen und Andersdenkenden, verlor nicht ein einziges Wort über die KZs, als er – vor 1945! – hätte reden sollen. Er setzte sich nicht ein einziges Mal für jene Millionen ein, die das in seinen Augen historische Unglück hatten, nicht römisch-katholisch und treudeutsch zugleich zu sein. Seine eigene Familie hat allerdings Glück: »Deutsche Art (ist) seit Jahrhunderten treu gehütetes Erbe«, renommiert der Graf, und »kein Tropfen fremdrassigen Blutes rinnt in ihren Adern«[89], prahlt er, als es darauf ankommt, arisch zu sein. Schon im Mai 1933 steht auf dem Platz vor Galens Bischofsdom ein »Schandpfahl für jüdische Literatur«, während der Kirchenfürst, bischöflich geschniegelt und in Rassefragen versiert, seine Treue zum Regime preist. Als eine Delegation von Juden nach der Zerstörung der münsterschen Synagoge den hochwürdigsten Herrn um öffentliche Fürsprache bittet, empfängt sie Graf von Galen erst gar nicht.
Im Sommer 1945, wieder weit vom Schuß, beklagt er dafür, bereits gut sprachgeregelt und von der eigenen Vergangenheit überwältigt, die »sehr schmerzliche Niederlage unseres Volkes«[90], eine »uns gänzlich unbegreifliche Grenzziehung im Osten« und die »Austreibung von Deutschen aus den neu erworbenen polnischen Gebieten«. Neuerworben? In Polen? Noch 1945 kein Wort vom Angriffskrieg, kein Wort über das Unrecht, kein Schuldbekenntnis, kein Bedauern über das eigene Versagen, die polnische Neuerwerbung (und andere mehr) in Hirtenworten mitgefeiert zu haben.
Warum ich zeige, wie sehr sich Kirchenfürsten noch neulich blamierten? Ich meine, die schon wieder regsame Geschichtsklitterung müßte so früh wie möglich aufgedeckt und gestoppt werden. Wenn die kirchenfürstlich erwünschte Literatur Wesentliches übergeht, Unwesentliches breit auswalzt, wenn die Tendenz triumphiert, den Nazis alle Schuld zuzuschieben, um sich selbst zu entlasten, dann ist das zwar eine den Oberhirten genehme, aber keine ehrliche Methode. Das Gedächtnis der Menschen muß endlich gereinigt werden

von dem Dreck der Legende, den bischöfliche Kriegsgewinnler und Feierstundenhistoriker, die es immer schon wußten, in den Köpfen hinterließen.
Schmutz gibt es zu allen Zeiten bei Kirchenfürsten genug. Ihre die Hitlerdiktatur und alle anderen Barbareien stützende Generallinie ist und bleibt unmoralisch. Der auf sie zugeschnittene Widerstandsbegriff ist bloß der mißratene Entwurf einer Interessengruppe, der der Wirklichkeit nicht standhält. Daran ändert auch der Verweis auf die »Euthanasie«-Predigten Galens nichts. Sie blieben (verspätet gehalten und durchaus kalkuliert) Einzelfälle. Blanker Zynismus übrigens, daß der Kirchenfürst in derselben Predigt, da er sich gegen die Euthanasie wendet, den Angriffskrieg Hitlers ein weiteres Mal absegnet.
Galen predigte zudem, ein Beispiel für viele, noch 1934, als das Morden schon Übung war: »Nein, wir stehen nicht in verneinender Opposition gegen den Staat, gegen die jetzige Staatsgewalt.«[91] 1935 ruft er die Jugend auf, den Hitlerstaat bedingungslos zu unterstützen, denn »wir hassen und verabscheuen wie jede Sünde auch die Sünde der Staatsverneinung und dulden sie niemals in unseren Reihen«[92]. 1941 schreibt sein Kirchenblatt: »Hört mir also auf mit dem englischen Christentum, es hat nichts mit dem göttlichen Heiland zu tun! Und so geschieht ihm recht, was ihm jetzt geschieht . . . Gott hat es zugelassen, daß das Vergeltungsschwert gegen England in unsere Hände gelegt wurde. Wir sind die Vollzieher seines gerechten göttlichen Willens.«[93]
Unschwer einzusehen, weshalb das Gottesreich von solchen Kirchenfürsten erobert, etabliert und behauptet werden konnte: Die Mäntel hingen stets im richtigen Wind, die Bekehrungen zur Siegerseite erfolgten ausnahmslos im passenden Moment – und die Herde schaut weiter gebannt auf die Hirten.

Wie hielten Kirchenfürsten sich da oben?
Oder: »Der Krieg brachte uns stets mehr Nutzen als der Friede«

»Man ist zu der Überzeugung gelangt, daß der am besten aus dem Krieg herausgekommene Mann der Papst war!«

Kurienkardinal Gasquet
1919 auf dem Katholikenkongreß zu Liverpool

Petrus höchstselbst soll es gewesen sein, wenigstens nach drei von vier Evangelisten (so wichtig war den Herren die Sache!), der seinem »Herrn« die peinlichste Frage stellt, die die sogenannte Frohbotschaft des »Neuen Testaments« enthält: »Wir haben doch alles verlassen und sind dir nachgegangen. Was bekommen wir denn dafür?«
Wer die Geschichte der Kirche und die sie tragenden Ideologien kennt, rechnet mit dieser Frage. Stünde sie nicht bereits im Evangelium (Mt 19, 27; Mk 10, 28; Lk 18, 28), wäre sie bald von einem späteren Papst erfunden worden. Denn sie sagt alles über diejenigen, die sich noch heute Kirchenfürsten heißen. Und erfunden ist sie, denn die Antwort, die Jesus aus Nazareth gegeben haben soll, entstammt einer Geistigkeit, die mit der Bergpredigt nichts anfangen kann: »Ja, ihr seid mit mir gegangen. Deshalb werdet ihr bei der Erneuerung der Welt, wenn der Menschensohn majestätisch seine Herrschaft ausübt, ebenfalls über die zwölf Stämme Israels regieren.« (Mt 19, 28) Das kommt den Krämern gerade recht: Endlich dürfen sie auf ewig regieren, herrschen, »zu Gericht sitzen«. Und verurteilen, wen sie wollen: »Ich verteile das Reich Gottes unter euch, wie der Vater es mir zugeteilt hat... Ja, ihr sollt auf Thronen sitzen und Gericht halten über die zwölf Stämme Israels.« (Lk 22, 30)
Die Gerichtsherren- und Rächerideologie beinhaltet eine besonders infame Methode, Menschen über ihren Tod hinaus zu verfolgen. Endgültige Urteilssprüche über Millionen Menschen sollen in die Hand von Zukurzgekommenen gelegt sein? Das Ja oder das Nein über das Gelingen eines Lebens irgendwelchen Kleinbürgern anver-

traut? Nietzsche schüttelt sich. Doch das Erschrecken der Humanen schert die künftigen »Weltenrichter« nicht. Sie merken gar nicht, wie menschenverachtend ihr Anspruch ist. Sie weisen Plätze im »Himmel« an. Sie verteilen Plätze in der sogenannten Hölle.
Viele Generationen malten sich diese aus; die Architektur der Wahnvorstellungen ist gewaltig. Nicht selten erscheint die »Hölle« bis ins letzte Detail hinein wie eine Folterkammer der Inquisition. Hirten berauschen sich an ihrem Foltertraum. Da wird ihnen warm ums Herz, da können sie »die anderen« braten lassen. Die Vorfreude, die Schadenfreude wärmt; sie ist für sie die reinste Freude. Jetzt triumphieren die schönen, die braven Seelen, jetzt wird Marquis de Sade zum Christen.[1] Denn sie, die Guten, erwischt es nie. Sie sind gerettet, richten selbst mit ihrem Gott die Bösen, nehmen teil an seiner Vaterliebe, verdammen mit auf ewig. Die ewige Qual der einen ist das ewige Entzücken der andern! Die Vorfreude hat es in sich: Die »Hölle« könnte jeder Ort sein, an dem Hirten schon heute unumschränkt herrschen, eine Art Fortsetzung des Krieges der Kirchenfürsten gegen die Menschen mit anderen Mitteln.
Herrschen und richten sind nur die eine Seite der Medaille. Das Richter- und Henkerglück im Jenseits konnte nicht die ganze Entlohnung sein. Schon im Diesseits wollen Hirten ihren Lohn bekommen, und sie wissen schon früh, daß sie ihn auf jeden Fall bekommen. Sie brauchen sich offenbar nur im eigenen Leben umzusehen, um ihrem »Herrn« genau die Worte in den Mund zu legen, die den erreichten Status legitimieren. Jesus sagt, was sie hören wollen. Die angebliche Prophezeiung des Nazareners erfüllt sich schon: »Niemand verläßt sein Haus, Brüder, Schwestern, Mutter, Vater, Kinder oder Grund und Boden um meinetwillen, ohne es hundertfach wiederzubekommen, jetzt auf dieser Welt: Häuser, Grund und Boden.« (Mk 10, 29 f.)
Auf dieser Welt den hundertfachen Lohn erhalten, sich das bißchen Verzicht vielfach zurückerstatten lassen, Häuser, Grund und Boden raffen um des Himmelreiches willen: Das ist Geist vom Geist derer, die ein sogenanntes Opferleben führen. Hoffentlich merken immer mehr Menschen, was es mit solch kirchenfürstlichen Ansprüchen auf sich hat: Drüben ein Herrscher- und Richteramt, hienieden

Grund und Boden – und alles ebenso unverblümt wie schamlos als Opferleben deklariert, als Nachfolge Christi, als »Zeichen, dem die Welt widerspricht«.

Welchen Profit die Ideologie von der Versöhnung brachte

Wer den Papst gegenwärtig, allgegenwärtig den Frieden der Welt beschwören hört, kommt leicht auf die Idee, das beflissene Gerede habe einen entsprechend realen Kern und sei ernst zu nehmen. Dabei bezeugt nicht nur die Geschichte des Kirchenfürstentums das Gegenteil. Auch die Versöhnungs- und Friedensreden der Päpste und Bischöfe sind nicht ganz so edel motiviert, wie sie selbst vorgeben.

Nichts liegt so weit zurück, wie es die kirchenfürstliche Geschichtsschreibung gern hätte. Die Untaten der Oberhirten erstrecken sich nicht nur aufs »finstere Mittelalter«. Die Heilsgeschichte der Päpste bleibt aktuell. Unser eigenes Jahrhundert zeigt, wie lebendig die althergebrachten Ideale oberhirtlicher Weltanschauung sind. Die Kontinuität ist atemberaubend. Militante Gotteslämmer wollten beispielsweise den 1870 verlorengegangenen Kirchenstaat mit Waffen zurückerobern – oder zumindest durch den deutschen Kaiser wiederherstellen lassen. Einer ihrer Führer, der Zentrumsabgeordnete M. Erzberger, schlug sogar allen Ernstes vor, das Fürstentum Liechtenstein in die weltliche Herrschaft des Papstes umzuwandeln.[2] Und der Vatikan wollte vor dem Ersten Weltkrieg – und später erst recht – mit aller Energie den Balkan erobern (sprich: das abgefallene Territorium neu missionieren).

Serbien, ein nichtkatholisches Land, mußte niedergeworfen werden – und sein Protektor Rußland ebenfalls. Pius X. hatte schon die Annexion Bosniens und der Herzegowina durch Österreich abgesegnet, und die oberhirtliche Mission arbeitete mit allen Mitteln.[3] Ein Prälat schmuggelte Waffen, wurde entdeckt, verurteilt, schließlich aber »befreit« – und vom Papst zum Bischof befördert. Wiens Kardinal Nagel forderte ein »katholisches Slavenreich«. Pius X. verlangte, die Serben »für all ihre Vergehen« endlich zu bestrafen. Als

Österreichs Thronfolger 1914 ermordet wurde, sprach der Stellvertreter Christi die wegweisenden Worte: »Hier ist der zündende Funke!« Endlich konnte ein weiterer »gerechter Krieg« beginnen, ein Waffengang, den Pius X. hatte kommen sehen, ein Krieg gegen Rußland, den »größten Feind der Kirche«, wie das römische Oberhaupt erklärt hatte. Daß die Slawen allesamt Barbaren seien, war diesem Papst schon 1913 entfahren, und nun, 1914, kurz vor seinem Tod, freute er sich, daß es losgehen konnte.

Einen Waffengang verhindern helfen? Die Bestrafung der Bösen aufschieben? Kein Gedanke für den Papst. Zwar waren Millionen Tote zu erwarten, doch die Hirten trugen und tragen deren Schicksal mit Fassung. »Jeder Krieg steht sogar in einem geheimen Zusammenhang mit dem blutigen Drama auf Golgatha«, wußte damals einer von ihnen, »er ist eine Fortsetzung, er ist tatsächlich ein Stück des Kampfes, den unser Erlöser geführt hat. Liegt ... darin nicht ein einzigartiges Motiv, das Heilige – ich meine den Krieg – heilig zu behandeln?«[4]

Also gab es keinen Grund mehr für Herden und Hirten, Jesus selbst nicht zu militarisieren. Prediger sprechen davon, daß dieser in Form der Mobilmachung in die Welt gekommen sei, daß seine Menschennatur seine erste Uniform, sein erstes Biwak der Schoß der Jungfrau, sein zweites Bethlehem gewesen sei, seine Schlacht Golgatha und sein Hauptquartier der Himmel. Seine Reden wurden unter der Hirtenhand zum Maschinengewehr, zum Zünder der Gottesliebe. Was hätte ein Papst da noch bremsen, was hindern sollen? Immerhin waren 188 Millionen Katholiken – zwei Drittel aller Romtreuen – direkt in den Ersten Weltkrieg verwickelt. Am Rande: Auch die päpstliche Nobelgarde kämpfte.[5]

Daß das Schlachten ein Religionskrieg würde, stand für interessierte Hirten und Herden schon früh fest.[6] Der Sieg Deutschlands wäre einem Sieg des Irrglaubens gleichgekommen, zumal »dieser Krieg mit Naturnotwendigkeit die Zerstörung der katholischen Kirche, ihrer Autorität und ihrer Lehren, ja die Zerstörung jeglicher Religion« wollte, wie französische Oberhirten plärrten.[7]

Für die Franzosen wurden die Schützengräben daher zum »Gethsemane«, das Schlachtfeld zu »Golgatha«, der Augenblick des Schlach-

tens zur »göttlichen Minute«.[8] Denn Christus, »der die Franzosen liebt«, sollte leben, hochleben, weiterleben! Die Zeit der Wiedergeburt Frankreichs stand bevor. Daß diese Wiedergeburt 1,3 Millionen Tote kostete, stand auf einem anderen Hirtenblatt.
Und der Vatikan? Schon 1917 hatte eine deutsche Zeitung geschrieben, eines lasse sich mit Sicherheit behaupten, daß nämlich die katholische Kirche nach außen hin »durch den Krieg ganz erhebliche Vorteile erzielt hat«[9]. Diese galt es auf allen Gebieten zu festigen. Zeit war keine zu verlieren. Im Februar 1918 sprachen wissende Kreise davon, daß es Zeit sei, den Richtlinien der »Sozialenzyklika« Leos XIII. Geltung in Deutschland zu verschaffen, damit nicht das »sozialdemokratische Arbeitertum die Führung übernehme«[10]. Eine »Internationale Katholische Union« unterstützte im April desselben Jahres den päpstlichen Versuch, wenigstens beim »Fürsten des Friedens« zu erflehen, daß »er alle wieder als Brüder um den obersten Lehrstuhl der Wahrheit und des Lebens mit den unauflöslichen Banden der Liebe vereine«[11]: ideologische Kriegsgewinne auf vatikanisch.
Zwischen den beiden Großkriegen stabilisierte das Kirchenfürstentum seine Weltsicht. Pius XI. (†1939) blieb versponnen in das Tabu-System, nahm die Welt oberhirtlich verfremdet wahr, deutete jeden Zweifel am systemeigenen Gott als Teufelei gegen das Menschsein überhaupt. Seine Enzykliken hetzten wie die seiner Vorgänger gegen alles, was nicht ins Weltbild paßte: Im Kampf gegen den weltanschaulichen Feind, und der stand eindeutig links, war jedes Mittel recht.[12] Es ging darum, katholische Interessen gegen »Loge, Kapitalismus, Sozialismus und Pazifismus«[13] durchzusetzen.
Daß ein Papst, »Stellvertreter des Friedenskönigs auf Erden«[14], den Zweiten Weltkrieg verhindern oder seinen Verursacher Hitler auch nur hätte bremsen wollen, ist nicht anzunehmen. Pius XII. hatte sich gegenüber dem Diktator stets freundlich verhalten. Bereits dessen Annexionen vor Kriegsbeginn waren beifällig registriert worden. Hitler konnte annehmen, ein von ihm begonnener Krieg werde bei den Hirten auf keine großen Vorbehalte stoßen. Der Papst tat ihm dann auch den Gefallen. »Der große Tag X ist nahe«, wird eine Ansprache des Obersten Oberhirten wiedergegeben, »der Tag des Einmarsches in die Sowjetunion.«[15]

Auch Pius XII. hatte, wie sein heiliger Vorgänger zu Beginn des Ersten Weltkriegs, allen Grund, die »Unterwerfung aufsässiger Untertanen« herbeizuwünschen, die »Rückkehr Rußlands« und seiner Christen in den Heimathafen »seiner« Kirche. Auch dieser Papst sah keinen Grund, den Zweiten Weltkrieg nicht als Großtat der Vorsehung zu begreifen. Als England und Frankreich darauf bestanden, er möge Hitlerdeutschland als Angreifer bezeichnen, lehnte er ab. Schon Mitte August 1939 versicherte er dem deutschen Botschafter beim Vatikan, wenn Hitler Polen bekriege, werde er sich jeder Verdammung des Reiches enthalten. Zu Weihnachten 1939 appellierte er an die Katholiken, ihre »Kräfte gegen den gemeinsamen Feind, den Atheismus« zu vereinigen.

Pius XII. war bereit, seinem Kirchenfürstentum ganze Völker zu opfern.[16] Da er über keine eigenen Truppen mehr verfügte, suchte er alle möglichen Mächte für den Vernichtungsfeldzug gegen die Sowjetunion zu gewinnen. Die katholischen Terrorregimes Lateinamerikas waren ihm für den Kampf des Guten gegen das Böse ebenso willkommen wie der nützliche Mussolini, der auf ihn etwas proletarisch wirkende Hitler und der edler erscheinende Franco.

Gleichzeitig übersah der Papst nicht, daß es galt, in regelmäßigen Abständen zum Frieden zu mahnen. Die Herde hatte ja den Anspruch, den Hirten sehr friedenswillig und um den Frieden besorgt zu sehen. Im 20. Jahrhundert macht es sich aus Gründen, die beileibe nicht bei den Hirten liegen, nicht mehr so gut wie früher, wenn Päpste offen zum Kampf aufrufen und die Herden in den Krieg hetzen. Nicht einmal mehr ein Hirtenschicksal wie das des Papstes Paul V. ist gefragt, den 1621 mitten in einer Triumphprozession zur Feier eines Sieges der katholischen Waffen der Schlaganfall ereilte.[17]

Die Hirten lernten vom Zeitgeist. Leo XIII., der Pius IX. abgelöst hatte (welcher 1870 zur Verteidigung seines Gottesstaates auf Erden Dutzende von Menschen erschießen ließ!), schrieb 1894 an die »Fürsten und Völker der Erde«, es sei »Beruf des Papstes, der gottgewollte Förderer des Friedens« zu sein.[18] Freilich versäumte er nicht, so dezent wie pflichtgemäß darauf hinzuweisen, das Endziel seines Berufes sei es, Völker und Staaten zur Einheit des Glaubens

zurückzubringen und sie unter dem römischen Papst zu einigen, zumal dessen »heilsamer Einfluß« wieder ins hellere Licht gesetzt werden müsse. Benedikt XV. erhob in seinen sogenannten Friedensnoten denselben Anspruch: Friede auf Erden ist nur möglich, wenn Gottes Gebote beachtet werden – und die sind beim Papst in den besten Händen. Dieser ist ja, so das Selbstlob, der »von Gott eingesetzte höchste Dolmetsch und Vertreter des ewigen Gesetzes«[19].
Wie ein Friedensfürst zu den Seinen spricht? »Als Wir von der erhabenen Warte des Apostolischen Stuhles Ausschau hielten auf den Lauf der Dinge dieser Welt und alles gleichsam mit einem Blicke überschauten, da trat Uns der tieftraurige Zustand der menschlichen Gesellschaft vor Augen, und herber Schmerz ergriff Unser Herz. Denn wie wäre es möglich, daß Uns, dem gemeinsamen Vater von allen, nicht tief zu Herzen ginge dieses Bild, das Europa und mit ihm die ganze Welt bietet, ein Bild, wie es schrecklicher und trauriger seit Menschengedenken wohl nie geschaut wurde!«[20]
Pius XII. verfaßte immer wieder, tagelang in sogenannter Meditation versunken, eigene Friedensgebete, um diese der staunenden Welt vorzustellen. Auch das war nicht neu. Schon Benedikt XV. hatte sich im Ersten Weltkrieg ein Friedensgebet ausgedacht, das ihm freilich auf alliierter Seite keinen Erfolg brachte, da es die Gegenseite zu bevorzugen schien. Auch eine oberhirtliche Neufassung war seinerzeit nicht besser aufgenommen worden.[21] Das Pech blieb Benedikt XV. treu: Als er erfuhr, daß im Zuge der Kriegshandlungen auch das »Heilige Land« befreit werden sollte, hielt sich seine Freude in Grenzen. Zwar jubelte er, da dem Glauben »die ehrwürdigen Schollen, wo das Blut vergossen wurde, durch das wir erlöst wurden, wieder zufielen«[22]. Doch die heiligen Stätten ausgerechnet in die Hand der ketzerischen Engländer fallen zu sehen, überstieg seine Glaubenskraft bei weitem.
Sein Sprachrohr »Osservatore Romano« mußte sich schon mächtig anstrengen, um aus dem Sieg der Häretiker doch noch einen des Papstes zu machen. Am 18. Dezember 1917 leitartikelt die Vatikan-Zeitung: »... die Gefilde des ersten christlichen Glaubens, auf denen im Lauf der Jahrhunderte der böse Feind (sprich: Türken und Juden) Unkraut säte und gedeihen sah, unterstehen trotzdem den

Gesetzen des Stellvertreters Christi. Nur die Ungläubigen und die Juden stehen außerhalb dieses Gesetzes. Alle Getauften aber, ob sie wollen oder nicht, unterstehen wesentlich und mit besonderer Rechtskraft der Obrigkeit des Papstes, der nicht nur dem Worte nach, sondern auch in der Tat das Haupt der ganzen christlichen Welt ist.«[23] Die anglikanischen Engländer wußten, wem sie zu gehorchen hatten, »ob sie wollten oder nicht«.

Päpstliche Friedenswünsche sind ehrlich: Immer sehen sie auf das eigene Interesse. Was dem Kirchenfürstentum nützt, gilt als gottgewollt und förderungswürdig; entgegenstehende Interessen sind rein menschlicher, sündiger Natur. Die Päpste sorgten sich, sprachen sie von Frieden, stets um die Wohlfahrt der Ihren – und die Erhaltung des kirchenfürstlichen Besitzstandes. Daß Innozenz X. 1648 den Westfälischen Frieden für null und nichtig erklärte, weil er die Länder der »Ketzer« begünstige[24], ist kein Einzelfall. Clemens XI. verwahrte sich 1701 gegen die Annahme der Königswürde durch den preußischen Souverän, weil dadurch der Apostolische Stuhl geschädigt werde. Clemens XIII. hetzte 1758 gegen Friedrich den Großen und ermächtigte die gegen Preußen stehenden katholischen Landesherren, zum Zweck des »guten Krieges« einen eigenen Zehnten zu erheben. Und erst als die preußischen Könige sich als die neuen Herren in Mitteleuropa etabliert hatten, geruhte auch das Kirchenfürstentum sie 1787 anzuerkennen. Geheuer waren ihm die protestantischen Herrscher dennoch nie: 1815 erhob Pius VII. feierlichen Protest gegen alles, was auf dem Wiener Kongreß »gegen die Rechte und Interessen der Kirche in Deutschland geschehen und unterblieben«, 1866 urteilte der päpstliche Staatssekretär Antonelli über den Sieg Preußens bei Königgrätz, das sei der Weltuntergang, und 1872 meinte Pius IX. zum neuen Reich Bismarcks, bald werde sich das Steinchen von der Höhe lösen und den Koloß zertrümmern.[25] Von den Päpsten anzunehmen, sie seien grundsätzlich und zu allen Zeiten nicht nur keine Störenfriede der Weltordnung, sondern gar die eifrigsten Förderer der Völkerversöhnung, ist ein schwerer historischer Irrtum.

Benedikt XV. war im Ersten Weltkrieg darum besorgt, Kirchen, Kapellen, Wallfahrtsorte der kriegführenden Parteien zu schützen.

Er ließ sich gern bestätigen, daß bei Luftangriffen »religiöse Denkmäler« geschont würden und wenigstens »an dem in Köln mit großem Gepränge gefeierten Fronleichnamsfeste Fliegerangriffe unterblieben«, damit sich die Prozessionen »ruhig entfalten« konnten.[26] Daß sich gleichzeitig – über die bereits zu den Fahnen geeilten 18000 italienischen Geistlichen hinaus – 2800 Pfarrer freiwillig zum Dienst mit der Waffe gemeldet hatten, rührte den angeblichen Friedenspapst weit weniger; dabei hätte er den Diensteifer dieser Hirten mit wenigen Worten zügeln können.[27]
Er hatte freilich schon zu Beginn des Ersten Weltkrieges sein möglichstes getan und die Ursache des Völkermordens im »Vergessen der Gebote Gottes« erblickt. Auch Pius XII. meinte, als er pflichtgemäß sein Hirtenwort zum Zweiten Weltkrieg veröffentlichte, bei alldem handle es sich um die »Mißachtung der göttlichen Majestät«. Daß in beiden Fällen nicht nur die Interessen der kriegführenden Mächte anders gelagert waren, sondern auch die jeweilige Papstbotschaft nur vordergründig argumentierte und vor der Herde die wahren Kriegsziele der Hirten verschleierte, ist eine andere Sache.
Den ausgehaltenen Ideologen im Kirchenfürstentum fiel es allerdings selten schwer, Krieg und Frieden miteinander zu versöhnen; sie profitierten von beiden. Ein Beispiel für viele: Urban VIII. ließ 1632, als er das römische Pantheon plünderte, die erzenen Dachsparren der Vorhalle und den reichen Bronzeschmuck des aus dem antiken Rom stammenden Gebäudes einschmelzen. Für das Metall hatte er sich zwei Verwendungsarten ausgedacht; beide brauchen keinen Kommentar. Der militante Papst ließ aus der Bronze sowohl 80 Kanonen gießen als auch die vier Riesensäulen gestalten, die den Baldachin über dem Hochaltar der Peterskirche tragen.[28]
Bischof Anselm von Lucca, Anhänger des »Reformpapstes« Gregor VII. (†1085), lieferte im 11. Jahrhundert die passende Theorie. Dieser Mörder, der seinem Oberhirten »zuverlässigen Gehorsam erwies, mit vollkommenem Haß die Partei der Gebannten haßte, die katholische Einheit aber liebte und verteidigte«[29], nennt – in der Nachfolge des Augustinus (von ihm gleich noch mehr) – den Krieg an sich »äußerst verwerflich«. Doch wird dieser geradezu zur sittlichen Pflicht, wenn er das »Heil der Feinde« im Auge hat. Ein Kampf

gegen die Gegner der Kirchenfürsten stellt daher keine eigentliche Verfolgung dar. Er ist eine »Äußerung der Liebe«, ein Akt der Güte und des Mitleids, eine seelsorgerisch zu verantwortende Aktion.
Hirte Bonizo von Sutri holt seinerzeit noch ein wenig weiter aus. Er lobt die altchristlichen Märtyrer, die mit dem Leibhaftigen kämpften. Und er stellt die schon nicht mehr ganz rhetorische Frage, ob es denn wirklich nicht erlaubt sei, auch für den Himmelskönig zur Waffe zu greifen, wenn man das schon für den irdischen König zu tun gewohnt sei: »Wenn für den Staat, dann nicht für die Gerechtigkeit? Wenn gegen die Barbaren, dann nicht gegen die Ketzer?«[30]
Allerdings war nicht immer klar, wer »Ketzer« war und wer nicht. Die Wahrheit ließ sich erst in langen Kämpfen und nach blutigen Schlachten ermitteln; stets war sie die der Endlöser und Sieger. So hatte der Vandalenkönig Hunerich (†484) in seinem frommen Eifer allen Einwohnern der Stadt Tiglassa, die sich nicht zur Lehre des Arius bekehren lassen wollten, die Zunge ausreißen und die rechte Hand abhacken lassen.[31] Wer nur wollte damals dem Herrscher sagen, daß sein Eifer der falschen Sache galt? Daß die armen Einwohner der afrikanischen Stadt bereits den Glauben hatten, der später als der offizielle Roms ausgegeben wurde?
Kirchenfürsten töten aus »Liebe«. Was lieben sie? Gewiß nicht die Menschen. Die Einheit ihres Fürstentums ist ihnen weit wichtiger. Der wohlgeordnete Pferch, das befriedete Weideland, der Gehorsam der Schafe, die sich widerspruchsfrei unter ihre Macht beugen und mit ihren Scherflein zum Wohlleben der Oberhirten beitragen: Das sind kirchenfürstliche Kriegsziele. Einheit, Wahrheit, Recht und Ordnung bleiben, in den Augen der Herren, wohlfeil; sie legitimieren über Jahrhunderte hinweg jeden Mord.
Herren und Knechte? Der Hirte Burchard von Worms gibt im 11. Jahrhundert die Devise aus, nach der sich das Weideland ordnen läßt. Dem Menschengeschlecht sei »durch göttliche Fügung die Strafe der Knechtschaft auferlegt«, predigt der Herr, und Gott hat für diejenigen, »denen, wie er sieht, die Freiheit eben nicht paßt, in großer Barmherzigkeit die Knechtschaft« vorgesehen. Ja, Gott der Herr tut etwas für die Gerechtigkeit: Er macht die einen zu Knechten, die anderen zu Herren, »damit die Möglichkeit zu Frevel für die

Knechte durch die Macht der Herren eingeschränkt würde«[32]. So haben es alle Herren seit eh und je gern. Sie brauchen immer Hirten, die erst gar nicht nachfragen, ob auch Herren freveln ...

Da die »Hexen« ebenso wie die »Ketzer« den Frieden der Kirchenfürsten stören, werden sie – aus Liebe zur Wahrheit – lieblos ausgerottet. Der Würzburger Oberhirte Julius Echter verbrennt allein 1616 in Gerolzhofen 99 »Hexen«, sein Nachfolger Philipp Adolf von Ehrenberg schafft in den wenigen Jahren seiner Regierung gegen neunhundert Verbrennungen, bevor er in sich geht und ein feierliches Meßgedächtnis für die Seelen der Ermordeten stiftet.[33] In Trier tritt 1581 Erzbischof Johann von Schönenburg sein Amt an. Er räumt seinem Hilfsbischof Peter Binsfeld alle Macht ein. Dieser ist ein Hexenjäger übelster Sorte. Überall im Pferch werden »Hexen« aufgespürt und niedergemacht; Ordnung muß sein. Als sich in Trier der Richter Dr. Dietrich Flade dem Wüten des Bischofs entgegenstellt (bekam er je ein Denkmal?), fängt und richtet man auch ihn. Vorher muß er in der Folter noch gestehen, an der Schneckenplage schuldig zu sein, die gerade das Gemüse des Bistums zu vernichten drohte.[34]

Auch Johannes Paul II. traktiert »Friede und Versöhnung« nicht ungern. Es handelt sich dabei um Pflichtübungen. Diese sind nach der Methode »Haltet den Dieb!« angezeigt. Denn zum einen vertritt Wojtyla ein über Jahrhunderte hinweg als Kriegstreiber ausgewiesenes System, ohne sich von diesem zu distanzieren. Zum anderen denkt, spricht und handelt er alles andere als versöhnlich. Auch wägt er seine Friedensappelle sorgsam ab. Im Golfkrieg von 1991 zum Beispiel bevorzugte er auffällig die irakische Seite und fand in Richtung Israel (einem von ihm noch immer nicht anerkannten Staat) keine entsprechenden Worte. Innerhalb des Pferchs, in dem ein absolutistischer Papst handeln kann wie niemand anderer auf Erden, tut Johannes Paul II., der sich redlicher Pius XIII. genannt hätte, alles, um die Herde im Gehorsam zu erhalten: Die Sprache Wojtylas strotzt zwar von Versöhnungsvokabeln, doch bleiben diese völlig folgenlos. Die schwarzen Schafe der Herde haben nicht das geringste Entgegenkommen zu erwarten. Und den nichtkatholischen Kirchen tritt der Papst zwar mit Aufrufen zum »Dialog« ent-

gegen, doch bleiben auch diese ohne jede praktische Konsequenz. Nach wie vor sind die Grenzen des Kirchenfürstentums so eng gezogen wie eh und je. Daran ändert das Erscheinen gerade dieses Papstes als eine Art »internationaler Weihnachtsmann«[35] nichts.
Päpstliche Appelle und Gebete? Je blumiger ihre Sprache daherkommt, je entgegenkommender sie sich geben, desto unversöhnlicher ist ihr Inhalt. Noch nie hatten sie eine innerkirchliche Wirkung, eine, die den harten Kern des Kirchenfürstentums tangiert hätte. Ein Muster oberhirtlichen Denkens und Betens gibt das Gebet des Wojtyla-Papstes zum Gründonnerstag 1982 ab. Es ist länger als manche Briefe, die dem Paulus, Petrus, Johannes zugeschrieben werden. Es enthält auf zehn Druckseiten fast zweieinhalbtausend Wörter und dazu – ganz ungewöhnlich für diese literarische Gattung – 39 Fußnoten.[36] Zum Vergleich: Das Gebet Jesu, das sogenannte Vaterunser, kommt mit knapp 50 Wörtern aus. Wojtyla betet ausufernd, richtet sich an den »Herrn«, vermeidet durchgängig den Namen Jesus, kanzelt die Betroffenen, die Priester, ab, legt diesen – in Gebetsform! – einmal mehr die historischen Bürden (Talar, Zölibat) auf, weist Andersdenkende harsch zurecht – und spricht aufdringlich oft von Liebe.
Wojtylas Worte sind – die historischen Unwahrheiten beiseite – durch keine Taten gedeckt: »Ich gehe meinen Pilgerweg von Anfang an als Bischof jener Ortskirche, die der Apostel Petrus in Rom gegründet hat und deren besondere Sendung es immer war und noch heute ist, der ›communio‹ zu dienen, das heißt der Einheit in der Liebe zwischen den einzelnen Ortskirchen und allen Brüdern und Schwestern in Christus.«[37] Johannes Paul II. bewegte sich nicht nur keinen Zentimeter auf andere Religionsgemeinschaften zu, sondern drehte in Sachen Aussöhnung mit den übrigen Religionen sogar das Rad der Entwicklung zurück. Was Wojtyla betreibt, ist Machtstrategie. Seine Friedensreden sollen Verbündete gewinnen, die Hirten der Weltreligionen zu Parteigängern machen. Inhaltlich kommt er ihnen nicht entgegen. Vielleicht merken die Adressaten einmal selbst, wieviel Sand sie mittlerweile in den Augen haben.
Auch wurde nicht bekannt, daß Wojtylas amtliche »Liebe zu den einzelnen Ortskirchen« irgendwann und irgendwo konkrete Ergeb-

nisse gehabt hätte: Bischöfe, Priester, »Laien« werden unter seiner Regierung wieder mehr im Gehorsam gehalten als noch vor wenigen Jahrzehnten, zu Zeiten des Konzils. Konsequent freilich, daß der Souverän just zu dem Zeitpunkt, da er die bisherige Ausübung nackter Gewalt bestritten sieht, die »Liebe«, den »Dienst an der Versöhnung« entdeckt. Offensichtlich richtet er seine Strategie darauf aus, daß ihm zur Zeit mehr Menschen als je zuvor seinen Vorgängern auf den Leim des Friedens gehen. Daß das Gedächtnis der Welt kurz ist. Daß neuerdings vergessen wird, welch reichen Gewinn gerade der Krieg den Machtinteressen der Oberhirten brachte.

Weshalb Hauen, Würgen und Stechen noch viel einträglicher war

Nicht, daß Kirchenfürsten jemals so friedlich gewesen sind, wie das ihre heutigen Äußerungen vorgeben. Schon der Hinweis mancher Hirten, die eigene Kirche habe »erstmals auf Erden« das Gesetz der Nächsten- und gar der Feindesliebe aufgestellt[38], ist erlogen. Auch die Sprache der Herren klang immer auffallend militant.

Eine Gedenktafel beim Vatikan spricht anmaßend-kriegerisch: »Diese Stätte, einst Zirkus und Villa des Nero, jetzt ein Leuchtturm für die Völker, haben mit ihrem Blut die römischen Erzmärtyrer erobert, die von hier aus unter der Führung des Apostels Petrus aufstiegen, um Christus die Palme ihres neuen Triumphes darzubringen.«[39] Ganz abgesehen davon, daß sich dieser Satz in seinen Ansprüchen selbst richtet – die historische Wahrheit über Petrus und die »Erzmärtyrer« ist nicht auf seiner Seite. Freilich schafften es die Hirten immer wieder, selbst »das Blut« den Boden ihrer Privilegien düngen zu lassen. Das Blut allerdings der wenigen eigenen; vom Blut der vielen anderen, die ihre Folter, ihren Tod dem Machtwillen der Seelenhirten zuzuschreiben haben, ist auf keiner Gedenktafel im Kirchenfürstentum die Rede.

Päpste errichten ihrer Ideologie hauseigene Denkmäler; Sixtus V. lügt für sie alle, als er 1586 den (gestohlenen) Obelisken auf dem Petersplatz errichten läßt, weil er »die Monumente des Unglaubens

an dem gleichen Ort dem Kreuz unterworfen zu sehen wünschte, wo einst die Christen den Kreuzestod erleiden mußten«[40].
1546 wird George Wishart – ein protestantischer Prediger von einer Sanftmut, die zu der Zeit ungewöhnlich war – im Vorhof des Schlosses von St. Andrews verbrannt. Kardinal Beaton und seine Bischöfe saßen in Polstersesseln an den Mauern des Schlosses und genossen das Spektakel. »Ketzer« hinrichten zu lassen, war ein gewohntes oberhirtliches Vergnügen; es finden sich Hunderte von Beispielen.
Wer die Bibel beim Wort nimmt, kennt das sogenannte 5. Gebot. Es lautet knapp und klar: »Du sollst nicht töten!« Der überlieferte Text des fünften der zehn Gebote macht keine Umstände und keine Ausflüchte. Er sagt, was er meint. Zumindest könnte der unbefangene Gläubige das annehmen. Doch so naiv darf kein Schaf sein, sagt ihm sein Hirte. Denn Kirchenfürsten haben längst schon den Klartext des Gottesgebots umgebogen zu einem bedingten Tötungsverbot. Sie kennen eine Regel – und etliche Ausnahmen davon. Getötet werden darf nicht, sagen sie. Das gilt für private Morde oder für Abtreibungen. Da lassen sie vorerst nicht mit sich reden. Aber sie lehren auch, daß es legitime Ausnahmen gibt: offiziell erlaubte Morde, Abweichungen vom Gottesgebot. Zum Beispiel »gerechter Krieg«, »Glaubenskrieg« oder »Todesstrafe«. Kardinal von Galen, dessen Widerstand gegen Hitler sich in wenigen Predigten, dessen Zustimmung zu Hitler sich in vielen Bekenntnissen zeigte, ist ein typisches Beispiel für den Umgang der Kirche mit Gottes 5. Gebot: In derselben Predigt, in der er die Vernichtung von Geisteskranken in Heil- und Pflegeanstalten anprangert, unterstreicht er das Recht zur Tötung von Millionen gesunder Menschen in Hitlers »gerechtem Krieg«.[41]
Wie immer handelt es sich um eine Machtfrage. Wer die gesellschaftliche Macht hat, bestimmte Definitionen von Moral aufzustellen und durchzusetzen, ist gut dran. Wer diese Macht nicht hat, kann es mit Argumenten versuchen, mit dem gesunden Menschenverstand, mit einer Berufung auf Humanität. Ob er Erfolg haben wird, bleibt nach allen Erfahrungen mit den Definitionsmächtigen des Kirchenfürstentums zweifelhaft. Von daher gesehen ist es sehr chancenreich, Papst zu sein und unfehlbar zu wirken. Dann kann

einer für alle feststellen, daß Sterbehilfe inhuman ist und Gentechnologie auch, daß fremde Kriege Sünde sind und die eigenen »gerecht«. Dann läßt sich ein göttliches Gebot so lange zurechtbiegen, bis es den eigenen Wünschen und Ansprüchen entspricht.
So kann das Gebot, andere umzubringen, unter Umständen Vorrang haben vor dem Gebot, sich selbst nicht umzubringen. Wenn andere Menschen im »gerechten Krieg« zu töten sind, kann sogar – so die Oberhirten – der eigene Tod mit in Kauf genommen werden. Auch die Todesstrafe wird von ihnen nicht völlig abgelehnt; auch für sie führten gerade Kirchenführer »zureichende Gründe« an. Luther schreibt über die weltliche Obrigkeit: »Die Hand, welche das Schwert führet und würget, ist nicht mehr Menschen Hand, sondern Gottes Hand, und nicht der Mensch, sondern Gott hänget, rädert, enthauptet, würget, krieget.«[42] Das ist folgerichtig: Der Gott, den sich solche Lehrer der Welt ausdachten, unterscheidet sich nicht im geringsten von seinen geistigen Vätern und deren Mordinteresse.
Noch heute – so 1973 ein katholisches Lexikon – sind »die meisten katholischen und evangelischen Theologen die wohl bedeutsamste Gruppe der ernst zu nehmenden Verteidiger der Todesstrafe«.[43] Sie lernten aus ihrer eigenen Geschichte: Seit ihresgleichen zur Herrschaft gelangte, wurde die Anwendung der Todesstrafe im römischen Reich nicht vermindert, sondern vermehrt. Kaiser Konstantin verhängte sie auch für jene Delikte, die den sogenannten Heidenkaisern vor ihm noch als nicht schwerwiegend galten. Gegenstimmen aus der Hirtenschar gab es so gut wie keine. Zwar hat sich im 15. Jahrhundert Kardinal Borgia, später Papst Alexander VI., einmal gegen die Todesstrafe ausgesprochen. Er hatte seine Gründe, die Verurteilten gegen Kaution freizulassen: »Der Herr wünscht nicht den Tod des Sünders, sondern daß er lebt – und zahlt.«[44]
Für Mord hatten die frühesten Synoden keine Strafe festgesetzt. Sie waren davon ausgegangen, unter Christen käme so etwas nicht vor. Doch um dieselbe Zeit, als der Kirchenlehrer Basilius für Soldaten noch eine jahrelange Verweigerung des Abendmahls gebot, pries ein anderer Oberhirte bereits das Töten im Krieg: der hl. Athanasius, der berühmte »Vater der Rechtgläubigkeit«, ein ebenso kampferfah-

rener wie intrigenerprobter Mann.[45] Der seltsame Heilige, von Eidbrüchigen zum Bischof gewählt und fortan ein besonders eifriger Gegner zeitgenössischer »Irrlehren«, erklärte zwar den gewöhnlichen Mord für unerlaubt, fand es aber »sowohl gesetzlich als auch lobenswert, Gegner zu töten«. Sein Beispiel machte Schule, und bald war die Privatmeinung des Hirten allgemeine Lehre im Kirchenfürstentum. Sein Kollege Ambrosius, der viel über die Nächstenliebe schrieb, schwieg sich instinktsicher über die Feindesliebe aus – sie hätte nicht ins politische Konzept gepaßt. Hirten wie er hetzten schon bald in den »gerechten« Krieg, während nichtchristliche Denker der Epoche durchaus noch zwischen den Parteien zu vermitteln suchten.

Ausschlaggebend für die Durchsetzung des legitimen Mordens wurde jener hl. Augustin, der auch die schlimmsten sozialen Gegensätze rechtfertigte und dessen Ratschlag an die Armen hieß, »im ewig gleichen unverändert harten Joch des niederen Standes« auszuharren.[46] Der Schreibtischtäter, der lehrte: »Wer härter straft, zeigt größere Liebe«, traf die folgenschwere Unterscheidung zwischen »gerechten« und »ungerechten« Kriegen. »Was hat man denn gegen den Krieg, etwa, daß Menschen, die doch einmal sterben müssen, dabei umkommen?« fragt Augustin. Der heilige Hirt, der die Zwangsbekehrung Andersgläubiger, die Konfiskation ihres Vermögens, die Verbannung Andersdenkender betrieb, auch schon die Folter erlaubte, sie sogar »leicht« im Vergleich zur ewigen Höllenstrafe nannte, eine förmliche »Kur« für den Menschen, verteidigte den »gerechten Krieg« als Weg zum Frieden, zumal der Erfolg des Guten eine gewisse Verlustquote rechtfertige.

Diese Doktrin stammte von einem Täter, der als »Zunge des hl. Geistes« gefeiert wurde, von einem Verbrecher des Wortes, »der, wenn auch irdischer Mensch, doch ein Engel vom Himmel« geheißen wurde, zumal er »in überirdischen Visionen wie ein Engel immerfort Gott schaute«.[47] Augustinus legitimierte das blutige Handwerk rückhaltlos. Wahrheit und Irrtum können und dürfen sich nicht vertragen, meinte der Große Kirchenfürst, und deshalb müsse alles, was nicht im oberhirtlichen Sinn wahr sei, mit Stumpf und Stiel ausgerottet werden. Theologe Theodoret gestand: »Uns bringt

Krieg mehr Nutzen als Frieden«[48], und hatte in bezug auf die Kirchenfürsten nicht unrecht. Als Christ unter »Heiden« zu leben, kann hart sein. Als Christ oder als Jude oder Heide unter Christen zu leben, ist viel schlimmer.

Was macht einen Krieg gerecht? Alles, was der Hirtenlehre nützt, alles, was deren Gegner schädigt. Von hier bis zu der Meinung, alles nicht oberhirtlich genehmigte Leben sei irrig und daher wertlos, war nur ein kleiner Schritt. Das reale Töten hatte seinen Ursprung in der vorhergehenden Vernichtung des anderen durch das Wort. Kardinal Nikolaus von Kues, nur einer unter Hunderten, jagt seine Herde im 15. Jahrhundert gegen den Türken, »das Tier der Apokalypse«, »den Feind aller Natur und der ganzen Menschheit«.[49]

Während die agnostisch denkenden Römer im Bereich der Religion sehr tolerant waren und alle Kulte duldeten, die nicht den Gang des öffentlichen Lebens störten, während sie auch die Christen erst verfolgten, nachdem diese das Volk aufzuwiegeln begonnen hatten, bogen sich die orthodox denkenden Hirten ihre Feinde systematisch zurecht, um sie auszurotten. Kirchenfürstliche Feindbilder und Ressentiments lassen sich austauschen: Heiden, Türken, Juden, Ketzer, Hexen, Kommunisten. Wer als irrend definiert ist, hat sein Leben verwirkt. Zunächst war das Abschlachten der sogenannten Heiden geboten. Dann galt jedes Gemetzel als gottgefällig, bei dem die guten und gerechten Schafe den bösen, schwarzen die Feindesliebe mit dem Schwert beibrachten. Um der guten Sache willen durfte schon etwas härter als gewöhnlich zugelangt werden, besonders in jenen Kriegen, die man nicht nur gerecht, sondern »heilig« nannte. Jetzt konnten die Guten guten Gewissens töten, jetzt war das Gottesgebot endgültig ausgehöhlt.

Der römische Kaiser Konstantin hatte 313 den Bischöfen die volle Religionsfreiheit zugesagt, und schon im folgenden Jahr beschlossen sie die Exkommunikation fahnenflüchtiger Soldaten. Wer die Waffen wegwarf, galt als gebannt. Vordem war es umgekehrt. So schnell ändern sich die heiligsten Traditionen. So schnell sind statt der pazifistischen Christen die kirchlichen Feldpfaffen auf dem Plan, statt der getöteten christlichen Kriegsdienstverweigerer die tötenden christlichen Krieger. Die Kirchenherren waren plötzlich militärfreundlich, und die Namen der frühen Soldatenmärtyrer wurden aus den Heiligenkalendern getilgt. Soldatengötter, Christus und Maria, diverse Heilige hielten dafür Einzug und übernahmen die Funktion der heidnischen Kriegsidole. Im Jahr 416 schließt der Erlaß eines Christenkaisers alle Nichtchristen vom Heeresdienst aus; Massenmord im gerechten Krieg ist von nun an allein Sache der Christenherde.[50]

Noch bis nach Vietnam reichte dieser Gedanke. Im Spiel der Allianzen waren die westlich geprägten Kirchenfürsten des Landes zu bevorzugten Partnern des US-Apparats aufgerückt. Hirten und Soldaten traten als mächtige Verteidiger einer etablierten Ordnung auf. Beide hatten im Gegner den Todfeind erkannt, die Verleiblichung des Teufels, dessen radikale Bekämpfung banale Selbstverständlichkeit war. Der Krieg wurde de facto zur Religionsausübung. Das Adjektiv »gerecht«, durchaus ein schmückendes Beiwort, stand dem Kriegführen, an dem Hirten und Herden beteiligt waren, stets gut an. Kirchenfürsten wandten es dagegen bis heute nicht auf die Empfängnisverhütung an. Geburtenkontrolle ist – von der »natürlichen« Papst Pauls VI. abgesehen – auch nicht aus »noch so schwerwiegendem Grund« gerecht. Kinder zeugen und gebären ist ungleich wichtiger, als sich um deren Los zu kümmern.[51] Zum Nationalfeiertag 1872, nach dem von Frankreich gegen Deutschland verlorenen Krieg, wandte sich Kardinal Mermillod an Frankreich und entschied die Schuldfrage: »Du hast dich von Gott abgewandt, und Gott hat dich geschlagen, du hast in abscheulicher Berechnung Gräber geschaufelt, anstatt Wiegen mit Kindern zu füllen, deshalb hat es dir an Soldaten gefehlt.«[52]

Mit der Zeit kamen die Oberhirten in Bedrängnis, da sie immer häufiger und mit einer gewissen Regelmäßigkeit über ihresgleichen herfielen. Daß ihre Herden auf beiden Seiten durch Fasten, Gebete, Feldgottesdienste, Feldpredigten auf den heiligen Krieg vorbereitet worden waren, verschärfte ihr Problem. Was taugte ein gerechter Krieg, dessen Teilnehmer auf beiden Seiten der Front durch Predigt und Abendmahl gestärkt, zu gleichen Teilen mit einem glücklichen Ausgang der gerechten Sache rechnen konnten? Wenn beispielsweise das »Herz Jesu« auf beiden Seiten als Kampfmittel eingesetzt

wurde und – wie an der Marne im Ersten Weltkrieg – den einen die siegreiche Offensive, den anderen die erfolgreiche Defensive eintragen sollte?
Nun, in diesem konkreten Fall siegte der für Frankreich schlagende Teil des Allerheiligsten Herzens Jesu.[53] Das grundsätzliche Dilemma aber hat sich noch nicht lösen lassen, bis heute nicht. Die »Waffen des Worts«, die »Waffen des Lichts« unterstützen weiter den Donner der Kanonen. Dann finden die Herden sich auf den Schlachtfeldern, dann morden sie millionenfach, dann werden sie zu Millionen ermordet. Dann gehen die Hirten, weit weg vom Schuß, an ihre Trauerarbeit, dann trösten sie Witwen und Waisen – und zum guten Ende stehen sie wieder auf der richtigen Seite. Gerecht ist stets die Sache der Sieger, und da die Kirchenfürsten Wahrer der Gerechtigkeit (auch und gerade im Krieg) sind, wird es niemanden wundern, wenn sie sich immer wieder als Sieger feiern lassen. Verlegen werden Oberhirten nie, denn sie kennen keine Scham.
Die schamlose Ehrlichkeit der Kriegsgewinnler? Der Oberhirte von Speyer und nachmalige Kardinal von München, Michael von Faulhaber (das adlige »von« gehörte zu Kaisers Zeiten automatisch zum Bischofstitel), machte im Ersten Weltkrieg eine reiche »Erntefrucht für die Scheunen des Evangeliums«[54] aus. Für ihn war dieser Krieg »eine Pflugschar in der Hand Gottes«, denn »der Weizen des Evangeliums blüht auf den blutbetauten Feldern«. Die Herren haben alle Hände voll zu tun, zumal »der Ruf nach kleinkalibriger religiöser Literatur nicht verstummt« und »die deutsche Kriegskunst betet«. Die »schwerste Niederlage in diesem Weltkrieg« ist ja der »Kreditverlust des Atheismus«. Not lehrt endlich wieder beten, meint der bischöfliche Kredithai, denn »was unser Volk in der Kriegsnot zahlreicher als sonst vor die Altäre Gottes führte, war die Überzeugung, daß von den Göttern des Unglaubens nichts zu erhoffen ist«. Unter diesen Umständen wird der Krieg »je länger je mehr zu einer moralischen Kraftprobe«, und »das Königsbanner des Evangeliums« ist im Eisernen Kreuz »neu zu Ehren gekommen«.
Die hirtenübliche Schmutz- und Schundliteratur. Doch das Geschmier bleibt nicht auf dem Papier. Bischöfe wollen Taten sehen, wollen wissen, daß ihre Saat aufgeht. Sie jagen 1939 ihre Schafe in

einen objektiv verbrecherischen, also ungerechten Angriffskrieg und verlangen den Hitler-Eid von ihnen. Sie fordern die Herde auf, »aus Gehorsam zum Führer ihre Pflicht zu tun und bereit zu sein, ihre ganze Person zu opfern«[55]. Sie begleiten den Überfall des Diktators auf die Sowjetunion »mit Genugtuung«, identifizieren ihn mit dem »heiligen Willen Gottes«. Und während sie unermüdlich für den Verbrecher beten und ihre Glocken läuten, verlangen sie von »jedermann ganz und gern und treu seine Pflicht«, die »ganze Kraft« und »jedes Opfer«, preisen Hitler als »leuchtendes Vorbild«, seinen Schreckensstaat als »Retter und Vorkämpfer Europas«, seinen Angriffskrieg als »Kreuzzug« und »heiligen Krieg«. Bischof von Galen 1936: ». . . ich als deutscher Mann und Bischof . . . danke dem Führer unseres Volkes für alles, was er für das Recht, die Freiheit und die Ehre des deutschen Volkes getan hat.«[56] Was er damit konkret meinte, sagte er auch: »Der Führer, dem Gottes Vorsehung die Leitung unserer Politik und die Verantwortung für das Geschick unserer deutschen Heimat anvertraut hat, hat in mutigem Entschluß die Ketten zerrissen, in denen nach dem unglücklichen Ausgang des Krieges feindliche Mächte unser Volk dauernd gleichsam gefangenhielten.«[57]
Katholik Hitler paßte ins oberhirtliche Konzept. Pius XII. wünschte dem Führer folgerichtig »nichts sehnlicher als einen Sieg«[58]. Als es dann anders kam als erwartet, fand sich derselbe Papst sehr schnell auf der Seite der wahren Sieger. Seine Kirche hatte doch den bösen Mann Hitler schon vor 1933 tapfer bekämpft, und nach 1945 bekämpfte sie ihn wieder. Hatte sie nicht jedes moralische Recht, auch künftig zu definieren, was gut war und was böse? Was gerecht war und was nicht? Der Kölner Kardinal Frings brachte schon 1950 den Mut auf, als erster öffentlich die Wiederaufrüstung der Deutschen zu fordern.[59]
Auf zu neuen gerechten Kriegen, wo immer diese sich lohnten, hieß die kirchenfürstliche Devise. Kriegsdienstverweigerung aber galt den Hirten als »verwerfliche Sentimentalität«[60]. 1956 wurde der stellvertretende Armeebischof Hitlers, Werthmann, der einst hakenkreuzgeschmückt katholische Kriegsdienstverweigerer »ausgemerzt und einen Kopf kürzer gemacht« hatte sehen wollen, Gene-

ralvikar in der Bundeswehr.[61] 1959 verkündete Jesuit Gundlach, einer der wichtigsten Berater Pius XII., die Konsequenz aus der päpstlichen Lehre über den gerechten Krieg: »Die Anwendung des atomaren Krieges ist nicht absolut unsittlich.« Und die Folgen? Der Moraltheologe meint zum möglichen Weltuntergang: ». . . wir haben erstens sichere Gewißheit, daß die Welt nicht ewig dauert, und zweitens haben wir nicht die Verantwortung für das Ende der Welt. Wir können dann sagen, daß Gott der Herr, der uns durch seine Vorsehung in eine solche Situation hineingeführt hat oder hineinkommen ließ, wo wir dieses Treuebekenntnis seiner Ordnung ablegen müssen, dann auch die Verantwortung übernimmt.«[62]

Kirchenfürsten sind gesellschaftliche Faktoren des Unfriedens. Auch das hochgepriesene Zweite Vatikanische Konzil beerdigte die Idee vom »gerechten Krieg« nicht; es sprach keine ausdrückliche Verurteilung des Angriffskrieges aus und erkannte die Kriegsdienstverweigerung nicht direkt an.[63] Johannes Paul II. bezeichnete am 11. Juni 1982 vor der UNO die Abschreckung mit Atomwaffen als moralisch vertretbar, wobei er wie selbstverständlich nur die westliche Abschreckung meinte und nicht die der anderen Seite. Ähnlich hielten es die bundesdeutschen Bischöfe in ihren Verlautbarungen zum Thema. Sie erwiesen sich ungeniert und ungerügt als Hilfsbischöfe der entsprechenden NATO-Doktrin. Der Abtreibungsgegner John O'Connor (New York), ein 1985 von Papst Wojtyla zum Kardinal gemachter Exmarinekaplan, legte vor dem Ausschuß für Außenpolitik des Repräsentantenhauses dar, daß die Hirten die Anwendung von Atomwaffen durchaus billigen, wenn eine »geringstmögliche Schädigung von Zivilpersonen gewährleistet ist«.[64]

Uta Ranke-Heinemann fragt, was der Oberhirte O'Connor, Busenfreund Ronald Reagans, darunter verstanden haben wolle.[65] Darf nur ein Zivilist unter Milliarden nuklear verheizt werden? Darf nur eine Stadt unter tausend Städten verstrahlt werden? Darf nur ein Land unter vielen verbrannt, nur ein Kontinent unter mehreren atomar beseitigt werden? Darf nur ein Planet unter Millionen anderen ausgelöscht werden? Und was ungeborene Zivilpersonen im Mutterleib betrifft, bis zu welcher Zahlenobergrenze stimmen Kirchenfürsten den nuklear bewirkten Abtreibungen zu? Was ist

schließlich mit dem Erbgut der Zivilpersonen? Ist eine Schädigung des Erbgutes bis in die dritte oder bis in die siebente Generation für den oberhirtlichen Bombenkatechismus noch als »geringstmögliche Schädigung« tragbar? Die Kirchenherren, diese Megafone der Kriegshandlungen, deren eine Vorgänger die Hexenverfolgung belobigten und deren andere Vorgänger Hitlers Angriffskrieg unterstützten, machen es sich einfach. Ihre Bombenmoral ist schon zufrieden, wenn sich Atomwaffeneinsätze nicht gegen »Bevölkerungszentren« oder »vorwiegend zivile Ziele« richten.
Ausschnitte aus dem normalen Kriegsbewußtsein, Streiflichter aus dem gegenwärtigen Friedenshandeln der Oberhirten? Ich zitiere zunächst die Todesanzeige, die Bundesverteidigungsminister Stoltenberg am 28. Juni 1991 »Seiner Eminenz Kardinal Franz Hengsbach, Träger des Großen Verdienstkreuzes mit Stern und Schulterband des Verdienstordens der Bundesrepublik Deutschland«, in der Süddeutschen Zeitung widmet, ein aufs neue entlarvendes Zeugnis für das Verhältnis von Staat und Kirche, von Soldaten und Hirten: »Als katholischer Militärbischof für die Deutsche Bundeswehr von 1961 bis 1978 hat der verstorbene ehemalige Bischof von Essen die katholische Militärseelsorge kraft seiner Autorität, seiner Persönlichkeit und seiner Ausstrahlung wesentlich mitgeprägt. Unter seiner maßgeblichen Beteiligung konnte der Hl. Stuhl 1965 auf Grund des Reichskonkordats im Benehmen mit der Bundesregierung die Statuten für die Seelsorge in der Bundeswehr erlassen. Mit Nachdruck hat sich Militärbischof Hengsbach während des Zweiten Vatikanischen Konzils für die Einordnung der Militärseelsorge in die allgemeinen kirchlichen Aufgaben eingesetzt. Auch ist es ihm zu verdanken, daß auf dem Konzil der soldatische Dienst als Dienst für die Bewahrung des Friedens gewürdigt worden ist. So hat er wesentlich zur Integrierung der Bundeswehr in die Kirche und damit in die Gesellschaft beigetragen.«
Und der Nachfolger? Ein exemplarischer Hirte, der in allen Talkshows, zu denen man den Publicity-Süchtigen spaßeshalber einlädt, unfreiwillig Zeugnis für die eigene Psyche ablegt: Johannes Dyba, 1951/52 Mitbegründer des Rings Christlich-Demokratischer Studenten (RCDS), promovierter Jurist (Dissertationsthema: »Einfluß

des Krieges auf völkerrechtliche Verträge«), seit 1983 Erzbischof von Fulda, seit 1989 als »Glöckner von Fulda« um das ungeborene Leben bemüht, attackierte schon in seiner Silvesterpredigt 1984 die Friedensbewegung und die »aufgeregte Kirche der Sektierer, Friedensmarschierer und Theologen«, beschimpfte – in einem offensichtlich am Gebot der Nächstenliebe geschulten Vokabular – Aids-Infizierte als »hergelaufene Schwule«, ließ sich 1990 in militärischer Montur und Klerikerkragen auf einem Panzer ablichten, nannte bei seiner Einführung ins Amt des Militärbischofs Friedensdemonstrationen keine christlichen Tugenden und schlug im Frühjahr 1991 vor mehr als hundert Generälen einen Pakt vor: »In meiner Gegenwart wird die Bundeswehr nicht mehr ungerecht angegriffen. Tragen Sie als christliche Offiziere dazu bei, daß die Kirche nicht mehr ungerecht angegriffen wird.«[66]

Äußerungen zum Golfkrieg? Die deutschen Oberhirten Dyba, Meisner (Köln) und Stimpfle (Augsburg) plädierten ausdrücklich für den Militäreinsatz, sahen im bewaffneten Kampf den neuesten »gerechten Krieg«. Kein Wunder, daß die CSU finanzielle Konsequenzen für den Bund der Deutschen Katholischen Jugend (BDKJ) fordern durfte[67], weil dieser sich »grob einseitig« zum Golfkrieg verhalten, das heißt an der großen Friedensdemonstration vom 26. Januar 1991 in Bonn beteiligt habe . . .

Das Feindbild der Friedensfürsten? In den letzten Jahren setzten Bischöfe mehrfach Nichtglaubende in herabsetzender Weise mit Nationalsozialisten gleich.[68] Kölns Kardinal Meisner beschuldigte am 31. Januar 1991 pauschal die Nicht-Gottgläubigen der Friedensunfähigkeit wie der Kriegshetze und lehrte – ohne sich im geringsten um die historische Wahrheit oder um die Achtung vor Andersdenkenden zu sorgen – in einer Soldatenpredigt, wo die »Einheit von Gott und Mensch zerrissen« werde, wo man statt des Bruders in Christus »nur noch den Genossen im Antichristen« sehe, stehe anstelle der »brüderlichen Kommunion« der »menschenverachtende Kannibalismus«[69]. His master's voice? Immerhin wurde dieser lautsprecherische Kirchenfürst von Papst Johannes Paul II. gegen schwersten Widerstand dem Kölner Bistum »empfohlen«, sprich: oktroyiert.

Den Lehrern im Kirchenfürstentum, die ständig mit Himmel und

Erde jonglieren (darunter tun sie's nicht gern), geraten Situationsdeutungen sehr leicht und schnell zu Global- und Weltinterpretationen.[70] Weltkrisen müssen es sein, mit denen sie sich befassen, und die »Welt im Wandel« ist ein Lieblingsthema solch pauschaler Deutungsversuche. In jedem Fall muß das Feindbild umfassend sein; seine Errichtung und Legitimation sind oberhirtliches Gedankengut seit eh und je. Innere aggressive Bedürfnisse werden wie Triebspannungen verarbeitet, indem man sie auf Fremdgruppen projiziert, die damit automatisch als aggressionsgeladene »Feinde« gelten.[71] Tötungshemmungen bedürfen eines potenzierten Feindbildes, um aufgehoben werden zu können. Die wahren Kriegsgründe aber sind verschleiert: Der Landnahme-Trieb ist einer von ihnen; immer wieder wartet das »verheißene Land« auf die Hirten.[72]
Krieger müssen gestählte Körper haben – und geduckte Geister. Oberhirtlich anempfohlener Kriegsdienst verlangt eine kollektive soziale Askese. Nur die Disziplin solch verkappter Mönche, die auf Gehorsam und Verzicht eingeschworen wurden, würde es schaffen, die Überlegenheit des Herdenglaubens über alle Rivalen zu begründen und vor den Augen einer ganzen Welt durchzusetzen. Schöpferisch und aggressiv, weil diszipliniert und verdrängend, hieß die siegreiche Lebensanschauung der Glaubenskämpfer. Gregor IX. (†1241) zog gegen den siegreich vom Kreuzzug heimkehrenden Kaiser Friedrich. Urban VI. (†1389), ein Wahnsinniger, der unbequeme Bischöfe ermorden ließ[73], focht mit seinen Söldnern im sizilianischen Erbfolgekrieg. Julius II. (†1513) führte in fast jedem Jahr seiner Regierung seinen Krieg: »Wenn mir schon Sankt Peters Schlüssel nicht weiterhelfen, so doch sein Schwert!«[74] Pius V. und Sixtus V. lieferten Türken und Briten im 17. Jahrhundert gewaltige Seeschlachten. Paul IV. (†1559) sah seinen Arm »bis zum Ellbogen in Blut getaucht«, war aber so verklemmt moralisch, daß er Michelangelos Jüngstes Gericht übermalen ließ.[75] Jahrhunderte hindurch wurden die künftigen Oberhirten, ausnahmslos Adelssprößlinge, im Waffenhandwerk ausgebildet. Ritterliche Fertigkeiten waren gefragt; Theologie mochten andere betreiben. Was einen Kirchenfürsten interessierte, war nicht das Dogma, sondern der Besitz seiner Kirche, den es zu verteidigen, besser noch zu mehren galt. Noch vor

gut 100 Jahren rekrutierte Pius IX. eigene Truppen. Und noch vor 50 Jahren hätten Päpste das Diktum Pauls IV. wiederholen können, sogar mit größerem Recht – obgleich auch sie sehr auf Moral hielten. Der Faschistenpartner Pius XII. beispielsweise, der Ende 1939 als Ursache des »heutigen Elends« nicht Hitlers Weltkrieg sah, sondern die kurzen Röcke der Damen.[76]

Hilfe erhielt die Herde von den Hirten nicht. Nur die gelenkte Geschichtsschreibung im Kirchenfürstentum (wer wäre gelenkt, wenn nicht sie?) hat in vielen Köpfen und Herzen Unheil angerichtet, hat bare Unwahrheiten zur Wahrheit hochgejubelt, hat Menschen glauben lassen, ihre Hirten hätten beispielsweise die soziale Not anderer zu lindern gesucht. Die Wirklichkeit sieht ganz anders aus. An den oberhirtlichen Beteuerungen ist kein wahres Wort. Bis ins 19. Jahrhundert hinein hat kein einziger Papst für die Armen und Bedrängten mehr übrig gehabt als ein Almosen; hat keiner praktische Vorsorge getroffen, um wenigstens das schlimmste Leid zu lindern. Während Päpste – seit Jahrhunderten Herrenmenschen und nichts als das – sich um ihre Kriege, Dogmen, Riten kümmerten, kamen soziale Neuerungen, die Erfolg hatten, von nichtkirchlicher Seite. Und erst als diese Neuerungen sich durchzusetzen begannen, bequemten sich auch die Oberhirten dazu, im nachhinein statt der üblichen Verdammung ein vorsichtiges »Ja, aber« zu formulieren. Und erst heute, da das kirchliche Erfolgsrezept gerade mal »Caritas« heißt (darüber später), geben sich die Herren als »Sozialreformer«, als »Wegweiser« in eine »menschlichere Zukunft«, als Schreiber von sogenannten Sozialenzykliken.

Ob ein Gott, der nicht von Kirchenvätern erfunden wurde, wirklich der Reichen bedarf, um irdische Güter zu verteilen? Ob ein Gott, der zufällig nicht der der Kirchenbezahlten ist, daran interessiert ist, daß Tag um Tag 40000 Kinder auf der Welt verhungern? Ob ein Gott, dessen Siegeszeichen einmal nicht auf den Fahnen der Militärpfaffen steht, die Millionen Blutopfer verzeiht, für die Kirchenfürsten verantwortlich sind?

Sixtus IV. war 1478 bestens über den Mordanschlag gegen die Medici informiert. Zwar mochten manche Zeitgenossen nicht glauben, daß ein Heiliger Vater den Mord im Dom angezettelt hatte, doch sollte es nicht mehr lange dauern, bis auch das kaum noch unnormal erschien.[77] Eine Kardinalsverschwörung richtete sich 1517, dem Jahr von Luthers Thesenanschlag, gegen Leo X.[78] Der Giftanschlag scheiterte, und der Papst rächte sich furchtbar an den Verschwörern. Geständnisse wurden erpreßt, geflüsterte Berichte über den Prozeß verwirrten Rom. Der siebenundzwanzigjährige Kardinal Petrucci wurde mit einer seinem hohen Amt angemessenen Schlinge aus purpurner Seide von einem Mohren erdrosselt; kein Christ durfte einen Kirchenfürsten hinrichten. Angesichts dieses Exempels winselten die übrigen Kardinäle um Gnade. Diese wurde ihnen gegen Zahlung riesiger Bußgelder gewährt; allein Kardinal Riario berappte 150000 Golddukaten, gut die Hälfte der päpstlichen Jahreseinnahmen. Leo X. kassierte – und ernannte 31 neue Kardinäle auf einen Schlag. Nach politischen Gesichtspunkten, wie manche meinten, nach der Zahlungskraft der Kandidaten, wie Kenner wußten.

Krieg verleiht in einer Männergesellschaft Ruhm, Namensnennung, Unsterblichkeit. Kein Wunder, daß Oberhirten ganze Armeen kommandierten. Manche Prälaten vollstreckten die Blutrache an den Irrenden mit eigener Hand. Kein Bistum, dessen Hirte nicht zuweilen jahrzehntelange Fehden führte. Oft wurden weder Frauen noch Kinder geschont, weder Greise noch Invaliden. Bischöfe kämpften mit den Königen gegen die Fürsten, mit den Adligen gegen die Könige, mit dem Papst gegen den deutschen Kaiser, mit dem Kaiser gegen den Herrn zu Rom, mit einem Papst gegen den anderen, mit den Pfarrgeistlichen gegen die Mönche und umgekehrt, im offenen Feld, in Straßen-, Kirchenschlachten, mit Dolch und Gift. Papstsohn Cesare Borgia, selbst einmal Kardinal, tötete den Favoriten seines Vaters, als dieser sich unter dem Hirtenmantel des Stellvertreters verbarg; das Blut des Erschlagenen spritzte Alexander VI. ins Gesicht.[79]

Die Feldzüge, die Cesare Borgia »für die heilige Kirche« zu führen vorgab, entzogen den päpstlichen Kassen große Summen; einmal beliefen sie sich während zweier Monate auf 132 000 Dukaten, was etwa die Hälfte der Papsteinnahmen ausmachte, ein anderes Mal in einem Zeitraum von acht Monaten auf 182 000 Dukaten.[80] Julius II., der jedes Jahr in Helm und Rüstung auszog, mußte sich sagen lassen, es sei ein »merkwürdiges und für die Augen der Menschen ganz neues Spektakel«, daß der Statthalter Christi zu immer neuen Kriegen gegen christliche Mächte blase und vom Papst »nichts mehr als das Kleid und den Namen« an sich habe.[81] Er kümmerte sich ebenso wenig um derlei Geschwätz wie sein Nachfolger Leo X. Dieser beseitigte kurzerhand den Herrn von Perugia, Gianpaolo Baglioni, um die Stadt dem Kirchenstaat einzuverleiben. Mit der schriftlichen Zusicherung freien Geleits hatte der Papst Baglioni nach Rom gelockt, um ihn dort ergreifen, einsperren und nach der üblichen Folter enthaupten zu lassen.[82]

Erasmus von Rotterdam hatte zwar, vorsichtigerweise erst nach dem Tod Julius II., gefragt, wie denn die Mitra zum Helm, der Hirtenstab zum Schwert, das Evangelienbuch zum Schild passe und wie es sich schicke, das Volk mit dem Friedensgruß zu grüßen und zugleich den Erdkreis in die wüstesten Kämpfe zu schicken.[83] Doch die Kirchenfürsten hörten gleich gar nicht hin. Erst als die Tiraden der Bußprediger lästig zu werden begannen, untersagten sie es offiziell den Mahnern, über das Ende der Welt und das Kommen des Antichrist zu spekulieren, die Laster der Bischöfe und Prälaten zu enthüllen oder gar Namen zu nennen.[84] Und damit niemand auf die Idee kam, die Kritik an den »Würdenträgern« schriftlich niederzulegen, wurde die Buchzensur verschärft.

Nicht nur die »Ehre«, auch sich selbst wußten die Päpste zu retten. Sie errichteten aus Sicherheitsgründen Gemäuer wie den »Passetto«, einen 700 Meter langen, überdachten Fluchtweg zwischen Vatikan und Engelsburg. Das Bauwerk diente noch anderen Zwekken: Alexander VI. garantierte so den Konkubinen seines Hofes und den Müttern seiner Kinder einen geschützten Zugang zum Papstpalast.

In Katechismen und Büchern der Kirchengeschichte ist von solchen Dingen wenig bis nichts zu lesen. Die oberhirtlich gelenkte Geschichtsschreibung baut Nebenkriegsschauplätze auf. Sie ist beispielsweise bestrebt, die Zahl der christlichen Märtyrer möglichst hoch anzusetzen, um ihre These zu bekräftigen, der eigene Glaube sei durch das Blut der Verfolgten zur Staatsreligion geworden. Doch diese Heldensage stimmt nicht. Sie wird auch durch Wiederholung nicht wahr. Die große Zahl wird bereits durch den Kirchenschriftsteller Origenes im 3. Jahrhundert stark relativiert, der damals schreibt, die christlichen Blutzeugen seien »leicht zu zählen«[85].

Die Kreuzzüge – ihre Zählung (acht) ist willkürlich – setzten die oberhirtlichen Macht- und Wirtschaftsinteressen erst richtig frei. Über Jahrhunderte hinweg predigten die Hirten jenen Heiligen Krieg, zu dem Urban II. im Jahr 1095, in richtiger Einschätzung des Vorhabens, noch die Räuber aufgerufen hatte.[86] Dieser Papst, nicht zuletzt aufgrund solcher Verdienste als »Seliger« verehrt, garantierte den Kämpfenden Sündenvergebung im Jenseits, im Diesseits reiche Beute und ein Land, in dem Milch und Honig fließen. Höchst irdische Ziele ließen sich so mit himmlischer Ideologie verbrämen. »Gott will es, Christus befiehlt es!« hieß die Devise, die Tausende in den sicheren Tod trieb. Der oberhirtliche Befehl »Marsch auf Jerusalem zur Befreiung der christlichen Kirchen« klingt vertraut.[87] Um ein sicheres Werbemittel zur Hand zu haben, wurde eine Kreuzzugsbulle gefälscht, ins Jahr 1009 zurückdatiert und Sergius IV. unterschoben.[88]

Unter dem Kreuz, dem jahrhundertelang geschändeten Siegeszeichen, zogen die dumpfen Herden los. Auf Kleider, auf Fahnen hatten sie es nähen lassen. Schon an Rhein und Donau erschlugen sie in Seinem Namen Tausende von Juden. Dann vergewaltigten und mordeten sie unter den christlichen Ungarn. Bei der Einnahme Jerusalems im Sommer 1099 massakrierten sie fast 70000 Sarazenen. Sie töteten, da sie alles zu rauben beschlossen hatten, »jeden Einwohner«, wie ein Erzbischof schreibt.[89] Sie troffen von Blut und hängten an den Eingang der »gesäuberten« Häuser zum Zeichen ihrer Besitzergreifung den eigenen Schild, das »Wappen«. Mord, Totschlag, Landnahme wurden eins. Im Tempel Jerusalems metzelten sie derart, daß sie »durch Gottes wunderbares und gerechtes Urteil bis zu den Knien und sogar bis zu den Sätteln der Pferde in Blut wateten«.[90] Dann, so ein Augenzeuge, gingen sie »glücklich und weinend vor Freude hin, um das Grab Unseres Erlösers zu verehren«[91].

Für Hirten und Herden wurden die Kreuzzüge freilich bald ein einziges Fiasko. Ganze Heere verschwanden fast spurlos, auch 50000 Kinder, die perverse Prediger gegen die »Ungläubigen« gehetzt hatten. Andererseits erstarkte der Islam, das dauerhafteste Resultat der Kreuzzüge. Den Muslims heute Fanatismus, Mordlust, Fundamentalismus, Heilige Kriege vorzuwerfen, verkennt die historische Ausgangslage.

Gregor XIII. stellt 1584 Ungläubige und Nichtkatholiken auf eine Stufe mit Seeräubern und Verbrechern und hetzt gegen sie zum Kampf. Nichts Besonderes. Päpste treiben meist in den Krieg. Die Kreuzzugsidee wird zum beherrschenden Gedanken ihrer Außenpolitik, und dies bis zum Ende des Mittelalters. Die religiöse Idee, falls es eine solche je gab, wird mit den militärischen, wirtschaftlichen und politischen Aspekten des Unternehmens in eins gesetzt. Der Heilige Krieg ist Angriffs- und Landnahmekrieg, und mit der Zeit machen sich die Päpste nicht einmal mehr die Mühe, diesen Sachverhalt zu kaschieren.

Der Schweizer Mathäus Schiner, vom Bergbauernbub »aus eigener Kraft« zum Bischof von Sitten aufgestiegen, seit 1509 Kardinal, übernahm wie selbstverständlich das Geschäft seines Herrn. Der Papst hatte wieder einmal eine »Heilige Liga« ausgeheckt (jedes politisch-militärische Zweckbündnis, dem Christi Stellvertreter angehörte, war automatisch »heilig«), und Schiner vollstreckte die Interessen des Kirchenfürstentums. Der Purpurträger rezitierte, wie Volksverführer dies in solchen Lagen tun, viel von bedrängter Kirche und nationaler Sendung, sammelte seine Heerhaufen, vertröstete sie auf was Besseres im Jenseits, stellte ihnen dennoch den zurückbehaltenen Sold in Form von (geplünderten) Naturalien in Aussicht und jagte sie von Scharmützel zu Scharmützel. Die Franzosen und das mit diesen verbündete Mailand unterlagen, Julius II. zwackte sich in Oberitalien ein neues Herzogtum ab, Schiner übernahm einen Besitz als persönliche Pfründe. Dann verlieh der Papst den Schweizer Söldnern den Titel »Beschirmer der Freiheit der Kirche«; eine Ehre mehr, die nackte Werbesprache ist.[92]

Die heutige Schweizergarde, eine sich soldatisch aufspielende Folklore-Formation, die zu ähnlichen Werbezwecken weiter unterhalten wird, gründet sich auf Schiner und auf Julius II., dem die Nationalität seiner Söldner egal war, der nur immer wieder und immer häufiger Truppen brauchte, um das Gottesreich auf Erden zu arrondieren.

Die als malerisch geltende gegenwärtige Uniform der Alpentruppe des Papstes hat übrigens nicht viel mit der Renaissance zu tun. Das Gerücht, Michelangelo habe die Gewänder entworfen, dient ausschließlich der Propaganda für das Kirchenfürstentum. Eine römische Schneiderin darf sich den Entwurf der Marionetten-Kostüme zuschreiben; die bunte Pracht wurde, auf Wunsch des »Friedenspapstes« Benedikt XV., erstmals im Kriegsjahr 1914 zur Schau gestellt.[93]
Des Oberhirten Schiners Eingreiftruppe war berüchtigt; sie übertraf nicht selten die zeitübliche Grausamkeit. Die Schweizer fraßen, soffen, nahmen mit, was sie bekamen. Meßkelche, Gewänder, Monstranzen mit Steinen: Beute der Kardinalsleute. Kein theologisches Wunder; in die Geräte war Geld investiert, und das ließ sich wieder herausholen. Vor dem Abzug der oberhirtlichen Truppen brach im übrigen sehr regelmäßig irgendein Feuer aus; Grund genug, noch rasch die unversehrten Häuser zu durchstreifen, Frauen zu vergewaltigen, Kinder ins Feuer zu werfen.[94] Schändung von Frauen? Nichts Neues unter Kirchensoldaten. Schändung von Kirchen und Kapellen? Nicht ungewöhnlich. Schändung von Frauen in geschändeten Kirchen? Eine Spezialität nicht nur dieser Epoche.
Schiner trat, wenn das Feuer der Seinen erlöschen wollte, obwohl ein neuer Waffengang geboten schien, im Purpur vor die Hauptleute, predigte den Zorn des Himmels auf sie herab (was wenig Eindruck machte), log, es werde bereits geschossen (was spannender war), rief zum Zurückschießen auf, wollte ausdrücklich »in französischem Blut baden«[95]. Er war unermüdlich, die treibende Kraft einer kriegerischen Zeit, säuerlich-ehrgeizig, humorlos, ein Machtmensch durch und durch, der Bösewicht vom Dienst, ein »hochalpiner Mephisto«[96], auf den sich der Chef zu Rom jederzeit verlassen konnte. Spaß verstand er vor allem in bezug auf die eigene Karriere nie; den Kollegen Sforza, von dem er sich verfolgt sah, ließ er kurzerhand verhaften, seiner Güter und Pfründen berauben und deportieren. Als Sforza selbst unter der Folter nichts zu bekennen hatte, ließ Schiner ihn wieder laufen, nicht ohne das Versprechen des Bruders Kardinal erlangt zu haben, dieser werde sich weder beim Papst beschweren noch sich sonstwie rächen.[97]

Kardinal Schiner selbst handelte rachsüchtig und unbarmherzig. Als seine Söldner einen gegnerischen Landsknecht aufgriffen, der vor dem Purpur sogleich auf die Knie fiel, wurde er, kaum hatte er die feindlichen Positionen verraten, auf oberhirtlichen Befehl erstochen.[98] Als Schiner schließlich 1515 die offene Feldschlacht erreichte, starben bei Melegnano Zehntausende. Noch anderthalb Jahre später lagen ihre Überreste unbegraben; der Papst betete aus sicherer Entfernung für die Gefallenen.

Kein Kirchenfürst predigte lauter gegen das Morden, als es die Tagespflicht gebot. Leo X. beguckte sich, wie auf Raffaels Bild, die blutigen Ereignisse von ferne, durchs Lorgnon. Kriege kitzelten seine Aufmerksamkeit weit weniger, als sie den Vorgänger Julius II., stets im Panzerhemd und immer vornean, vergnügt hatten. Leo fand Gefallen an Possenreißern, Freßkünstlern, Lobrednern, goldgeschirrten Elefanten; der Vatikan wimmelte davon.

Waren die oberhirtlichen Kriegstaten nicht bloße Männeruntaten, wie sie im Patriarchat vorkommen? Gibt es nicht auch eine andere, feminine Seite des Christentums? Einen unpolitischen Marienkult? Wer so fragt, verrät seine Ignoranz in Dingen oberhirtlicher Wirklichkeit. Denn nichts im Kirchenfürstentum ist harmlos, alles ist machtpolitisch kalkuliert. Gewiß gilt Maria als die »reine Jungfrau«, »unsere liebe Frau«, zu der Scharen von Beterinnen und Betern wallfahren. Auch wird sie von denselben Herden, die in den Kampf gegen die Feinde ihrer Hirten ziehen, als »Königin des Friedens« gepriesen. Sie soll Wunder der Befriedung wirken; in Konstantinopel, wo man ihr Gewand als Reliquie hütet und dieses bei Gefahr auf den Stadtmauern ausstellt, hat sie die anrückenden Feinde abzuschrecken.

Aber die Madonna, von den Ihren seit eh und je funktionalisiert, ist keineswegs friedlich: Wie ihre Vorläuferinnen – die Liebes- und Kampfgottheit Ischtar etwa oder die jungfräuliche Kriegsgöttin Athene – wurde auch sie die große Rachegöttin, »Unsere liebe Frau vom Schlachtfeld«, die »Siegerin in allen Schlachten Gottes«. Mit Maria zu morden, ist alter oberhirtlicher Brauch. Daß Kirchenmänner mit Maria in jeden Religionskrieg zogen, ist eine Tatsache. Maria wird zum »Schlachtruf der Christen«: Auf den Kreuzzügen der

Ritter-Herren, auf den Ketzerjagden der Mönchs-Herren, in den Türkenkriegen der Abendlands-Herren, im Kampf der guten Herren um ihre heiligsten Güter gegen die gottlosen Untermenschen der neueren Zeit, die Bolschewiken. Immer zieht die Jungfrau mit den Kriegern. Immer erweist sie sich den Ihren als siegreich, denn »ein Diener Mariens geht niemals verloren«. Selbst wenn er auf dem Feld der Ehre fällt, ist er nicht vergessen: Die Madonna hat es da drüben schon gerichtet.[99]
Zahlreiche Großschlächter waren innige Marienverehrer.[100] Das fürchterliche Massaker an den albigensischen »Ketzern« galt als »Triumphzug Unserer Lieben Frau vom Siege«, der das ganze Mittelalter durchziehende Krieg gegen den Islam ein Sieg der Gottesmutter. Im Kampf um Belgrad (1456), einer »marianischen Waffentat unter der Führung eines großen Marienpredigers«, sollen mit Mariens Hilfe 80000 Türken erschlagen worden sein. 8000 »Ungläubige« fielen in der Seeschlacht von Lepanto, zu deren Andenken der Papst ein eigenes Marienfest einführte. Denn »weder Macht noch Waffen noch Führer, sondern Maria vom Rosenkranz hat uns zum Sieg verholfen«[101].
Und so ging es weiter: Ein päpstliches Kriegsschiff aus dem vorigen Jahrhundert (sein Modell wird in dem 1991 eröffneten »Historischen Vatikanmuseum« gezeigt) trägt den Namen »Unbefleckte Empfängnis«. Mussolinis Fliegertruppen hatten Maria zur Schutzpatronin, und selbst der Spanische Bürgerkrieg war in den Augen Francos von einem marianischen Endsieg gekrönt.
Freilich waren hin und wieder selbst Marienheiligtümer Objekte von Luftangriffen; solcher Frevel aktivierte die Friedensbemühungen der Päpste ungemein.[102] Auch machte die himmlische Heerfrau nicht einfach alle oberhirtlichen Manöver mit. Obgleich Marienpapst und Hitler-Unterstützer Pius XII. 1942 die ganze Welt ihrem Unbefleckten Herzen geweiht hatte, erfolgte an diesem Tag der Durchbruch der englischen Truppen bei El Alamein. Der nächste Mariensieg fiel mit Stalingrad zusammen: Am Fest Mariä Lichtmeß triumphierte die Rote Armee. Die Befreiung von Tunis und Nordafrika geschah am Fatimatag, die Kapitulation Italiens fiel auf Mariä Geburt, die japanische Kapitulation auf das Fest Mariä Himmelfahrt.

Doch besteht noch Hoffnung, daß sich die päpstlichen Dinge zum Guten wenden: Johannes Paul II., bei dessen Visiten in aller Welt die Marienwallfahrtsorte Kulminationspunkte sind[103], erwartet von seiner Patronin die baldige Bekehrung der Sowjetunion. Wahr ist, daß der Papst am 13. Mai 1991 im portugiesischen Fatima der Jungfrau nicht nur für seine eigene glückliche Errettung aus dem Attentat von 1981 dankte, sondern auch für die von ihr bewirkte »Befreiung Osteuropas«. Unwahr ist, daß jene Menschen, die tatsächlich die Wende herbeiführten, inzwischen zur Madonna von Fatima flehen, sie nun auch von diesem Papst zu befreien.

Wie die lieben Neffen die Kosten der Geldbeschaffung nach oben trieben

Geld regiert nicht nur die Welt, wie Fromme meinen, es regiert auch die Kirche. Ein Bußprediger zur Zeit Papst Alexanders VI. sagte, Rom kenne »kein Gesetz und keinen Gott; es herrschen Gold, Gewalt und Venus«[104]. Doch war dies nicht die – zeitbedingte – Ausnahme. Ich müßte ebenso unverfroren lügen wie zuzeiten ein Bischof, überginge ich die Tatsache, daß geistlicher Schacher (Simonie), Wucher und Nepotismus im Kirchenfürstentum zum Alltag gehören. Simonie, der Verkauf geistlicher »Gnaden« und Ämter, und Nepotismus, die Förderung der jeweiligen Familie und Sippe durch einen Papst, sind sogar spezifisch oberhirtliche Wortschöpfungen. Nicht von ungefähr. In diesen und ähnlichen Methoden, sich Geld zu beschaffen und Geld richtig anzulegen, waren Hirten stets wegweisend. Sie haben ganze Epochen geprägt – und verdorben. Ein Zitat Papst Leos X. ist überliefert; es spricht die Wahrheit und zugleich das Endurteil über ein System: »Wieviel die Fabel von Christus Uns und den Unsern genützt hat, ist bekannt.«[105]

Selbstverständlich waren Wucher, Simonie, Nepotentum von denselben Kirchenfürsten strikt untersagt, die sie – privat, halböffentlich, offiziell – bis zum Exzeß betrieben. Doppelmoralisches Verhalten ist ja unter Oberhirten nicht unüblich. Ein Prinzip im Kirchenfürstentum lautet: Je häufiger ein Laster untersagt wird, je lautstärker sich

Hirten darüber beklagen, desto fröhlicher wird es ausgeübt. Päpste verboten immer wieder den Kauf der Papstwürde; bei Dutzenden unter ihnen war das Bestechungsgeld erfolgreich. Schon im 4. Jahrhundert lassen römische Bischöfe ihre Wähler bestechen.[106] Und so geht es jahrhundertelang weiter. Sixtus IV., einmal General des Franziskanerordens, machte 1471 das Rennen, Alexander VI. gewann 1492 den Immobilien- und Aktienhandel um die Tiara, galt als vollkommener Verbrecher, als Atheist, gefiel sich als Oberhirte, dem die Papstwürde eine Kostümfrage bedeutete, hielt sich einen eigenen Privatmörder. Den Sieg über die Mauren feierte dieser Papst in seinem Wahljahr nicht mit einem Te Deum, sondern mit einem Stierkampf auf dem Petersplatz, bei dem fünf Stiere getötet wurden.[107] Der junge Kardinal Giovanni de' Medici, erstmals in einem Konklave, hatte geahnt, was mit Alexander VI. auf die Welt zukommen würde, und gerufen: »Flieht, wir sind in den Klauen eines Wolfs!«[108]

Julius II. kam 1503 durch Simonie auf den Thron, drei Jahre später untersagte er, als sei nichts gewesen, alle simonistischen Umtriebe bei Strafe des Kirchenbanns. Pius V. verbot 1567 die Vergabe weltlicher Territorien an Nepoten, und Innozenz XII. war 1692 sogar so beherzt, den Nepoten durch eine eigene Bulle »auf ewig« den Garaus zu machen und jede Form der Förderung für immer zu verbieten. Genützt haben die päpstlichen Verdikte so wenig wie die bis in die Gegenwart hinein aufrechterhaltenen Verbote von Wucher und Simonie. Offensichtlich gehören diese Laster so eindeutig zum System, daß sie strukturelle Sünden genannt werden können.

Neuerdings wird beflissen beklagt, unter diesen Umständen sei es beinahe unmöglich gewesen, die eigentlich kirchlichen Interessen gegen die Päpste durchzusetzen.[109] Andererseits habe der Nepotismus nur während des sogenannten Renaissance-Papsttums geherrscht. Beide Annahmen sind falsch. Einmal macht die gescholtene Renaissance keine Ausnahme, und zum zweiten lassen sich irgendwelche »eigentliche« Interessen der Kirche nicht gegen die erwähnten Methoden der Geld- und Hausmachtbeschaffung abgrenzen; beide sind identisch. Was sich die Hirten auf diesem Gebiet leisteten, war aus dem System geboren und blieb systemgerecht.

Wer sein Amt als Ausübung von Gewalt von Menschen über Menschen versteht, verginge sich schwer an der eigenen Idee, schüfe und stabilisierte er nicht deren äußere Bedingungen. Es läßt sich auch hierin keine Mohrenwäsche betreiben; für Ehrenrettungen dieser Art eignet sich der Gegenstand nicht.

Das Finanzsystem des Kirchenfürstentums war nicht nur für dieses selbst von Bedeutung; es gab ein Beispiel für Europa ab.[110] Die ausgiebigen Wechselgeschäfte des Mittelalters verdanken sich der Natur der päpstlichen Einkünfte. Taxen waren immer fällig, waren von überall her an die Kurie des Oberhirten zu entrichten; das prägte sich den Menschen ein, verlockte die Fürsten zum Nacheifern und Nachmachen. Unter Paul V. (†1621) galt Rom als der wichtigste Geldmarkt in Europa. Doch auch die Kunst, einen Staat völlig zu verschulden und diese Schulden wieder mit neuen Krediten zu finanzieren, erlernte sich am besten in der Schule des Papstes.

Zwar zahlte zuzeiten ganz Europa an diesen, doch war er selten flüssig. Pius II. mußte sich und seinen Hof Mitte des 15. Jahrhunderts auf eine Mahlzeit pro Tag beschränken, so klamm war er. Denn das Geld, das in Form von Taxen, Steuern und Spenden nach Rom floß, verteilte sich dort sofort auf tausend Hände. Die vielen Ämter, deren Einkünfte der Pontifex selbst nur einstrich, wenn sie neu zu besetzen waren, fraßen das Gold in aller Stille auf. Wollte der Papst eine kostspielige Unternehmung des Hirtenamtes finanzieren, Kreuzzüge oder Türkenkriege mitbezahlen, zu denen ihn die eigene Ideologie trieb, mußte er sich anderweitig umtun, noch teurere Gnadenerweise erfinden, neue Jubiläen feiern, häufiger Heilige Jahre veranstalten, weitere Dutzende von käuflichen Ämtern ausschreiben. 1471 gab es bereits um 650 solcher Posten; ihr Kaufpreis betrug etwa 100000 Dukaten. Vierzig Jahre später war die Zahl der Ämter auf 2150 angewachsen; ihr Preis lag jetzt bei 230000 Goldstücken.

Um einen anderen Markt auszuweiten, hatte Sixtus IV. 1476 verkündigt, die Wirkung kirchlicher Ablässe erstrecke sich nicht nur auf Lebende, sondern auch auf die armen Seelen im Fegefeuer. Die Herde kapierte. Jetzt sollte es noch leichter möglich sein, auch denen da drüben Gutes zu tun, indem man Messen lesen ließ und Ablässe erwarb – und dafür zahlte. Die Rechnung war einfach: Je mehr Ablässe gewonnen wurden, desto schneller kamen die armen Seelen der Eltern, Geschwister, Großeltern in den Himmel. Warum also nicht den Aufenthalt am jenseitigen Bußort, dem »Fegefeuer«, verkürzen und bezahlen, was die Herren des Jenseits, die Kirchenfürsten, verlangten? Daß die neue Regelung die Wohlhabenden begünstigte, stand auf einem anderen Blatt.

Geld und geistliche Gnaden wurden damals so unverfroren gleichgesetzt wie heute Kirchensteuer und kirchliche Caritas. Die geistlichen Herren brauchten Geld, und nichts war leichter zu Geld zu machen als »Gnade«. Waren dann die Beträge der Betrogenen eingegangen, konnten die Verkäufer-Bischöfe feiern. Kardinäle bewohnten Paläste mit Hunderten von Dienern, ritten in Silberrüstungen einher, hielten sich Dutzende von Pferden und Hunden, wetteiferten bei Prozessionen miteinander in der Zahl und Pracht ihrer Gefolgsleute, finanzierten Schauspiele, Maskeraden, Karnevalsumzüge. Kardinal Sforza veranstaltete ein Bankett, das der zeitgenössische Chronist nicht zu schildern wagte, weil er fürchtete, »als Märchenerzähler verspottet zu werden«[111]. Kardinal Riario gewann an einem einzigen Abend 14000 Dukaten vom Sohn Innozenz' VIII. – und dieser klagte sein Leid sofort dem Vater, um die Spielschulden aus der Kirchenkasse ersetzt zu bekommen.[112]

Sixtus IV. erfand sonderbare Titel, um dem jeweiligen Amt die entsprechende Ehre zuzuteilen und den inflationären Kaufpreis angemessen erscheinen zu lassen: Ein »Kollegium von 100 Janitscharen« wurde für den Gegenwert von 100800 Dukaten ernannt; die Mitglieder durften bei den päpstlichen Erlassen mitkassieren und ihre Einstandszahlung amortisieren.[113] Innozenz VIII. († 1492), der mehrfach Tiara und Mitra verpfänden mußte, setzte für 60000 Goldstücke ein weiteres Kollegium in die Welt. Alexander VI. ernannte 80 Schreiber, die seine Erlasse ausfertigten und dafür ihre Gebühren einstrichen; sie hatten für diese Lizenz pro Kopf 750 Dukaten berappt. Sein Nachfolger fügte 100 Archivare um denselben Preis hinzu.

Unter Innozenz VIII. und Alexander VI. wurden innerhalb von 20 Jahren nicht weniger als 50 Bistümer an Knaben vergeben; Leo X.

schenkte das Erzbistum Lissabon einem achtjährigen Buben, die Diözese Mailand einem Elfjährigen.[114] Alexander VI. ernannte neun Kardinäle; allein diese gute Tat brachte ihm Einnahmen von etwa 130000 Dukaten ein. Er hatte noch weiteres Glück: Den Besitz des venezianischen Kardinals Giovanni Michele konnte der Papst einstreichen, nachdem dieser – wahrscheinlich von Cesare Borgia vergiftet – plötzlich dahingegangen war.[115] Alexander VI. hatte freilich auch, nach dem Tod seines Sohnes Juan von Gewissensbissen geplagt, eine Kardinalskommission eingesetzt, die »Reformvorschläge« erarbeiten und eine entsprechende päpstliche Bulle vorbereiten sollte. Doch als die Kirchenfürsten endlich mit ihren Anregungen herausrückten, hatte sich das päpstliche Gewissen bereits wieder beruhigt. Daß die Kommission vorgeschlagen hatte, die Einkünfte der Kardinäle auf 6000 Dukaten zu verringern, die Haushalte der Hirten auf achtzig Personen zu beschränken, deren Garden nicht über dreißig Berittene anwachsen zu lassen, sich mit einem gekochten und einem gebratenen Fleischgericht pro Mahlzeit zu bescheiden, die Darbietungen von Musikern und Schauspielern durch Lesungen aus der Bibel zu ersetzen, nicht mehr an Turnieren und Schaukämpfen teilzunehmen und sich nicht verschiedene »junge Leute« als Kammerherren zu halten, löste bei den Betroffenen nur Gelächter aus. Und die Maßregel, nach der alle Konkubinen binnen zehn Tagen nach der Veröffentlichung der Reformbulle zu entlassen seien, dürfte die Begeisterung Alexanders VI. selbst stark beeinträchtigt haben. Die geplante Bulle wurde unterdrückt, und der Papst, der »Frauen stärker anzog als ein Magnet das Eisen«[116], kam nie mehr darauf zu sprechen.[117]

Aber nichts half diesen Hirten weiter. »Daß Leo X. jemals tausend Dukaten beisammenhalten sollte, war ebenso gut unmöglich, als daß ein Stein von selbst in die Höhe fliege«, meinte damals ein Kenner.[118] Der Papst lieh sich Geld, wo immer er es bekommen konnte; sein plötzlicher Tod ruinierte alle Gläubiger, zumal kein Nachfolger sich verpflichtet sah, für die Schulden aufzukommen. Die Einkünfte des Kirchenstaats lagen beim Tod Pauls III. (1549) bei 700000 Dukaten; freilich hinterließ der Papst auch 500000 Dukaten Schulden.

Denn die Taschen der lieben Verwandten standen ebenso offen wie die der Postenkäufer, die sich für den Erwerb ihrer Lizenz entschädigen ließen. Die Verschuldung wuchs ins Gigantische. 1587 waren die päpstlichen Einnahmen auf 1,58 Millionen, die Verbindlichkeiten auf 12,24 Millionen gestiegen; 1599 verschlangen die Zinsen, die zu zahlen waren, drei Viertel des Gesamteinkommens. 1623 betrugen die Hirtenschulden 18 Millionen (bei 1,8 Millionen Einnahmen); ein Jahrzehnt später hatte Urban VIII. sein Soll auf 30 Millionen erhöht.

Während die venezianische Hirtenschar zu Beginn des 17. Jahrhunderts über ein Einkommen von 12 Millionen verfügte und nur 12000 Dukaten versteuerte[119], meinte Gregor XIII. wenig früher, seine Prälaten berieten Tag für Tag, »um Geld herbeizuschaffen«[120], und fänden doch nie ein taugliches Mittel. Sixtus V., unter dessen Regierung mehr Köpfe rollten, als Melonen auf den Markt kamen[121], träumte von diesem Vorgänger, er müsse noch im Jenseits schwer für seine Geldsünden büßen, und ließ Messen für ihn lesen.[122] Aber er erwies sich auch als sparsam; in zwei Jahren häufte er drei Millionen Dukaten an. Die Nachfolger, wieder Hirten der anderen Art, hatten fürs erste genug zu verschleudern.

Die Reihe der päpstlichen Nepoten ist fast endlos lang; ich will nur Beispiele nennen. Über Jahrhunderte hinweg sahen sich die Stellvertreter Christi »gezwungen, sich um eine eigene Hausmacht zu bemühen, um ihre Stellung zu festigen«. So legitimiert offizielle Kirchengeschichte die päpstliche Sitte, den eigenen Angehörigen zukommen zu lassen, was die Kasse des Kirchenfürstentums hergab. Verwandte jeden Grades wurden dotiert, auf einflußreiche Posten gehoben, mit Leckerbissen aus oberhirtlichen Pfründen gesättigt. Ganze Territorien, die aus dem Grundbesitz des Kirchenstaats geschnitten waren, gingen in die Hände der Neffen über; Nichten, denen patriarchale Mentalität keine eigentliche Herrschermacht anvertrauen wollte, wurden anderweitig abgefunden.

Nepoten früherer Päpste hatten, wenn sie nicht selbst Papst wurden, allerhand zu befürchten; nicht wenige unter ihnen fielen dem Haß des Nachfolgers zum Opfer, wurden verfolgt, verbannt, ermordet. Freilich taten die Neffen alles, um es so weit nicht kommen zu lassen: Am meisten nützte ihnen, wenn ihr Hauspapst so viele von ihnen zu Kardinälen erhob, daß auch im nächsten Konklave das eigene Haus über eine veritable Mehrheit verfügte und die Wahl eines feindlichen Hirten zu vermeiden war. So führten die Nepoten Urbans VIII. 1644 bare 48 Kardinäle ins Konklave ein, alles Kreaturen des hingegangenen Onkels; nie zuvor hatte es eine ähnlich starke Fraktion gegeben. Aber dennoch gelang es ihnen nicht, ihren Kandidaten durchzubringen, den Kollegen Sacchetti; über dessen Karriere später ein Detail.

Bereits Bonifaz IX. (†1404) hatte den Kirchenstaat in Vikariate aufgeteilt, die sich gewinnbringend an zahlungskräftige Familien und Erb-Tyranneien verpachten ließen.[123] Unter Kalixt III. (†1458) formulierte der Frankfurter Fürstentag die Beschwerde, die für die jeweiligen Kreuzzüge gesammelten Spenden flössen meist in die Taschen der Nepotenbanden.[124] Die Nachfolger scherte diese Klage nicht; die dummen Deutschen, denen der päpstliche Nuntius Aleander (†1542) wünscht, sie möchten sich untereinander ausrotten und im eignen Blut ersticken[125], zahlten erfreulich gut weiter. Sixtus IV. identifizierte den Gottesstaat des hl. Augustinus mit dem eigenen Kirchenstaat, erhob sechs Nepoten zu Kardinälen, darunter den fünfundzwanzigjährigen Franziskanermönch Pietro Riario. Dieser brachte ein Jahreseinkommen von 2,4 Millionen Golddukaten mit Mätressen und beim Glücksspiel durch, plünderte vier Bistümer aus und schied mit achtundzwanzig aus dem Hurerhirtenleben.[126]

Innozenz VIII. hielt im Vatikan Einzug in Begleitung seines Sohnes, der von Stund an die Spielhöllen der heiligen Stadt durchstreifte oder Einbrüche verübte. Auch die Tochter des Papstes war von Anfang an dabei; sie wurde zu einer Art päpstlicher Kronprinzessin erhoben. Seinen Enkeln richtete der Stellvertreter prunkvolle Hochzeiten aus; die Kosten der Privatfeste übernahm, eine ganz natürliche Gepflogenheit, die Hirtenkasse.

Seit Benedikt XII. (†1342) hatte sich eine Art päpstliches Geheimkabinett herausgebildet; Sekretäre übernahmen mehr und mehr die wichtigsten Tagesgeschäfte, bildeten schließlich ein ganzes Kollegium und überließen einem der Ihren die Führung.[127] Später war dies meist ein Kardinal, fast immer ein Nepot des regierenden Pap-

stes. Ihm konnte der Oberste Hirt am ehesten vertrauen, ihn zog er in geheimen politischen Angelegenheiten heran, ihn überhäufte er für die Dienste mit Pfründen, Würden, Geld. Einen der Ihren zur höchsten Würde erhoben zu sehen, die das Kirchenfürstentum Katholische Kirche vergibt, bedeutete den Beginn besonderen Glücks für eine Familie. Den Vetter, Onkel, Vater als Papst zu erleben, hieß, früher oder später Geld, Gut, Grund zu erben. Noch heute zehren italienische Adelsfamilien vom damaligen Glücksfall, gehören sie zu den reichsten Sippen des Landes. Verständlich, daß sie sich in den Fragen der italienischen Innenpolitik noch immer auf die Seite des Papstes schlagen, den »schwarzen Adel« Roms bilden, den Vatikan nicht nur ideologisch stützen.
1991 öffnete eine dieser Familien, die Sacchetti, dem »Volk« ihren Palast und ließ, erstmals seit fünfhundert Jahren, die Herde bestaunen, was eine Hirten-Sippe aufhäufte.[128] Bisher war es für die einfacheren Leute unmöglich, hinter die Kulissen zu schauen. Empfingen die Fürsten und Prinzen des schwarzen Rom früher ihre Untertanen, mußten diese – im Vorraum – auf die Audienz warten oder auf den an den Außenmauern angebrachten Steinbänken sitzen, bis die Hoheit vorbeikam. Die Bank, ein demokratisches Möbelstück; Herren nehmen auf Stühlen Platz, und nicht der unbequemste unter ihnen nennt sich gar Heiliger Stuhl.
Vielleicht wollten die Nachfahren Wiedergutmachung leisten. Als einer der Ihren, stadtbekannt als besonders plünderungshungrig, im 17. Jahrhundert zum Papst gewählt werden wollte, hatten die Römer geraten: »Nehmt nur nicht den Sacchetti, er schlägt Rom ja in Pezzetti (Stücke)!« Und wirklich hatte der Nepot Urbans VIII. – wenn auch aus anderen Gründen – sein Ziel nicht erreicht. Seine Familie blieb reich bis heute. Zu ihrer Ausstellung von 1991 steuerten römische Papstfamilien – die Colonna, Borghese, Barberini – Schaustücke bei; alles in allem belief sich der Versicherungswert der Sacchetti-Ausstellung mit dem passenden Namen »Römische Pracht« auf 70 Millionen DM.
Wie man es anstellt? Clemens VIII. (†1605) schenkte während seiner Regierung den Nepoten eine Million bar auf die Hand. Ein Kardinalnepot zog 1612 aus seinen kirchlichen Pfründen 150000

Goldstücke pro Jahr. Gregor XV. (†1623), der nicht lange zu leben glaubte, kaufte nach seinem Amtsantritt flugs zwei Herzogtümer für die Familie, finanzierte die Kaufsumme von einer Million in Gold aus der Kirchenkasse, sicherte der Sippe durch kluge Verheiratungen vier weitere Fürstentümer und übergab, nachdem er alles getan hatte, was seiner Meinung nach ein Papst leisten konnte, die weitere Regierung einem 25jährigen Nepoten.[129]

Urban VIII. (†1644), ein ungewöhnlich von sich eingenommener Oberhirt, ließ es zu, daß die Neffen den gesamten Haushalt des Kirchenstaats ruinierten. Der Papst zahlte allein seinen ersten drei Nepoten 15 Millionen Golddukaten. Hinzu kamen die Erträge aus zwanzig Pfründen. Kein Wunder, daß die Herren sich Hoftheater für jeweils dreitausend Besucher genehmigten – und die Familie des Papstes zur größten Grundbesitzerin im Kirchenstaat wurde.[130] Die Ausgaben des Oberhirten für die katholische Sache im Dreißigjährigen Krieg nehmen sich vergleichsweise bescheiden aus; in fünf Jahren kam keine halbe Million zusammen.

Der Bruder Urbans VIII., von Amts wegen »Generalkapitän der Kirche«, war von Anfang an zielstrebig vorgegangen, um mit dem Segen des Papstes der Familie die Zukunft zu sichern. 1625 heißt es von ihm: »Er weiß, daß der Besitz von Geld einen vom großen Haufen abhebt, und er hält es nicht für angemessen, daß jemand, der einmal einen Papst zum Verwandten hatte, nach dessen Tod in beschränkter Lage erscheine.«[131] Verständlich, daß die Herde munkelte, während der Regierung des Hirten Urban VIII. seien der Familie Barberini nicht weniger als 105 Millionen Dukaten in den Schoß gefallen. Ebenso einleuchtend, daß der Oberhirt sich den Nachschub bei der Herde besorgte; seine Steuern legten sich auf alles und jedes, auf Brennholz, Salz, Brot und Wein, selbst auf das Schrotkorn für die Vogeljagd. So kann, wenn schon von Kulturtaten der Päpste geredet werden soll, nicht vergessen werden, daß es den Kirchenfürsten auch in Sachen Steuermoral gelang, Europa den Weg zu weisen.

Immerhin machte sich Urban VIII. gegen Lebensende, der ständigen Kriege und der Suche nach neuen Geldquellen müde, Gedanken, ob er – ein Nepotist reinsten Wassers – unbesorgt vor das Angesicht

Gottes treten könne. Eine Beratergruppe, nicht grundlos aus Kardinälen und Jesuiten zusammengesetzt, beruhigte das Gewissen ihres obersten Herrn: Da sich die Nepoten so viele Feinde gemacht hätten, sei es geradezu Pflicht des Papstes gewesen, die Neffen finanziell und militärisch zu unterstützen, damit deren Ehre auch nach seinem Tod ungeschmälert erhalten bliebe.[132]

Nachfolger Innozenz X. bedurfte eines solchen Trostes nicht mehr. Sein Gebaren erinnerte stark an die kirchenfürstliche Tradition unter Sergius III. (†911), als eine Papstmätresse umsichtig begonnen hatte, Päpste ein- und abzusetzen, zu morden und zu gebären.[133] Das Kirchenfürstentum geriet völlig in die Hände der Schwägerin des Papstes, einer Frau, der die Botschafter beim Hl. Stuhl zuerst ihre Aufwartung machten, deren Gunst fremde Höfe durch Geschenke zu erwerben suchten, deren Bild die Kardinäle in ihren Palästen aufstellten. Papst Innozenz ließ sich von Donna Olimpia die Ernennung ihres Sohnes und ihres Neffen zu Kardinälen aufschwatzen, der eine war zu diesem Zeitpunkt 25, der andere 17 Jahre alt.[134] Als Olimpias Sohn freilich eine noch bessere Partie als das Kardinalat machen und die reichste Erbin in Rom heiraten konnte, gab er seine Würde sofort dran.

Durch Erpressungen und Schiebungen gelang es dieser heiligen Familie auch weiterhin, den Kirchenstaat auszunehmen. Die jahrelangen Hungersnöte im Land kümmerten den Stellvertreter Christi mit dem Amtsnamen »Unschuldiger« überhaupt nicht. Vor seinem Tod konnte dieser Papst gerade noch daran gehindert werden, ein siebenjähriges Kind zum Kardinal zu machen. Die Schulden des ausgepowerten Papststaats betrugen um 1670 gegen 52 Millionen Dukaten; immer häufiger mußten die Gläubiger an der Verwaltung des Kirchenfürstentums selbst beteiligt werden. Unter Innozenz XII. (†1700) stellte sich heraus, daß die Nepoten innerhalb weniger Jahrzehnte neben anderen überreichen Einkünften an die sieben Millionen Dukaten Staatsgelder vergeudet hatten.[135]

Die Geschenke, die Paul V. (†1621) den Seinen machte (der Name dieses Papstes steht in Riesenlettern an der Fassade des Petersdoms), sind in eigenen Verzeichnissen nachzulesen: Edelsteine, Silbergeräte, prächtige Tapeten und fürstliches Mobiliar wurden direkt aus dem Papstpalast entnommen und der Sippe überbracht; Karossen und Waffen folgten. Die Hauptsache aber blieb stets – und bei allen Päpsten – das bare Geld. Dieses ließ sich ohne Umschweife weitergeben – oder, was weitsichtiger wirkte, in Grund und Boden anlegen. Die Familie Pauls V. brachte allein in der römischen Campagna achtzig Landgüter an sich; päpstliche Privilegien ermöglichten es ihr, ihren Besitz relativ unangefochten – und steuerfrei – zu genießen.[136]

Reformvorschläge, die einige zu kurz gekommene Hirten von Fall zu Fall unterbreiteten, gingen im Alltagsgeschäft der Päpste leicht unter. Einleuchtend, daß es vor allem Kardinäle und Bischöfe waren, die sich um Änderungen bemühten. Sie sprachen für sich selber. Denn ein starkes, durch eine eigene Hausmacht gesichertes Papsttum minderte die Chancen der Nicht-Päpste gewaltig. Daher mußten sich die Übergangenen zur Wehr setzen; Erfolg hatten sie so gut wie nie. Urban VI. (†1389) rächte sich infam an sechs aufmuckenden Kardinälen: Er ließ die Oberhirten in einen Brunnen werfen und fast verhungern. Später schleppte er die Gefolterten mit sich herum und ließ 1386 fünf von ihnen bestialisch hinrichten.[137]

Immer wieder versuchten Kardinäle, den Papstkandidaten vor deren Wahl bestimmte Versprechen abzutrotzen. Die Kandidaten, die schließlich kurz vor dem Ziel ihres Ehrgeizes waren, willigten auch jedesmal in diese »Wahlkapitulationen« ein. Doch mit schöner Regelmäßigkeit wußten sie, kaum waren sie auf den höchsten Thron gelangt, nichts mehr von den Zusagen, die sie ihren Wählern gemacht hatten. Es gelang den Päpsten beispielsweise, den Druck von seiten der früheren Kollegen zu mindern, indem sie entgegen allen vorherigen Absprachen die Zahl der Kardinäle aufstockten. So sorgten sie dafür, daß auch im Heiligen Kollegium, dem »Senat der Kirche«, eine verläßliche Mehrheit ihres Hauses, ihrer Nation, ihres Geldes auf Abruf zur Verfügung stand. Daß Päpste zugesichert hatten, vor der Zuwahl neuer Kardinäle die alten zu befragen, vergaßen sie schnell. Sixtus IV. vollzog gegen den Widerstand der bisherigen Purpurträger 34, Alexander VI. sogar 43 Kardinalserhebungen.

Leo X. ernannte 1517, wie erwähnt, 31 Kardinäle auf einen Streich. Er erreichte damit eine einsame Höhe; erst Pius XII. schaffte es

1946, den Vorgänger zu übertrumpfen. Leo war übrigens – im Alter von 37 Jahren – zum Papst gewählt worden, weil seine Ärzte das Gerücht ausgestreut hatten, er werde nicht mehr lange leben – für die Kollegen Kardinäle stets ein maßgeblicher Gesichtspunkt.

Dieser Papst, der verschwenderischste aller Zeiten, hatte seine Wahl aufwendig gefeiert: Tausend Künstler schmückten den Weg des Triumphzuges mit Bögen, Altären, Standbildern, Girlanden. In Seide und Hermelin gekleidet, begleiteten 112 Kammerherren den schwitzenden und doch vor Freude strahlenden Leo auf seinem weißen Pferd. Vier Bedienstete waren nötig, um seine Kronen und Mitren, für jedermann sichtbar, zu tragen. Die Freigebigkeit dieses Medici demonstrierten päpstliche Kammerherren, die Goldmünzen unter das gaffende Volk warfen. Das Fest verschlang 100000 Dukaten, ein Siebtel des Schatzes, den der Vorgänger Julius II. hinterlassen hatte.[138] Verständlich, daß das Geld wieder hereinkommen mußte. Der Gesamterlös der unter Leo X. zwischen 1513 und 1521 verkauften Ämter betrug etwa drei Millionen Dukaten, das Sechsfache der päpstlichen Jahreseinkünfte. Insgesamt verschleuderte der Kirchenfürst während seiner Regierungszeit fünf Millionen Dukaten; Schulden von mehr als 800000 Dukaten waren seine Hinterlassenschaft.

Einen Papst wie Leo X. mußten die weltlichen Herrscher mit den entsprechenden Geschenken bei Laune halten. Berühmt wurde die »Prozession des weißen Elefanten«, der zur Feier eines Sieges über die Mauren Geschenke des portugiesischen Königs brachte. Der Elefant trug eine mit Juwelen besetzte silberne Truhe, die reich verzierte Meßgewänder, goldene Kelche und kostbare Bücher enthielt. Vor dem Papst sank das Tier schließlich in die Knie und versprühte Wasser über die versammelten Zuschauer, die darüber in lauten Jubel ausbrachen.[139] Leo X. war hocherfreut; solche Spektakel gehörten nach seiner Meinung zu dem Amt, das er innehatte.

Sich ins Hirtenamt zu drängen und die Futterkrippen des Kirchenfürstentums leerzufressen, brachen im Lauf der Geschichte Hunderttausende auf; zurück blieben die »Laien«, die den Sprung in die Kaste der besonders Berufenen nicht schafften. In nackten Zahlen betrachtet lohnte sich der Drang ins Hirtenamt: Pfründen wurden

multipliziert; die Hirten konnten so den Pferch mehrfach abkassieren, ohne sich viel bewegen zu müssen. Sixtus V. zeigte sich erfinderisch: Er verkaufte das Amt eines Schatzmeisters der Apostolischen Kammer, das bisher für 15000 Dukaten veräußert worden war, für 50000 an einen Bewerber. Dann machte er diesen zum Kardinal, verkaufte das freigewordene Amt um 72000 Goldstücke weiter, erhob auch den zweiten Schatzmeister zum Kardinal und kassierte bei der dritten Vergabe ein und desselben Postens weitere 50000 Dukaten.[140]
Schon 1311 mußte sich das Konzil von Vienne mit der Tatsache befassen, daß bis zu zwölf kirchliche Ämter auf einer einzigen Person lasteten, und zwar oft auf einer unfähigen. Mit der Unfähigkeit hatte es freilich seine Bewandtnis: Ein solcher Versager in Seelsorgebelangen war zugleich ein ausgesprochen fähiger Finanzier seiner selbst; immerhin steckte er allein alle Einkünfte und Ehren ein, die »50–60 wohlvorbereiteten und gut geschulten Männern reichlich Beschäftigung geben könnten«[141]. Nach dem Tod Papst Leos X. erklärt Nachfolger Hadrian VI. mit einem Federstrich alle Ämter für vakant, die Leo seinen Hirten geschaffen hatte; sie mußten – aus Mitteln der Herde – neu erkauft werden. Kardinal Cibo, ein Nepot des Verstorbenen aus der Sippe Innozenz' VIII., fühlt sich schwer betroffen; immerhin hatte er als Bischof von zehn Bistümern zugleich reichste Beute gemacht – und sollte nun für alle zehn neu bezahlen.[142]
Daß Hirten nicht gar so schlecht leben wie Herden, spricht sich im Lauf der Zeit herum: Die Anzahl der Kleriker in Frankreich ist für 1715 auf 420000 geschätzt worden.[143] 1763 sollen über 18 Erzbischöfe, 109 Bischöfe (darunter nur ein nichtadeliger), 40000 Pfarrer, 70000 Hilfspriester, 100000 Mönche und Nonnen, 12000 Domherren in Frankreich gewirkt haben.[144] Im Königreich Neapel finden sich 1734 bei einer Bevölkerung von vier Millionen nicht weniger als 22 Erzbischöfe, 118 Bischöfe, 56500 Weltgeistliche, 31800 Mönche und 25600 Nonnen; allein in Neapel betreiben über 16000 Geistliche das Geschäft mit dem Glauben. Und noch ein gutes Jahrhundert später hat sich die Zahl der geistlichen Berufungen nicht vermindert (heute scheint sich der Geist anderweitig zu engagie-

ren): Rom, Hauptstadt des Kirchenstaats, zählt damals gegen 200000 Einwohner; um sie kümmern sich 74 Kardinäle und Bischöfe, über 1800 Priester und Priesterschüler, 2600 Mönche und 2000 Nonnen, die sich auf 120 Klöster verteilen.[145]
Daß sich die geistlichen Häuser freilich als »Freistätten der Liederlichkeit und des Verbrechens« erwiesen, hatte ein Papst schon 1652 beklagt.[146] Die Predigt, ein »heiliges Geschäft«, diene nur noch der Ruhmsucht und der Schmeichelei, meinte damals ein anderer Hirt.[147] Die päpstliche Rechtspflege, korrupt bis ins Mark, lag stets am Boden, obwohl sie nicht nur für alle geistlichen Angelegenheiten, sondern auch für die Zivilsachen des Papststaates zuständig war: Kaum ein Richter im 17. Jahrhundert, der nicht zu Weihnachten an die 500 Dukaten geschenkt erhielt, kaum einer, der nicht seine vier Monate Urlaub zu besserem als zur Rechtsprechung genutzt hätte.[148]
Ausbeutung gehört zum geistlichen Geschäft. Leibeigenschaft erhielt sich am längsten auf den französischen Klostergütern; ein Domkapitel im Jura besaß noch im 18. Jahrhundert 12000 Leibeigene und widersetzte sich mit Macht jeder Einschränkung seiner Feudalherrschaft.[149] Bischöfe und Äbte hatten die Rechte und Pflichten von adeligen Herren. Ihre weitläufigen Besitzungen – die Kirche besaß vor der Revolution ein Fünftel des französischen Bodens – erstreckten sich manchmal auf ganze Städte und wurden nach Art mittelalterlicher Lehen verwaltet. In manchen Gemeinden ernannte der Bischof sämtliche Richter und Beamten. Eigentum und Einkommen der Kirche waren von den allgemeinen Steuern befreit; angeblich dienten sie höheren Zwecken.
Die Kirche, die ein Drittel des Gesamtvermögens Frankreichs besaß[150] und nach dem König die reichste Macht im Land war, nahm Jahr für Jahr den Zehnten von den Feldfrüchten und dem Vieh eines jeden Bodenbesitzers ein. Mit diesem Geld, mit Spenden, Vermächtnissen, Pachteinnahmen unterhielt sie ihre Dorfpfarrer in Armut, ihre Bischöfe in Luxus. Sammelte der schlichte Pfarrer den Zehnten, so murrte das Volk, doch wußten die Gläubigen, daß mindestens zwei Drittel des Zehnten in die Taschen eines Bischofs wanderten, der sich nie blicken ließ. Der Bischof von Autun hatte jähr-

liche Einkünfte von 20000 Livres (eine relativ geringe Summe, die den Amtsträger Talleyrand sehr schmerzte), der von Sens kam auf 70000 Livres, der Erzbischof von Paris erhielt 200000 Livres, und der Straßburger Oberhirt nahm über eine Million pro Jahr ein. Die Abtei von Prémontré bei Laon verfügte über ein Kapital von 45 Millionen Livres. Die Dominikaner von Toulouse besaßen Grundbesitz in Frankreich, Pflanzungen in den Kolonien und Negersklaven, die zusammen auf mehrere Millionen geschätzt wurden. Die Besitzungen der Mönche von Saint-Maur beliefen sich auf 24 Millionen Livres; sie warfen jährlich acht Millionen ab.[151]
Hilfsgeistliche mußten damals mit 200 Livres pro Jahr auskommen, während Kardinal Edouard von Rohan ein Spitzenchorhemd trug, das auf 100000 Livres geschätzt wurde.[152] Zum Vergleich: Die spitzenbesetzte Wäsche für das Prunkbett der Herzogin von La Ferté hatte nur 40000 Livres gekostet.[153] Die Kirchenfürsten darbten nicht, doch Luxus war nicht alles, was sie offerierten. Sie machten sich auch nach Kräften um ihre Kirche verdient. So konnte der Schriftsteller Chamfort 1769 den Unglauben eines Hirten an dessen innerkirchlichem Rang messen: »Der Pfarrer muß ein bißchen Glauben bewahren... der Vikar darf bei einer abfälligen Bemerkung über die Religion lächeln; der Bischof lacht laut auf; und der Kardinal macht selbst noch einen Witz darüber.«[154]
Ein nicht weniger trauriges Kapitel zum Schluß. Wie pietätvoll gehen Verwandte miteinander um, wenn die Quelle plötzlich versiegt, die sie versorgte? Es finden sich hundert Beispiele für die besondere Auffassung, die oberhirtliche Sippen von der Dankbarkeit nach dem Tod hatten: Kaum ist der Kirchenfürst gestorben, dem eine Familie alles verdankt, erinnert sich niemand mehr an ihn. Drei Monate nach der erwähnten Verbrennung des »Ketzers« Wishart dringen Männer in das Schloß von St. Andrews ein, zwingen Kardinal Beaton, den Mord zu bereuen, richten ihn, verstümmeln die Leiche, hängen sie nackt aus der Festung. Keiner von den vielen, die Beaton gefördert hatte, setzt sich zur Wehr. Die Leiche des Kirchenfürsten wird später eingesalzen und im Weinkeller des Schlosses aufbewahrt.[155]
Nach dem Tod Leos X., der geprunkt hatte wie kein anderer, sagten

die Menschen, dieser Herr habe sich wie ein Fuchs ins Papsttum geschlichen und wie ein Löwe regiert, aber verreckt sei er wie ein Hund.[156]

Alexander VI. erging es ähnlich: Er wollte einen seiner vermögendsten Kardinäle vergiften lassen, doch der in Aussicht Genommene bestach den Leibkoch, und das Gift wandte sich gegen den Papst selbst.[157] Dieser erhält auf seinem Krankenlager nicht ein einziges Mal Besuch von seinen Kindern Cesare und Lucrezia, die er lebenslang gefördert hatte. Kaum ist er dem Anschlag erlegen, dringen Diebe in den Palast, fordern von einem Kardinal die Schlüssel zu den päpstlichen Gemächern, drohen ihm, wenn er das Geld des Stellvertreters Christi nicht herausrücke, würfen sie ihn aus dem Fenster. Dann stehlen sie das Silber und zwei Kassetten mit 100000 Dukaten. Die Diener des Papstes haben schon längst ihren Anteil in Sicherheit gebracht. Nur zwei von ihnen sind geblieben. Sie waschen seine Leiche; das Gesicht des Papstes wird, so sein Zeremoniar, immer schwärzer, so daß er bald aussieht »wie der dunkelste Neger, vollständig fleckig, die Nase geschwollen, der Mund ganz breit, die Zunge wie doppelt«[158]. Die Tischler hatten den Sarg des Pontifex zu kurz und zu eng gemacht; da der Leichnam nicht hineinpaßte, zogen sie ihm die Mitra vom Kopf, bedeckten ihn mit einem alten Teppich, »halfen mit den Fäusten nach, damit er in den Sarg ginge«. Keine Fackel wurde aufgestellt, keine Beleuchtung bereitgehalten, erzählt der Bericht, und kein Priester kümmerte sich um jenen, der eben noch der mächtigste Mann im Kirchenfürstentum gewesen war.

Nach dem Tod Papst Innozenz' X. (1655), der Millionen Dukaten an die Seinen vergeben hatte, verschwinden die Nepoten in alle Himmelsrichtungen und lassen sich nie wieder sehen. Schwägerin Olimpia, die den Unschuldigen seine ganze Regierungszeit hindurch ausgenommen hatte, rafft zusammen, was sie bekommen kann. Den Sarg für den toten Gönner zu bezahlen, weigert sie sich, weil sie eine »mittellose Witwe« sei. So bleibt der Papst tagelang unbestattet liegen, bis er – für einen halben Dukaten! – ein armseliges Grab erhält.[159]

Warum kannten Kirchenfürsten weder Frauen noch Kinder? Oder: Einzelheiten aus dem Märtyrerleben der Ehelosen

> »Was könnt ihr den Menschen predigen? Demut? Ihr seid der Stolz selbst, aufgeblasen, pompös und verschwenderisch. Armut? Ihr seid so habgierig, daß alle Reichtümer der Welt euch nicht zufriedenstellen könnten. Keuschheit? Davon wollen wir lieber schweigen.«
>
> *Papst Clemens VI.*
> *1351 an die Prälaten der Kirche*

Opfer, Verzicht, Trennung sind beliebte Kürzel, wenn Kirchenfürsten sprechen oder ihre Subalternen sprechen heißen. Da werden Schlagwörter gebraucht, die jedes Gegenargument erdrücken sollen. Da ist immer wieder von jenem Jesus die Rede, der – selbst verheiratet – besondere Eunuchen gewollt habe, die »alles verlassen« haben wollen, um das »Himmelreich« zu gewinnen – und ein bißchen auch auf der Erde, Grund und Boden, Geld und Gut, alles freilich hundertfach.

Die Herren haben eine wahre Meisterschaft der Sprachregelung erreicht; sie merken längst nicht mehr, wie hohl alles klingt, was sie ablassen.

Ich erzähle aus meiner kleinen Erfahrung als Kind, als Priesterschüler. In Rottweil am Neckar stand das Bischöfliche Knabenkonvikt, in dem ich vier Jahre wohnte. In Tuttlingen an der Donau wohnte meine Mutter. Beide Städte sind durch eine Bahnstrecke verbunden. Die Entfernung beträgt, wenn ich mich recht erinnere, 28 Tarifkilometer. Damals kostete die Fahrt für Schüler etwa drei Mark, hin und zurück.

Mutters 50. Geburtstag fiel auf einen Sonntag. Wer die Nachmittage eines Internatssonntags kennt, verzeiht den Gemeinplatz: Langeweile, Langeweile, Einsamkeit. Und wer etwas vom Leben einer berufstätigen Frau und alleinerziehenden Mutter weiß, kennt deren Sonntagnachmittage: Einsamkeit, Einsamkeit, Langeweile. Es lag daher für Mutter und Sohn nahe, den 50. Geburtstag gemeinsam zu feiern. Ich hatte Zeit, hatte Geld für die Fahrkarte, hatte ein

Geschenk. Die Mutter wäre zu überraschen gewesen. Sie rechnete nicht mit meinem Besuch. Ein Zögling durfte nur in den Schulferien nach Hause.
Ausnahmen gab es. Ich faßte mir ein Herz, denn die Ausnahme forderte eine persönliche Erlaubnis des Herrn Direktors. Nachdem ich an seine Tür geklopft hatte (er wohnte separat), nachdem ich mehrmals geklingelt hatte, erschien er, staunte, ordnete seine Hose, seine Weste, fingerte an seinem Priesterkragen herum, rückte die Zigarre in den Mundwinkel. Ich bat, argumentierte, legte Gründe nach. Er brauchte für seine Ablehnung, die er mir im Wegdrehen zuwarf, nur einen einzigen Grund: »Wer Vater und Mutter mehr liebt als mich, ist meiner unwert.«
Dieses sogenannte Jesuswort, das – wie ich heute weiß – überhaupt nichts mit Jesus zu schaffen hat, sondern mit dem Machtwillen der Kirchenfürsten, las ich an jenem Sonntagnachmittag. Ich weinte. Daß meine Mutter an ihrem 50. Geburtstag auch weinte, wußte ich nicht. Daß die Tränen der Hilflosen stärker als jede Beweisführung gegen die Hirten zeugen, wußte ich damals auch noch nicht.
Heute weiß ich, wie unmenschlich Kirchenbedienstete denken und handeln. Heute weiß ich auch, wie wenig sie sich selbst an ihre Lehre halten. Theorie und Praxis müssen im Kirchenfürstentum geradezu auseinanderfallen, damit es zusammenhält.

Wie kompetent sich alle Kirchenfürsten zeigten

Muß einer unbedingt ledig bleiben, um besonders viel von der Ehe zu verstehen? Unter Kirchenfürsten gilt es als ausgemacht, daß ihre Institution einen besonderen Auftrag hat, »Sakramente« wie Taufe, Buße, Krankensalbung dogmatisch abzusichern und juristisch auszuformen. In solchen Fragen lassen Oberhirten nicht mit sich handeln. Noch aufgeregter werden sie, geht es um das »Sakrament« der Ehe (das unter nichtkatholischen Christen gar keines ist). Auf diesem Terrain verstehen die Herren keinen Spaß. Sie wissen, warum. Wer die Hand auf der Ehe hat, kann Millionen Gewissen gängeln.
Nun bleibt die Frage, warum ausgerechnet jene viel über vorehe-

liche, eheliche, außereheliche, uneheliche und nacheheliche Probleme wissen, die selbst ehelos sind, weil ihre Standesmoral ihnen dies befiehlt. Oberhirten antworten: Wir sind auserwählt, ein bevorzugtes und reserviertes Wissen über alles und jedes zu haben – und dieses Wissen, in Normen, in Regeln verpackt, nach unten weiterzugeben, damit jedes Schaf weiß, wie es vor, in und nach seiner Ehe zu leben habe. Mangelnde Sachkompetenz gibt es unter Kirchenfürsten nicht: Zum einen sind sie ohnehin über alles informiert (da der Geist ihnen einflüstert, was sie nicht wissen), zum andern »braucht auch ein Apotheker nicht jedes Gift probiert zu haben, um es beurteilen zu können und als Arznei weiterzugeben«. Die Ehelosen haben die Ehe fest im Griff. Sie verkünden ihre Wahrheiten, sie predigen, je nachdem, Gebrauch, Mißbrauch oder Enthaltsamkeit. Und der Umstand, daß die Bibel so gut wie nichts zum Thema sagt, fällt den Eingeweihten gar nicht mehr auf. Sie haben ihre eigene Praxis. Diese ist nicht nur inhuman, wie das folgende Beispiel zeigt, sondern auch heuchlerisch. Das belegen die Fakten der Kirchengeschichte.

Nur einmal in den siebzehn Jahren meiner priesterlichen Tätigkeit sah ich einen Mann weinen. Ich denke, er hat aus Freude geweint. Ich nehme wenigstens an, daß seine Tränen nicht zuerst das anklagten, was ihm eine menschenfeindliche Religion jahrelang angetan hatte. Ich beanspruche für mich, daß diese Tränen dem galten, was ich, damals noch immer – und viel zu lange – ein Priester dieser Religion, ihm aus Ungehorsam gegen eine der profitabelsten Normen des als so ehe- und familienfreundlich vermarkteten Vatergotts gesagt hatte.

Geweint hat dieser Mann im Beichtstuhl. Er hatte mir, dem sogenannten Amtsträger, der da – so die offizielle Lehre – stellvertretend für Gott und Kirche auf dem Richtstuhl saß, gebeichtet, er habe diese Woche wieder Unkeusches getan. Nein, nicht mit einer Frau. Mit seinem Lebensgefährten. Ich sagte ihm, wenn es da überhaupt etwas zu bekennen und zu bereuen gäbe, so fiele dies gewiß nicht unter die Rubrik »Unkeuschheit«. Ebensowenig wie Eheleute beichteten, sie hätten auch diese Woche wieder Unkeusches miteinander getan. Zu beichten sei künftig, so mein Vorschlag: Ich erwies mei-

nem Partner nicht jene Liebe, die er braucht und die auch ich von ihm erhoffe. Also: ein Verstoß gegen das Liebesgebot, gegen die Menschlichkeit, nicht gegen eine dummdreiste Keuschheitsnorm.
Dem Mann, der seit vielen Jahren Woche für Woche dieselbe »Sünde« wechselnden Priestern bekannt hatte (weil er sich schämte, immer zum selben Pfaffen zu gehen), ohne daß ihm einer auch nur einmal von Liebe statt von Unkeuschheit gesprochen hätte, liefen die Tränen übers Gesicht. Er kam nie wieder. Ich hoffe, er ist befreit.
Woher die Kirchenherren die Dreistigkeit nehmen, sich über das Lebensglück der Menschen zu setzen? Zu bestimmen, was recht ist und was nicht? Ein Kirchenfürstentum, das seine gesamte Geschichte hindurch im Schmutz watete, dessen Nutznießer sich in nichts von denen unterschieden, die sie knechteten, es sei denn in Qualität und Quantität der eigenen Verfehlungen.
Ist Homosexualität, theoretisch als abscheuliche Perversion verdammt, unter Kirchenfürsten etwa unbekannt? Gab es nicht Päpste, nicht dutzendfach Kardinäle und Bischöfe, die sich mit Lustknaben vergnügten? Verdankte nicht sogar der eine oder der andere seine Hirten-Karriere dem Umstand, einem schon Arrivierten für spezielle Spielchen zur Verfügung gestanden zu haben? Innocenzo del Monte zum Beispiel, Affenwärter Papst Julius' III., der gegen erregten Protest von allen Seiten mit 17 Jahren Kardinal wurde? Oder jener Bischof Johannes von Orléans, der sich als männliches Dirnchen dem Erzbischof von Tours angedient hatte?[1] Hatten die strengen Strafandrohungen des Mittelalters, die einem Bischof, der »mit einem vierfüßigen Tier herumhurt«, zwölf Jahre Buße versprachen, keine reale Basis? Sprach Papst Hadrian I. 791 nur in Bildern, als er Karl den Großen belehrte, ein römischer Bischofskandidat werde vor der heiligen Weihe ausdrücklich nicht nur nach seinem Glauben befragt, sondern auch danach, ob und wie er Verkehr mit einer Frau, einem Knaben oder einem Tier genossen habe?
Eine Erklärung der römischen Kongregation für die Glaubenslehre vom 29. Dezember 1975 wird – wenigstens theoretisch – deutlich: »Nach der objektiven sittlichen Ordnung sind homosexuelle Beziehungen Handlungen, die ihrer wesentlichen und unerläßlichen Zu-

ordnung beraubt sind. Sie werden in der Heiligen Schrift als schwere Verirrungen verurteilt und im letzten als die traurige Folge einer Leugnung Gottes dargestellt.«[2]
Jeder, der die Zustände auch nur andeutungsweise kennt, weiß, daß diese »Folge einer Leugnung Gottes« in Geschichte und Gegenwart des Kirchenfürstentums Heimatrecht genießt. Ich habe selbst, als Gymnasiast, miterlebt, wie ein Hirte bei Nacht und Nebel abgeschoben wurde, weil er sich in Dutzenden von Fällen vergangen hatte: Meßdiener waren die Opfer; ihre Eltern wurden zum Vertuschen angehalten, um den Skandal nicht auszuweiten. Was sich in Priesterbildungsstätten, diesen Kasernen des Kirchenfürstentums, abspielt, wissen Betroffene nur zu gut. Diese festen Häuser, in denen ständig dazu aufgerufen wird, sich von den versucherischen Frauen fernzuhalten, bieten Gelegenheit genug, es mit Männern zu versuchen.
Vertuschen, verbrämen, verleugnen ist freilich in Sachen Hirten-Sex althergebrachte Übung. Kirchenfürsten, die sich lauthals über sexuelle »Vergehen« anderer auslassen und jede Gelegenheit wahrnehmen, die Sexualisierung der Umwelt anzuprangern und nach besserer, höherer Moral zu rufen, verstummen schnell, wenn es um Angelegenheiten der eigenen Hirtenschar geht. Dann hackt keine Krähe mehr der anderen die Augen aus. Schon 829 verfügte eine Synode zu Paris, es sei »einem Priester nicht erlaubt, die Sünde des Bischofs zu verraten, weil der über ihm steht«[3]. Kein Wunder, daß heutige Bischöfe völlig integer erscheinen. Verständlich, daß nur hinter vorgehaltener Hand davon erzählt wird, welcher von den (Hilfs-)Bischöfen eines bundesdeutschen Bistums als Stammkunde eines Bordells geführt wird...
Einiges – wahrscheinlich ein Promille der Dunkelziffer – läßt sich nicht mehr verdecken, auch wenn die Justiz, gewarnt durch einschlägige Prozesse der Hitlerdiktatur, dieses Terrain nur unter großen Vorsichtsmaßnahmen betritt. 1984 ist beispielsweise der Mainzer Domkapellmeister zu sieben Jahren und neun Monaten Zuchthaus verurteilt worden, wegen »21 Fällen des wechselseitigen Onanierens, 17fachen versuchten Analverkehrs, 56maligen Mundverkehrs«. Der Kirchenmann hatte es noch in vollbesetzten Omnibus-

sen, ja im Swimming-Pool des bischöflichen Priesterseminars getrieben.[4]

Ich lebte in Rom in einem Haus, aus dem Dutzende von Kardinälen und Bischöfen hervorgegangen waren; jede Woche kam einer von ihnen zu Besuch und ließ sich von denen bestaunen, die es ihm vielleicht eines Tages nachmachen würden. Zu den gern übernommenen Pflichten, die mein zweijähriger Aufenthalt in dieser Kaderschmiede des Kirchenfürstentums mit sich brachte, gehörten die »Führungen«. Waren wieder einmal Landsleute auf Pilgerfahrt in die Ewige Stadt eingefallen, was auch vor den Zeiten des Wojtyla-Papstes vorkam, und zeigten diese Landsleute Interesse an päpstlicher Kultur, so wurde einer von uns engagiert, diesen Eifer nicht erkalten zu lassen.

Nun strömte, was sich nicht vermeiden ließ, alles mögliche Volk in den attraktivsten Tempel des Papsttums. Der Petersdom erwies sich auch für solche Leute als Magnet, deren Vorstellungen von dezenter Kleidung sich nicht mit denen des Papstes deckten. Nach vielen vergeblichen Versuchen, das Problem nackter Frauenschultern und kurzer Männerhosen zugunsten der Hirtenmoral zu lösen, führte Paul VI. Kontrollen ein. Künftig sollte es keiner Bikiniträgerin mehr gelingen, die Blick-Barriere der Zensurnonnen zu überwinden, die an den Toren des Petersdoms postiert waren. Bald gaben die frommen Frauen jedoch ihre Arbeit auf; sie waren entnervt, nachdem sie Zigtausende von Geschlechtsgenossinnen pro Monat vom Besuch der Peterskirche hatten abhalten müssen. Regenmäntel aus schwarzem Plastik, die der Vatikan als Sonderangebot erworben hatte, um sie an unkeusch Gekleidete zu verleihen, lösten das Problem nicht: Innerhalb einer einzigen Woche waren sie geklaut.[5]

Die Gruppe von Abiturientinnen, die ich hinsichtlich der vor dem Petersdom zu erwartenden moralischen Gesinnung vorgewarnt hatte, bestand das Moral-Examen. Alle durften hinein zum Papst, der ein langes Pontifikalamt zu feiern begann. Daß mir fast alle der jungen Frauen nach dem Verlassen von St. Peter berichteten, sie seien im Verlauf der päpstlichen Zeremonie von Klerikern belästigt worden, stützt allerdings die Vermutung, die Moral stehe in der Papstkirche weniger hoch im Kurs als draußen.

Paul VI. tat zwar sein Bestes, um die Prälaten zu zügeln. Aber offensichtlich gelang es ihm nur unzureichend. Die Zustände in den vielen geistlichen Häusern der siebziger Jahre sprachen für sich. Überall tuschelte es, die Damen in den römischen Rotlichtvierteln hätten alle Hände voll zu tun, den Andrang aus Hirtenkreisen zu bewältigen. Böse Zungen sprachen sogar davon, gewisse Damen gewährten denjenigen Kunden, die erst noch einen Priesterkragen abzulegen hatten, bevor sie sich ans fleischliche Werk machten, einen besonderen Rabatt (»sconto chierico«). Und was tat der Papst? Er beschwor seinerzeit die Hirten, die den Seminaren vorstanden, dem klerikalen Nachwuchs endlich die »Laienkleidung« (schwarzer Pullover, dunkle Krawatte) zu verbieten und auf das Tragen des Talars zu dringen. Dieser, ein »Zeichen für die übernatürliche Bestimmung« der darin Steckenden, biete Schutz gegen die Versuchungen des römischen Fleisches. Nun, die Herrchen ließen den Papst reden, trugen die Soutane – und zogen, wenn sie ihr Fleisch juckte, dies Symbol geistlicher Würde noch behender aus als zuvor.
Paul VI. hatte aber auch persönliche Schwierigkeiten. Er soll, als junger Priester wie noch als Papst, ein mit Metallspitzen besetztes härenes Bußhemd getragen haben[6], um sich gegen sexuelle Anfeindungen zu wappnen. Vielleicht wußte er, warum. Denn seine Vergangenheit blieb nicht von Verdächtigungen frei: Im April 1976 erschien ein Artikel des französischen Schriftstellers Roger Peyrefitte, ein erklärter Homosexueller, der Paul VI. beschuldigte, zu seiner Zeit als Erzbischof von Mailand einen jungen Freund gehabt zu haben.[7] Peyrefitte irrte; in eingeweihten Kreisen des Kirchenfürstentums war es kein Geheimnis, daß Oberhirte Montini nie einen Freund hatte, bevor er 1963 Papst wurde, jedoch eine Freundin.
Paul VI. ärgerte sich so über die Lästermäuler, daß er sein Amt bis zum äußersten strapazierte: Wenige Tage nach dem Erscheinen des Beitrags nahm der Achtundsiebzigjährige öffentlich zu dem Problem Stellung und klagte, seine »bescheidene Person« habe jetzt das Gebet aller Treuen nötig, weil »Wir zur Zielscheibe des Spottes und schrecklicher, verleumderischer Anspielungen von seiten einer gewissen Presse gemacht wurden, der es an pflichtgemäßer Achtung vor Ehrlichkeit und Wahrheit mangelt«[8].

Die eingeforderte pflichtgemäße Achtung vor Ehrlichkeit und Wahrheit auf die vielen Vorgänger im Amt auszudehnen und ebenso öffentlich zu berichten, was Kirchenfürsten sich in Sachen Keuschheit leisteten, unterließ Paul VI. aus guten Gründen. Er hätte mehr als eine Audienz benötigt, um alle Verfehlungen gegen die eigene Theorie auch nur annähernd vollständig aufzulisten.

Wie praktisch die hochwürdigsten Herren liebten

Johannes Paul II. sprach ein Machtwort. 1979, gleich im ersten Jahr seiner Regierung, nannte er den Pflichtzölibat eine »apostolische Lehre«[9], und 1991 sagte er, Christus selbst habe »mit Freude« diesen Zölibat »angenommen«. Zwar wären die – durchweg verheirateten – Apostel sehr erstaunt gewesen ob dieser Lügen, doch über zwei Tatbestände kann keine Diskussion mehr geführt werden: Das Kirchenfürstentum muß die Ehelosigkeit seiner Amtsträger offiziell beibehalten, und es muß damit fertig werden, daß die wenigsten der von diesem Gesetz Betroffenen sich normgerecht verhalten. Ein Diskurs über Wohl und Wehe des Eunuchentums um des Reiches Gottes willen ist anachronistisch. Die Oberhirten lassen nicht davon ab, sich der Richtigkeit ihres Gesetzes zu versichern, und einige von ihnen wissen, wie sie auch in aller Stille viel Gutes tun können. Immerhin wurde Kurienkardinal Jean Daniélou am 20. Mai 1974 ausgerechnet in der Wohnung einer Pariser Nachtclubtänzerin vom Tod ereilt. Zu diesem Zeitpunkt war der Zuhälter der Dame gerade abwesend – im Gefängnis.

Die Kirchenpresse aber (über deren Wahrheitsliebe später) rückte zurecht: Der Kardinal – und ausgewiesene Verteidiger des Zölibats – sei nicht in, sondern vor der Wohnung der Dame heimgegangen. Im übrigen habe er sich aus rein seelsorgerlichen Gründen im Milieu aufgehalten.[10] Und kurz darauf, im Dezember 1975, gab die Glaubenskongregation des Papstes zum besten, die »Befolgung des christlichen Sittengesetzes im Bereich der Sexualität und die Übung der Keuschheit« würden vor allem durch »die lauen Christen« in Frage gestellt.[11] Bezüge zwischen den beiden Ereignissen, dem Tod

des Kardinals und der Lüge des päpstlichen Moralministeriums, wurden von offizieller Seite nicht hergestellt.
Das Leben der Kirchenfürsten ein »Opferleben«? Gewiß nicht, weil es an dienstbaren Frauen fehlte. Die waren den Willigen stets zur Hand. Eher ein Opferleben, aber ein selbstgewähltes, weil der rangniedrige Hirt sich als allzeit disponibles, nicht an Frau und Kinder gebundenes Menschenwerkzeug erwies, mittels dessen die Oberhirten herrschen konnten. Empfand er sich noch als sündig, weil er einmal mehr sein Gelübde gebrochen und eine Frau angefaßt oder mit den Augen begehrt hatte, war er ein besonders qualifiziertes Instrument: Niemand gehorcht so willig wie ein Sünder demjenigen, der ihm Erlösung zusagt. Verzeihung freilich nur für den Reuevollen. Den konnte man auch schon mal zum Bespitzeln und Denunzieren einsetzen. Der schaute zu, wie ertappte Mitbrüder gefoltert und getötet wurden (so noch im späten 17. Jahrhundert durch einen Paderborner Oberhirten) oder wie sie, falls sie nicht nur Kinder gezeugt, sondern auch geheiratet hatten, aus dem Amt gejagt wurden (in der Gegenwart).
Priesterkinder und Priesterfrauen: ein unaufgearbeitetes Thema oberhirtlicher Mordgeschichte. Der Fanatiker Damiani hetzt im 11. Jahrhundert offen gegen die Frauen, diese »Schätzchen der Kleriker, Lockspeisen des Satans, Quellen der Sünde, Anlässe des Verderbens, Mistpfützen fetter Schweine, Ruhepolster unreiner Geister«[12]. Damit sind die Schuldigen festgemacht; die fraueneigene Wollust »ermordet in den Buhlen Christus, der das Haupt aller Kleriker ist«. Alexander II. gibt 1063 das Signal zum offenen Bürgerkrieg in Mailand und treibt die Seinen gegen verheiratete Priester. Die Papsttreuen reißen diese von den Altären, prügeln und töten sie, vergewaltigen die »Priesterhuren«. Gregor VII., sein Nachfolger, verunglimpft eine Frau als »Kuh«, auf der der Bischof »geackert«, bis sie dann »geworfen« habe.[13]
Mitte des 11. Jahrhunderts hatte Leo IX. (heiliggesprochen) schon alle Priesterfrauen zu Sklavinnen erklärt.[14] Urban II., Initiator des ersten Mordkreuzzuges und 1881 seliggesprochen, ordnete im Fall fortgesetzter Klerikerehe den Verkauf der rechtmäßigen Priesterfrau als Sklavin an. Priesterkinder galten unbesehen als Sklaven eines

Kirchenfürstentums, das – in seiner Hauptstadt Rom – am unmenschlichen Institut der Sklaverei noch festhalten wird, als es nirgendwo mehr in Europa Sklaven gibt.
Daß die kirchenfürstliche Zensur der Priesterhäuser und -betten, die Bespitzelung zölibatärer Priester, die Bestrafung von Priesterfrauen und -kindern eine lange, inhumane Geschichte haben, sei nur angemerkt. Desgleichen die Tatsache, daß Bischöfe alle Aufstände gegen den unbiblischen, aber machtpolitisch höchst tauglichen Zölibat blutig niederwarfen: Um 1212 soll allein der Bischof von Straßburg an die 100 Zölibatsgegner verbrannt haben.[15] Eine Synode beschließt 1284 in Passau, der geistliche Konkubinarier müsse zur Buße zwölf Messen halten und an sechs Freitagen bei Wasser und Brot fasten; halte er seine Geliebte aber im eigenen Haus, seien 20 Messen fällig.[16]
Doch kennen Kirchenfürsten auch andere Methoden, um Theorie und Praxis miteinander zu versöhnen: Sie lassen sich ihr Stillhalten teuer bezahlen. Prälaten drücken beide Augen zu, wenn es um illegale Verhältnisse ihrer Priester geht. Denn wer sündigt und nicht von seiner sogenannten Sünde lassen will, zahlt mitunter ganz gern eine Gebühr an seinen Oberhirten. Kein Wunder, daß sich ein neuer Markt auftut: Bischöfe und Päpste dulden das Zusammenleben ihrer Kleriker mit Frauen, wenn nur die geforderte Taxe, der »Hurenzins«, berappt wird. In Island zahlt ein Priester seinem Bischof für jedes Kind seiner Frau acht bis zwölf Taler – und lebt unangefochten weiter im Konkubinat.[17]
Bischöfe kommen in jedem Fall an ihr Geld. Lassen sie im hohen Norden Ausgleichstaxen zahlen, sind sie anderswo ungehalten, wenn Priester offiziell heiraten und den »Hurenzins« sparen möchten. Denn dann versiegt eine riesige Einnahmequelle: Pro Jahr sollen zu Beginn des 16. Jahrhunderts im Bistum Konstanz 1500 Priesterkinder zur Welt gekommen sein und der oberhirtlichen Kasse 7500 Gulden eingetragen haben (zum Vergleich: Luther hat seinerzeit als Wittenberger Professor etwa acht Gulden jährlich verdient). Auch die Konkubinen mußten Jahr für Jahr dem Bischof neu »abgekauft« werden.
Damit nicht genug. Bischöfe nehmen den Hurenzins, so klagen

Deutsche 1520, selbst von keuschen Klerikern, weil sie sagen, sie brauchten das Geld. Und im übrigen stünde es den Priestern, die bezahlt haben, frei, ehelos zu bleiben oder sich ehelich zu betätigen. In Norwegen und Island gingen die Kirchenfürsten noch einen Schritt weiter und erhoben von denjenigen Priestern, die zölibatär lebten, wegen »Verstoßes gegen die Sitte der Väter« die doppelte Gebühr.[18]

Die Lust ist theoretisch ausgetrieben; um so lustvoller lassen sich die Bettgeschichten der Beschnittenen erzählen: Zölibatäre, vor allem die in den obersten Rängen, hatten, anstelle des ihnen versagten einen Weibes, Liebchen in Scharen. Keine Hirtenehe, doch ein Hirtenharem ist die Regel. Schon im 8. Jahrhundert spricht der hl. Bonifatius von Herren, die sich »vier, fünf, auch noch mehr Konkubinen nachts im Bette halten. Und so werden sie Priester, ja Bischöfe«[19]. In Rom läßt die Markgräfin von Tuszien ihren Bettliebsten Johannes zunächst zum Erzbischof, dann zum Papst Johannes X. (914–928) machen. Ihre Tochter Marozia, durch die dieser Johannes im Gefängnis umkam, trieb es mit Papst Sergius III. und beförderte das gemeinsame Kind, fünfundzwanzigjährig, zum Stellvertreter Christi auf Erden: Johannes XI., bald ebenfalls im Kerker ermordet. Johannes XII., bereits mit achtzehn Jahren zum Nachfolger Petri gemacht, verwandelte Rom in ein Bordell, schlief an den heiligen Stätten mit Wallfahrerinnen, schlief mit seinen Schwestern und führte ein bekannt lustvolles Papstleben. Benedikt IX. (†1045), schon mit fünfzehn durch Bestechung auf den römischen Stuhl gekommen und gegen noch mehr Geld wieder gegangen, soll Heiratswünsche geäußert, ja – nach einer anderen Quelle – diese verwirklicht haben.[20]

Wie die Päpste, so die Bischöfe. Kirchenfürsten ändern sich ungern; ihr angeblich zeitloses Amt disqualifiziert sie für die Reform. Ein Bischof von Fiesole war im 11. Jahrhundert von einem ganzen Schwarm von Konkubinen nebst Kindern umgeben, wenn er auftrat. Bischof Iuhell von Dol hielt öffentlich Hochzeit und stattete seine Kinder mit Kirchengut aus. Der Erzbischof von Besançon, der seine Herde bis zur äußersten Armut erpreßte, hatte im 11. Jahrhundert ein Verhältnis mit einer Blutsverwandten, einer Äbtissin;

er schwängerte auch eine Nonne und schlief öffentlich mit der Tochter eines seiner Priester.[21] Oberhirt Heinrich von Lüttich mußte von Papst Gregor X. (†1276) gemahnt werden, mit seinen sexuellen Erfolgen nicht gar so öffentlich zu prahlen: »Bei einem Gastmahl hast du vor allen Anwesenden, ohne dich zu schämen, bekannt, daß du innerhalb 22 Monaten 14 Söhne gezeugt hast. Einigen von ihnen hast du Kirchenpfründen verschafft, ohne Rücksicht darauf, daß sie noch minderjährig waren.«[22]

Der Dichter Petrarca erzählt von einem siebzigjährigen Hirten, dessen Konkubine nur mit ihm schlafen wollte, wenn er sich im Kardinalsornat vor ihr zeigte.[23] Kardinal Hugo von St. Cher verkündet nach Abschluß des Allgemeinen Konzils von 1245 in Lyon: »Als wir ankamen, fanden wir nur drei oder vier Hurenhäuser, bei unserem Weggang verlassen wir nur eins, das sich aber vom Osten bis zum Westen der Stadt erstreckt.«[24] Im 13. Jahrhundert nennt Innozenz III. seine Hirten »sittenloser als Laien«, bestätigt Alexander IV., »daß das Volk, anstatt gebessert zu werden, durch Kleriker vollständig verdorben wird«. Geistliche »verfaulen wie das Vieh im Miste«, sagt ein anderer Papst dieser Epoche.

Im nächsten Jahrhundert sieht ein Prediger die Kirche als ein »Bordell des Antichrist«. Im 15. Jahrhundert suchen »stinkende Menschenkadaver« Bischofssitze zu erobern. Der gefeierte Theologe d'Oresme nennt in Anwesenheit Papst Urbans V. die Prälaten »unzüchtige Hunde«[25]. Beim Konzil zu Konstanz, das den sittenstrengen »Ketzer« Jan Hus zur höheren Ehre Gottes verbrennt, sind 300 Bischöfe zugegen – und 700 Huren zu deren Bedienung, nicht gerechnet jene, die die Oberhirten selber schon mitgebracht hatten.[26]

Das Vorbild der Bischöfe, klagt eine altnorwegische Quelle[27], ist schlecht: »Sie verführen der Leute Frauen häufiger als andere unverständige, ungelehrte Leute und schämen sich nicht, falsches Zeugnis zu reden und Meineide zu schwören.« In Dänemark fordern Bauern im 13. Jahrhundert zum Schutz ihrer Frauen und Kinder vor den Nachstellungen der Hirten die sofortige Abschaffung des Zölibats. Pius II. stellt noch dreihundert Jahre später fest, daß die Friesen nicht dulden, »wenn unverheiratete Priester zum Amt zugelassen werden«, weil sonst »anderer Leute Ehebetten« nicht

sauber bleiben.[28] Würzburger Bürger weigern sich während des Deutschen Bauernkrieges, für ihren Oberhirten ins Feld zu ziehen, weil »sie ihre Weiber daheim nicht vor den geilen Pfaffen sicher wüßten«[29]. Zuzeiten wird öffentlich gesagt, »sittenreine, gelehrte Leute bekommen keine hohen Würden, sie würden auf die Schäden der Kirche hinweisen. Die Bischöfe aber sind sittenlos ... Doch am besten ist es, nicht alle Übel zu nennen, damit unsere Nachfahren nichts von diesen Zuständen erfahren.«[30]
Ein bißchen sickerte dennoch durch: 1410 wird der Kardinallegat Baldassare Cossa, der nicht nur mit der Frau seines Bruders geschlafen, sondern in Bologna auch zweihundert Witwen und Jungfrauen begattet haben soll, als Johannes XXIII. (senior) zum Papst gewählt. Und Pius II. wirft 1460 einem Kardinal vor, er habe in Siena ein Fest veranstaltet, bei dem »keine Verlockung der Liebe fehlte« und zu dem die Ehemänner, Väter und Brüder der anwesenden Frauen nicht eingeladen worden waren, »auf daß der Wollust keine Grenzen gesetzt seien«[31].
Solche Vorwürfe konnten die Nachfolger sich schenken; sie kümmerten sich gar nicht mehr um das, was zur Regel geworden war. Sixtus IV. baute nicht nur die Sixtinische Kapelle, sondern auch ein Freudenhaus. Er führte – einer der Geilsten seines Standes, der seine Schwester, seine Töchter beschlief – 1476 das Fest der »Unbefleckten Empfängnis« ein – und kassierte von seinen Huren jährlich mindestens 20000 Golddukaten Luxussteuer.[32] 1490 weist eine Statistik in Rom, das damals kaum 100000 Einwohner zählte, 6800 Dirnen aus; jede siebte Römerin ging diesem Gewerbe nach.[33]
Pius II. hatte recht, als er dem böhmischen König, unter Berufung auf einen Kenner, den hl. Augustinus, beteuerte, ohne ein geordnetes Bordellwesen könne die Kirche nicht bestehen. Kein Zufall, daß jene Städte, die vorübergehend oder auf Dauer einen Papst beherbergten, von Dirnen überflutet waren. »Kurtisane« war zum Fachausdruck geworden, zum Namen für eine Frau, die dem päpstlichen Hof zu Diensten war. In vielen Städten des Mittelalters lag das Bordell in einer Seitengasse nahe der Hauptkirche. Der Stadtrat von Lausanne befiehlt den Nonnen der Stadt, den Bordellen keine Konkurrenz mehr zu machen.[34]

Von einem Prälaten, der als sehr gebildet galt, hieß es, er habe so viele Huren in seinen Häusern wie Bücher in seiner Bibliothek. Ein englischer Kardinal kaufte sich ein Bordell; ein Straßburger Bischof baute besser gleich selber eins; der Mainzer Erzbischof lamentierte, städtische Konkurrenzunternehmen schädigten sein Bordellgeschäft, daher wolle er – ganz geistlicher Hirte – künftig »ungeschmälert« über die Nutten der Stadt herrschen. Denn nur, wenn ein solcher Betrieb »in würdigen Händen« sei, fließe die Sittlichkeit in die rechten Bahnen.[35]

Hohe und höchste Kirchenfürsten wurden Opfer der Syphilis, unter anderem Julius II., Franziskanermönch und Vater dreier Töchter. Ein Nepot des Papstes Sixtus IV., Inhaber von vier Bistümern, hurte sich buchstäblich zu Tode. Kardinal Albrecht II. von Mainz (†1545), der durch Luthers Protest bekannt gewordene Ablaßhändler und Pfründenschacherer, verkehrte öffentlich mit seinen Geliebten und ließ sie – Kunst auf kirchenfürstlich – von den besten Malern der Zeit als Frauen des Alten Testaments und als Heilige konterfeien.

Alexander VI. präsidierte einem Bankett, das in den Annalen der Pornographie unter dem Namen »Kastanienballett« berühmt wurde.[36] Fünfzig Dirnen tanzten nach dem Mahl, zuerst in Kleidern, dann nackt. Man stellte Kandelaber auf den Boden und streute zwischen ihnen Kastanien aus, »die die nackten Dirnen«, so der päpstliche Sekretär Burchard, »auf Händen und Füßen zwischen den Leuchtern durchkriechend, aufsammelten«. Der Papst und seine Kurie schauten zu, gewannen Einblicke und geilten sich auf, so daß alsbald Gastgeber und Kurtisanen sich paarten – und die Preise der oberhirtlichen Olympiade denen ausgesetzt wurden, »welche mit den Dirnen am häufigsten den Akt vollziehen konnten«. Alexander VI. hatte bereits sieben Kinder gezeugt, als die Vaterschaft des achten in der eigenen Familie strittig wurde: Zwei päpstliche Bullen legitimierten dieses Kind, die eine als Nachkomme des Papstsohns Cesare Borgia, die andere als Sohn des Papstes selbst.[37]

Kirchenfürsten und Lust? Ein merkwürdig verzopftes Verhältnis. Der bayerische Historiker Johann Thurmayr (†1534) spricht von Hirten, für die der Ausdruck »geiler Schwanz der Opferpriester« sprichwörtlich sei.[38] Geschimpft haben Oberhirten aber ständig über das

kleine Stückchen Fleisch, das sie mit sich herumzutragen hatten. Als im Mittelalter Hochzeitsgebäck in Form männlicher und weiblicher Geschlechtsteile gebacken wurde, Gefäße und Kerzen nach Art hochgereckter Glieder angefertigt wurden, den Penis-Imitationen gar geopfert wurde wie in heidnischer Vorzeit, lamentierten und verdammten sie.[39] Doch geriet ihnen die Klage oft zur Farce: Der angeblich erste Bischof von Lyon avancierte zum Sexualpatron, weil er einen Namen hatte, der – St. Foutin – sich leicht verballhornen und Assoziationen zu »fut« und »Fotze« aufkommen ließ.[40]
Die bösen »Laien«, die alles in allem durften, was sich ihre Hirten verboten hatten, sündigten wacker drauf los. Die Bischöfe schauten zu, mißbilligten die Lust der anderen, legten schwerste Lasten auf die Eheleute und redeten sich selbst nach Kräften heraus. Sie litten zwar schwer unter ihrem Fleisch, aber sie kannten Wege, sich zu befriedigen, nach Fleischesart und nach Art der geistlichen Besserwisser. Kirchenlehrer Hieronymus, einst selbst arg gestrauchelt »auf dem schlüpfrigen Tugendpfad«[41], erkennt – wegweisend für alle Kirchenfürsten, die ihm noch folgen werden – in seiner Ehelosigkeit und »Jungfräulichkeit« ein »tägliches Martyrium«. Zugleich propagiert er sie auf typisch kirchenfürstliche Weise, indem er sich über Frauen entsetzt, die, »fein, fett und rot«, das Bad mit Ehemännern und Jünglingen teilen, ihre Haare zu Locken drehen, ihre Brüste stützen, mit seidnen Hosen rascheln, weiße Schultern »in schöner Nacktheit« räkeln und überhaupt immer sehen lassen, »was am meisten gefällt«. Solche Schilderung spricht für sich; sie hat gesehen, kennt sich aus, plappert Erfahrungen daher.
Einer der einflußreichsten Heiligen im Kirchenfürstentum, Kirchenvater Augustinus, der sich jahrelang mit Frauen vergnügte und in »Unzucht und Hurerei« seine »Kraft verspritzte«, gab der Geliebten den Laufpaß, verlobte sich mit einer Minderjährigen, nahm gleichzeitig eine neue Mätresse, zeugte einen Sohn und nannte ihn sinnigerweise Adeodatus, Gottesgabe. Dann »bekehrte« er sich und wurde, obgleich er noch immer das »Jucken der Lust« kannte[42], zum lautstarken Prediger des ehelosen, ehefeindlichen Lebens. Dieser Haltung steht keineswegs entgegen, daß derselbe Augustinus die offizielle »Ehelehre« der Kirchenfürsten bis heute maßgeblich prägt.

Es handelt sich also nicht um historisch überholte Meinungen; Augustinus schaut noch immer, geht es nach dem jetzigen Papst, in die Ehebetten. Ein Wort des Connaisseurs an einen Mitbischof: »Du möchtest gewiß, daß Eheleute ins Bett springen, wann immer sie wollen, wann immer sie die Lust kitzelt; und diese Begierde soll auch nicht bis zur Schlafenszeit verschoben werden... Wenn du so ein Eheleben führst, dann bringe deine Erfahrungen gefälligst nicht in die Debatte ein...«[43]
Bußprediger Damiani versuchte zwar vor fast tausend Jahren, »den heiligen Schenkeln der Bischöfe Riegel vorzuschieben und den Genitalien der Priester Keuschheitsschnallen anzupassen«[44]. Sexuelle Erfahrungen machen Oberhirten aber noch immer zur Genüge; nicht immer führen sie dazu, die Doktrin abzumildern. Im Gegenteil: Wer ein Lotterleben hinter sich hat, mißgönnt dasselbe den ins Amt strebenden jüngeren Mitbrüdern. Pius II. (†1464), früher ein ziemlich lockerer Vogel, nutzte als Papst die Enttäuschungen in seinem Liebesleben, um die sogenannte offizielle Meinung über den Zölibat einzuschärfen. Seinem Kardinal Borgia, später Alexander VI., schreibt er: »Deinem eigenen Urteil überlassen Wir es, ob es für Deine Würde schicklich sei, Mädchen zu schmeicheln, Früchte und Wein an Deine Geliebte zu schicken und den ganzen Tag auf nichts anderes zu sinnen als auf jede Art von Wollust.«[45] Doch war Pius II. – im Gegensatz zu vielen Kollegen vor ihm und nach ihm – ehrlich genug, die Gründe für seine Meinungsänderung anzugeben: »Die Venus ekelt mich an. Freilich nehmen auch die Kräfte ab... Ich kann keinem Weib mehr zur Lust dienen und keine mir. Von nun an diene ich mehr dem Bacchus als der Venus. Der Wein ernährt mich...«[46]
Ehe und Ehelosigkeit? Die Hirten haben sich – theoretisch – entschieden. Kirchenfürst Johannes Chrysostomus (Goldmund) brachte im 4. Jahrhundert die bischöfliche Lehre auf einen einfachen Nenner: »Denn wo der Tod ist, da ist die Ehe; und wo keine Ehe, da auch kein Tod.«[47] Der Frauenhasser Damiani lehrt, sogar der Apostel Petrus habe gefehlt, weil er verheiratet gewesen sei; freilich sei es ihm gelungen, »den Schmutz der Ehe mit dem Blut seines Märtyrertodes abzuwaschen«[48]. Das Konzil von Trient sekundiert noch zwölfhundert Jahre nach Vater Goldmund: »Wenn jemand sagt, es sei nicht

besser und seliger, in der Jungfräulichkeit oder Ehelosigkeit zu bleiben als zu heiraten, der sei im Kirchenbann.« Und Kurienkardinal Garrone sprach erst vor wenigen Jahren vom »betäubenden Gestank des Sex«[49].

Kein Wunder, daß katholische Sexualpädagogik entweder gar nicht stattfindet – oder verhüllt statt aufdeckt. Bischof Streng aus Solothurn, um ein neueres Beispiel zu nennen, empfiehlt den Seinen »bewußt einen feingeprägten Wortschatz«[50] und liefert gleich die besten Beweisstücke. Er spricht feingeprägt vom »Ausgangstor am Mutterschoße«, von der »Wiege unter dem Herzen der Mutter«, von den »Quellorganen ... im Schoße des Mannes« – und überläßt es seiner Klientel, das feinsinnige Altmännergeschwätz mit der eigenen wie der fremden Anatomie zu vergleichen.

Ich erinnere mich an meine Kaplanszeit, als es darum ging, katholischen Eltern »Anleitung zum Geschlechtsunterricht« zu geben. Der zuständige Pfarrer, bald sechzig Jahre alt, teilte mir kurz vor Beginn der Veranstaltung mit, er habe nächtelang mit sich um den richtigen Ausdruck gerungen und endlich einen vertretbaren, weil »biblisch begründeten« gefunden. Leicht schamrot erklärte er dann, künftig vom »Röhrchen« sprechen zu wollen und die Eltern entsprechend anzuleiten. Im übrigen wolle er so bald wie möglich den hochwürdigsten Herrn Bischof über die Lösung des Problems informieren.

Da wäre er gut angekommen. Die deutschen Oberhirten, Muster an sexueller Verklemmtheit und deren Wortführer, verlangten 1923 von Frauen und Mädchen Kleiderärmel bis über die Ellenbogen sowie, 1925, die »vollständige Trennung der Geschlechter« bei Strandbädern an See und Fluß.[51] Ein ausgewiesener Marienverehrer jener Tage fragte seine Leserinnen (mit bischöflichem Segen), ob das Kleid »hochgeschlossen bis zur Halsgrube« sei, ob der Rock bis zu den Knöcheln reiche oder wenigstens bis zum Beginn des Wadenmuskels, ob die Strümpfe etwa verbotenerweise fleischfarben seien. Und als Pius XII. sich 1939 an die Welt wandte, interessierten ihn Faschismus und Weltkrieg weniger als die »extravaganten modernen Kleider« der Frauen.[52]

Immer wieder schlägt die alte, ungezügelte, hemmungslos vernichtende Angst dieser Männer vor den Frauen durch. Eine Angst, die schon einer der frühesten Lehrer der Kirche kennt, Clemens von Alexandrien, der geschminkte und aufgeputzte Frauen mit Affen und falschen Schlangen gleichsetzt. Eine Angst, die Leo XII. (†1829) den Walzer verbieten ließ – und auch die Pockenimpfung, da ihm die zunehmende Sterblichkeit egal war. Eine Angst, die einen spanischen Kardinal allen Gläubigen das Baden an Stränden untersagen ließ, sofern auch das »andere Geschlecht« zugegen war. Eine Angst, die Bischof Buchberger (Regensburg) noch vor wenigen Jahrzehnten dazu brachte, vor den »Verheerungen« zu warnen, »welche die modernen Badeunsitten in den Seelen der Kinder und Jugendlichen anrichten«. Es ist dieselbe Angst, die einen Münchner Prälaten urteilen ließ, der »Geist der Liebe« werde nicht im Vietnamkrieg ausgetrieben, sondern im Verlauf der Diskussionen um den »Badehosenkrieg«, als es darum ging, ob sich nackt duschende Schüler gegenseitig sittlich gefährden.[53] Eine Angst vor den Frauen, deretwegen ein Bischof noch auf dem Zweiten Vatikanischen Konzil vor verheirateten Hirten warnt, weil deren Ehefrauen sich vielleicht die Nase puderten. Eine Angst, in der Giuseppe Siri, Kardinal von Genua und aussichtsreicher Papstkandidat, 1978 den Frauen das Hosentragen verbot, weil sie sonst leicht ihre »biologische Funktion« vergessen könnten.[54] Eine Angst, die den jetzigen Papst 1982 in London behaupten macht, »sexuelle Permissivität und Drogensucht« zerstörten das Leben von Millionen Menschen.[55]

Freilich hielten Bannflüche, Sprachregelungen und Predigten allein das kleine Stückchen Männerfleisch nie im Zaum. Wenn keine Frau zur Hand war, blieb auch Kirchenfürsten noch die Liebe an und für sich. Luther, beim Abrechnen, sagte über die Praxis der Kirchenherren: »Aufm Concilio zu Nicäa ist hart verboten, daß sich niemand selbst geilen soll, denn ihr viel aus großer Ungeduld, da sie die unzucht und brunst so plagte, haben sie sich selbs mit gewalt gegeilet, auf das sie geschickt und tüchtig möchten bleiben zu Kirchenämtern und die Pfründe möchten behalten.«[56]

Wie war der Versuchung beizukommen? Daß man einem Bischof wie dem Mainzer Matthias von Bucheneck ein Liebchen ins Bett schmuggelte, um gefährliche Männersäfte abziehen zu lassen und

den kranken Kirchenfürsten zu kurieren[57], blieb Ausnahme. Ansonsten wurde auf das Vorbild der Heiligen verwiesen: Die hl. Francesca Romana hatte sich, wie fromme Schreiber wußten, schon als Baby gegen den Windelwechsel gesträubt und mit den Patschhändchen ihre Blöße bedeckt; andere heiligmäßige Kleinkinder weigerten sich standhaft, die Milch ihrer Amme anzunehmen, war diese nach Ansicht der Miniheiligen gerade im Stand der Sünde.
In Versuchung Geratenen wurde auch empfohlen, Salat zu essen oder sich beim Einschlafen auf die Seite zu legen, weil die Rückenlage als ebenso gefährlich galt wie das Tragen enger Unterhosen, das Radfahren, das Reiten. Die »Moraltheologen« des Kirchenfürstentums – aus Berufsangst immer bereit nachzumessen, zuzumessen, zu differenzieren und zu distinguieren – sprachen gern von Sünde, ganz besonders von Sünde, um ihre schärfste Waffe gegen die Lust aufzufahren. Ihr gewaltigster Genius, Bischof Alfons Maria de Liguori, erörterte im 17. Jahrhundert alle Details des sexuell-sündigen Lebens, die er sich ausmalen konnte. Dieser Kirchenfürst, heiliggesprochen, zum Kirchenlehrer erhoben, zum Patron der Beichtväter gemacht, untersuchte in seinem Standardwerk (mit mehr als 70 Auflagen) die Sündengröße und Strafwürdigkeit ehelicher und außerehelicher Küsse mit und ohne Samenerguß, des Betrachtens »unehrbarer Körperteile« eines andern von fern und aus der Nähe, der unbeabsichtigten Samenergüsse von Ärzten, die Geschlechtsteile von Berufs wegen zu berühren hatten. Der heilige Bischof, erst gegen Ende seines Lebens anerkannt geisteskrank, wußte auch die richtige Antwort auf alle Fragen nach der Erlaubtheit des Geschlechtsverkehrs mit der Leiche einer Frau (»Selbstbefriedigung mit dem Hang zum Beischlaf«, eine Todsünde). Auch erwog er, ob es schwer sündhaft sei, nach dem dritten Geschlechtsakt in derselben Nacht einen vierten zu verweigern oder erst einen fünften. Seine Leser wußten sich lange danach zu richten.
Die Wirkgeschichte des heiligen Kenners ist immens. In seinem Geist werden Katholikinnen und Katholiken von Amts wegen belehrt, daß es zuweilen erlaubt ist, uneheliche Kinder auszusetzen, um die Schande für die Eltern zu vermeiden. Mit bischöflicher Druckerlaubnis heißt es weiter: Kindermädchen, die kleine Knaben

anfassen, sündigen nicht schwer, da die Gefahr, das Baby willige in die Lust ein, relativ gering ist. Freilich sei es nahe an der Todsünde, Kleinkinder am Unterleib zu kitzeln.
Weitere Details kirchenfürstlicher Moral?
Nackte Statuen, die mit Fleischfarbe bemalt sind, reizen weit mehr zur Unzucht als unbemalte. Es ist daher den Gläubigen untersagt, solche Statuen herzustellen, zu fotografieren, sie in Häusern und Gärten aufzustellen. Frauen, die ohne Widerstand eine längere Berührung ihrer Brust zulassen, begehen in der Regel eine Todsünde (die, unbereut und ungebeichtet, schnurstracks in die Hölle führt). Masturbiert ein Ehemann, ist die Frau unter Androhung eigener Sünde verpflichtet, ihn von diesem Laster abzubringen. Eine Frau, die gleich nach dem Beischlaf, um eine Empfängnis zu verhindern, sich aufrichtet oder Wasser läßt, sündigt schwer. Eine Frau muß zu ihrem ersten Mann zurückkehren, wenn ihre Geschlechtsteile durch den häufigen Beischlaf mit dem zweiten Mann für den ersten passend wurden. Küsse und Berührungen unter Brautleuten sind gewöhnlich Todsünden; Verlobte dürfen sich nicht auf den künftigen ehelichen Verkehr freuen. Ohne dadurch zu sündigen, dürfen Dienstboten ihren Herrn ins Bordell begleiten, seiner Geliebten Geschenke überbringen und ihr die Tür öffnen – all diese Handlungen haben nur entfernte Beziehungen zur Sünde. »Ehrbare« Teile einer attraktiven Frau zu betrachten, geschieht nur selten ohne Sünde. Ein Ordensmann, der mit seinen Händen bei einem anderen einen Samenerguß hervorruft, begeht die schwere Sünde des Gottesfrevels, weil er eine geweihte Person befleckte, auch wenn er selbst keine Lust verspürte. Die »Leistung der ehelichen Pflicht« nach dem Mittagessen ist unerlaubt, weil dies wegen der einsetzenden Verdauung Schaden bringen kann.
In dieser Materie kennen Oberhirten sich aus. Kirchenfürst Torella, zugleich Leibarzt Alexanders VI., bat seine Kardinalskollegen, »ja nicht des Morgens nach der Messe Unzucht zu treiben, sondern des Nachmittags, nach geschehener Verdauung«. Andernfalls seien Abzehrung, Speichelfluß und ähnliche Krankheiten zu erwarten – und die Kirche würde »ihrer schönsten Zierden beraubt«.[58]
Noch 1944 wissen Schüler des Liguori (mit päpstlicher Druckerlaub-

nis), daß der Geschlechtsverkehr zur Zeit der Menstruation eine läßliche Sünde, aber während der Schwangerschaft erlaubt ist. Auch lehren sie, die natürliche Lage beim Koitus sei diejenige, da die Frau unten, der Mann oben liege. Unnatürlich sei die umgekehrte Lage, da die Frau dann den Samen nicht passiv hinnehme (wie das gottgewollt sei), sondern »aktiv in sich hineinzieht«.

Liguori, Zeitgenosse und vehementer Gegner von Voltaire und Rousseau, jubelt auf die Nachricht von deren Tod hin: »Gott sei Dank, der in kurzer Zeit zwei Hauptfeinde der Kirche vernichtet hat.«[59] Was er selbst, dem der Vatikan 1871 bescheinigt, er habe »das Dunkel aufgehellt«, unter Aufklärung versteht, legt er ausführlich in seinen – von fehlerhaften Zitaten wimmelnden – Werken dar. Der krankhafte Skrupulant, der zur Abtötung Steinchen in den Schuhen trägt, befriedigt sich auf spezifische Weise. Zwar würgt er, »einen schweren Stein am Kopf hängend, auf dem Boden sitzend und von Katzen umgeben«, sein Mahl mit bitteren Kräutern hinunter, wie die Akten seiner Heiligsprechung verraten. Auch hängt er sich während des knapp bemessenen Schlafes Steine an die Füße; oft so lange, bis das Blut spritzt. Aber er wird bis ins hohe Alter von der Versuchung gequält und muß noch als Greis auf der Straße die Augen niederschlagen, um keine verbotenen Gefühle zu bekommen.

Doch weiß er über alles Sexuelle detailliert Bescheid. Den »fleischlichen Akt der Begattung«, der nach kirchenfürstlicher Lehre als sicherstes Mittel gegen die Begierde gilt, handelt der Hirten-Neurotiker auf 72 Seiten ab. Seine Anweisungen an die Beichtväter, deren Patron er seit Pius XII. (1950!) ist, strotzen von widerlichen Ratschlägen, die darauf abzielen, Frauen auszufragen und intime Details über deren Ehe herauszukitzeln. Wenige Männer werden eine Ahnung davon gehabt haben, was ihren Frauen zugemutet wurde.

Hirten scheren sich jedoch nicht um die wirklichen Belange ihrer Herden. Folgerichtig wurde Liguori, Klassiker der theologischen Pornographie, 1871 nach einem Votum von 39 Kardinälen, zehn Patriarchen, 125 Erzbischöfen und 544 Bischöfen zum »Kirchenlehrer« erhoben. Seine Heiligsprechung gründete 1839 unter anderem

auf einem – von einem Augenzeugen beeideten! – Wunder: Er hatte ein Huhn per Kreuzzeichen in einen Seefisch verwandelt.[60]
»Kasteiung« hieß das Zauberwort, das alle Kirchenfürsten, die nicht so konnten, wie sie wollten, auf ihr hohes Amt vorbereiten und darin in Ehren halten sollte. Die heiligen Bischöfe Wilfried von York und Aldhelm von Sherborne sprangen, wenn sie sich versucht fühlten, ins kalte Wasser oder tauchten bereits vorsorglich unter Eis.[61] Kirchenlehrer Bernhard von Clairvaux sah einmal allzu wohlgefällig auf eine Frau herab – und stürzte sich sofort zur Abkühlung und zur Vermeidung von Konsequenzen in einen Teich. Andere Kirchenherren behängten sich mit Bußketten, trugen Bußgürtel mit Stacheln auf der bloßen Haut (Pillenpapst Paul VI. war auch auf diesem Gebiet ein starker Traditionalist), legten Strafstrumpfbänder aus eisernen Zacken an, hieben und geißelten sich, bändigten mit glühendem Eisen das warmgewordene Glied.
Noch Innozenz XI. (†1689) untersagte die Lockerung oder gar die Abschaffung solcher Askese, und die Herren hielten sich, dem Worte nach, daran. Lust ist künftig wieder mal ganz verboten, der Körper des Christen (und ungleich mehr noch der der Christin) gilt als »Dunggrube«, »Gefäß der Fäulnis«, »Misthaufen«, als etwas, das »dir Ekel bereitet, wenn du nur daran denkst« (so der 1926 zum Kirchenlehrer gemachte Johannes vom Kreuz). Folge: Bischöfe lehren, daß Baden Sünde sei, und nehmen – so der hl. Bruno, Kölner Erzbischof (†965) – selbst lebenslang kein Bad.[62]
Nun bleibt es jedem Christen freigestellt, sich nicht mehr zu waschen, wenn sein Gott das verlangt. Die mangelnde Hygiene verletzt nur die Nasen derer, die einem solchen Heiligen näher treten. Schlimmere Auswirkungen hatte die prinzipiell theologische Hygiene: Ihrzufolge gehören lustbereite Körper geschlagen, geschändet, vernichtet. Und das nicht nur, wenn sie einem selbst gehören. Fremde Körper, Frauen- und damit »Hexen«-Leiber, müssen gefoltert und verbrannt werden. Die nur mühsam unterdrückte Lust der Kirchenfürsten fordert das; aus lusthungrigen Greisen werden satte Mörder.
Mord und Totschlag als Surrogate einer verbotenen Aktivität? Ist es Zufall, daß sich kirchenfürstliche Grausamkeit so oft auf die Ge-

schlechtsteile bezieht, daß Inquisitoren mit Vorliebe Hoden und Scheiden untersuchen, peinigen, foltern, daß sie Schamhaare ausreißen, Frauen in den Unterleib treten? Daß jene »Stellen«, an denen die eigene Sünde gewußt, die fremde vermutet wird, besonders sadistisch angegangen werden? Daß genau die Triebe, lokalisiert in den wenig ehrbaren Körperteilen, welche die herrschende Bischofsmoral zu verachten lehrte, unterdrückt werden, zwanghaft geradezu, unter selbstquälerischem Leidensdruck?

Sixtus V. befahl die Todesstrafe für Inzest, Kuppelei, Abtreibung und Ehebruch – und besorgte die ersten Kastraten für die Kapelle seines Vorgängers Sixtus IV., eines Sexualprotzes ohne Beispiel: Er ist der erste einer langen Reihe von 32 Päpsten, die junge Menschen kastrieren ließen, damit silberhelle Stimmchen zum Gotteslob ertönen konnten. Denn offensichtlich war der Patriarchengott, der seine irdischen Stellvertreter nicht von Folter und Mord abhielt, durch nichts besser zu preisen als durch Männer, bei denen der oberhirtliche Kastrationswunsch gegen die mit Sexualneid betrachteten Laien[63] zum Erfolg geführt hatte; auch sie Eunuchen um des Himmelreiches willen. Übrigens warf Paul IV. den weltbekannten Tonschöpfer Palestrina aus der päpstlichen Hofkapelle, weil dieser – verheiratet war.[64]

Von höchster Konsequenz war auch die innige Marienverehrung kirchenfürstlicher Mordgesellen. Maria, die immer weiter nach oben und damit immer unerreichbarer gesetzte Gottesmutter, half den Bischöfen nicht nur beim Kriegführen. Sie eignete sich auch hervorragend zur »Sublimierung« aller – oder doch wenigstens einiger wesentlicher – Triebregungen der Männer. Die Madonna erscheint in vielen Predigten und in noch mehr Legenden des Mittelalters, gewährt mit den geistlichen Wonnen auch sehr sinnliche, reizt und schäkert, überschüttet ihre Favoriten mit süßer Milch, läßt sich selbst liebkosen, nötigt die Ihren zur Preisgabe von – höchst irdischen – Bräuten und zum Eintritt in den geistlichen Stand.[65] Hirten kommen ins Schwärmen, wenn sie – strikt zölibatär – die Minnegaben besingen, die Maria ihnen zuteil werden läßt: Küsse ewigen Friedens, Trank aus den keuschesten Brüsten. Bernhard von Clairvaux berichtet, er habe zur Madonna gebetet, sie möge sich als seine

Mutter zeigen, und prompt habe diese ihre Brust bloßgelegt und seinen Durst gestillt.[66]

Ein recht familiäres, frivoles Spiel mit Lust und Befriedigung wird getrieben; Maria neigt sich ihren Fürsten zu, und auch der Herr Jesus bleibt nicht ganz zurück. Über Jahrhunderte hinweg wird ein Glied seines heiligen Leibes verehrt, besser: ein Teil seines Gliedes, besser: viele gleiche Teile, seine heiligen Vorhäute eben, wo immer sie sich fanden. Nichts Besonderes in einem Kirchenfürstentum, dessen Papst Benedikt XIII., ein auffallend gewissenloser Schuldenmacher und Nepotist, noch 1728 eine Pilgerfahrt zur Vorhaut des alttestamentlichen Abraham unternimmt und bei dieser Gelegenheit einen Ablaß gewährt.[67] Kirchenfürsten sahen sich von der bewegenden Frage gequält, was wohl aus der Vorhaut Christi geworden sei, die dem Jesusknaben bei der Beschneidung entfernt wurde. War sie geschrumpft, verwest, verloren? Oder blieb sie, wundersam gerettet, als Reliquie zu verwenden, zu verehren? Mußte eine solche Reliquie – bald besaß das Kirchenfürstentum derer dreizehn bis einundzwanzig – nur verehrt oder gar angebetet werden? Die Fragen, denen noch 1917, mitten im Weltkrieg, ein Theologe ein Buch widmet, blieben offen. Geklärt war nur, daß alle heiligen Schreine, die derlei verwahrten, Pilger anzogen und Pilgergeld dazu. Das in Antwerpen aufbewahrte und von der Konkurrenz als unecht verschriene Teil wurde von eigens ernannten und besoldeten Vorhautkaplänen gesichert. Einmal pro Woche zelebrierten Hirten ein Hochamt zu Ehren dieser Vorhaut, und einmal im Jahr trugen sie das hochheilige Teilchen »im Triumph« durch die Straßen.[68]

Nicht alle konnten sich an solchen Prozessionen satt sehen. Die meisten Hirten waren auf Befriedigungen aus, die das eigene Glied versprach. Die Folgen blieben selten aus. Rom kannte bis ins 10. Jahrhundert hinein Priestersprößlinge, die Päpste wurden: Bonifaz I., Felix III., Agapet I., Theodor I., Hadrian II., Martin II., Bonifaz VI. Einige von ihnen wurden sogar heiliggesprochen. Andere Päpste hatten einen Papst zum Vater: So war Silverius (heiliggesprochen) der Sohn des Papstes Hormisdas; Johannes XI. der Stammhalter des Papstes Sergius III.

Kirchenfürsten können alles von zwei Seiten sehen; das macht sie so tauglich für ihren Beruf. 1322 mahnt eine spanische Synode die Hirten, es unter keinen Umständen zu wagen, an der Taufe oder Eheschließung der eigenen Kinder teilzunehmen, seien sie nun ehelich oder unehelich.[69] Keine zweihundert Jahre später richtet Innozenz VIII. seinem Nachwuchs pompöse Hochzeiten im Papstpalast aus.

Im Spätmittelalter wurden weitaus mehr Hirten als Laien der Blutschande angeklagt. Selbst unter Päpsten galt der Inzest nicht als Ausnahme. Johannes XII. wurde schon früh des Geschlechtsverkehrs mit Mutter und Schwester bezichtigt; Johannes XXIII. senior gestand vor dem Konzil zu Konstanz häufigen Inzest ein; Alexander VI. soll mit seiner Tochter Lucrezia Borgia verkehrt haben, und auch Kardinal Richelieu (†1642) unterhielt ein Verhältnis mit seiner unehelichen Tochter.[70]

Aber die Theorie wankte trotz soviel Praxis nicht – und hielt sich bis heute. Eugen IV. (†1447), schon mit 26 Jahren Kardinalnepot, ließ einen Mönch grausam foltern und verbrennen, der es gewagt hatte, das lasterhafte Treiben am päpstlichen Hof öffentlich zu kritisieren.[71] Als während des Konzils von Trient (1545–1563) der deutsche Kaiser und die Könige von Frankreich und Böhmen die Aufhebung des Zölibats vorschlugen, widersetzten sich die Bischöfe. »Verheiratete Priester und Bischöfe«, meinte seinerzeit ein weitsichtiger Kardinal, »hängen vom selben Moment an nicht mehr vom Papst ab, sondern von anderen Herren, zum Nachteil der Kirche und aus Liebe zu Weib und Kind.«[72] Dieses Argument ist bis heute gültig, und alle Sprüche über angebliche Jesusworte sind unter Kirchenfürsten vergleichsweise Makulatur.

Wozu es überhaupt noch Sünden – und Sünderinnen – gibt

1987 schrieb eine Frankfurter Professionelle dem »sehr geehrten Herrn Papst Karol Wojtyla« einen Satz ins Stammbuch, der eine tiefere Kenntnis der katholischen Kirche verrät als dickleibige Folianten von Theologen: »Sehen Sie, ich weiß: Solange Sie Zucht predigen, floriert meine Unzucht, solange Sie Kenntnis über Verhütung und Abtreibung in die Dunkelheit verbannen, bleibt mein Monopol, solange Sie die Beichte und die Buße institutionalisieren, bleiben die Sünden teuer, solange Sie die Liebe erst vom Schlüsselbein aufwärts definieren, muß ich mir nicht den Kopf zerbrechen ... mit anderen Worten: Solange Ihr Thron fest steht, wackelt auch mein Bett nicht.«[73]

Der Verzicht auf die »Sünde«, das »Opferleben« – unter Oberhirten gewichtige Worte. Nun, die einen raten zum Opfer, die andern bringen es. Es ist schon nicht mehr merkwürdig, sondern systemimmanent, daß die großen Ratgeber stets Männer, die kleinen Ausführenden immer Frauen sind. Den Frauen wird – von Kirchenfürsten – eingeredet, daß es »frauliche Art« sei, opferbereit zu werden, zu sein und zu bleiben. Warum ist das so? Daß Männer sich gern lieben und bedienen lassen, daß sie deswegen den Frauen einreden, Lieben und Bedienen sei deren Sache, ist üblich in Männergesellschaften. Wo Patriarchen herrschen (und wo tun sie dies so unangefochten wie im Kirchenfürstentum?), brauchen sie Untertanen, Opferwesen, Beutemenschen. Solche zu definieren, auszubilden und sich ihrer dann zu bedienen, ist ein herrscherliches Privileg, also Männerart. In der Männergesellschaft Kirchenfürstentum finden sich nur Spiel- und Abarten dieses generell patriarchalen Prinzips, freilich ganz besonders mickrige und verletzende Varianten. Eine Distanzierung der Hirten vom patriarchalen Zeitgeist findet sich nicht.

Kirchenfürsten sehen zwar in nackten Brüsten und kurzen Röcken die schwersten Gefahren für die Moral. Doch dadurch heben sie sich nicht von der »Welt« ab, sondern bestätigen ihren Männerstandard. Sie machen alles (bis hin zum Morden) mit; ihre Moral erhebt sich zu keiner Zeit über die der anderen. Ihr Gott handelt so, wie seine vielen Väter es von ihm verlangen. »Zur Frau sprach der Herr Gott: Vermehren will ich deine Schmerzen bei deiner Schwangerschaft. Unter Leid sollst du Kinder gebären, und doch geht deine Brunst hin auf deinen Mann, obgleich (oder: gerade weil) der über dich herrscht.« (1 Mose 3, 16)

Das Wort dieses Herrengottes, der dazu geschaffen erscheint, die Brunst dem Weibchen zuzuschreiben, ist charakteristisch und verrä-

terisch. Es verkehrt den Sachverhalt. Wer ist denn brünstig? Wer will denn die tatsächlichen Besitzverhältnisse zwischen Mann und Frau im eigenen Sinn legitimieren? Wenn dieser Hirten-Gott den Mund auftut, weiß Eva immer, woran sie ist. Die Patriarchen haben es geschafft, ihre Tradition seit den Zeiten der Bibel fugenlos aufrechtzuerhalten. Der Hl. Stuhl, ein Hochsitz des Patriarchats, äußert sich noch 1988 genauso über »Würde und Berufung der Frau«, wie er es zu allen Zeiten tat.[74] Er spricht von »Berufung«, um der Welt anzudeuten, daß er sich zum Sprachrohr des Herrengottes macht. Er spricht vom »grundlegenden Erbe der Menschheit« und bezieht dadurch ungefragt die Menschen aller Zeiten und Zonen ein, um sie seiner Doktrin zu unterwerfen. Er meint mit diesem Erbe der Menschheit (Mannheit) nichts anderes als die »gottgewollte Tatsache«, daß die Frau und Mutter sich gehorsam gegen den Willen des Mannes und Vaters zu erweisen habe, sich also »typisch fraulich« verhält.
Die Reformation befreite die Nonnen von ihren Gelübden, wachte jedoch streng darüber, daß aus Nonnen brave Hausfrauen wurden, fügsam und stumm wie die übrigen. Luther nennt den Mann »höher und besser«, die Frau »ein halbes Kind«, ein »Toll Thier«.[75] Dieser Mönchsmann spricht durchaus im Sinn und im Wortschatz seines Geschlechts, wenn er predigt, daß die »größte Ehre« der Frau darin bestehe, Männer zu gebären. Übernimmt die Frau den Manneswillen, so ist sie eine gute Frau. Wer aber nicht dienen, sondern eigenbestimmt sein oder werden will, der sündigt. Kein Wunder, daß Johannes Paul II. sich auf den Apostel Paulus beruft[76], kein Wunder, daß er einen der vielen frauenfeindlichen Sätze des ehelosen Frauenhassers Paulus verwendet: »Eine Frau soll still zuhören und sich ganz unterordnen. Ich gestatte es keiner Frau, zu lehren und sich über den Mann zu erheben. Zuerst wurde ja Adam erschaffen, und dann erst Eva. Doch nicht Adam wurde verführt, sondern die Frau ließ sich verführen. Aber ihre Rettung besteht in der Erfüllung ihrer Mutterpflichten, wenn sie sie sorgsam in Glauben, Liebe und Gehorsam versieht.« (1 Tim 2, 11–15)
Der Papstmann hat gesprochen, der Apostelmann, der Manngott. Die Frauen wissen jetzt, was zu tun und zu lassen ist. Die gesamte Geschichte der kirchenfürstlichen Frauenfeindlichkeit beweist, daß

sich der Manneswille nicht einmal zu ändern brauchte. Die Aussagen waren stets klar, die Positionen von Mann und Frau ein für allemal festgelegt. Nachzubessern gab es nichts, von den wenigen Fällen abgesehen, in denen einige Frauen gegen diesen Herrenwillen aufbegehrten. Wo das Hirtenwort nicht mehr fruchtete, griff »man« zu dem nicht weniger erprobten Mittel des Mordes. Ungezählte (»Hexen«-)Frauen mußten sterben, weil sie nicht wollten, wie die Kirche der Männer es ihnen gepredigt hatte. Solange diese Kirche Macht über die Herzen besitzt, werden Männer-Inquisitoren noch immer mit den Frauen da unten fertig.
Der »Hexenhammer« (Erstdruck 1487 in Straßburg) wurde von einem Papst abgesegnet und sofort auf der ganzen damals bekannten Welt als autoritatives Kirchenwort verbreitet. In all seinen 29 Auflagen findet sich eine päpstliche Bulle, die zum Mord aufruft und wider die kein einziger Papst auch nur ein Sterbenswörtchen verlor – fast zweihundert Jahre Heilsgeschichte lang.[77] Warum denn auch? Wenn schon der oberhirtliche Gott sich moralisch so verhalten mußte wie seine Erfinder, war dieselbe Forderung auch gegen die Päpste zu richten: Also ist es folgerichtig, daß ab 1258 Hexenerlasse von Päpsten nachzuweisen sind.[78] Also paßt es zum Bild, daß die Hexenbulle des Jahres 1484 sich damit brüstet, Ausdruck »einer das Innerste bewegenden oberhirtlichen Fürsorge« zu sein.[79] Frauen werden peinlich befragt, schamlosen Verhören ausgesetzt. Die Inquisitoren foltern Geständnisse heraus, erbärmliche Sauereien allesamt: Riesige Glieder tauchen auf, stinkende Böcke paaren sich mit lüsternen Weibern, und Hirten hören zu, die Hand unter der Kutte am Glied. Noch heute verraten die Akten jene säuische Freude der Befrager, noch immer lassen sich zwischen den Zeilen die Gefühle derer mitlesen, die sich so befriedigten.
Köstliche Befriedigungen fürwahr, den Hirten und ihren Helfershelfern reserviert, denn die geduldige Suche nach dem teuflischen Mal am Körper der angeklagten Frau blieb eins der Wesenselemente des Prozesses. Das christliche Abendland hielt sich Tausende von Folterknechten, die sich abmühten, in der Nähe der Brüste, des Gesäßes oder der Geschlechtsteile die berüchtigten schmerzunempfindlichen Zonen zu finden und zu testen, welche die Zugehörigkeit

zum Satan bewiesen. Ein Inquisitor teilt mit, er habe 1485 in Como 41 Frauen einäschern lassen, »nachdem am ganzen Körper die Haare sorgsam abrasiert worden waren«[80]. Er blieb kein Einzelfall, als der Zeitgeist der Kirche es forderte, kurzen Prozeß mit den »Teufelshuren« zu machen.

Und die sogenannten Normalfälle? Die Kirchenfürsten und die Ehe? Da sind klerikale Obsessionen am Werk, wie sie Hieronymus Bosch wiedergab: Das neuzeitliche Europa sollte, so der renommierte Historiker Jacques Solé, »im Koitus und den Versuchungen des Fleisches die höchste Gefahr sehen und dieselbe Lektion von Kanzeln und in Traktaten unablässig wiederholen«[81]. Da ist von Geschlechtsakten die Rede, die lasterhaft sind und eklig. Da kann die Frau sich vor der Einschätzung als Hure nur retten, indem sie sich als jungfräuliche Braut des Herrn oder als treue Ehefrau und Mutter vieler Kinder bewährt.

Der katholische Theologe A. J. Rosenberg schreibt 1915 allen Frauen ins Stammbuch, worum es christlicher Militanz und Kinderliebe geht: »Moderne Kriege sind Kriege, in denen die Massen sehr viel mehr bedeuten. Die gewollte Einschränkung der Kinderzahl (in Frankreich) bedeutete also den Verzicht auf gleiche nationale Stärke mit Deutschland ... Tausende von Eltern beklagen den Verlust des einzigen Sohnes ... Strafe muß sein ... Der Krieg hat das Problem der gewollten Kinderscheu in ein neues Licht gerückt.«[82]

Was kam bei alldem heraus, zum Beispiel im heiligen Köln? Oder: Wie Prälaten auf ihresgleichen zurückblicken

»Besser wäre gewesen: weniger Wahrheit und mehr Liebe«

Kurienkardinal De Lai
1924 über Kirchengeschichtsschreibung

Vor mir liegt »Ein kurzgefaßter Wegweiser durch die Geschichte des Erzbistums Köln und seiner Bischöfe und Erzbischöfe vom heiligen Maternus bis zu Kardinal Höffner«, in 3. Auflage 1989 vom Verlag Kölner Dom v. V., Köln (einem kölnisch-klerikalen Eigengewächs), herausgegeben »im Auftrage des Metropolitankapitels der Hohen Domkirche zu Köln«. Nun, denke ich, kurzgefaßt ist zumindest der Titel des Werkleins nicht, und ziemlich gespreizt ist auch die Titelei der »Hohen Herausgeber«. Aber das wird, da es sich um einen Seelsorgsauftrag handelt, gewollt sein. Gläubige Verbraucher sind noch immer zum Kauf zu ermutigen, wenn möglichst hohe Herren sich andienen.

Daher ist wohl auch das Wappen des bisher vorletzten Kölner Oberhirten so breitausladend auf der Schrift wiedergegeben: J. Höffner, der Westerwälder Kleineleutesohn, wird zum Mäzen heraldischer Kunst. Ich habe nachgezählt: der Kardinalshut, der das Wappen (insgesamt acht Kreuze) deckt, weist nicht weniger als dreißig schmückende Quasten auf. Wenn das der »Herr« von damals wüßte, der mit dem einen Kreuz und ohne jede Purpurquaste . . .

Was hingegen kurzgefaßt ist: das Wirken jener »Erzbischöfe von Köln zwischen 313 und 1987«, die da, von Maternus, dem Heiligen, bis Höffner, der recht kirchenfürstlich als »Joseph II.« aufgeführt ist, das heilige Köln beglückt haben wollen. Kurzgefaßt mit guten Gründen, denn nur so lassen sich die vielen sonderbaren Heiligen ertragen, die diese Liste aufweist. Nur so hat Geschichtsschreibung im Kirchenfürstentum zu geschehen. Denn stünde das Hohe Metropolitankapitel, die gegenwärtig verantwortliche Schar kölnischer Prälaten, zur ganzen historischen Wahrheit, müßten die Herren der Kriminalgeschichte Kölns viel näher kommen als erwünscht. Salvador de Madariaga meint, daß in allen totalitären Staaten die Historiker mächtiger sind als Gott, weil sie sogar die Vergangenheit ändern können.[1]

Nichts Besonderes. Bischofslisten anderer Sitze weisen dieselben Schönheitsfehler auf (die von Rom natürlich an einsamer Spitze): Kriminelle finden sich hier wie dort, auch Hurer, Kriegsherren, Unterdrücker, Seelsorger, Prediger, Betrüger, Reliquienhändler. Alle bunt durcheinander – Kirchenfürsten eben.

Denn wer trifft sich auf der offiziellen Liste Kölns? Oberhirten zum Beispiel, die nicht alle notwendigen Weihen erhalten haben, weil sie sich weder darum noch um ihre Schafe kümmerten. Bischöfe, die zwar geweiht waren, aber vom Papst aus irgendwelchen machtpolitischen Gründen nicht bestätigt wurden.

Die Vorzeit des heiligen Stuhls zu Köln bleibt dunkel, und das ist gut so. Zwar bricht selbst aus diesem Dunkel der Kölner Dünkel hervor, denn die Domherren von heute lassen schreiben, zweifellos habe es schon um 180 Christen in Niedergermanien gegeben, denen ebenso zweifellos ein Bischof vorgestanden habe – und zweifellos könne dessen Sitz nur Köln gewesen sein. Die Herausgeber mutmaßen auch, ihre Domkirche sei aus einem Privathaus des 4. Jahrhunderts hervorgegangen, in dem frühe Christen ihren Glauben bekannt hätten. Zugegeben, die Lage am Rhein war kaum schlecht gewählt (Kölns Hauptbahnhof mußte viel später nachrücken, möglichst eng an den Dom heran), und die ersten Kölner Christen hatten mit ihrem »Privathaus« auch gleich den richtig einmalig gelegenen Grund und Boden zur Hand. O-Ton Domkapitel: »Gewiß bestand im 5. Jahrhundert auf dem Gelände des heutigen Domes eine große Kirchenanlage.« Gewiß, denn schon im 5. Jahrhundert war man nicht zufällig Großgrundbesitzer, wenn man zufällig Kirchenfürst war.

Als erster mit Namen bekannter Bischof ist ein Maternus genannt, der nach der Legende und aus finanziell einträglichen Gründen »ein Schüler des hl. Petrus« war, obwohl er erst zur Zeit Kaiser Konstantins, also gut 200 Jahre nach Petrus, lebte. Als zweiter Bischof (um 343) taucht ein Euphrates auf, von dem die Prälaten sagen lassen, Nachrichten, er sei ein Ketzer gewesen, »dürften unecht sein«.

Dann finde ich einen zweiten Heiligen, Severinus (um 397), von dem berichtet wird, er solle »durch himmlische Zeichen vom Tod des Hl. Martin erfahren haben« (seine Reliquien werden noch in Köln gezeigt). Dessen Nachfolger – mittendrin fehlen fast 200 Jahre »Tradition« – war Carentinus (um 565), der anscheinend weniger auf himmlische Zeichen setzte als auf irdisches Bauen: Das Kölner Domkapitel berichtet mit einem Anflug von Stolz, er habe die »Domkirche erweitert und mit Emporen ausgestattet«. Mehr hat er, kurzgefaßt, nicht geleistet.

Es geht noch wackerer weiter: Ein – nicht ganz klar als Heiliger erkenntlicher, aber wenigstens »früher gelegentlich als Heiliger verehrter« – Ebergisil (um 590) »soll durch den Staub aus dem Brunnen

in St. Gereon von Kopfschmerzen geheilt worden sein«. Erfreulich für den Betroffenen; Historiker werden freilich ihre Kopfschmerzen nicht los, wenn sie von solchen Heilungen erfahren – und nichts von dem, was Ebergisil wirklich für den Kölner Bischofssitz tat. Nichts Genaues dürfen sie auch wissen von frommen oder weniger frommen Leuten, die so markante Namen tragen wie die Bischöfe Solatius, Sunnoveus, Remedius, Botadus, Aldwinus, Gislo, Faramundus. Erst über – den nur gelegentlichen Heiligen (siehe oben) – Hildeger wird mit einem wundersam zurückhaltenden Sätzchen berichtet: Er fiel 753 auf einem Feldzug gegen die Sachsen.
Der gelegentliche Heilige Hildebold (†818) ist als »geistlicher Berater« des Sachsenschlächters Karl ausgewiesen. Nachfolger Hadebald (†841) tat wieder weniger; immerhin ist er als erster »Erz«-Bischof aufgelistet, immerhin schenkte er 826 dem Ansgar ein Schiff für die Dänenmission. Luitbert und Hilduin schafften es im 9. Jahrhundert nicht, als Oberhirten bestätigt zu werden. Die Gründe verschweigen die heutigen Autoren. Erzbischof Gunthar (†nach 871) wurde vom Papst abgesetzt, weil er die Scheidung des Kaisers Lothar II. befürwortete. Hermann I., der Fromme (†924), tat sich als Reliquienfreund hervor; Bruno I. (†965), ein als Heiliger nicht nur gelegentlich verehrter Kirchenfürst, »brachte Petrusstab und Petruskette nach Köln«, war also ein noch höher bietender Reliquienfreund – und, ganz nebenbei, der erste der Kölner Herren, der weltliche und geistliche Gewalt »gleichermaßen in Händen hielt«. Denn endlich ist es soweit, 600 Jahre nach der Sache mit dem Privathaus in Rheinnähe gelingt den Kölner Herren ein entscheidender Schritt: Ganz verschämt meldet das Verzeichnis, daß die Kölner Erzbischöfe künftig »auch weltliche Regenten« gewesen seien – und dies immerhin bis 1801.
Was in fast tausend Jahren der geistlichen Unterdrückung geschah, wenn man kurzerhand dem Kölner Domkapitel folgt? Die zur Kurzfassung entschlossenen Hirten machen wenig Aufhebens von Kriegs- und Beutezügen innerhalb und außerhalb der Bischofsstadt, von Aufständen gegen die Erzbischöfe, von Mord und Totschlag, Lug und Betrug. Sie lassen eher besinnlich, biedermännisch beschreiben, was geschah, und unterdrücken, was das traute Bild

von Hirt und Herde stören könnte: Der Erzbischof Warin (†985) »gab einen Teil des Petrusstabes nach Trier ab«, Everger (†999) bestattete die Kaiserin Theophanu in Köln, Heribert brachte 1002 die Leiche Kaiser Ottos III. von Rom nach Aachen, Pilgrim wurde 1031 Erzkanzler für Italien (»ein Amt, das seitdem mit dem Kölner Stuhl verbunden blieb«), Hermann II. (†1056), der Edle (im Unterschied zum frommen Hermann I.), empfing Papst und Kaiser in Köln.
Sodann passiert ein wenig mehr: Anno II. erbaute viele Kirchen und wurde 1074 von den Kölnern aus der Stadt vertrieben, kam aber schon nach vier Tagen siegreich zurück (um sich blutig zu rächen?). Hildolf (†1078) wurde den Kölnern gegen ihren Willen oktroyiert, Hermann III., der Reiche (†1099), »verwendete seinen großen Reichtum für die Kirche Christi«, Arnold I. (†1151) ließ den Zweiten Kreuzzug in Köln predigen (eine völlig unblutige Angelegenheit?), Reinald (†1167) brachte die Gebeine der Heiligen Drei Könige nach Köln (wo sie, ein Betrug mehr, noch immer ruhen sollen). Adolf I. wurde 1205 wegen Untreue gebannt und abgesetzt, Bruno IV. wurde von diesem Adolf auf zwei Jahre gefangengesetzt; sein Nachfolger, Dietrich I. (†1224), wurde vom Papst verjagt, da er den Kollegen Bischof von Münster gefangengenommen hatte. Engelbert I. wurde 1225 von einem Verwandten ermordet, »weil er dessen Übergriffe auf kirchliches Gut zu verhindern suchte«. Sein unmittelbarer Nachfolger Heinrich I. ließ hingegen den Mörder hinrichten und betrieb die Heiligsprechung Engelberts: Wer mühsam erworbenes Kirchengut verteidigt, muß mühelos in den Himmel kommen.
Engelbert II. (†1274) war in schwere Kämpfe mit der Kölner Bürgerschaft verwickelt, eine Folge kirchlicher Machtpolitik, und verlegte schließlich die Kölnische Residenz ins ruhigere Bonn. Sein Nachfolger Siegfried unterlag 1288 den Kölnern in offener Feldschlacht; die Bürger versagten sich darauf ganz der weltlichen Herrschaft des Oberhirten. Der Erzbischof, das verschweigen die kurzgefaßten Kölner Domherren, hatte vor der Schlacht seine 5000 Mannen gesegnet, die Gegner mitsamt der heiligen Stadt Köln verflucht, das Gemeinwesen mit Bann und Interdikt (»Gottesdienstsperre«) belegt. Gegen

Ende des achtstündigen Kampfes werden die erzbischöflichen Ritter in die Flucht geschlagen, und der oberhirtliche Kampfhahn gerät in Gefangenschaft. Erst nachdem er sich in einem Eid bereit erklärt hat, alle Schäden zu begleichen, läßt man ihn laufen. Schon kurz darauf entbindet ihn der Papst von seinem Eid und spricht ihn frei.[2] Aber erst Erzbischof Walram konnte 1334 in einem Freundschaftsvertrag Frieden mit seiner sogenannten Bischofsstadt schließen; 1346 krönte er Kaiser Karl IV. in Bonn.

Adolf II. trat 1364 aus einleuchtenden Gründen zurück. Er verzichtete auf seinen Bischofssitz und heiratete, »um sein Geschlecht vor dem Aussterben zu bewahren«, und wurde Stammvater des Hauses Kleve-Mark. Ruprecht wurde 1475 vom Kaiser belagert und 1478 zur Abdankung gezwungen. Von seinem Nachfolger Hermann IV. berichtet die Broschüre des Domkapitels in der richtig wertenden Reihenfolge, er habe »die Schuldenlast des Erzbistums gemildert«, dazu die Liturgie gefördert und auch das kirchliche Leben. Das letztere, was immer es sei, schien schwer gelitten zu haben, denn Hermann V., der zunächst die Reformation bekämpft, sich dann aber Luther angeschlossen hatte, mußte 1547 vom Papst abgesetzt werden. Erzbischof Anton starb 1558, bevor er die Priester- und die Bischofsweihe erhalten hatte. Der Oberhirte Johann (1558–1562) zeigte ebenfalls keine Lust am Empfang solcher Weihen; sie sich erteilen zu lassen, nahm er sich in vier Jahren Regierung keine Zeit.

Andere Beschäftigungen waren den Kölner Hirten etwas wichtiger, doch die heutigen Prälaten verschweigen sie. Immerhin existiert ein Bericht aus der Mitte des 17. Jahrhunderts, nach dem ein Bonner Pfarrer klagt, gewiß gehe bald die halbe Stadt drauf, zumal unter dem Druck des Kölner Erzbischofs bereits dreijährige Kinder wegen ihrer »Buhlteufel« verbrannt worden waren. Kölns Hirten als Hexenjäger? Kein Thema für eine kurzgefaßte Kirchenlüge.

Friedrich IV., Nachfolger Johanns, mußte seine fünfjährige Regierungszeit hindurch auf die päpstliche Bestätigung verzichten; Salentin, der nächste, trat 1577 zurück und heiratete, »um sein Geschlecht vor dem Aussterben zu bewahren«. Der nächste Erzbischof, Gebhard Truchseß von Waldburg, ritt in Soldatenkleidung in seinen Dom, weigerte sich schon bei seiner Ankunft in Köln, vom Pferd zu steigen und das Kreuz der Domherren zu küssen[3], bekannte sich 1582 zum protestantischen Glauben und heiratete. Sein Versuch, das Erzbistum Köln in ein weltliches Fürstentum umzuwandeln, »scheiterte am Widerstand des Domkapitels«. Die heutigen Prälaten freuen sich heimlich.

Nach solch schlimmen Erfahrungen mußte Hilfe aus Bayern kommen: Nicht weniger als fünf treukatholische Wittelsbacher lösen sich als Oberhirten am Rhein ab, unter ihnen Maximilian Heinrich, der sich als erster Kölner Kirchenfürst seit fast 100 Jahren wieder die Bischofsweihe erteilen ließ. Der letzte Bayer auf dem Kölner Thron, Clemens August I., gilt den wortkargen Domherren als »glanzvollster Barockfürst auf dem erzbischöflichen Thron«; er erbaute »unter anderem in Brühl die Schlösser Augustusburg und Falkenlust«.

Was sich über diesen Herrn sagen läßt, müßte nicht gar so kurzgefaßt bleiben, ginge es den heutigen Prälaten nicht um bloße Augenwischerei. Ich stelle ein paar exemplarische Details zusammen (über nicht wenige Kölner Oberhirten ließe sich ähnliches mitteilen):

▷ Clemens August I. (1700–1761), zeitgenössisch Monsieur de Cinq Églises (»Herr Fünfkirchen«) genannt, hatte ein paar Pfründen eingeheimst: Er war Kurfürst und Erzbischof von Köln, Fürstbischof von Hildesheim, Münster, Osnabrück und Paderborn sowie Hochmeister des Deutschen Ordens. Da er diese Ämter auf einmal innehatte, läßt sich denken, wie es um seine Seelsorgstätigkeit bestellt war. Die Kumulation, dem Papst teuer abgekauft, wurde zwar »einigermaßen plausibel mit dem Nutzen für das katholische Wesen begründet«[4]. Tatsache war, daß der vierte Sohn des bayrischen Kurfürsten in die deutsche Adelskirche hineingehievt und für ihn, den – nach seinem Namen – mild Erhabenen, ein förmliches »bayerisches Bischofsreich« in Deutschlands Nordwesten geschaffen war.

▷ Die gesamten Titel des Herrn?[5] Hochwürdigster und Durchlauchtigster Fürst und Herr, HERR, Erzbischof zu Köln, des Heiligen Römischen Reichs durch Italien Erzkanzler und Kurfürst, geborener Legat des Hl. Apostolischen Stuhls zu Rom, Administrator des Hochmeistertums in Preußen, Meister des

Deutschen Ordens in deutschen und welschen Landen, Bischof zu Hildesheim, Paderborn, Münster, Osnabrück, in Ober- und Niederbayern, auch der Oberen Pfalz, Herzog in Westfalen und zu Engern, Pfalzgraf bei Rhein, Landgraf zu Leuchtenberg, Burggraf zu Stromberg, Graf zu Pyrmont, Herr zu Borckelohe, Werth, Freudenthal und Eulenberg. Das ihm unterstehende Territorium umfaßt riesige Ländereien; wer sich noch heute wundert, warum er katholisch getauft ist, kann diesen Umstand – von der Vorsehung abgesehen – auch auf die Tatsache zurückführen, daß Clemens August katholisch blieb – und Orte quer durch Deutschland beherrschte.[6]

▷ Der Hof dieses Mäzens und Waidmanns galt als der glanzvollste in Nordwestdeutschland, nur mit wenigen anderen im Heiligen Römischen Reich Deutscher Nation zu vergleichen. Clemens August genoß: Morgens trug er Mitra und Pontifikalgewänder, abends war er maskiert und tanzte Domino.[7] Was der Prinz theologisch leistete, bleibt unbekannt; immerhin war er zum Studium nach Rom geschickt worden, doch hatte er dort nicht so sehr durch seinen Lerneifer als durch freizügige und an gesellschaftlicher Abwechslung überreiche Lebensführung geglänzt.[8] Daß seine braune Lockenpracht der Tonsur hatte weichen müssen, beklagte Clemens August ebenso wie die schwere Verträglichkeit des Meßweins.[9] Er hielt sich schadlos: Seine späteren Perücken sind voller Puderlocken, im Nacken durch eine schwarze Samtschleife zusammengehalten. Spitzenhemden, bestickte Westen, edelsteinbesetzte Mantelschließen, Diamantagraffen und -knöpfe, stählerne Kürasse, Prunkdegen, Brillantkreuze und -ringe runden das Porträt ab.

▷ Daß der »Sonnenfürst vom Rhein« Geld kostete, leuchtet ein: Clemens August, als »Wetterfahne des Reichs« verspottet, sorgte sich zeitlebens um die entsprechenden Einkünfte, nahm Geld vom Kaiser wie von Frankreich, hing den Hermelinmantel des Reichsfürsten und Erzbischofs nach dem Wind. Die Höflingscliquen, die auf den Hirten Einfluß nahmen, wechselten; was blieb, war das Wissen der europäischen Großmächte, daß Clemens August käuflich war. Daher boten alle Seiten, was

Herr Fünfkirchen am liebsten nahm: Geld, Subsidien, Jahreszahlungen in sechsstelliger Höhe.[10]

▷ Geld brachte, selbstverständlich, auch die fünffache Herde ein, die in keinem Fall um Zustimmung zur Wahl des Hirten gefragt worden war: Als Clemens August, gerade 19 Jahre alt und noch nicht einmal zum Priester geweiht, Besitz vom Bistum Münster ergriff, wurde er nicht nur »mit allen nur ersinnlichen und möglichsten Divertissements, besonders aber durch ein fürtreffliches und kostbares Luft- und Wasser-Feuerwerk zu divertiren gesucht«. Auch brachten die Domherren nicht allein ihre »untertänigste Devotion zum Contentement dieses hohen Prinzen« dar, läuteten nicht nur die »sämbtlichen Glocken Dero Stadt Münster«, schossen die »Canons continuirlich«, ertönte »Trommeten- und Paukenschall«, stand eine »in Gewehr stehende Bürgerschaft« bereit[11], es fand sich auch Bargeld. Eine ähnliche Übung ist aus dem künftigen Jagdrevier des Oberhirten bekannt: Als Clemens August 1720, noch immer weder zum Priester noch zum Bischof geweiht, in den Hümmling reiste, wurden ihm »zum Willkomm« 1000 Reichstaler überreicht – und weitere 1000 zur »freien Verfügung und Unterhaltung«.[12] Hoheit ließen über all dies »Ein Gnädiges Gefallen verspüren«.

▷ Dero reisender Hofstaat umfaßte Hunderte von Personen, darunter »bradenwender und Spühlweiber«; insgesamt mußten 1732 anläßlich einer einzigen Reise 1565 Pferde gestellt werden, die den kirchenfürstlichen Troß transportierten.[13] Wer sich weigerte, solchen Spanndienst zu leisten, wurde von der Hirtenpolizei mit Strafgeldern belegt.

▷ 1750 gab Clemens August in seiner Eigenschaft als Hochmeister des Deutschen Ordens in Mergentheim rauschende Feste für eine kleine Oberschicht, Jagden, Konzerte, Opernaufführungen. Die Untertanen finanzierten dieses Vergnügen, an dem sie keinen Anteil hatten, mit 67363 Gulden; der Bau eines Komödienhauses kostete über 8000 Gulden.[14] Die Kosten für die Tafel anläßlich der von Clemens August durchgeführten Krönung Kaisers Karls VI. (seines Bruders) erforderten vom Deutschen Orden die Abholzung eines ganzen Waldes.[15]

▷ Die Hirten litten keinen Mangel. Allein das Hildesheimer Domkapitel, eine bloße Versorgungsanstalt für den Adel, nahm unter der Herrschaft des Clemens August aus eigenem Vermögen jährlich über 200000 Reichstaler ein[16]; die sogenannte Seelsorge hatten die Herren an irgendwelche Knechte delegiert. Der für Sakramentales (Firmspendung) zuständige Weihbischof von Osnabrück wurde mit 200 Talern pro Jahr abgefunden[17]; Erzbischof Clemens August war sich für solch niedere Arbeiten zu schade.

▷ Der Kirchenfürst, weiter entfernt denn je vom immerhin schon hundertjährigen Bischofsideal des »Reform«-Konzils von Trient, fühlte sich mit seinen notorischen Amouren voll ausgelastet; sein einziges Kind wurde 1756 gut verheiratet.[18] Clemens August, als Hoch- und Deutschmeister einflußreicher Reichsfürst und Regimentsinhaber im Rang eines Oberst, finanzierte 1737/38 einen Türkenkrieg mit, legte sich mit dem aufstrebenden Preußen an, das – nach Auffassung des Deutschen Ordens – noch immer Ordensgebiet war, erhob klerikale Besitzansprüche im Osten. Die Einmischung ihres Hirten in den Siebenjährigen Krieg kostete die Hildesheimer Herde über 2,5 Millionen Reichstaler; das Bistum trug die Schuldenlast bis zur Säkularisation von 1803.[19] Osnabrück wurde ähnlich ausgepreßt; die Riesensummen, die aus dem kleinen Land abgezogen wurden, werden durch die Förderung der Kunst, die Clemens August sich angelegen sein ließ, nicht im geringsten wettgemacht.

▷ Die geistlichen Künste des Herrn? Kurfürst Clemens August läßt anläßlich der Kaiserkrönung seines Bruders einen eigenen Prachtornat (insgesamt 22 geistliche Gewänder) ankaufen; die Prunkstücke, Silberbrokat mit reicher Goldstickerei und goldenen Applikationen, kosteten angeblich 186000 Mark Silber, eine auch für damalige Verhältnisse ungeheure Summe.[20] Die heiligen Paramente, noch heute der Kölner Schatzkammer gehörig, haben ihr Gewicht: Ein Chormantel wiegt über 13, eine Mitra 1,59 Kilogramm.

▷ Ausgaben für die erzbischöfliche Tafel? Clemens August, unter der »maladie de porcellaines« (Porzellan-Sucht) leidend, schafft unter anderem für sein Jagdschloß ein Jagd-Service aus Fayence an, das aus 220 Geschirrteilen (für etwa 100 Personen) und aus mehr als 110 Terrinen, meist in figürlicher Ausformung (Wild, Vögel), bestand. In Meißen bestellt er zum Beispiel – die Kosten gehen wie immer zu Lasten der Herdenkasse – 1735 ein Kaffee- und Teeservice sowie 1741 das »Kurkölnische Service«, 1745 für den Deutschen Orden ein weiteres Service. Die Geschirre, eigens entworfen und handbemalt, umfassen Hunderte von Einzelteilen.[21]

▷ Am meisten kostete die Schafe allerdings die Auszehrung durch den »Bauwurm«, die ihren Hirten befallen hatte. Clemens August baute ein Kirchenfürstenleben lang drauf los; sein Jagdschloß Clemenswerth (im Hümmling) verschlang allein 195 000 Taler; ein Zeitgenosse berichtet vom Gegenwert zweier Tonnen Goldes.[22] 1737 hatte der geistliche Herr den Grundstein zu dem repräsentativen Bau gelegt. Sinnigerweise schmückt diesen die Inschrift »Im Kreuz des Herrn ist Frieden, Leben, Ruhe und eine sichere Heimstatt«[23]. Im Kreuz des Herrn ging Clemens August künftig auf die Jagd: 1749 beschäftigt er dafür 126 Personen Personal; an die 200 Hunde jagen mit, zwischen 120 und 250 Pferde werden benötigt.[24] Was als Ertrag herauskam, machte keinen Bruchteil der Investition aus. Freilich hatte der Erzbischof sein Divertissement.

▷ Weiteres Vergnügen für den Kirchenfürsten? 1738 verläßt Clemens August recht unwillig die Kölner Loge, weil Papst Clemens XII. den Kirchenbann gegen die Freimaurer angedroht hat und es nicht gut aussieht, wenn ein Kirchenfürst unter diesen Umständen freimauert. Kölns Oberhirt weiß sich zu helfen: Er tritt dem neugegründeten »Mopsorden« bei und wird dessen wichtigster Mäzen. Die Mops-Mode beginnt unter seinem Schutz aufzublühen.[25]

▷ 1761, nach dem Tod des geweihten Mops-Mitglieds, läßt das Osnabrücker Domkapitel in Amsterdam eine Gedenkmedaille auf den heimgegangenen Oberhirten prägen. Wegen der hohen Schulden werden zunächst nur 1000 Stück in Auftrag gegeben.[26]

Mit Maximilian Franz von Österreich, dem Kölner Erzbischof zwischen 1784 und 1801, geht auch die weltliche Herrlichkeit zur Neige. Der Kirchenfürst, jüngstes Kind der Kaiserin Maria Theresia, ein »typischer Vertreter des aufgeklärten Absolutismus«, floh 1794 vor den Truppen der Französischen Revolution und starb 1804 in Wien. Schon 1801 waren die linksrheinischen Teile seines Bistums der von Napoleon gegründeten Diözese Aachen zugefallen.

Die folgenden Erzbischöfe, unter ihnen die ersten Kardinäle Kölns, kümmerten sich, was blieb ihnen anderes, stärker als je zuvor um innerkirchliche Belange; immer wieder kam es bei Pseudoproblemen dieser Kirchenfürsten, die heute niemanden mehr interessieren, zu Zusammenstößen mit dem Staat: Clemens August II. (†1845) und Kardinal Paul Melchers (†1895) waren sogar in Haft. Über zwei Kölner Kardinäle, Karl Joseph Schulte (1920–1941) und Joseph Frings (1942–1969), sagt die Schrift im wesentlichen nichts, wohl aber rühmt sie, »Joseph I.« habe sich »mutig gegen nationalsozialistisches Unrecht« gewandt. Daß dieser bisher unbekannt gebliebene Widerständler 1948 auch ein großes Dom-Fest feierte, das »allgemein als Signal für den Wiederaufstieg angesehen« wurde, wird relativ breit geschildert. Im Fall Josephs II., des Kardinals Höffner (†1987), nimmt die Broschüre mangels eigener Masse Zuflucht zur Trauerbotschaft des Papstes. Johannes Paul II. schrieb, Höffner sei als »sorgender Hirte und Mahner des Glaubens« seinen Gläubigen vorangegangen »auf dem Weg treuer Nachfolge Jesu Christi, in opferbereiter Liebe zur Kirche und zu den Menschen, besonders den Benachteiligten und Hilfsbedürftigen«.

Um ein Bild vom opferbereiten Wirken des jetzigen Kölner Kirchenfürsten, Kardinal J. Meisner, an Hilfsbedürftigen und Benachteiligten zur Weihnachtszeit zu vermitteln, zitiere ich eine Zeitungsanzeige[27]: »Wir haben uns verlobt! Roland Schindler, geadelt zum Freiherrn von Hohenlohe und Landgrafen zu Ratzeburg-Corvey, und Prinzessin Anabella Jasmin Catharina Soraya von Hohenlohe, Baronesse von Hohenzollern-Hechingen und zu Ratzeburg-Corvey, haben sich am 24. Dezember 1990 in sozialer und historischer Verantwortung vor dem Erzbischof von Köln in der Schloßabtei auf Burgschloß Hohenzollern das Versprechen zur Ehelichung gegeben.«

Kardinal Meisner, ein sprechendes Beispiel für die Tatsache, daß sich im Kirchenfürstentum nichts zu ändern brauchte, pries im März 1990 die »Fremdkörperfunktion« seiner Kirche in der ehemaligen DDR – um den eigenen Anteil am bekannt erbitterten öffentlichen Widerstand gegen das Regime zu würdigen.[28] Daß er im reichen Westen in den Widerstand gegangen wäre und wenigstens begonnen hätte, zugunsten der Armen die halbe Milliarde DM an Vermögen anzutasten, die seiner Erzdiözese gehört, ist nicht bekanntgeworden. »Zeichen setzen« bleibt auch im Kölner Pferch eine Frage der Perspektive.

Die Erzbischöfe von Köln: Kirchenfürsten wie üblich, nicht mehr und nicht weniger. Unter ihnen Kriegsherren, Heiratslustige, gelegentliche Heilige und Leute mit dauerhafter krimineller Energie, Karrieresüchtige und Spezialisten in Veruntreuung, nichts Besonderes eben. Ob das alles weit zurückliegt, ob es auf den historischen Müll der Institution gehört oder ob es noch lebendig ist, werden wir sehen.

Was Kardinal Höffner über seine Vorgänger im Hirtenamt und deren gedeihliches Wirken an den Kölnern meinte, legte er umfassend in seiner Ansprache dar, die er 1980 an den Papstbesucher Johannes Paul II. richtete[29]: »Wir freuen uns, Heiliger Vater, daß Sie bei uns sind. Es sind 931 Jahre her, daß zum letztenmal ein Papst in Köln gewesen ist. Es war der heilige Papst Leo IX., der im Jahre 1049 von Kaiser Heinrich III. und von meinem Vorgänger Erzbischof Hermann II. stürmisch im heiligen Köln begrüßt worden ist. In den dann folgenden Jahrhunderten ist das Wort Gottes in Köln immerfort verkündet und das Opfer Christi gefeiert worden . . . Es grüßt Sie Köln heute . . ., Köln, ›Romanae Ecclesiae fidelis filia‹, wie es im ältesten Stadtsiegel Kölns heißt: Köln, die getreue Tochter der Kirche von Rom.«

Ein derart pauschal vorgetragener Anspruch macht viele (inzwischen wohl die meisten) einfach sprachlos. Sie erinnern sich an jene Jahrhunderte, da Kölns Hirten alles andere lieber taten, als »immerwährend das Wort Gottes in Köln zu verkünden und das Opfer Christi zu feiern«. Sie wissen, daß Köln beileibe nicht die treue Tochter der römischen Kirche blieb – und dies heute gar nicht mehr ist. Und sie denken an jenen hl. Albertus Magnus, zu dessen siebenhundertstem Todestag der Papst eingeschwebt war. Wojtyla hatte ihn einen »hervorragenden Sohn Deutschlands« genannt, in ihm den »Genius des deutschen Volkes« zu ehren versprochen – und selbstverständlich auch die »katholische Kirche dieses Landes, die wie in der Vergangenheit bis in unsere Tage ein hochangesehenes und lebendiges Glied der Weltkirche geblieben ist«[30].

Wer ehrlicher denkt, als ein Kirchenfürst redet, weiß längst, daß Albertus Magnus ein »erbarmungsloser Unterdrücker und Vernichter jüdischer Gelehrsamkeit« war, wie Uta Ranke-Heinemann feststellte[31], dazu ein theologischer Rechtfertiger der Minderwertigkeit der Frau. Denkende erinnern sich auch, daß die Theologin wegen dieser Richtigstellungen von katholischen Schafen »dummschlau«, von anderen kurzerhand eine »Nutten-Sau« genannt wurde. Sie wehren sich auch gegen die plumpe Vereinnahmung ganz Deutschlands durch den Papst, gegen die Unterordnung einer Nation unter die »Ehre der hochangesehenen und lebendigen Kirche der Bundesrepublik Deutschland«.

Die Kölner Hirten stören sich nicht daran. Sie können mit dem Ausschluß historischer Erinnerungen gut leben; Predigten müssen offenbar mit profaner Wahrheit nichts zu tun haben. Die Schrift des Hohen Metropolitankapitels berichtet nicht nur über die Wirksamkeit der – inzwischen dreiundneunzig – Kölner Oberhirten, sondern weist auch jedem einzelnen von ihnen die »Ruhestätte« an. Da liegen die einen in der zwischen 1958 und 1969 angelegten »Erzbischöflichen Gruft« des Kölner Doms, die anderen an anderen Orten im Dom, wieder andere sind auswärts bestattet, in Kölner Kirchen oder gar in Siegburg, Kleve, Altenberg, Soest, Straßburg, Münster, Bonn, Bari und Wien (einer ruht gar in einer evangelischen Kirche!), und nicht wenige müssen sich mit unbekannten Grabstätten bescheiden. Freilich handelt es sich in jedem Fall, suggeriert die Prälaten-Broschüre, bei Kirchenfürsten um Menschen, die besondere Erwähnung, Grablegung, Verehrung beanspruchen dürfen.

Aber so und nicht anders muß wohl Geschichtsschreibung aussehen, wenn sie sich das leidige Objekt »Kirchenfürstentum« ausguckt. Und die Kirchenpresse, von dem österreichischen Theologen Rudolf

Schermann chronischer Unwahrhaftigkeit verdächtigt[32], muß sekundieren. Wer in eines der vielen noch existierenden Kirchenblättchen schaut, sieht sich in eine unwirkliche Welt versetzt – so umgeschrieben, umgedeutet sind die Fakten. Da interpretieren Prälaten im oberhirtlichen Interesse, was sie nicht verstehen. Da wird ausgeschmückt und weggelassen, da wird Kleines großgedruckt (wenn es nur richtig »katholisch« ist) und Großes kleingeschrieben (weil es dem Kirchenfürstentum nicht in den Kram paßt). Diese Meldungen aus dem Winkel gehen, Gott sei Dank, an den meisten Menschen vorbei, ohne irgendwelche Spuren zu hinterlassen. Auch wenn sich die Erzeugnisse höchst zweitrangiger Journalisten mit hochtrabenden Namen schmücken (»Ruhrwort« zum Beispiel, als achte irgendein an Rhein und Ruhr Verantwortlicher auf das wöchentliche Hirtengeleier aus Essen).

Wie oberhirtlich gelenkte Medien die Geschichte des Kirchenfürstentums geschrieben, kommentiert, dementiert hätten? Oberhirt Judas Iskariot sei nie zum Verräter geworden (weil Kirchenfürsten grundsätzlich zur Treue neigen), kein Gottessohn habe je »Mein Gott, warum hast du mich verlassen?« gerufen, schon gar nicht am Kreuz, Apostel Petrus habe sofort nach seiner Berufung zum Papst Verkehr und Umgang mit seiner Fischersfrau eingestellt, Papst Petrus habe seinen Herrn, entgegen tendenziösen Meldungen von kirchenkritischer Seite, keinen Augenblick verleugnet, die Evangelisten seien alle miteinander Augenzeugen gewesen, kein Hirte habe jemals seine Herde verlassen, nicht einer Kriege geführt, keiner Geld verschoben, Dokumente gefälscht, Kinder gezeugt. Im übrigen arbeiteten alle Kirchenfürsten um Gotteslohn.

II.

WEGWEISER DURCHS WEIDELAND ODER: WAS HIRTEN HEUTE LEISTEN

»Nicht wir Bischöfe befördern letztlich Erfolg oder Mißerfolg des Evangeliums, sondern Gottes Geist.«

Papst Johannes Paul II.
1980 in der Bundesrepublik

Ertappt wurde Papst Wojtyla bei diesem sprachlichen und theologischen Schnitzer nicht. Immerhin hätte es dem einen oder anderen auffallen müssen, daß das Oberhaupt der Kirche 1980 ausgerechnet den Geist Gottes dafür in Anspruch genommen hatte, »Erfolg wie Mißerfolg des Evangeliums zu befördern«. Erfolg, das wäre ja noch angegangen, aber Mißerfolg? Ist Gott neuerdings, wenn man Christi Stellvertreter auf Erden Glauben schenken darf, sogar für den Mißerfolg des Evangeliums verantwortlich, ja, befördert er diesen selbst? Was der jetzige Papst alles sagt, wenn der Tag lang ist, reicht häufig an die zitierte Aussage heran. Gut, daß immer weniger ihm zuhören, besser noch, daß kaum mehr jemand außerhalb des innersten Pferchs befolgt, was Johannes Paul II. predigt. Dabei meint der Papst offensichtlich alles ernst; jedenfalls ist er, der verhinderte Schauspieler (der sich zum Priester berufen sah), bei der Sache – und vielleicht glaubt er selbst, was er sagt.
Er tut gut daran. Denn er könnte wohl gar nicht sein Papstamt ausfüllen, wenn er voller Zweifel über das Kirchenfürstentum steckte. Schließlich kann es ihm nicht verborgen geblieben sein, daß sich seine Vorgänger ziemlich weit vom Fischer Petrus und dessen Frau entfernten. Mittlerweile müssen sie sich sogar anstrengen, das eigene Herrschertum, dessen Gewaltausübung Tag für Tag vor aller Augen liegt, zu kaschieren. Nackte Gewalt ist gegenwärtig nicht mehr so gefragt wie noch vor Jahrzehnten. Sie verlangt nach Verhüllung – und Umdeutung.

Am besten verdunkelt man, das lernten die Hirten beizeiten, indem man mit Begriffen jongliert. Der Wojtyla-Papst bewies schon 1978, bei seiner Amtseinführung, seinen Wählern, daß er diesen Trick perfekt beherrscht. Allen Ernstes ließen ihn seine damaligen Redenschreiber behaupten, »in der Vergangenheit« habe man vielleicht dem Papst »die Tiara, die dreifache Krone, aufs Haupt gesetzt, um durch diese symbolische Geste den Heilsplan für die Kirche Gottes zum Ausdruck zu bringen, daß nämlich die ganze hierarchische Ordnung der Kirche Christi, die ganze in ihr ausgeübte ›heilige Gewalt‹ nichts anderes ist als ein Dienst, ein Dienst, der nur das eine Ziel hat: daß das ganze Gottesvolk der dreifachen Sendung Christi als Priester, Prophet und König teilhaftig werde und immer unter der Herrschergewalt des Herrn bleibe, die ihre Ursprünge nicht in den Mächten dieser Welt, sondern im Geheimnis des Todes und der Auferstehung hat.«[1]

Nicht genug damit, daß die historische Ableitung kirchenfürstlicher Herrschaftsgewalt, die Wojtyla hier von sich gibt, atemberaubend falsch ist. Nicht genug, daß alle Kenner sich wundern müssen über den Hochmut und die Geschichtsklitterei, die Gewaltausübung von Kirchenfürsten »nicht den Mächten dieser Welt«, sondern dem »Geheimnis des Todes und der Auferstehung Christi« zuzuschreiben. Unverfroren geht der Papst noch einen Schritt weiter und nennt die dreifache Krone – ein den Kopfbedeckungen altiranischer Potentaten nachgeformtes Gebilde, für das noch Paul VI. sechs Pfund Gold verwenden ließ – ein Symbol des Dienstes. Eines Dienstes, wohlbemerkt, an dem alle Gläubigen teilhaben . . .

Wahr ist an diesem Ausspruch nur, daß bestimmte Gläubige das teure Stück mitfinanzierten – und wenigstens pekuniär an der Herrschergewalt teilnahmen. Wahrhaftig wirkt auch die Forderung, daß das gesamte Gottesvolk am besten »unter der Herrschergewalt des Herrn bleibe«, wenn es nach den Kirchenfürsten geht, die aus dieser Unterordnung unter ihren (nicht »des Herrn«) Willen Profit ziehen. Sucht jemand Beispiele für Perversionen des Denkens, braucht er in päpstlichen Ansprachen nicht lange zu suchen. Und ebensowenig in den kirchenfürstlich kontrollierten Medien.

Genug der unfrommen Lügen. Gut, daß niemand mehr auf die Unwahrheiten kirchenabhängiger Medien angewiesen ist, wenn er sich über die Zustände im Pferch informieren will. Wenn er sich beispielsweise nicht dafür interessiert, welch »hochwürdigster Herr« beim Papst gerade das Rennen um den freigewordenen Bischofsstuhl machte (weil er dies, in Fettdruck, jedem Kirchenblatt entnehmen kann). Sondern wenn er wissen will, wie wenig auch dieser Kandidat leistete, um beim vatikanischen Hürdenlauf als erster ins Ziel zu kommen.

Wer gefällt dem Heiligen Geist am besten?
Oder: Nur die Treuen finden die Hintertür zur Karriere

»Die Menschheit ... braucht Bedienstete der Kathedralen.«

Kardinal Joseph Ratzinger

Kein Job wie andere. Berufung statt Beruf. Offenbar muß einer, der sich zum höheren Dienst in der Kirche erwählt fühlt und das Zeug zum Oberhirten zu haben wähnt, alle Verdrehungen mitmachen, um vor sich – und vor allem vor denen, die über seine Karriere zu befinden haben – bestehen zu können. Gelingt es ihm, die Ausübung einer absoluten Gewalt, wie sie auf der Erde mittlerweile selten wurde, unbekümmert als »Dienst« zu deuten, und kann er immer wieder entsprechende Äußerungen dieses Empfindens abgeben, ist er im Kirchenfürstentum »zu Höherem berufen«. Er kann ziemlich sicher damit rechnen, früher oder später zum Nachfolger der Apostel aufzusteigen. Was er schließlich als Oberhirt zu tun und zu lassen hat? Ich erbiete mich, den Interessierten die Tür zum Schafspferch zu öffnen, Hirten und Herden vorzustellen und als Wegweiser durchs Weideland Dienst zu tun.

Welche Erfolgsrezepte die himmlischen Seilschaften heute befolgen

Wozu das Ganze? Braucht eigentlich noch irgend jemand die Kirche – und ihre Fürsten? Richtig: Lange schon ist die Akzeptanz des Kirchenfürstentums zum Existenzproblem geworden.[1] Für breite Schichten der Bevölkerung sanken die ausgeformten Morallehren der Oberhirten – soweit überhaupt zuverlässig bekannt – bereits unter die Schwelle der Konfliktfähigkeit.[2] Verstöße gegen Dogma und Moral erfolgen oft ohne das Bewußtsein einer Normverletzung. Die Motivationskraft kirchenfürstlicher »Ethik« verfällt von Tag zu Tag. Was weitergeschleppt wird, sind jene Restbestände oberhirtlicher Moral, denen es gelang, in allgemein konservative Ideologien der Gesellschaft einzudringen und sich in diesen – wie auf dem Terrain Ehe und Familie – zunächst zu etablieren.

Meinen Bischöfe noch immer, sie gingen in Sachen Moral voran, und veröffentlichen sie diese Ansicht als »Hirtenworte«, täuschen sie sich: Solche Schreiben lösen keine Schwierigkeit. Sie verraten nur eigene Probleme, an erster Stelle das des »Lehramtes«, seine Gewalt über Menschen zu behaupten, die sich langsam, aber sicher aus den autoritätsvermittelten Angstzuständen befreien.[3]

Dennoch: Auch wenn Tag für Tag viele Menschen die Kirche ihrer Kindheit verlassen (in die hinein sie zwangsgetauft wurden), fühlen sich die Oberhirten noch immer nicht bedroht. Wie viele Hunderttausende sie noch »verkraften«, bis sie unruhig werden? Die Antwort auf diese Frage ist nicht schwer: Solange die Basis der Hirten nicht berührt ist, das solide Fundament nämlich an Geld, Privileg und (Glaubens-)Besitz, brauchen die Herren um ihre Zukunft nicht zu zittern. Bester Beweis für diese These ist der Vatikan: Obgleich die eigentliche Bischofsstadt der Päpste, das Ewige Rom, schon längst glaubenslos ist und nur noch etwa ein Prozent der Einwohner zur Messe gehen, hält sich Papst um Papst ganz gut. Offenbar löst die Tatsache, von 99 Prozent Kirchenfreier umgeben zu sein, beim Stellvertreter Christi keinerlei Missionsbewußtsein aus. Warum denn auch? Das kirchenfürstliche Leben geht auch ohne größere Anstrengungen in dieser Richtung seinen gewohnten Gang.

Im übrigen rechnen kirchenfürstliche Rechenkünstler einfach hoch: Das Statistische Jahrbuch des Vatikans, ein Sammelsurium an Achtelwahrheiten, gibt zwar offen zu, es sei schwierig, die Gesamtzahl der jährlichen Taufen zu ermitteln. Aber auch für dieses Problem findet sich eine oberhirtliche Lösung: Der Vatikan richtet sich nach der Zahl der Geburten und nimmt an, daß fast alle Neugeborenen in katholischen Gegenden auch getauft werden.[4] So vermehrt sich die Zahl der Herde zwar nicht durch Überzeugung, doch durch Zeugung.

Dennoch sind die Fakten bedrohlich: In München überstieg die Zahl der Kirchenaustritte bereits 1974 die der Taufen. Und selbst wenn sich solche abendländischen Verluste irgendwo in Lateinamerika oder Afrika wieder ausgleichen, kann in den Stammländern Katholiens von einer allgemein verbindlichen christlichen Werteordnung nicht mehr die Rede sein. Es wäre daher an der Zeit, sich politisch an der veränderten Situation zu orientieren und die schon vollzogene Säkularisierung der Gesellschaft aufzuarbeiten. Freilich zögern Millionen Menschen, die keinen Hirten mehr brauchen, Konsequenzen zu ziehen und das Kirchenfürstentum, das ihnen nichts bedeutet, auch formell zu verlassen. Die Gründe für diese Haltung sind unklar: Antriebsschwäche? Versäumnis? Opportunismus? Angst vor dem Jenseits? Mangel an Alternativen?

Bischöfe sehen das Problem durch ihre eigene Brille. Sie bleiben Angst- und Hoffnungsmacher in einem. Sie werfen Menschen ins Wasser, weil sie die Freude genießen möchten, diese wieder herauszuziehen. Sie gehen davon aus, daß ihre Arbeit nicht nur unverzichtbar ist (wenigstens für die Treuen in der Herde), sondern auch unvergleichlich wirksam (für alle Menschen). Warum das so sein soll? Weil der Mensch zum einen, sagen die interessierten Kirchenherren, sich nicht auf ein Leben im Diesseits beschränkt, sondern auf ein Jenseits hin geschaffen ist, und weil er zum anderen eben dieses Jenseitige, das »Mehr«, nur von einer Seite geboten bekommt, nämlich von der Kirche, deren Leiter zufällig sie selbst sind.

Zwar erkennt kaum jemand noch die Begründung für diese Überbewertung an, die die Lobby nennt: das sogenannte »Mehr«, das Kir-

che und Bischöfe angeblich darstellen oder leisten. Zu Recht, meine ich, widersprechen immer mehr Menschen dem bisherigen Erfolgsrezept kirchenfürstlicher Seilschaften. Denn Kirchenobere haben weder ein historisches noch ein aktuelles Mehr. Ihr Vorsprung vor anderen Interessengruppen ist nicht allgemein anerkannt. Die Berufung auf sogenannte letzte Werte ist in der säkularen Gesellschaft ebenso wie im weltanschaulich neutralen Staat unnachvollziehbar und falsch. Von der Tatsache ganz zu schweigen, daß sich die Kirchenfürsten in ihrer Geschichte selbst millionenfach desavouierten. Das hindert aber weder diese selbst noch ihre politischen Parteigänger, den überholten Grundsatz vom »Mehr« beizubehalten und aggressiv zu vertreten. Statt endlich auch die Kirche nur als Verband unter Verbänden zu sehen, ohne ihr schon wieder Privilegien zuzuerkennen, behaupten solche Himmelslobbyisten entgegen besserem historischen Wissen, die Kirche, also nach katholischem Verständnis deren Hirten, hätte einen zeitlichen und überzeitlichen Vorsprung vor sämtlichen anderen Gruppen der modernen Gesellschaft. Im übrigen seien Bischöfe und Prälaten Kulturträger ersten Ranges im Abendland gewesen; schon von daher gesehen verträten ihre Erben und Nachfolger förderungswürdige Interessen.
Nichts von alldem stimmt. Noch ist unklar, inwieweit Musik lediglich die wichtigste Beschäftigungstherapie in den oberhirtlichen Bewahranstalten (»Konservatorien«) darstellte, Theologie ausschließlich den kirchenfürstlichen Legitimationszwecken unterworfen war, Architektur dem Bau- und Herrschbedürfnis der Hirten diente. Im übrigen haben gerade die Kirchenfürsten, und nur sie, eine immense inhumane und damit nicht-kulturelle Vergangenheit. Ein Mehr an Unkultur, zumal an Mord und Totschlag, läßt sich ebenso leicht nachweisen wie die Tatsache, daß es zutiefst unbiblisch ist, das sogenannte ideelle Mehr, falls es ein solches wirklich gäbe, finanziell honorieren zu lassen oder durch besondere Privilegien abzusichern. Kann man sich Jesus aus Nazareth, der als einziger für das ideelle Mehr stehen mag, als Garant für Gewinn und Privileg vorstellen? Kann eine kranke Gesellschaft wie die des Kirchenfürstentums, das schon das freie Wort nicht schätzt, überhaupt eine gesunde Kultur, ein ideelles Mehr hervorbringen? Das oberhirtliche Erfolgsrezept,

von Dutzenden himmlischer Seilschaften auf Kanzel und Katheder vorgetragen und legitimiert, überzeugt Denkende, Forschende, Wissende nicht mehr. Auf überzeugt Gläubige freilich verfehlt es seine Wirkung nicht. Zwar ist bei solchen Herdenmitgliedern eine auffallend geringere positive Wertung geistiger Autonomie festzustellen als bei Nicht-Gläubigen. Denken ist nicht gerade die Stärke der Schafe im kirchenfürstlichen Pferch. Sonst hätten sie dies Weideland längst verlassen.
Aber auch viele Interessenpolitiker hüten sich ängstlich vor einer Bestreitung des »Mehr«, obgleich sie persönlich nichts mit der Herde zu tun haben, sieht man von deren Möglichkeit ab, am Wahltag ja oder nein zu »christlichen Inhalten« zu sagen. Christliche Inhalte? Nicht selten gewinnen Menschen heute den Eindruck, die Oberhirten artikulierten einen »Willen Gottes«, der sich nur unwesentlich vom Wollen der maßgebenden Christenpolitiker unterscheidet. Von daher gesehen nützen Bischöfe in erster Linie den staatstragenden Parteitaktikern. Aber zugeben werden dies beide Seiten des Bündnisses nicht. Sie sprechen viel lieber vom »Volk« und der »Volkskirche«. Wahrscheinlich werden Kirchenfürsten auch deswegen als Garanten ewiger Werte geschätzt, weil der Bedarf an Ethik um so größer erscheint, je raffgieriger eine Gesellschaft ist. Eine Gesellschaft, die den individuellen Tod ebenso verdrängt wie die Frage nach dem selbstgestalteten Lebenssinn, hält sich für solche Probleme ein Spezialistenteam und garantiert diesem das Monopol der letzten Tage auch finanziell. Hinzu kommt, daß viele versäumten, den Anschluß an die Aufklärung zu halten und eine säkulare Kultur des Humanen zu entwickeln.
Bischöfe entwickelten in den letzten Jahrzehnten ihr Erfolgsrezept tatkräftig weiter. Es gelang der Lobby, die größtmögliche öffentliche Wirkung zu erzielen, auch wenn das Rezept von falschen Zutaten lebt. Von kirchenfürstlicher Seite wird neuerdings vor allem auf die sozialen Dienstleistungen verwiesen, die die Hirten erbringen oder zulassen. Das hat seinen Grund: Spezifische Glaubensfragen sind längst nicht mehr so spannend wie früher. Mit dem Dogma macht kein Oberhirte mehr Staat. Es ist für Bischöfe längst gewinnbringender, wenn sie statt vom Dogma von der »Caritas« sprechen und

von deren Leistungen im Sozialbereich. Was bei den Massen zählt, ist soziales Engagement – »die Nächstenliebe«. Vorsicht ist jedoch angebracht, wenn das Kirchenfürstentum sich als Synonym der Liebe verkauft. Vorsicht, wenn es sich als Resterscheinung von Zuwendung in einer lieblos gewordenen Umwelt verkündigt. Daß hinter den Kulissen der friedfertigen Charity (die Schuldgefühle in Form von Spenden und Kirchensteuern entgegennimmt) die alten Aggressionen lauern, bezeugen die vielen Berichte von psychisch gefolterten und vergewaltigten Menschen der Gegenwart, lauter Anklagen der von Mutter Kirche verkrüppelten Kinder. Eine Institution, welche die ihr Anvertrauten nicht so nimmt, wie sie sind oder sein wollen, kann sich nicht auf irgendeine Legitimation berufen. Da sie Kinder immer wieder auf ihr eigenes System hin verkrüppelt, bleibt sie ein ständiger Skandal.

Gegen sie kann auch niemand auf »Moral« pochen. Denn die geläufige Moral ist selbst Ergebnis und Bestandteil des Systems. An ihr Forum zu appellieren ist Unsinn, weil sie ihre eigene Existenz von denen ableitet, gegen die appelliert werden soll. Moralische Appelle sind keine systemöffnenden Fragen. Nichts innerhalb eines bestimmten Rahmens hat die Kraft, den Rahmen selbst zu leugnen. Sprechen Hirten von Moral, kehren sie höchst gefahrlos auf ihr eigenes Territorium zurück. Handeln sie in »Nächstenliebe«, brauchen sie nicht mehr um ihre Existenz zu fürchten. Sie selbst sagen seit eh und je der Welt, was unter Liebe zu verstehen sei, und die Welt ist noch voll von solcher Liebe.

Wie Bischöfe sich fortpflanzen

Was so ein Liebesentzug doch alles mit sich bringt. Ein gutes Jahrzehnt lang hatte ich nicht die Freude, mich mit leibhaftigen Bischöfen unterhalten zu dürfen. War es früher noch üblich, daß ein Wort an unsereinen gerichtet wurde, ließen sich manche Oberhirten sogar herab, das Mahl mit mir zu teilen (Woche für Woche in Rom), wurde ich, als Theologiestudent und als junger Doktor der Theologie, auch schon mal zum Eisessen in ein römisches Café eingeladen, so verdunkelte sich die Sonne oberhirtlicher Gnade sofort, als feststand, daß ich endgültig auf die falsche Seite übergewechselt war. Jetzt war ich in den Augen derer, die ihrer Berufung zur Karriere treu geblieben waren, ein schwarzes Schaf. Nicht einmal missionarische Anstrengungen wurden unternommen, mich wieder in den Pferch zurückzuführen.

Erst vor wenigen Jahren überwand ein Bischof seine Berührungsängste und setzte sich mit mir an einen Tisch. Bei einer Diskussion im Rundfunk. Ich nutzte die Gelegenheit und fragte ihn anschließend, unter welchen Umständen er denn Bischof geworden sei. Er schilderte mir den Vorgang: Unvermittelt, unverhofft sei er, ein einfacher Pfarrer, zum regierenden Bischof gerufen worden. Nach den üblichen Begrüßungsworten habe dieser gesagt, es sei jetzt Zeit, sich zu duzen, denn die »Gemeinschaft mit Christus« habe sich vertieft. Wie denn, was denn? Der Diözesanbischof zog ein Schreiben aus der Tasche, in dem mitgeteilt wurde, daß der Eingeladene nach dem Plan des Nuntius – und des Papstes – zum künftigen Weihbischof der Diözese ausersehen worden sei. Könne man mit ihm rechnen? Ja oder nein?

Ich hörte und staunte. Zufällig hatte ich ein seltenes Exemplar kennengelernt. Eine Schwalbe, die freilich noch keinen Kirchensommer macht. Einen Menschen, der seine geistliche Karriere nicht systematisch betrieben hatte, sondern so naiv geblieben war, auf den Zufall zu warten. Hoffentlich schadet ihm mein Bericht nicht noch nachträglich; man flüsterte mir in einem anderen Fall, daß die langjährige – und nicht abgebrochene – Freundschaft mit mir die Bischofskarriere eines anderen gar nicht erst beginnen ließ.

Genug der Schwalben-Geschichten. In der Regel verhält es sich anders. Eingeweihte wissen stets, wer unter Pfarrern und Theologen auf der Liste der Bischofskandidaten steht (und die Betroffenen wissen es sowieso). Wessen Chancen gerade steigen, wessen Aktien schon deswegen fallen, weil die Statistik des Kirchenbesuchs unter einem Pfarrer nach unten weist oder weil das neueste Buch eines Professors aus Versehen eine für den Nuntius anstößige Zeile enthielt. Dann wird der Botschafter des Papstes hellhörig. Dann warnt er das zuständige Ministerium im Vatikan, teilt Bedenken mit,

macht Gegenvorschläge. Dann wird aus der Nuntiatur schnell eine Denuntiatur.
Doch aus systemstützenden, d. h. schriftstellerisch unbelasteten Theologen und aus Pfarrern, die ihre Statistik in Ordnung halten, macht der oberste Hirt weitere Hirten. Die Herde wird, wen wundert's, zu keiner Zeit gefragt. Bei der Reproduktion von Bischöfen bleiben Papst, Betroffene und Hl. Geist unter sich. Eine Reproduktionskontrolle findet zwar statt (das will schon die liebe Konkurrenz), doch »Laien« haben mit ihr nichts zu tun. Die preußischen Zeiten liegen, alles in allem, hinter uns. Friedrich der Große hatte am 17. Dezember 1743 noch seine eigene Ansicht über Bischofswahlen äußern können: »Der Heilige Geist und ich, wir sind zusammen übereingekommen, daß der Prälat Schaffgotsch zum Koadjutor von Breslau gewählt wird, und die von Euren Domherren, die dagegen sind, werden als dem Hof von Wien und dem Teufel ergebene Seelen betrachtet, und die dem Heiligen Geist Widerstand leisten, verdienen die höchste Strafe.«[5]
Wie gesagt, gegenwärtig hat in der Regel nur der Papst Bischöfe zu erwählen. Ein Erbrecht gibt es nicht; die Zeiten, da ein Amtsinhaber seinen Nachfolger bestimmen konnte (und nicht selten den eigenen Sohn oder Neffen oder Liebhaber einsetzte), sind vorbei. Päpste sind gegenwärtig bei der Bischofswahl an niemanden gebunden; weder die Gotteslämmer können mitbestimmen, welchen Hirten sie gern hätten, noch gibt es – neuerdings – irgendwelche wirklich verbindlichen staatlichen Vorschlags- oder Einspruchsrechte. Daß sich freilich hinter den Kulissen allerhand tut, weil alle möglichen Einzelpersonen und Interessengruppen ihren Einfluß geltend machen, ist eine andere Sache.
Bei der Bedeutung, die ein Bischof in manchen Ländern noch immer hat, kann es beispielsweise einer Junta nicht egal sein, wer dieses Amt – dazu auf Lebenszeit – erhält. Daß es eigentlich auch der Herde nicht gleichgültig sein dürfte, wer jahrelang über ihr Seelenheil wacht, leuchtet ein. Kein Papst braucht sich jedoch um solche Sorgen zu kümmern, und gerade der gegenwärtige Amtsinhaber bewies nicht nur in einem Fall, daß er sich, wie das dem Alleinherrscher ansteht, nicht um des Volkes Meinung kümmert. Er setzte – in

Wien, in Chur, in Köln, in St. Pölten – seinen eigenen Mann und damit die von ihm favorisierte kirchenpolitische Richtung durch. Daß Johannes Paul II. gleichzeitig von Dialog, Bruderliebe, Dienst plaudert, braucht niemanden aufzuregen; Gewalt mit Liebe zu bemänteln gehört zu seinem Amt.
Mag Wojtyla auch Sand streuen, eine Meldung der »Süddeutschen Zeitung« vom 13. Juli 1991 wirft ein Schlaglicht auf die reale Lage im Kirchenfürstentum: Der Bischof von St. Pölten zeigte sich da »sehr schockiert« über die Ernennung seines Nachfolgers. Bischof Zak hatte – »empörend!« – aus dem Rundfunk erfahren, wen der Papst für seine Nachfolge ausersehen hatte, und nannte dieses Vorgehen seines Chefs nach über 35 Bischofsjahren »persönlich beleidigend«.
Der Papst bleibt – gegen Ende des 20. Jahrhunderts – ein absolutistischer Herrscher. Eine Ausnahme von der Norm der »freien päpstlichen Ernennung« findet sich nur in einigen Schweizer Diözesen, in Salzburg, in Olmütz und auch in der Bundesrepublik[6], und da riecht es doch wieder ein wenig nach Preußen: Hier dürfen, ein historisches Privileg, die Mitglieder der sogenannten Domkapitel, allesamt Prälaten, denjenigen wählen, den sie künftig als ihren Chef betrachten wollen. Hier haben sie, wenigstens der allgemeinen Regel nach, freie Hand, jenen von den drei Kandidaten auszusuchen, die der Vatikan aus einer langen Wunschliste auswählte und ihnen zur Wahl vorschlug. Wer freilich auf die Dreierliste kommt, haben sie nicht zu bestimmen. Wollte der Papst selbst dieses Stückchen Hirten-Demokratie beseitigen, stünde es ihm frei, seinen Wunschkandidaten auf die Liste zu setzen und ihn mit zwei weiteren, absolut unwählbaren Kandidaten zu garnieren. Im Fall der Wahl des letzten Kölner Erzbischofs wurden solche Vorschläge gemacht.
In der Bundesrepublik müssen in aller Regel die Wunschkandidaten auch der jeweiligen Landesregierung angezeigt werden; im Kölner Fall machte das unlängst öffentliche Schwierigkeiten. Hierzulande müssen die – von staatlichen Stellen nicht unwesentlich mitdotierten – neuen Bischöfe sogar einen Eid auf die Verfassung leisten. An diesen Ausnahmen sind die Länderkonkordate und Hitlers Konkordat von 1933 mitschuldig. Niemanden scheint es zu stören, wenn Mini-

sterpräsidenten einen Bischof zur Eidesleistung empfangen und sich anschließend, bei Sekt auf Staatskosten, mal wieder über das einmalig ungetrübte Verhältnis von Staat und Kirche unterhalten.

Wie wenig es braucht, um sich für ein Hirtenamt zu qualifizieren

Die zuständigen Kirchenrechtler bekamen Zeit genug. Sie durften sich jahrhundertelang um die in Meinungsdiktaturen sehr wichtige Frage kümmern, welche Erfordernisse ein Kandidat für den Aufstieg zur Spitze erfüllen muß. So erarbeiteten sie, eine geschichtliche Erfahrung auf die andere schichtend, wechselnde Qualifikationen und legten sie sich schließlich zurecht: Ein bestimmtes Mindestalter ist erforderlich, der Nachweis ehelicher Geburt, theologische Grundkenntnisse, ein guter Leumund. Daß diese Theorie von der Praxis immer wieder überholt wurde, ist unstrittig; die Geschichte des Kirchenfürstentums kennt Knaben als Päpste und Bischöfe, desgleichen Bastarde, Analphabeten, Kriminelle. Das sogenannte Recht setzte sich selten durch.
So ist das in absolutistischen Systemen. Ihre Funktionäre reden viel von Menschenrechten, kennen jedoch nicht einmal das Prinzip der Rechtsstaatlichkeit, weil sie alles vom Herrenwillen des obersten Oberhirten abhängig machen. Mit demokratisch geschultem Rechtsverständnis kommt man im Pferch keinen Zentimeter weit. Hirtenuhren gehen anders, und dem Papst schlägt gar keine Stunde. Seine Entscheidung ist nicht zu hinterfragen; auf den weiten Fluren des Weidelands findet sich kein Gericht, das einen vom Papstwillen unabhängigen Richter aufwiese. Wer sich darüber ärgert, versteht nichts von Hirten und Herden. Wo käme denn auch ein Hirt hin, wenn er sich von Schafen kontrollieren ließe! Rechtsstaatlichkeit kommt nur bei anderen in Betracht, bei den Staaten beispielsweise, denen der Vatikan streng auf die Finger sieht, wenn er seine »Religions- und Kirchenfreiheit« berührt glaubt.
Kein Kenner wundert sich; die Hirtenlobby tut, was sie kann. Verwunderlich ist gegenwärtig nur die Demutshaltung, in der die Völ-

ker der Welt und ihre Repräsentanten in Regierung und Parlament die ständigen Mahnungen aus dem Kirchenfürstentum entgegennehmen. Ich hörte noch nie, daß ein Staat sich gegen die Appelle verwahrt hätte, die von Hirten stammen, welche ihrerseits seit über tausend Jahren die einzig reale Diktatur auf Erden unterhalten. Und noch immer keine Anstalten machen, ihr System zu ändern. Ein wundersames Phänomen, das Weltgewissen: Es nimmt seelenruhig hin, wie Päpste die weltweit zumindest theoretisch anerkannten Menschenrechte behandeln, wie sie sich bewußt aus der Weltgemeinschaft ausklammern – und sich zugleich als oberste Instanz demokratischer Gewissensbildung feiern.

Die Jahrhunderte sind vorbei, da der Heilige Geist wenig Wahlmöglichkeiten hatte, weil in Sachen »Berufung« die Gleichung »unversorgter Adelssproß = Bischof« galt. Niemand kann heute ein Recht auf das Hirtenamt einklagen, weil er bestimmte Kriterien erfüllt – und der Erwählte nicht. Verständlich, daß unter solch – auf der ganzen Welt einmaligen – rechtlosen Umständen die genannten Kriterien vergleichsweise gering eingeschätzt werden und im Bedarfsfall stets dem einen, ausschlaggebenden weichen: jener totalen Identifikation mit dem Kirchenfürstentum, die ein waschechter Bischofskandidat jederzeit nachweisen kann. Ob ein Kandidat zu jenen Priestern zählt, zu denen fremde Kinder »Vater« (father, père, padre), die eigenen »Onkel« sagen, fiel und fällt selten ins Gewicht. Von jeder kirchenrechtlich geforderten Qualifikation kann der Papst dispensieren; auf das absolute Ja zur Kirchenfürstenart, auf eine erwiesene unverbrüchliche Papsttreue wird der Vatikan nie verzichten. Andernfalls gäbe sich das Kirchenfürstentum selbst auf.

Wer dies weiß – und welcher Karrierekandidat wüßte das nicht –, kann sich auf dieses relativ leicht zu erbringende Kriterium einstellen und sein Verhalten entsprechend ausrichten. Er beweist dann eine »Kirchlichkeit« aus Liebe zur Macht. Wer machthungrig ist, wird selbst die »Bürde« des Bischofsamtes auf sich nehmen. Schlimm steht es allerdings um jene Bedauernswerten, die alle Mühen der Kirchlichkeit auf sich nahmen – und bei Beförderungen dennoch übergangen wurden. Ihnen bleibt nur der Rückzug in die »persönliche Heiligkeit«; Demut will erlernt sein.

Bischof wird, wer dem Papst ergeben ist, wer alle Winkelzüge des Vatikans deckt und legitimiert, wer nie durch ungehorsames Denken auffällt, wer genauso redet, wie dem Stellvertreter Christi der Schnabel gewachsen ist. Eure Rede sei ja, ja und nein, nein. So einfach ist das mit der Berufung zum Hirten und so leicht nachzuvollziehen. Ein Beispiel steht für alle.

Jedermanns Mann ist er nicht, der »Oberste Glaubenswächter« am Hof des Herrn Wojtyla. Aber das braucht er auch nicht zu sein. Wojtylas Mann ist er allemal, und das reicht. Joseph Ratzinger, ehemals Erzbischof von München und Wojtyla-Wähler im Konklave von 1978, schaffte schon bald den letzten Karriereschritt. Endlich war er doch noch (fast) ganz nach oben gelangt. Und er tut alles, um sich oben zu halten; kein Wort, das falsch gedeutet werden könnte, kein bißchen Abweichung, nur Glaubenstreue – und die möglichst oft öffentlich beredet und bewiesen. So etwas beruhigt den Chef, und selbst hat man sein Auskommen. Denn von oben sieht die Welt ganz anders aus; vom zweitobersten Plätzchen herab läßt es sich gemütlich raten: Jetzt verkündet einer, der es wissen muß, im Auftrag des Karol Wojtyla einer Welt da unten, was Glaubens-Moral ist und was nicht.

Johannes Paul II. vergaß den treuen Bayern nicht, der ihm 1980, zum Abschluß der Papstvisite in der Bundesrepublik, nachgerufen hatte, von diesem Besuch des Herrn bei seinen Knechten sei »ein Strom der Freude, von neuem Mut des Glaubens und der Bereitschaft zur Nachfolge Christi« ausgegangen.[7] Was jedermann inzwischen bestätigen wird, wenn er die Lage der deutschen Kirche betrachtet.

Die Tageszeitung »Die Welt« hatte seinerzeit so unrecht nicht, als sie die Erhebung Ratzingers zum Leiter der Nachfolgeorganisation der Heiligen Inquisition als »späte Anerkennung der Leistungen der deutschen Theologie« beschrieb. Ratzinger, durch und durch deutsch-orthodoxer Denker, leistete in der Tat viel, was vom Papst anerkannt werden mußte. So, und nur so, kann ein sich voll mit der »konkreten Kirche« Identifizierender Karriere machen.

Im heimischen Bayernland hatte der Treue weit weniger erfolgreich gewirkt. Zwar war ihm immer wieder, nach eigenem Bekenntnis,

»der Geist« zu Hilfe gekommen. Doch Fortune hatte er nicht. Die Leute schätzten ihn nicht in dem Maß, wie er selbst das verdient zu haben glaubte. Seelsorge war seine Sache nie. Ratzinger blieb Professor. Als solcher hatte er seine Meriten; ein solcher wollte er auch unter der Mitra bleiben. Er wußte, warum. Zum einen verkauften sich seine Traktate nicht schlecht. Zum anderen hatte er, der Professuren sammelte wie andere Leute Antiquitäten und der es an keiner der theologischen Fakultäten, die ihn aufzunehmen hatten, lange aushielt, sich ein erkleckliches Sümmchen an Berufungsgeldern erdient. Das bedeutete schon etwas, und einige seiner lieben Kollegen blickten in einer merkwürdigen Mischung von Glaubensstärke und Neid auf den Autor, dessen »Einführung in das Christentum« einen Kierkegaard beschämt hätte.
Natürlich hatte der erfolgreich Wendige auch viel zu erdulden. Selbstverständlich ertrug er die Verfolgung durch seine Kritiker, deren Mundwerk den Wahrheitsliebenden arg grämte, beinahe so stumm wie ein zum Martyrium Erwählter. Nur deren lauteste Attakken, geboren aus »verletztem Stolz« (Ratzinger), führten gelegentlich dazu, daß der Sanfte unwirsch reagierte. Einer unter ihnen, der Kollege H. Mynarek, hieß schon 1973 den frommen Mann »feminin, geradezu mädchenhaft« und sprach ihm, was ungleich schlimmer war, jede Chance auf eine kirchliche Karriere ab. Es war sogar die Rede davon, betont böswillig und wahrheitswidrig zudem, der hehre Theologe verfüge über eine »hohe Fistelstimme«, welche die Gläubigen »zu Lachsalven im Dom animieren« würde.[8]
Solche Wahrheiten gingen wirklich zu weit – und vor allem an der wahrsten Wahrheit vorbei. Und so wurde der schlimme Schmäher denn auch vor den Kadi gezerrt, um aller Welt zu beweisen, wie Christen einander behandeln, wenn sie sich lieben. Der unaufhaltsame Aufstieg des Glaubensgenies Ratzinger war freilich durch solch mißliche Episoden nicht zu gefährden. Im Gegenteil. Wer von »einem solchen« angegriffen wird, muß der vatikanischen Wahrheit ganz nahestehen. Ratzinger bemühte sich, die Anfeindungen seitens der »spirituell Entleerten« wirksam in die eigene Karriere einzubauen und mehr und mehr diejenige Lehre, die dem jeweiligen Papst am besten gefiel, in die eigene Denkarbeit einzubeziehen. Die un-

verfälschte Weitergabe der »reinen Lehre« sei ja jeder Generation aufgegeben, meinte Ratzinger, und daher bleibe es Aufgabe besonders der beamteten Glaubenswächter, sich um diese lautere Wahrheit zu kümmern. Vor allem nachdem die Zeiten des charismatischen Chaoten Jesus aus Nazareth ein für allemal vorbei sind (was Ratzinger nun wieder nicht recht zu glauben wagt).
Joseph Ratzinger war auf dem richtigen Weg. Zumindest fiel er angenehm auf. Schließlich brachte er es zum Kirchenfürsten, für einige Zeit sogar zum einzigen Vertreter des Freistaats Bayern im Kollegium der Kardinäle. Das war folgerichtig: Wer stets Rechtes denkt, wer seine Forschung auf den Glauben ans Unerforschliche stützt, wer auch akademische Ausfälle gegen Andersdenkende nicht scheut, wer sich – was am wichtigsten ist – durch keinen öffentlich geäußerten Zweifel aus der Fassung bringen läßt, und wer an alldem noch soviel persönlichen Spaß zeigt, muß positiv bewertet werden.
Kirchenfürst Ratzinger faßte seine Erfahrungen in die ihm eigenen Worte[9], die ein ganzes Lebensprogramm enthalten: »Die Menschheit braucht nicht Priester, die gegenseitig um ihre Rechte und ihre Emanzipation streiten,... sie braucht Bedienstete der Kathedralen.« Nicht mehr und nicht weniger, und Rom kann über diesen Trost aus berufenem Mund aufatmen. Solch fromme Herren kann man im Vatikan, unter so vielen Bankern und Bediensteten der Börsen, gut brauchen.
Johannes Paul II., selbst Propagandist des schlichtesten Glaubens, kann sich in Ratzingers Sprüchen wiedererkennen, und das schafft Gemeinsamkeit. »Die Kirche ist am meisten nicht dort, wo organisiert, reformiert, regiert wird, sondern in denen, die einfach glauben und in ihr das Geschenk des Lebens empfangen, das ihnen zum Leben wird.«[10] Zwar kann Ratzinger mit diesem unverhohlen leeren Spruch kaum den Vatikan gemeint haben, doch darf von Karrieristen auch keine Logik erwartet werden. Sprachblasen genügen völlig; sie passen genau in den Hohlkörper Kirchenfürstentum.
Nun vergaßen einige nicht ganz, daß Glaube und Leben, die hier beschworen sind, nicht selten den Tod nach sich zogen. Sie erinnerten sich der Tradition der römischen Glaubensbehörde, der Ratzinger, Prophet des Kirchen-Lebens, noch immer vorsteht. Zwar bren-

nen keine Scheiterhaufen mehr, und die Folterwerkzeuge sind vorerst im Keller verschwunden. Die mörderische Terrorbande, die sich Inquisition nannte, ist heute vergleichsweise stumm, und Kirchenfürst Ratzinger spricht nie über die Leichen in seinem Keller. Denn die Institution »Kirche«, die für die schlimmsten Terrorsysteme der Vergangenheit verantwortlich zeichnet, ist – sagt sie selbst – inzwischen humaner geworden. Auch heißt das heilige Büro, dessen Chefetage Ratzinger bedient, neuerdings »Kongregation für die Glaubenslehre«.

Hinter einem so schamhaften Namen wird nur der Böswillige Böses vermuten. Das schlicht glaubende Gotteslamm denkt nicht so weit, nicht einmal, wenn es überhaupt denkt. Schließlich haben sich alle Winde auf Erden gedreht, und auch ein Konzil gab es neulich (Professor Ratzinger war, damals noch nicht ganz Kirchenfürst, als Experte dabei). Gönnen wir dem Fachmann seinen Aufstieg. Lassen wir ihn, ohne zu lachen, in seinem Kirchenfürstentum auch künftig das »Haus der Wahrheit wie der Freiheit« vermuten. Schließlich richtete er sich darin ganz bequem ein, und sein Glaubenskampf wird ihm noch besser honoriert als zuvor. Solches hat »Gott denen bereitet, die ihn lieben«.

Schön, daß die Wahrheit so oder so noch immer ihre Liebhaber und Kenner findet. Gerade zu Rom. Was H. Mynarek zu alldem meint, ist demgegenüber nur ketzerisch: »Das Beispiel Ratzinger zeigt in einer allen Zweifel ausschließenden Weise: Die Kirche kennt und besitzt auch heute noch Mittel und Wege, um den Geltungshunger derer, die ihr ergeben dienen, reich zu belohnen.«[11] So ist es eben, wenn die Wahrheit Karriere macht auf Erden.

Was Herden an ihren Hirten besonders lieben

In Podiumsdiskussionen und Talkshows wurde mir immer wieder belegt: Wer richtig und gut katholisch erzogen ist, läßt sich durch kein einziges Argument aus seiner Schafsruhe bringen. Karlheinz Deschner bestätigt meine Erfahrung: Ein Kirchenbezahlter zischte ihm unlängst zu, noch so viele seiner »Kriminalromane« (d. h. sei-

ner wasserdichten Daten und Fakten aus der Geschichte des Christentums!) brächten ihn nicht von der Wahrheit ab.
Gewiß ist streng wissenschaftliches Denken nicht die Stärke der Gläubigen. Aber warum nicht? Weil die sich zur Herde Zählenden nackte Angst vor der Wahrheit haben. Angst, die gewohnten Sicherheiten aufzugeben, sich einmal nur auf sich selbst statt auf irgendwelche Hirten zu verlassen, die einem unfehlbar sagen, was Dogma, Moral, rechte Ordnung sei. Unmündig gehaltene Menschen brauchen schlichtweg einen Vater-Halt im Leben, und den – nur den – können ihnen die ganz und gar auf Autorität ausgerichteten Hirten geben. Gregor XVI. (†1846) sagte ganz offen: »Der alles mit Weisheit gemacht und in vorsorglicher Einrichtung angeordnet hat, der hat gewollt, daß erst recht in seiner Kirche Ordnung herrscht und die einen Vorgesetzte seien und befehlen, die anderen aber Untergebene und gehorchen.«[12]
Verständlich, daß Menschen, die zum Gehorchen geboren zu sein glauben, sich im Kirchenfürstentum – und nur dort – wohl fühlen. Wer seinen Status als »Kirchennichts« freudig bejaht, wird sich nicht mit Denken aufhalten oder nach Information verlangen. Pius XII. bezeichnete solche Schafe unverfroren als »Instrumente in der Hand der Hierarchie«[13] – und erfuhr keinen Widerspruch aus dem Pferch.
Kein Wunder auch, daß die »vorgesetzten« Bischöfe noch immer die Symbole der Vatergewalt lieben, mit »Hirtenstäben« und ähnlichen Phallussymbolen glänzen, hohe Hüte (Kronen, Mitren) tragen. Diese Schmuckstücke sind zwar allesamt fremden Herrenkulturen entliehen, die Tiara den persischen Großkönigen, der Krummstab den byzantinischen Marschällen, doch die Hirten kommen durch den Gebrauch solcher Zeichen dem Willen zur Unterwerfung entgegen, bestätigen die in sie gesetzten Erwartungshaltungen – und verlängern die Infantilität der Gotteskinder von Epoche zu Epoche. Der Römische Katechismus faßt schon im 16. Jahrhundert die bei Schafen erwünschte Haltung in klare Sätze: »Der Glaube muß also, mit Ausschließung nicht nur jeden Zweifels, sondern auch der Sucht zu beweisen, festgehalten werden.«[14]
Nicht ohne Grund ist auch der Vatergott, den Kirchenväter ihrer

Herde vorstellen, nach demselben Bild geschaffen. Ohne die Allwissenheit, Allgüte, Allmacht des obersten Vaters im Rücken kämen sich alle Kindlein verlassen vor. Verständlich, daß die Symbiose funktioniert: Der eine Vater braucht viele Väter, und diese benötigen ihn. Nur so stellt sich jene Geborgenheit her, die »Mutter Kirche« den Schafen bietet.

Heimat finden die Verängstigten auch in der Tatsache, daß ihre Hirten auf einem ganz speziellen Gebiet als Übermenschen gelten. Wer das Martyrium der Ehelosigkeit auf sich nimmt, hat – zumindest dem Schein nach – gegenüber den ehelich Gebundenen einen unschätzbaren Vorzug: Er ist eine Art Übermann, da er seinen »Trieb« beherrschen kann, während der normale »Laie« durch die bloße Existenz seiner Ehe bekennt, ein Schwächling zu sein, der von seiner Leidenschaft nicht zu lassen vermag.[15] Kein Wunder, daß die treuesten, fundamentalistischsten Gotteskinder sich so vehement gegen eine Abschaffung des Zölibats stemmen. Verheiratete Hirten brächten ihrer Meinung nach eine Nivellierung nach unten mit sich. Sie wären plötzlich nicht mehr die Übermänner, zu denen die Herden aufschauen können, um an lebendigen Beispielen eine Lebensform zu bewundern, die ihnen selbst verwehrt blieb.

Honorius II. (†1130) sprach zu solchen, als er – wie hirtenüblich ein wenig außerhalb der historischen Wahrheit – dekretierte: »Seit Anfang der Kirche bieten sich ihren Kindern zwei Lebensformen an; die eine, um die Schwäche der Gebrechlichen zu stützen, die andere, um das Glück der Starken zu vollenden.«[16] Und Innozenz III. (†1216) beschrieb den Sachverhalt schließlich ein für allemal und zog zeitlose Schlüsse: »Deshalb hat der Herr im Gesetz befohlen: ›Die Götter sollst du nicht herabsetzen‹ (2 Mose 22, 28), womit er die Priester meinte, die wegen der Erhabenheit ihres Standes und der Würde des Amtes mit dem Namen von Göttern bezeichnet werden.«[17] Der Römische Katechismus folgte im 16. Jahrhundert dieser Argumentation: »Da die Bischöfe und Priester gleichsam Gottes Dolmetscher und Botschafter sind, welche in seinem Namen die Menschen das göttliche Gesetz und die Lebensvorschriften lehren und die Person Gottes selbst auf Erden vertreten: So ist offenbar ihr Amt ein solches, daß man sich kein höheres ausdenken kann, daher

sie zu Recht nicht nur Engel, sondern auch Götter genannt werden.«[18]
Recht so. Man kann sich unter Menschen kein höheres Amt »ausdenken«, und die es sich als erste ausdachten, ziehen denn auch bis heute aus dieser Erfindung reichen Gewinn. Denn, so Kardinal Petrus Amelli (†1389), »der Papst und die Herren Kardinäle sind solcherweise in der Kirche, daß sie gleichzeitig diese römische Kirche selber sind«[19]. Offenbar kann sich ein Gotteslamm an alles gewöhnen.
Im Pferch fällt auch die Nachricht aus dem Februar 1991 unters Gewöhnliche, ein katholischer Bischof aus Kanada müsse sich demnächst wegen Vergewaltigung und anderer Sexualverbrechen in sechs Fällen vor Gericht verantworten.[20] Der hochwürdigste Herr soll die Straftaten als früherer Leiter einer Missionsschule begangen haben. Kanadische Indianer werfen übrigens der Kirche seit langem vor, in den ihr gehörenden Internaten seien Kinder physisch, psychisch und sexuell mißhandelt worden. Entsprechende Urteile sind bereits gegen Hirten ergangen.

Wie leben Oberhirten – und auf wessen Kosten? Oder: Weshalb sich Bischöfe zu den besseren Leuten zählen

> »Wir müssen uns den Sinn für unsere einzigartige Berufung bewahren, und diese Einzigartigkeit muß sich auch in unserer Kleidung zeigen. Schämen wir uns ihrer nicht!«
>
> *Papst Johannes Paul II.*
> *1979 an die Hirten der Kirche*

Als es darum ging, ob ich nach fünf Jahren Amtszeit weiter Kirchenrechtsprofessor mit oberhirtlichem Segen oder ohne diesen sein würde, führte ich mit dem Bischof von Münster, H. Tenhumberg, etliche Gespräche unter vier Augen. Was mir in Erinnerung blieb, war eine seiner Aussagen über das eigene Amt. Er klagte, kein anderer Beruf habe in den sechziger Jahren soviel gelitten wie der seine. Bischöfe seien längst nicht mehr das, was sie einmal waren.

Ich war an einer Differenzierung interessiert. Gewiß wurde den Oberhirten in den Jahren kurz nach dem Zweiten Vatikanischen Konzil manch frühere Freude vergällt; sie konnten nicht mehr ganz so unkontrolliert und damit sorgenfrei schalten und walten, wie sie wollten. Sie bekamen mehr und mehr den Druck einer aufgeklärteren Öffentlichkeit zu spüren; daß sie diese Lage als Leidensdruck empfanden, war ihre Sache. Vor allem Bischöfe, die in feudaler Gesinnung und Haltung aufgewachsen waren, taten sich schon mit dem bißchen Demokratisierung schwer, das auch die Grenzen ihres Kirchenfürstentums erreicht hatte. Aber grundsätzlich änderte sich, von diesem »Leidensdruck« abgesehen, nicht viel. Daher haben noch immer ausschließlich Bischöfe etwas zu melden. Noch immer klammern diese Kirchenfürsten sich an ihre herausgehobene Stellung, noch gaben sie keine Privilegien auf; Pfarrer sind auf Gehorsam dressiert, und die Gläubigen sowieso. Entscheidende Änderungen wurden von den Bischöfen immer wieder abgeblockt, verschoben, vergessen. Kein Wunder, denn nach dem eigenen Organisationssystem bestimmen Papst und Bischöfe allein, was im Pferch zu ändern – oder beizubehalten – ist. Anregungen, die von unten kommen, können nach Gusto aufgegriffen, abgemildert oder, was am häufigsten vorkommt, als inopportun, d. h. lästig, verworfen werden.
Hin und wieder berufen sich zwar noch immer einige, die nicht begriffen haben, was Kirchenfürsten sind, auf jenes ominöse Konzil aus den sechziger Jahren, dessen »Geist« alles neu gemacht haben soll. Doch wer sich in die Erinnerung an dieses ferne Ereignis flüchtet, übersieht zum einen, daß auch auf diesem römischen Konzil nur Fürsten am Werk waren (die wußten, was ihnen guttat und was nicht), und zum anderen, daß die Päpste auffallend schnell dazu übergingen, den »Gehorsam gegen das Konzil« zum »Gehorsam gegen die Bischöfe« umzudeuten, »welche die konziliaren Bestimmungen interpretieren und ausführen«.[1] Damit war klargestellt, daß – von kosmetischen Operationen abgesehen – alles bleiben konnte, wie es war.
Über das kircheneigene Patriarchat, das keine Demokratie kennt und nach eigenem Verständnis auch keine kennenlernen wird, spreche ich noch. An dieser Stelle genügt der Hinweis auf jene »Äußerlich-

keiten«, die offiziell immer als solche ausgegeben werden – und doch, da Form gleich Inhalt ist, keine sind. Denn was sich nicht änderte, war das Erscheinungsbild der Oberhirten. Zwar sind die sogenannten Paramente, die Kleider der Hirten, neuerdings etwas moderner gestaltet, die langen Schleppen abgeschafft, die großen Edelsteine auf Bischofsringen verschwunden und gegen »einfache« Hirtenringe, was immer dies sei, ausgetauscht. Der wohldimensionierte Diamant beispielsweise, den Leo XIII. von einem Sultan für seinen »Fischerring« geschenkt bekam, ist gegenwärtig in den vatikanischen Fundus abgetaucht; er fand dort Dutzende ähnlich aufwendige Ringe vor.

Bischöfliche Ringe haben es in sich: Wer sie tragen darf und wer nicht, ist zeremoniell festgelegt. Nichtbischöfen ist das Tragen eines Ringes verboten; schließlich muß auch in solchen Dingen Ordnung sein. Doch gibt es, wie immer in dekretierfreudigen Bürokratien, Ausnahmen. Denn »außerhalb der Messe« dürfen auch die rechtmäßig ernannten Doktoren der Theologie oder des Kirchenrechts Ringe tragen. Ein Spaß am Rande: Hatte sich in unserem Priesterkolleg zu Rom ein als überdurchschnittlich eitel bekannter Oberhirte zu Besuch angemeldet, wurde ein »Doktorring« besorgt. Und da ich seinerzeit der einzige Dr. theol. in unserer Runde war, zog ich den Ring beim Essen aus der Tasche und wartete ab. Nicht nur in einem Fall stockte der hochwürdigste Herr mitten im Hirtenwort, beäugte mich und den Ring und war gelinde verunsichert. Scherze gelangen auch an den Toren zum Vatikan, da die diensthabenden Schweizergardisten darauf dressiert waren, vor Ringträgern das Gewehr zu präsentieren.

Mit dem Ersatz der früher mit Spitzen gesäumten Gewänder durch neuzeitlicher geschnittene und gesäumte (jede Änderung der Hirtenmode beschäftigt Scharen von Nonnenschneiderinnen) ist der Kern des durch byzantinische Ausstattung ausgewiesenen Bischofsamtes nicht im geringsten berührt. Auch unter schwarzen Pullovern, die an die Stelle der ehemaligen lilafarbenen Westen traten (bei einer verschwindend kleinen Minderheit der Kirchenfürsten, bei den »modernen«), verbergen sich die herkömmlichen Ansprüche. Ein »Kardinal der Bergleute« wie der Essener Hengsbach, der

bei jeder Gelegenheit damit kokettierte, sein Ring trage statt eines Edelsteins ein Stück Ruhrkohle, brauchte seine Amtsführung nie umzustellen; ein Bischofsamt, vom Kardinalat zu schweigen, erlaubt es dem Träger nun einmal zu bleiben, wie er sich wohl fühlt.
Wie das eben so ist, wenn einer in die Fußstapfen der Apostel tritt: Oberhirten tragen – vom Vatikan genau vorgeschriebene [2] – farbige Socken; lilafarbene, wenn sie nicht Kardinäle sind, rote, wenn sie diesen Karriereplatz erreichen. Derselbe Farbwechsel betrifft auch das kreisrunde Käppchen, das im Regelfall getragen – und sinnigerweise nur zum Höhepunkt der Pontifikalmesse (nach der sogenannten »Wandlung« bis zur »Kommunion«) abgelegt wird. Das protokollarisch korrekte Schuhwerk weist Silberschnallen auf. Kein Oberhirte benutzt hierzulande ein Brustkreuz aus Holz; vielmehr wurde der Fundus des jeweiligen Bistums noch angereichert. Neben die Dutzende goldener Kreuze, die frühere Oberhirten trugen und der bischöflichen Schatzkammer überließen, sind nämlich moderner gestaltete getreten; aus Edelmetall sind sie nach wie vor.
Wer die Angebote von Bischofsausstattern der Gegenwart betrachtet (Kataloge liegen vor; in Rom gibt es mehrere Spezialisten), merkt schnell, daß alles beim alten blieb. Bischöfe tragen, typisch feudalistisch, noch immer ihre hervorstechenden Kleider in bischofstypischer Farbe und von oberhirtlichem Zuschnitt. Sie führen nach wie vor Wappen, bekennen sich zu »Wahlsprüchen«, machen vor ihren Taufnamen ein Kreuzchen (ein verballhorntes griechisches t von »tapeinós«, »bescheiden«!)[3], unterschreiben mit †Walter, †Klaus und so fort. An allen Ecken und Enden merkt der gewöhnliche Mensch, daß es sich bei dieser Spezies nicht nur um arrivierte, sondern um »bessere Leute« handelt. Offenbar will es der Gott dieser Patriarchen noch immer so haben; ich finde, er hinkt ziemlich hinter der Restwelt her. Freilich: jedem das seine. Wer glaubt, sein Amt sei nur von anderen zu unterscheiden, wenn es sich farbig und edelmetallreich schmückt, darf sich an sein Evangelium halten und den entsprechenden Mercedes fahren.
Kardinäle, nach eigenem Verständnis die »cardines« (Türangeln) des Kirchenfürstentums, »in welchen die universale Kirche ruht und sich bewegt«[4], nahmen im Verlauf der Geschichte ihrer Institution

alle Allüren von Aristokraten an. Im 13. Jahrhundert erhielten sie – auf dem Konzil von Lyon – den Vortritt vor den weltlichen Fürsten und den roten Hut. Beide Vorzüge beanspruchen sie, protokollarisch den »Prinzen von Geblüt« gleichgesetzt, noch heute. Ihr Titel »Eminenz« stammt von den fränkischen Königen. Er ziert selbst die »Caffoni-Kardinäle«, aus der Unterschicht aufgestiegen und wegen ihrer Unkenntnis in Etikettenfragen von den Kollegen verspottet. 1245 erlaubte Innozenz IV. den Eminenzen den Purpur, 1464 eroberten sie von Paul II. seidene Mäntel und Schleppen (geraume Zeit bis zu zwölf Meter lang) sowie purpurfarbene Geschirre für ihre Pferde. Schließlich trat – zur Winterszeit – der königliche Hermelinumhang hinzu, silberne Zeremonienstäbe, vielfarbige Schirme (die Livrierte der Eminenz vorantrugen), Schuhe mit roten Absätzen und Sohlen folgten, und der Kirchenfürst – ein lebendes Bild des El Greco – war fertig. Noch vor wenigen Jahren waren derart ausgestattete Kardinäle zu sehen; die meterlange Schleppe erwies sich als ungemein praktisch, ermöglichte sie es doch den – ihrem Volk Segenshändchen zuwerfenden – Herren beim Einzug in einen Dom, sich vorne am Altar und zudem noch im Mittelteil des Gotteshauses aufzuhalten.
Eine flüchtige und folgenlose Erinnerung an den vergessenen »Kirchenstifter«, der seine Jünger, die ausgezogen waren, Johannes den Täufer zu sehen, fragte (Lk 7, 25): »Als ihr in die Wüste zu ihm hinausgezogen seid, was habt ihr da erwartet? Einen Mann in vornehmen Kleidern? Solche Leute wohnen doch in Palästen!« Jesus bekam recht; er war wenigstens hierin ein Prophet. Die Nachfolger der Apostel, die sich auffallend gern auf ihn berufen, tragen schon lange vornehme Kleider und wohnen in Palästen.
Kaum ein Thema bewegt richtige Schafe wie das der korrekten Kleidung ihrer Hirten. Die Spielwiese im Pferch verwandelt sich schnell in eine Arena, wenn eine Lebens- und Überlebensfrage von hamletischer Tiefe wie jene diskutiert wird, ob nicht nur Priester, sondern auch Bischöfe sich Krawatten umbinden oder wenigstens dunkle Pullover tragen dürfen, ohne ihr Amt, Zeichen der jenseitigen Berufung, aufzugeben oder sich, was dasselbe ist, etwas Herrscherliches zu vergeben. Es ist denn auch für das kirchenfürstliche Milieu von

entscheidender Bedeutung, ob die Frohe Botschaft im purpurnen Talar oder im Maßanzug verkündet wird.
Was habe ich nicht alles an einschlägigen Diskussionen erlebt, welche Seinsfragen disputiert gehört! Historiker waren dabei nicht gefragt. Sie hätten argumentiert, die »Zeichenhaftigkeit« der Farben Schwarz, Lila oder Purpur sei nichts anderes als Ausdruck der Verhaftung an einen bestimmten Zeitgeist.[5] Denn so merkwürdig es manche berühren mag: Formen und Farben der oberhirtlichen Kostüme sind den Kleiderschränken dieser Welt entlehnt. Als vom 5. Jahrhundert an die Römer von den hereinbrechenden Barbaren die neueste, kurzgeschnittene Mode übernahmen, wollten die Oberhirten »ein Zeichen setzen« – und die herkömmliche Tracht, lange Talare, beibehalten.[6] Synoden der Folgezeit schlugen sich immer wieder mit dem Problem herum; allerdings waren ihnen Formen und Farben meist schnuppe. Was sie einzudämmen suchten, war die Lust der Hirten, es den reicheren Schafen gleichzutun, einem üppigen Kleiderluxus zu frönen, allzu schreiende Moden zu favorisieren, Glanzstiefel und Schnabelschuhe[7], rot oder grün gewürfelte Strümpfe und an der Seite offene Hosen zu tragen, die Jagdkleidung auch in den Bischofskirchen nicht abzulegen.[8] Noch auf dem Ersten Vatikanum fand sich 1870 ein Kirchenvater, der todernst behauptete, Jesus selbst sei immer im Talar umhergewandelt und in diesem Kleidungsstück auch dem Apostel Johannes erschienen.[9]
Ständig reflektierte Kleiderordnungen passen zum konkreten Kirchenfürstentum. Sie befassen sich damit, wer eine dreizackige Kappe (Birett) tragen darf und wer eine mit vier Zacken, wer auf diese Kappe einen schwarzen, lilafarbenen oder rötlichen Quast setzen kann und wer nicht. Wer einen bordeauxroten Talar tragen, wer nur die Knöpfe seines Talars in dieser Herrenfarbe ausstatten, wer welche Schärpe um den Bauch knüpfen und wer sich dazu eine Art Pelerine aufnähen lassen darf. Kenner des hierarchischen Milieus können an den Details ablesen, welche Rangstufe der Hirte erklomm.
Der Theologe und Schriftsteller Sebastian Franck sagte 1534, was noch heute ziemlich aktuell ist: »Die Pfaffen tragen lange und weite Röcke, zirkelrunde Barette, auch Kappenzipfel genannt, von seide-

nem und wollenem Tuch. Sie gehen üblicherweise müßig in Pantoffeln einher, ehrlos, unnütze Leute, die wenig studieren, ihre Zeit mit Spielen, Essen, Trinken und schönen Frauen zubringen. Von den Päpsten haben sie große Freiheiten; niemand darf sie strafen oder antasten.«[10]

Kirchenfürsten, mittlerweile auf die Ehrenplätze der Welt abonniert und bei jedem Staatsbankett vornedran, bleiben sich treu. Ein Beobachter mokiert sich im 19. Jahrhundert über die Amtstracht der anglikanischen Hirten, die ihre katholische Herkunft noch heute nicht verleugnen: »Nichts ist häßlicher und zugleich komischer als die Demitoilette der englischen Erzbischöfe. Eine kurze Schulmeisterperücke, schlecht gepudert, ein schwarzer französischer Rock und eine kleine schwarzseidne Damenschürze vorne über den Inexpressibles, wie sie die Bergleute hinten zu tragen pflegen.«[11] Der Schreiber, Fürst Pückler-Muskau, fragte sich dann, ob das an neckischer Stelle angebrachte Schürzchen auf das Keuschheitsgelübde der Oberhirten hinweise. Doch hatte er vergessen, »daß die englischen Erzbischöfe, die sonst so echt katholisch sind, sich das Heiraten reserviert haben. Doch ist es wahr, daß ihre Frauen eigentlich nur wie Mätressen behandelt werden, denn sie dürfen nicht den Namen ihres Mannes führen.«

Ein Exkurs zu den heutigen Kleiderproblemen katholischer Kirchenfürsten: Waren noch bis ins 19. Jahrhundert für liturgische Gewänder Seide (Samt, Plüsch) oder Leinen vorgeschrieben und Wolle (tierische Herkunft!) verboten, so ist das Verbot mittlerweile gelokkert. Zu feierlicheren Anlässen jedoch, meinte das Konzil, können »wertvollere Paramente« verwendet werden, auch wenn sie nicht der Tagesfarbe (beispielsweise Grün für die gewöhnlichen Sonntage des Kirchenjahres) entsprechen.[12]

Die Unterschiede bleiben dabei wie gehabt, und ebenso deren »dogmatische« Legitimation. Daß Bischöfe eine besondere Kleidung tragen, die sie aus der Menge der Herde heraushebt, »hilft auf der sichtbaren Ebene, die wesentliche, von Christus gewollte hierarchische Struktur zu verdeutlichen«[13]. Die Kirchenfürsten ließen auf ihrem Konzil keinen Zweifel: »In der Kirche als dem Leib Christi erfüllen nicht alle Glieder dieselben Aufgaben. Diese Vielfalt der

Dienste wird im Gottesdienst durch eine unterschiedliche liturgische Kleidung verdeutlicht.«[14] Daß die so hochgelobte kirchenfürstliche Liturgie überhaupt keine originären Symbole, Gesten, Riten kennt, sondern ihre Prozessionen, Glocken, Weihrauchfässer, Weihwasserwedel, Kopfbedeckungen, Paramente irgendeiner »heidnisch-weltlichen« Sphäre entnahm, ist ein Problem oberhirtlicher Anpassung an den Zeitgeist.

Jeder kennt zwei Paradestücke kirchenfürstlicher Höherstellung, den Hirtenstab und die Bischofsmütze: Der Stab ist gebogen; nur der Papst benutzt – aus historischen wie aus »mystischen« Gründen[15] – ein aufrechtes Exemplar. Beide Gründe haben es in sich: Nach einer historischen Legende soll schon der hl. Petrus seinen – gebogenen – Stab dem Trierer Oberhirten geschenkt haben, und daher müssen die Nachfolger auf ihn verzichten. Und das »Mystische« am geraden Stab: Weil der Stellvertreter Christi keiner Autorität unterworfen ist, braucht sich auch sein Stab nicht zu krümmen.[16]

Die bischöfliche Mitra (die ehrenhalber – in simplerer Ausstattung – auch Prälaten tragen, die keine Bischöfe sind) wurde schlichtweg der Kopfbedeckung nichtchristlicher Potentaten entlehnt und getauft. Ihre beiden Hörner symbolisieren jetzt »Nächstenliebe und Gerechtigkeit« (so der Wahlspruch des früheren Kölner Kardinals Höffner), die zwei rückseitig herabhängenden Bänder »Geist und Buchstaben des Gesetzes«. Roger Peyrefitte spottet: »Für das Volk wird es niemals einen schöneren Beweis der Existenz Gottes geben als die Mitra eines Bischofs.«[17]

Ein ehernes Prinzip kirchenfürstlicher Liturgie, die, wie gesagt, die gottgewollten Unterschiede zwischen Menschen zementiert, zeigt sich auch im Gebrauch des Weihrauchs: Die Schwünge des Weihrauchfasses sind genau vorgeschrieben. Das Altarkreuz erhält drei Doppelschwünge zugewiesen, Reliquien bekommen entsprechend weniger, den Oberhirten stehen einfacher ausgeführte Schwünge zu, und das gläubige Volk muß sich mit noch weniger Ehre begnügen. Schon der jüngste Meßdiener bekommt auf diese Weise die Grundzüge hierarchischer Lebensart vermittelt.

Höheres Wissen wird vorausgesetzt, handelt es sich um die liturgischen Küsse: Waren noch bis vor wenigen Jahren bestimmte Kußriten vorgeschrieben, nach denen zum Beispiel zuerst die Hand des Oberhirten geküßt und ihm dann ein liturgischer Gegenstand gereicht wurde, mußte sogar beim Empfang der Kommunion zunächst der Ring des Bischofs geküßt und erst dann der Mund für die Hostie geöffnet werden, setzt sich neuerdings in den Hirtenmessen die aus romanischen Ländern bekannte Sitte des Wangenkusses – als »Friedenskuß« gedeutet – durch. Mittlerweile verzichtet auch der Papst darauf, die Hostie mit güldenen Sternchen auf der Patene beschweren zu lassen oder Goldröhrchen zum Ansaugen des »Blutes Christi« aus dem Kelch zu benutzen. Seither kann kein Mensch mehr behaupten, das Kirchenfürstentum verschließe sich durchgreifenden Reformen.

Bischofs-Messen gelten als besondere Manifestationen der Kirche[18], sogar als ihre »hauptsächliche« liturgische Erscheinungsform. Bedauerlich, klagt ein Prälat[19], daß gerade bei solchen Gottesdiensten das Volk weitgehend ausgeschlossen ist. Bedauerlich oder symptomatisch?

Wie man noch in den Prachtbauten des Mittelalters und des Barocks sehen kann, waren Hirt und Herde jahrhundertelang durch schwere schmiedeeiserne Gitter voneinander getrennt. Vorne, am Hochaltar, murmelten die Bischöfe unverständliche Sätze in der Herrschaftssprache Latein, und hinten, auf den billigen Plätzen, machte der Volksmund aus den Wandlungsworten »Hoc est enim corpus meum« (Das ist mein Leib) ein Hokuspokus.

Wie das mit unverständlichen Sprachen so ist: Hirten mögen als Bischöfe angesprochen werden; das Wort »Pfaffe« hören sie ungern. Aber Pfaffen haben mit Hirten alles gemeinsam: Der Begriff setzt sich aus den Anfangsbuchstaben der Wörter »Pastor fidelis animarum fidelium« zusammen, was soviel bedeutet wie »der treue Hirt der gläubigen Seelen«.[20] Was also ist gegen den Gebrauch des »Pfaffen« einzuwenden?

Ob Menschen, die gewisse »äußere« Formen verteidigen, auch Charakteränderungen erfahren? Es ist jedenfalls nicht leicht, aus der Herde herausgehoben zu sein und dennoch nicht zu jenem Amtsgestus zu finden, der Oberhirten prägt. Wer seine Berufung durch seine Kleidung unterstreicht, muß den Eindruck bekommen, er sei wirklich etwas Anderes, Besseres. Und wie kann es ein Mensch ertragen, täglich von Menschen umgeben zu sein, die ihren Gehorsam wie »des Christen Schmuck« tragen? Da bildet sich ein Herrencharakter, ein (Selbst-)Bewußtsein, das seinesgleichen sucht. Der höhere Amtsträger erlebt ein Berufsleben lang die ihm begegnenden Menschen (Mitarbeiter, Zuträger, Gläubige) vor allem als Gehorsame; Widerspruch, der Folgen hätte, findet sich nur selten.

Ich erlebte, welche Konsequenzen ein bischöfliches Amt auf die Persönlichkeit der Betroffenen hat: In Rom, wo jede Woche farblich Herausgehobene mit am Tisch saßen, ließ sich das nicht vermeiden. Ich hörte mit an, wie sich Dialoge unter den Oberhirten entspannen. Es gab Bischöfe, die sich allen Ernstes untereinander mit »Exzellenz« titulierten. Kardinäle wurden von ihren »Mitbrüdern im Bischofsamt« (wie das nach dem Konzil hieß) streng protokollarisch mit »Eminenz« angeredet. »Wann werden Eminenz morgen vormittag den Vatikan aufsuchen?« sagte einer todernst zum ranghöheren Mitbruder. Nach solchen Vorgaben war es selbstverständlich, daß die Nonnen, die die Oberhirten bedienten, zu besonderer Frageform aufliefen: »Euer Gnaden, was nehmen Exzellenz zum Frühstück zu sich?« Nie hörte ich, daß sich ein Bischof dazu bequemte, die unwürdigen Formen zu hinterfragen und den Nonnen zu sagen, er hieße einfach Herr Soundso. Oberhirtliche Leutseligkeit bewies sich im Verteilen hehrer Worte an die Menschen da unten, an Nonnen, die – als Frauen und doppelt als gottgeweihte Frauen – ohnedies auf der kirchenfürstlichen Rangskala den untersten Platz einnahmen.

Die Todesanzeige für den sogenannten Kirchenrebellen Lefèbvre (der nie einer war, da sich seine Ansichten auffallend gut mit denen des Vatikans vertrugen[21]) in der »Welt« vom 30. 3. 1991 nennt den Verstorbenen »S. Exc. Erzbischof«. Daß sich an diesen Titel die Würdigung der erzbischöflichen Exzellenz Lefèbvre als eines »Verteidigers des katholischen Glaubens gegen Irrlehre und Abfall« und als eines »mutigen Streiters für die Ausbreitung des Reiches Gottes auf Erden« anschließt, ist konsequent. Der Titel »Hochwürdigste Exzellenz« wurde den Bischöfen übrigens 1930 vom Vatikan zugelegt; erst in den fünfziger Jahren verbot der Papst den Gebrauch von

Adelstiteln, -wappen, -siegeln, -kronen, die bestimmten Bischofssitzen seit alters zustanden.[22] Die Betroffenen rangen gewaltig um Fassung.
Als wahre Bischöfe sind nach wie vor nur exzellente Leute zu gebrauchen; was solche allein an Grundbesitz, geldwerten Privilegien und Steuereinnahmen verwalten, macht manche Manager mißgünstig. Oberhirten, deren »Tafelgüter« (Besitz und Einnahmen des bischöflichen Hauses) Millionen umfassen, die Weinberge, Wiesen und Äcker besitzen (»als besäßen sie nicht«), Exzellenzen, deren Bistum Jahr für Jahr fast eine Milliarde Mark Einnahmen verzeichnet (die wieder ausgegeben sein wollen), können nichts anderes, als bessere Herren sein. Einsichtig, daß ein Bischofskandidat nicht unbedingt der heiligmäßigste Priester oder der eindrucksvollste Theologe der Diözese zu sein braucht. Hauptsache, er versteht etwas von Gelddingen und beweist sich als jener »getreue Verwalter«, den schon Jesus aus Nazareth, wenn auch in einem etwas anderen Sinn, als Vorbild gepriesen haben soll.
Ebensowenig wie sich der Einsiedlerpapst Cölestin V. gegen die Tatmenschen im Oberhirtenamt behaupten konnte, sind Bischöfe zu gebrauchen, die nichts von den Dingen dieser Welt verstehen. Wir werden noch von einem Realpolitiker im Vatikan, Erzbischof Marcinkus, zu hören bekommen, daß sich diese Kirche »nicht mit Ave Marias« in Gang halten läßt. Der Mann hat recht. Im übrigen, so beobachtete der französische Romancier Marcel Aymé, liebt das Volk die Kärglichen nicht. Die Herde wähnt, ein Hirte, der am Ende seines Lebens nur arm dastehe und keine Unmenge Baudenkmäler hinterlasse, sei seinem Beruf nicht gerecht geworden. Verständlich, daß kaum ein Skandal es schafft, einen Hirten zu vertreiben. Die Zuschreibung »barocke Persönlichkeit«, die keine Fragen nach den Details der oberhirtlichen Finanzwirtschaft aufkommen läßt, spricht für sich. Schafe lieben solche Hirten.
Schon sprichwörtlich ist die aus (deutschen) Spendengeldern finanzierte Repräsentations- und Baulust afrikanischer Bischöfe. Diese Herren studierten meist in Europa, besonders häufig in Rom, und schauten sich unter ihresgleichen um. Warum sollten sie es nicht nachmachen, weshalb sollten sie nicht am Vatikan ablesen, was es

heißt, Kirchenfürst zu sein, Geld zu haben und es umzusetzen? Sind sie etwa Bischöfe zweiter Klasse? Nein, sie wissen genau (weil sie es lernten), was sie ihrer Herde schuldig sind: Aufwendige Räume, Haushalte, Autos gehören zum Standard. Ein bestimmter Sozialdruck und eine elitär römische Denkhaltung verbieten es den Repräsentanten des Kirchenfürstentums, schlechter zu wohnen oder einen kleineren Wagen zu fahren als andere Beamte. Fehlt aber das Geld, den Hirtenaufwand zu finanzieren (und das ist stets der Fall), wenden sich die Herren an die ausländischen Mitchristen. Die sogenannten »Bischöflichen Hilfswerke« Adveniat und Misereor tragen ihren Namen zu Recht: Zwar stammen die Millionen, die sie verwalten, nicht von den Bischöfen, sondern aus den Scherflein der armen Witwe (Mk 12, 42f.). Doch ausgegeben werden sie von Bischöfen zugunsten von Bischöfen.
Die Idee, die Herrscherhirten in Afrika und anderswo leitet und nach weiterem Geld ausschauen läßt, ist simpel: In mir repräsentiert sich die Herde. Bin ich reich und angesehen, freuen sich die Schafe mit. In mir fahren die Gläubigen den Luxuswagen mit Chauffeur. Die Kardinalsresidenz im Millionärsviertel mehrt das Ansehen der Kirche. Der katholische Theologe G. Hasenhüttl sagt, er habe kaum einen schwarzen Bischof getroffen, der nicht einen noch höheren Lebenstandard pflegte als seine europäischen Kollegen (und das heißt etwas!). Viele afrikanische Bischöfe halten Spendengelder zurück und verwenden sie zu persönlichen Zwecken.[23] Sie haben nicht selten ihre eigene Sippe zu unterstützen, die von ihrem Mitglied, das eine kirchenfürstliche Karriere gemacht hat, solche Hilfen – auch und gerade aus europäischen Spendengeldern – erwartet. Afrikanische Studierende entdecken übrigens auffällig häufig ihr Herz für den Hirtenberuf, wenn ihnen noch einträglichere Karrieren versagt bleiben.[24] Auf fremdes Geld angewiesen zu sein, macht gehorsam; kein Bischof aus der Dritten Welt wird seinen sozialen Abstieg riskieren, indem er den Spender-Kollegen aus der Ersten kritisch begegnet.
In keinem anderen Kontinent wirkt die Hirten-Ideologie, die alle Kirchenfürsten von demokratischen Kontrollen befreite, so zerstörerisch wie in Afrika.[25] Auch hier plappert der Hirte ständig von

seinem »Dienst«, auch hier kommt dieser finanz- und machtpolitisch dem zugute, der ihn auszuüben vorgibt. Das kirchenfürstliche Modell bestand seine Probe auf afrikanischem Boden: Wie im Termitenbau alle von der Königin abhängen, so im Pferch alle Schafe vom Hirten. Und die lassen sich bezahlen. In Afrika – der amtierende Papst spricht vom »Elend, in dem der Kontinent versinkt«[26] – wurden bis in die jüngste Gegenwart hinein die prunkvollsten, sinn- und stillosesten Kirchen gebaut.

Kenner der Lage sprechen davon, daß afrikanische Bischöfe so zerstörerisch wie Krebszellen am Leib Christi wirken.[27] Ein kenianischer Theologieprofessor wagte zu bemerken, viele Bischöfe Afrikas seien triumphalistisch und reaktionär; der zuständige Kardinal entzog ihm sofort den Lehrstuhl und weigerte sich, auch nur ein Gespräch mit ihm zu führen.[28] Was hinter diesem Vorgehen steckt? Die Argumentation oberhirtlicher Verblendung: Wer mich kritisiert, kritisiert die Kirche; wer aber die Kirche kritisiert, kritisiert Gott. Ein Denken, wie ich es immer wieder antraf, aber nicht schon eine Perversion des Denkens: Solche Logik, solche Ableitungen sind innerhalb eines jeden hierarchischen Systems folgerichtig. Unter solch konsequent kirchenfürstlichen Umständen mag es einem Hirten allerdings schwerfallen, Mensch zu bleiben.

Exzellenzen unter sich: Bayerns Ministerpräsident Streibl gratulierte dem Augsburger Bischof Stimpfle zum 75. Geburtstag: »Ihr Amt haben Sie stets in dem Bewußtsein ausgefüllt, daß es die kämpfende Kirche ist, die der triumphierenden Kirche den Weg bereiten soll.«[29] Richtig beobachtet. Daß es nach dem Evangelium nur der kommende Herr ist, dem »der Weg bereitet« werden soll, und nicht irgendeine militante oder triumphierende Kirche, braucht keinen Kirchenfürsten mehr zu irritieren. Solch minimale Akzentverschiebungen fallen in diesen Kreisen nicht mehr auf.

Für Stimpfle erschien 1991 übrigens eine Festschrift mit dem Kampftitel »Kirche im Kommen«. Wer diesen Jubel wohl finanzierte, der Hirt oder seine Herde? Die Beiträge beweisen, wie wenig sich Programm und Realität decken; unter den als prominent angepriesenen Mitarbeitern finden sich außer Kirchenfürsten die beiden Laienschriftsteller Otto Habsburg und Christa Meves.

Kirche im Kommen? Bischof Stimpfle selbst beweist das Gegenteil, indem er ins gewohnte Geleier fällt. Der Verteidiger des »Opus Dei« und Befürworter eines militärischen Eingreifens in Kroatien, seinerseits nur durch Belanglosigkeiten wie Predigt und Hirtenwort ausgewiesen, warf laut »Süddeutscher Zeitung« vom 26. August 1991 den Kritikern dieser kirchenfürstlich gelenkten Kampforganisation vor, sie könnten nicht wissenschaftlich arbeiten und stellten sich »ein Armutszeugnis für eine seriöse Untersuchung« aus. Solch unseriöse Kritik an den Kritikern gehört zum Selbstverständnis der Kirchenfürsten. Wer selbst keine Forschung beizubringen hat (seit wann hätten Bischöfe etwas mit Wissenschaft zu tun?), versucht es mit anderen Mitteln. Das erleichtert einen und belebt das Geschäft.
Daß die Hirten selbst, die doch »die Kirche« sind, unter ihresgleichen ihre Hahnenkämpfe ausfechten, sollte nicht vergessen werden. Denn gerade Kirchenfürsten kennen ihren – durch Kleiderfarbe, Quasten, Hutkordeln bestimmten – genauen Rang. Nicht jeder, der schon Bischof ist, darf glauben, er habe die höchste Stufe erreicht. Bald schon wird er an seine Grenzen stoßen und »höherrangige« Herren kennenlernen, unsanft oft und unhöflich. Ein Beispiel: Erzbischof Oscar Arnulfo Romero aus El Salvador. Der Vatikan behandelte diesen Oberhirten wegen seines »naiven bis sektiererischen« Einsatzes für die Armen sehr zurückhaltend: Kurienkardinal Garrone versuchte 1978, die geplante Verleihung einer Ehrendoktorwürde an Romero zu unterbinden, und Rom beabsichtigte, dem Erzbischof einen »Apostolischen Administrator« vor die Nase zu setzen, um die in vatikanischen Augen schlimmsten Auswüchse des Engagements Romeros für die Unterdrückten zu beschneiden. Der mißliebige Erzbischof mußte sich im Frühjahr 1979 bei einer Massenaudienz sogar bis in die vordersten Reihen drängeln, um Johannes Paul II. persönlich um eine Audienz bitten zu können. »Ich war dort völlig isoliert«, sagte Romero anschließend vor Journalisten, »sie sahen mich alle an, als spräche ich chinesisch.«[30]
Dieser Erzbischof wurde im März 1980 unter noch immer ungeklärten Umständen[31] am Altar ermordet. Seither darf er als Märtyrer gefeiert werden, seither steht er ganz vorne, und auch der Papst schmückt sich mit den Lorbeeren des »Mitbruders«. An eine Heilig-

sprechung Romeros denkt Wojtyla freilich nicht, weil der »Märtyrer« zu einem politischen Symbol geworden sei und es heiße, Romero sei gar »ein Guerillero« gewesen.[32]

Politische Heilige macht Johannes Paul II. nur unter den osteuropäischen, vorzugsweise den polnischen Hirten aus. Im Juni 1991 pries er, einmal mehr, den von Geheimdienstlern ermordeten Priester J. Popieluszko als »Märtyrer«, ja als »Patron unserer Anwesenheit in Europa«.[33] Auch sagte er, im 20. Jahrhundert sei die Weltanschauung entstanden, »daß der eine Mensch dem andern das Leben nehmen kann, weil er anderer Rasse ist«. Daß seine eigene Organisation nicht bis zum 20. Jahrhundert wartete, um eine Weltanschauung zu basteln, nach der der eine Mensch dem andern das Leben nehmen kann, weil er anderen Glaubens ist, verschwieg dieser Papst aufs neue. Solch eine Mißachtung von Millionen Blutopfern der Kirche durch reueloses Schweigen, ein solcher Umgang mit der historischen Wahrheit ist unter Kirchenfürsten berufstypisch.

Und unter gewissen Gläubigen. »Kaisererbe« Otto Habsburg rühmte 1991, als die Umbettung des 1975 verstorbenen ungarischen Kardinals Mindszenty anstand, dessen »Heldenhaftigkeit« , zumal Mindszentys »Karfreitag« uns »die Auferstehung gebracht«. Dem stets mit den Habsburgern liebäugelnden Oberhirten, einem in der Wolle gefärbten Monarchisten, bescheinigte Otto Habsburg zudem, ihm sei »die Freiheit Ungarns zu verdanken«[34]. Den Dank an das Volk, das die Wende erkämpfte, vergaßen Kaiserliche Hoheit.

Eitelkeit genießt Heimatrecht unter Hirten. Wie Kirchenherren von denen da unten behandelt werden wollten, geht aus einem Brief von 1769 hervor. Seine Anrede lautet: »Hochwürdig Hochgebohrne Herrn Herrn; Herr Domprobst, Domdechant, Senior und gesammt Regierendes DomCapitl des hohen Erzstifts Salzburg, Hochgnädig und Hochgebietende Herrn Herrn!« Die Schlußfloskel: »Euer Hochwürd: und Hochgräfl: Excellenzien meiner gnädigen Herrn Herrn unterthänigst gehorsamster Leopold Mozart ViceCapellmeister.«[35]

Das ist kein bloß zeitgebundenes Beispiel. In einer hierarchisch geprägten Diktatur wie dem Kirchenfürstentum wird es stets ein Oben und ein Unten geben. Befehlen und Gehorchen gehören notwendig zum System. Und wer befiehlt, will geehrt sein. Für die genaue Beobachtung der Rangfolge, der Vortritte wie der Nachtritte, wurde einmal ein eigenes päpstliches Ministerium, die Zeremonienkongregation, geschaffen. Es ist dazu da, Präzedenzfragen zu entscheiden sowie das Zeremoniell für den päpstlichen Hof zu bestimmen und zu überwachen. Bei Staatsbesuchen im Vatikan hat es das entscheidende Wort: Seine Prälaten regeln den Ablauf und bestimmen die Verfahrensfragen beim Empfang gekrönter und ungekrönter Häupter. Sie normieren ferner die Zeremonien bei der Akkreditierung der Botschafter und Gesandten beim Hl. Stuhl. Und sie schreiben den Ablauf jener Eitelkeiten vor, die in den Tagen Konjunktur haben, da neue Kardinäle ernannt werden: Diesen Hirten, die sich bei solchen Gelegenheiten gekonnt überrascht und demütig zeigen, müssen die eben verliehenen Insignien nämlich durch eigene »Legaten des Papstes« überbracht werden, und da geht es nicht ohne Kratzfüße ab.

Kaiser Sigismund klagt im 15. Jahrhundert über das Allgemeine Konzil zu Basel: »Drei Jahre hat es gedauert und sich mit nichts anderem befaßt als mit der Sitzordnung und den damit zusammenhängenden Ehren, ohne selbst darüber zu einer Verständigung zu gelangen. Wie wollen diese Leute die Welt reformieren, wenn sie unfähig sind, in dem ganzen Pomp, der mit der Sitzordnung auf dem Konzil zusammenhängt, eine Reform herbeizuführen?«[36] Das Konzil zu Trient, das sich hundert Jahre später nicht ein einziges Mal um die oberhirtlich abgesegneten Mordtaten seiner Zeit kümmert, erläßt eigene Regelungen über den »Vortritt« der Hirten: »Alle diesbezüglichen Streitigkeiten, welche sehr oft zum größten Ärgernis unter kirchlichen Personen, sowohl Welt- als Ordensgeistlichen, sowohl bei öffentlichen Prozessionen als bei Leichenbegängnissen Verstorbener, beim Umtragen des Himmels und anderen Anlässen vorkommen, soll der Bischof entscheiden, ohne daß eine Appellation dagegen stattfindet oder sonst etwas entgegenstehen kann.«[37] Und noch das kirchliche Gesetzbuch von 1918 (in Geltung bis 1983) enthielt ausführliche Regelungen über die Rangfolge der hochwürdigsten Herren Prälaten. Schließlich braucht jeder Jahrmarkt seine Ordnungshüter.

Wie teuer es uns alle kommt, wenn Herden sich ihre eigenen Hirten leisten

Bischöfe sind durch Titel und Tracht ausgewiesen und – sofern sie »regierende« Oberhirten sind, also Diözesanbischöfe – durch den Umstand, daß sie über ein Heer von Mitarbeitern gebieten. Daß sie diese Herrschergewalt nicht allein ausüben können, leuchtet ein. Diözesen, die mehrere Millionen Menschen umfassen und sich auf riesige Territorien erstrecken, brauchen viel Verwaltungspersonal, um die »Seelsorge« zu gewährleisten. Ebenso verständlich ist, daß es innerhalb dieses Personals Unter- und Übergeordnete gibt, zumal in einer durch und durch hierarchisch ausgerichteten Organisation wie dem Kirchenfürstentum. Kein Wunder auch, daß sich diese Differenzierung in Herren und Knechte wiederum an Titel und Tracht ablesen läßt.

Ein Beispiel für Nuancierungen aus einem ganz normalen Bistum: Da gibt es den Diözesanbischof, dann mehrere »Weihbischöfe« (Hilfsbischöfe, Bischofsvikare), jeder von ihnen Titularbischof eines frühkirchlichen, inzwischen aufgelassenen Bistums irgendwo in Nordafrika oder Kleinasien, und schließlich die Herren Domkapitulare, die engsten Mitarbeiter des Bischofs. Diese Prälaten teilen sich in »infulierte« Prälaten (die eine Bischofsmitra einfacheren Zuschnitts tragen dürfen, ohne selbst Bischof zu sein), in »residierende« Domherren (mit Sitz und Stimme) und in »nichtresidierende« (die ihre »Residenz« irgendwo im Bistum, nicht aber in der Bischofsstadt haben), und schließlich in bloße »Ehrendomkapitulare« (die sich, oft zu ihrem Leidwesen, in ihrer Kleidung von den wirklichen unterscheiden). Hinzu kommen die jüngeren Hirten, die gleichsam in den Startblöcken stehen und auf höhere Ehren warten: Sie heißen »Domvikare«. Den Hofstaat runden ab die »Dompönitentiare«, »Domprediger«, »Domzeremoniare«. Da dieses Personal durch seine Teilnahme an den Gottesdiensten nicht ausgelastet ist, wird es auch in der Verwaltung des Bistums eingesetzt; alles in allem geschieht dies nach dem zugrundeliegenden Hirten-Rang jedes Herrn.

Oberhirtliche Seelsorge kann, wo so viele Prälaten zusammenwirken, nicht billig sein. Bezahlt werden wollen alle, die sich um das bischöfliche Palais scharen. Daß Kirchenfürsten alles versuchen, um ihre Kassen durch Kirchensteuermittel zu füllen, ist verständlich. Daß zu den nicht ganz lupenreinen Mitteln die immer wiederkehrende öffentliche Klagebereitschaft der Päpste und Bischöfe gehört, braucht nicht eigens gesagt zu werden. Warum sollten ausgerechnet Bischöfe keine Zweckpropaganda kennen? Warum sollten sie, die die fromme Lüge seit jeher im Gepäck führen, in diesem Fall bei der Wahrheit bleiben?

Das kirchenfürstliche Lamento wirkt nur auf diejenigen, die nicht informiert wurden. Schon 1954 jammerten die Oberhirten, die Kleine Steuerreform brächte sie an den Bettelstab. Zur Entschädigung durften sie seinerzeit den Hebesatz der Kirchensteuer in verschiedenen Bundesländern höherschrauben.[38] Und so ging es weiter. Im Zuge der Steuerreformen der letzten Jahre wurden pünktlich die Klagen der Kassenhirten laut, sie nähmen weniger ein als bisher und seien früher oder später gezwungen, wesentliche Abstriche an ihrer (karitativen) Tätigkeit vorzunehmen. Prompt ergab eine Allensbacher Umfrage von 1986, daß 55 Prozent der Befragten von einer realen Einbuße der Kirchenfürsten ausgingen und nur 20 Prozent gegenteiliger Ansicht waren.[39] Die 20 Prozent waren im Recht. Die Hirten hatten nicht nur verschwiegen, daß der Staat – und nicht sie – ohnedies bis zu 100 Prozent der Leistungen im Sozialbereich selbst finanziert. Bischöfe brauchen ja aus Kirchensteuermitteln höchstens zehn bis fünfzehn Prozent der Ausgaben für karitative Einrichtungen zu bestreiten.

Aber sie sind hinter jedem Pfennig her. 1982 verklagt das Bistum Augsburg einen Bauern wegen 18 DM, weil er nach altem Herkommen zur Zahlung einer Summe verpflichtet ist, die dem Gegenwert von »12 Laib Brot« entspricht.[40] Die Oberhirten nahmen im übrigen in den Jahren, da sie publikumswirksam klagten, nicht weniger, sondern mehr an Kirchensteuern ein. Der Anstieg der Kirchensteuer seit 1970 betrug nach einer Auskunft der Bundesregierung vom 1. Oktober 1990 auf eine Kleine Anfrage der Grünen durchschnittlich sieben Prozent pro Jahr. Das übertrifft sowohl die durchschnittliche Inflationsrate als auch den Lohnkostenanstieg.

Die Finanzlage der Kirchenfürsten ist ungleich besser, als es deren Klagen suggerieren. 1963 zahlten deutsche Herden rund 2,4 Milliarden DM in die Hirtenkassen, 1970 waren es 3,98 Milliarden DM, im Jahr 1980 bereits 9,33 Milliarden DM, 1985 dann 11,1 Milliarden, im Jahr 1987 nicht weniger als 12,31 Milliarden DM (davon für die katholische Kirche 6,08 Milliarden DM). 1990 wurde von einer Gesamtsumme in Höhe von etwa 14 Milliarden DM ausgegangen, und für 1991 wurde mit einer noch satteren Ausbeute gerechnet.[41] Niemand kann – ohne zu lügen – behaupten, die Einnahmen gingen nicht stetig nach oben. Im Jahr 1907 hatten katholische Kirchenfürsten noch 16 Millionen Mark kassiert, im Jahr 1939 106 Millionen Reichsmark, im Jahr 1950 waren es 130 Millionen DM, im Jahr 1970 bereits 1,751 Milliarden DM.[42] Vor 1945 erhielten sie durchschnittlich zwei bis drei Mark pro Kopf ihrer Schafe, 1963 waren es schon 45 DM.

Viele Kirchenmitglieder ärgern sich, wenn die Oberhirten trotz reichlich fließender Steuereinnahmen eigene Haus- und Straßensammlungen fördern – ausgerechnet um »karitative Zwecke« zu verfolgen. Ob Bischöfe, die über einen festen und kalkulierbaren Haushalt gebieten, auch noch fast jeden Sonn- und Feiertag durch eigene Kollekten-Fischzüge für irgendwelche sammlungswürdige Vorhaben mißbrauchen müssen? Ob Pfarrer und andere Kirchenleute, die sich nie in den Häusern der Gläubigen sehen lassen, diese nur aufsuchen müssen, wenn sie Geld von ihren Schafen erbetteln? All dies erweckt den Eindruck, als könnten die Hirten den Hals nicht voll kriegen – und es bleibt nicht beim Eindruck, es ist die Wirklichkeit. Immer wieder verlassen Kirchenangehörige spontan den Pferch, weil sie – in Kirchensteuerdingen – bescheidener denken als die zuständigen Finanzmanager (oder örtlichen Hirten). Und weil man ihnen ihre abweichende Meinung in Steuerfragen unter Berufung auf den »göttlichen Zorn« auszutreiben sucht. Einen Zorn, der sie angeblich trifft, wenn sie nicht so willig und soviel zahlen, wie die Hirten einstreichen wollen.

Die von Oberhirten häufig beschworene Selbstlosigkeit läßt zu wünschen übrig. Den mit Abstand größten Einzelposten der Kirchensteuereinnahmen verbraucht – entgegen anderslautenden Meinungen – das Bodenpersonal selbst. Wer die Zahlen der »Seelsorger« und derer, die sich – etwa am bischöflichen Hof – dafür halten, kennt, wird sich nicht wundern, wieviel Geld der oberhirtliche Aufwand kostet. Im Jahr 1972 gingen im Bistum Essen noch 48 Prozent der Kirchensteuer diesen Hirten-Weg; 1981 mußten es schon 82 Prozent sein.[43] Der Haushaltsplan 1981 des Essener Oberhirten rechnete mit knapp 300 Millionen DM an Einnahmen, darunter 236,2 Millionen DM Kirchensteuer. Er wies vier Prozent der Ausgaben für Verkündigung, Gottesdienste und pastorale Dienste aus, für Caritas und soziale Dienste acht Prozent und für Bildung, Schule und Wissenschaft dreizehn Prozent. Gesamtkirchliche Aufgaben, Mission, Entwicklungshilfe und Ausgaben für die sogenannte Diaspora, wurden mit acht Prozent beziffert; 49 Prozent der Haushaltsmittel gingen an die Pfarreien und das dort tätige Personal. Im Klartext: Hirten bedienen sich vor allem selbst, und kirchenfürstliche Caritas ist im wesentlichen fremdfinanzierte Caritas oder gar keine.

Die Herren finanzieren aus öffentlichen Mitteln wie aus Kirchensteuereinnahmen ihren Dienst. Ob die bedienten »Laien« einen solchen überhaupt wünschen oder ob sie ihn auf diese Weise finanziert sehen wollen, wird nicht gefragt. Noch steht die Debatte über diese Vorgänge aus; noch dürfen die einen Schafe bleiben und andere, die Kirchenfreien, den »Dienst« im Kirchenfürstentum – unter anderem ihre eigene Missionierung – mitbezahlen.

Wohin das Geld des Bodenpersonals geht? Eine Gruppe katholischer Verlage offeriert zum authentischen liturgischen Gebrauch ein Meßbuch mit »Marienmessen« in einer kostbaren Lederausgabe zu 780 DM, in einer Pergamentausgabe zu 860 DM (Handarbeit, Lieferfrist vier bis sechs Wochen). Es gibt »vereidigte Meßweinlieferanten« und andere fromme Zulieferer. Eine Mannheimer Firma bietet »Opferbrote« an, die nach kirchlicher Vorschrift hergestellt sind und sich als Brothostien mit »35 Millimeter Durchmesser für Laien« und mit »65 Millimeter für Priester« entpuppen. Ich zitiere auch die Werbeanzeige einer Kerzenhandlung, die »seit Jahren Lieferant des Hohen Domes zu Münster« ist: »Geschmackvoll verzierte Votiv-, Tauf-, Kommunion-, Braut- und Jubiläumskerzen, Wallfahrtskerzen, Kerzen aller Art; den guten Domweihrauch, naturrein; die neuartige, leicht anzündbare Rauchfaßkohle, geruchlos; elektrische Kohleanzünder; die neuen Kerzenblaslöschhörner; Ewiglichtöl und Ölkerzen in feinster Qualität mit allem Zubehör; Kerzenopfertische in verschiedenen Größen mit Sicherheitskasse; Opferlichte mit roten, weißen und Blechnäpfchen; Osterkerzenleuchter und Leuchter aller Art; gediegene Bronzekreuze für Kommunionkinder, zur Schulentlassung, für Brautleute, für Kranke und Krankenhauseinrichtungen.«[44] Wahrhaftig ein kleiner, feiner Industriezweig zu Ehren des lieben Gottes. Wenigstens Küster und Meßdiener werden jubeln.

Ähnliche Freude kommt auf, wenn ein Bauwerk für den geistlichen Service (Kirche, Pfarrhaus, Gemeindehaus) erstellt wird. Denn für Hirten, Meßdiener, Küster, Organisten ist eine weitere Spielwiese geschaffen, auf der sich seelsorgliches oder liturgisches Bewußtsein austoben kann. Die den Löwenanteil zahlen müssen, haben ungleich weniger Gewinn: Meist lassen sich Kirchbauten nur sakral nutzen und widersprechen schon von ihrer Anlage her anderen Verwendungszwecken.[45] Gemeindehäuser machen eine Ausnahme: Oberhirten sehen sich manchmal gezwungen, ihre Untergebenen daran zu erinnern, daß diese Bauten »nicht als Konkurrenzbetriebe zur örtlichen Gastronomie betrieben werden dürfen«[46] und »der Einsatz von Kirchensteuermitteln für solche Nutzungszwecke (Verpflegungsbetrieb) nicht gerechtfertigt« ist.

Exotisch ausgestattete Kirchräume stehen Wochentag für Wochentag leer, und selbst sonntags breitet sich Leere aus. Was freilich gefördert wird, ist jene merkwürdige Gehemmtheit, mit der sich Menschen in Kirchen bewegen. Offenbar änderte sich seit den Tagen gotischer Dome und barocker Kirchenpaläste nicht viel: Hirten lassen noch immer so bauen, daß Klassen unter den Menschen geschaffen werden und sich nur eine bestimmte Schicht in Kirchen wirklich wohl fühlt. Ähnliche Erfahrungen machten Architekten mit anderen Bauten: Ein Café, ein Restaurant können so gestaltet werden, daß ein Großteil der Menschen von vornherein nicht auf den Gedanken kommt, sie aufzusuchen. Allerdings besteht ein wesentlicher Unterschied zwischen dem Bau einer Kirche und dem eines Hotels: Im einen Fall zahlen nur die Besitzer, im anderen, kirchenfürstlichen, wird die Allgemeinheit der Steuerzahler mit herangezogen. Gleich nach der Wende machte beispielsweise die Bundesregierung 43 Millionen DM locker: für ein »kirchliches Sonderbauprogramm« in den neuen Bundesländern.[47]

Niemand, der demokratisch denkt, wendet etwas ein, wenn Herden sich teure Hirten leisten. Wer meint, er könne ohne Betreuung nicht durchs Leben kommen, soll zahlen. Allein an Kirchensteuern berappt ein Arbeitnehmer in seinem Leben durchschnittlich 30 000 bis 60 000 DM; das bedeutet, daß er ein volles Jahr seines Berufslebens nur für seine Kirchenoberen arbeitet. Der Herde macht dies offenbar nichts aus. Aber anders verhält es sich, wenn auch Nicht-Schafe für Belange der Hirten mitzahlen, Kirchenfreie also für Kirchenfürsten in die Tasche greifen müssen, ohne gefragt zu werden, ob sie auch wollen. Denn Bischöfe leben nicht von der Kirchensteuer allein. Sie erhalten erhebliche Gelder aus Steuermitteln. Das wissen nur wenige von denen, die mitfinanzieren. Alle Steuerpflichtigen, unabhängig davon, ob sie zum Kirchenfürstentum gehören oder nicht, ob sie katholischen oder mohammedanischen Glaubens sind, zahlen die Subventionen mit, die ihr – weltanschaulich neutraler! – Staat den Oberhirten zukommen läßt.

Zu den »Staatsleistungen« zählen: die Finanzierung des Religionsunterrichts, die jährlich etwa drei Milliarden DM verschlingt; die Ausbildung des oberhirtlichen Nachwuchses an Universitäten und Hochschulen (1,1 Milliarden DM); die Unterstützung oberhirtlicher Hochschulen und der Universität Eichstätt; die Förderung konfessioneller Einrichtungen bei Bundeswehr, Polizei und Justizvollzug (130 Millionen DM); die Ausgaben für Denkmalpflege (270 Millionen DM); die Staatszuschüsse zur Hirten-Besoldung; die Befreiung der Kirchenfürsten von Grund- und Grunderwerbssteuern, von Schenkungs- und Erbschaftssteuern sowie die Abzugsfähigkeit der Kirchensteuer. Diese Subventionen ergeben eine jährliche Summe von über sieben Milliarden DM. Hinzu kommen Leistungen von Kommunen und Kreisen, von der Bundesanstalt für Arbeit (für ABM-Stellen) sowie vom Bundesamt für Zivildienst. Der Subventionsbericht der Bundesregierung sprach 1980 von insgesamt

31,7 Milliarden DM jährlich, die in den Hirtentaschen verschwanden.
Kirchenfürsten werden sich hüten, eine derart sichere Einnahmequelle auch nur diskutieren zu lassen. Allein das Land Nordrhein-Westfalen entrichtet aufgrund seiner »ererbten« Verpflichtungen jährlich die stattliche Summe von rund 350 Millionen DM. Darüber hinaus erläßt Nordrhein-Westfalen den Oberhirten Steuern, Gebühren und Abgaben in geschätzter Höhe von 150 Millionen DM pro Jahr. Diese halbe Milliarde stammt nicht aus Kirchensteuern, sondern aus normalen Steuermitteln.
Ohne es zu wissen, finanzierte 1987 jeder nordrhein-westfälische Steuerzahler: 7,8 Millionen DM an »Dotationen für die Erzdiözesen und Diözesen« – der Unterhalt für die Bischöfe des Landes und deren Domherren; 25 Millionen DM für die Bezahlung von ungefähr 200 Dozenten der Theologie und für die entsprechenden Investitions- und Verbrauchsmittel; 292 Millionen DM für die Gehälter von Religionslehrern an den Schulen des Landes – Arbeitsmittel und Raumkosten nicht mitgerechnet. Im selben Jahr kassierten Kirchenfürsten in Nordrhein-Westfalen zusätzlich 2,3 Milliarden DM an Kirchensteuern.[48]
Das ist nicht alles. Auch Soldaten wollen umsorgt sein. Keine Armee ist unglücklich über ihre Hirten. Denn bei der sogenannten Militärseelsorge geht es darum, »ein getröstetes Gewissen für das legitime Tun des Soldaten im Kriege zu geben«, wie ein Informationsblatt des Bundesverteidigungsministeriums meldet. Getröstete Gewissen bezahlen ganz gern. Wird soldatisches Tun gerechtfertigt, sollen die Tröster nicht darben. Es kann guten Gewissens davon ausgegangen werden, daß jährlich um die 45 Millionen DM an Löhnen und Gehältern allein an das oberhirtliche Bodenpersonal gehen. In diesen Grundbezügen sind nicht enthalten: Trennungsgelder, Umzugskosten, Vergütungen für Dienstreisen.
Der Militärbischof kassiert eigene Sonderzulagen. Sein Gehalt liegt bei 180000 DM pro Jahr. Versteckte Zahlungen wie die Erstattung von Telefongebühren, die Bereitstellung von Kraft- und Schmierstoffen, die Bezahlung von dienstlich verbrauchter Energie (Strom, Gas, Öl) kommen hinzu.

Für die Teilnahme von Soldaten an religiösen Sonderübungen wie Exerzitien ist fast eine Million DM vorgesehen. Die Anschaffung seelsorgerischer Schriften und der Druck militärgeistlicher Verlautbarungen kostet die Bundesrepublik über 400000 DM. Eine ähnlich hohe Summe verschlangen 1988 die Gebet- und Gesangbücher von Soldaten. Dazu kamen 167000 DM für Kultgeräte und Kultkleidung.[49] Das Ministerium zahlt demnach nicht nur für Panzer und Raketen, sondern auch für Altarkerzen und Meßweine. Dabei dürfte unser Staat nach seiner eigenen Verfassung eine Militärseelsorge nur zulassen, nicht aber einrichten und unterhalten.
Kirchen kann ein Mensch für Denkmäler aus überholten Zeiten halten, aus Zeiten, die am besten nicht mehr wiederkommen. Doch diese Meinung bewahrt nicht davor, für den Erhalt vieler Kirchen-Museen mitbezahlen zu müssen. Die Bürger der Bundesrepublik berappen über die Denkmalpflege Jahr für Jahr Millionen zum Erhalt und zur Renovierung von Kirchen, die nicht besonders intensiv genutzt werden. Der bayerische Landeshaushalt 1986 führte folgende Leistungen auf[50]: zur Unterhaltung der kircheneigenen kirchlichen Gebäude 19,5 Millionen DM; zur Ablösung von Bauverpflichtungen des Staates zwei Millionen; zur Instandhaltung der bayrischen Dome 3,8 Millionen; zur Bauverpflichtung an einzelnen kirchlichen Gebäuden 19,5 Millionen DM. Der Etat für 1987 ging von insgesamt fast 59 Millionen DM für Hirten-Bauten aus. Zuschüsse von Kreisen und Kommunen waren in dieser Summe noch nicht enthalten.
Kirchenfürsten sind nicht allen lieb, aber allen teuer. Für die Innenrenovierung der Bischofskirche zu Regensburg zahlte Bayern 3,8 Millionen DM, bei einer Eigenleistung des betroffenen Oberhirten von 766000 DM. Das bedeutet, daß die reiche Diözese selbst nur ein Fünftel, die öffentliche Hand vier Fünftel der Renovierung übernimmt.[51] Ähnlich wird es in anderen Fällen sein: Die Renovierung des Bischofsdoms zu Fulda soll Gesamtkosten von 52 Millionen DM verursachen. Wieviel will der zuständige Oberhirte Dyba, im Nebenberuf Militärbischof der Bundeswehr, beisteuern? Wieviel müssen die unbeteiligten Kirchenfreien auf dem Umweg über ihre Steuerzahlungen berappen?
Das Verhältnis zwischen kirchenfürstlicher Eigenleistung und staat-

licher Bezuschussung ist nach einem bewährten Prinzip geregelt: Immer übernehmen nichtkirchliche Stellen den Löwenanteil der Kosten, während die Oberhirten ihren Anteil so gering wie möglich halten. Die bischöfliche Lobby hat ihre nachweislichen Erfolge auch auf diesem Gebiet, zumindest solange Steuerzahler keinen Widerstand gegen diese Plünderung öffentlicher Kassen leisten. Übrigens: Der Bund der Steuerzahler ist zu diesem Thema auffällig stumm.

Er schweigt auch zu weiteren Fällen: Bayern gibt durchschnittlich fast zwei Millionen DM aus, um »das Einkommen der Leiter und Erzieher an bischöflichen Priester- und Knabenseminaren zu ergänzen«[52]. Hinzu kommen jährlich 320000 DM als Unterhaltsbeitrag für solche Seminare. Für Neubauten im Bereich des Augsburger Priesterseminars wurden 1985 und 1986 je 2,5 Millionen DM aufgebracht; das Münchener Priesterseminar kostete die Steuerzahler (auch die kirchenfreien) zwischen 1982 und 1983 über zwei Millionen DM. Nordrhein-Westfalen war die Ausbildung von Junghirten 1987 um die 25 Millionen DM wert.[53]

Die von den (alten) Bundesländern zu tragenden Kosten für die Ausbildung des Hirten-Nachwuchses an Universitäten und Kirchenhochschulen werden gegenwärtig auf eine volle Milliarde DM pro Jahr geschätzt; eine horrende Summe. Noch makabrer wird diese Zahl, wenn bedacht wird, daß sie in etwa der Summe entspricht, die Bischöfe aus Kirchensteuermitteln für das öffentliche Sozialwesen ausgeben. Hier eine Milliarde vom Staat für Junghirten, da dieselbe Summe von den Althirten für die Caritas.

Eine um so üblere, wenn auch häufig verwandte Methode ist es, Kirchenfreie als Schmarotzer kirchenfürstlicher Sozialeinrichtungen zu diffamieren. Zum einen wenden die Hirten, wie gesagt, nur einen verschwindend geringen Prozentsatz ihrer Steuereinnahmen für öffentliche karitative Zwecke auf, zum anderen finanzieren Kirchenfreie über ihre allgemeinen Steuern die Priesterausbildung, den Religionsunterricht, die Militärseelsorge und andere typisch oberhirtliche Einrichtungen mit. Stellt man die kirchenfürstlichen Sozialleistungen den Subventionen der öffentlichen Hand für bischöfliche Angelegenheiten gegenüber, so ergibt sich ein Verhältnis von mehr als 1:8 zum Nachteil der Konfessionslosen.

Wehe aber, wenn auch nur ein Jota des kirchenfürstlichen Besitzstands gefährdet ist! Wenn ein Dogma tangiert wird, wenn die – finanziell abgesicherte – Substanz des oberhirtlichen Glaubensschatzes von »Irrenden« angegriffen wird! Dann wird das kriegerische Potential des Kirchenfürstentums mobilisiert. Dann setzt es Bestrafung, dann werden Religionskriege und Inquisitionen inszeniert. Dann sollen Gotteslämmer gehorsam zu hassen beginnen, dann gilt die verbrecherisch zustandegekommene Einheit als bedroht. Kein Wort freilich über die Blutgeschichte jener Lehre, die da mit Zähnen und Klauen verteidigt wird! In solchen Gefahrenlagen werden Masse, Doktrin und Geld unverblümt in eins gesetzt. Dann muß die große Zahl der Herde herhalten, dann wird der große, einheitliche Glaube mobilisiert, das große Geld eingesetzt. Doch sind zwei dieser Komponenten plumpe Täuschung: Weder ist die große Zahl der Bekennenden gesichert (vielmehr geschönt), noch ist dies der einheitliche Glaube. Allein gesichert bleibt die Kasse, die sich mit der großen Zahl und dem großen Glauben füllen läßt. Um diese Bestände nicht zu gefährden, rentiert sich jedes oberhirtliche Lamento. Fürst von Pückler-Muskau schrieb vor über 100 Jahren: »Die Religion ruht nicht mehr im Herzen und Gemüt, sondern ist eine tote Form geworden, trotz dem ungebildetsten Katholizismus, mit weniger Zeremonien, aber mit gleicher Intoleranz und seiner gleichen Priesterhierarchie verbunden, die jedoch, außer ihrer Bigotterie und ihrem Stolz, noch das voraus hat, daß sie das halbe Vermögen des Landes besitzt.«[54]

Auf wie viele kirchenfürstliche Privilegien noch immer nicht verzichtet wird

Verständlich, daß die sogenannte christliche Hoffnung immer weit hinter der Realität zurückbleibt. Was die frühen Christen erwarteten, kommt einfach nicht. Was sie nicht erhoffen wollten, ist überall mit Händen zu greifen. Es dauerte jedenfalls nicht sehr lange, bis die Kirchenfürsten voll zulangten. Paulus, ganz schlauer Rechner, greift als erster zu; die Urapostel, die Jesus noch gekannt hatten,

sträuben sich. Endlich festigt sich die Gemeinde, und sie sieht sich genauso, wie Jesus aus Nazareth es nie wollte. Sie holt sich, um sich zu stabilisieren, bei den »Heiden«, was sie brauchen kann: Philosophie, Recht, Moral, Dogma. Mit den jeweiligen Versatzstücken wuchert sie, baut ihr Puzzle zusammen, tauft das Ganze, stellt es künftigen Generationen als originelle Denkleistung vor – und findet so lange Glauben, bis oberhirtlicher Lug und Trug durchschaut sind.
Der Neid der Besitzlosen jubelt sich zur Weltreligion hoch, zum letzten Wert, zur alleinseligmachenden Kirche. Doch hat das Kirchenfürstentum nichts anzubieten, was genuin wäre: Jesus, der Außenseiter, allem Organisatorischen abhold, aller Vorsorge überdrüssig, hinterließ buchstäblich nichts von all dem, was die oberhirtlich denkenden Emporkömmlinge schätzten. Keine eigentliche Lehre stammte von ihm, keine rechte Disziplin, nur Anregungen, Worte, praktisches Vor-Leben. Das alles war viel zuwenig für Kirchenfürsten.
Je mehr sich die Neidischen, aus geringsten Verhältnissen kommend, bei denen bedienten, die schon alles hatten, je mehr sie sich an Weltanschauung und Weltregelung entlehnten, desto mehr entfernten sie sich von dem, den sie ihren Ursprung hießen. Heute sind sie so weit von Jesus aus Nazareth entfernt, daß sich kein Zusammenhang mehr erkennen läßt. Heute haben sie selbst das schlechte Gewissen abgelegt, das einige anfangs hatten. Jetzt geben sie sich unverschämter denn je, tun sie so, als müsse alles so sein, wie sie es sich einrichteten. Ihr erstarrter Neid macht die Formen und Inhalte dessen aus, was sie ihre »Kirche« nennen, ein Sammelsurium an entliehenen und fürs eigene umgeformten Versatzstücken fremden Denkens.
Die Welt hatte etwas anderes erhofft als dieses Kirchenfürstentum, das sich als Retter aufspielte. Die Menschen hätten auch etwas anderes erwarten dürfen als 2000 Jahre Kriminalgeschichte: Sie erhofften weder Bischöfe noch Päpste, keine Geschichte voller Mord und Totschlag, keine Scheiterhaufen, Inquisitionskriege, »Heiden«-, Juden- und »Ketzer«-Verfolgungen, keine Ansammlung ungeheurer Reichtümer in der Nachfolge Jesu.[55] Die Welt, ausgebeutet von Kirchenfürsten, die selbst keine Originalität kennen, sieht sich zutiefst getäuscht.
Die Geschichte beweist, daß die Welt und ihre Menschen ungleich

mehr Leid als Hoffnung von den Oberhirten zu erwarten hatten. Die Frohbotschaft wirkte alles andere als befreiend. Was Päpste und Bischöfe brachten, waren Drohung, Fessel und Tod. Daß die Kirchenfürsten ihre Organisation mit dem jesuanischen Gottesreich identifizierten und sich selbst zu dienenden »Seelsorgern«, zu Wegweisern in ebendieses Reich stilisierten, verkehrte den Sachverhalt ins Gegenteil und verschob alle Menschenhoffnung auf ein nichtiges Jenseits. Mit dieser Kehrtwendung war die Bahn frei für abscheulichste Ausbeutung. Beispiele für die Wende sind der Umschlag des früheren Pazifismus in das Kriegsgeschrei der Frommen[56] sowie die Wende vom frühen Kommunismus der Urgemeinden zum Kapitalismus einer Beutekirche.[57]

Die Bischöfe, die sehr wohl wußten, daß sie aufgrund ihrer spirituellen Gebärde nie würden überleben können, sorgten sich um starke Partner, und die fanden sie bald. Die berüchtigte Konstantinische Wende im 4. Jahrhundert, die Anerkennung der Kirchenfürsten durch den Fürsten dieser Welt, stellt keinen Betriebsunfall der Weltgeschichte dar. Sie ist am wenigsten jenes Wunder, das Kirchenhistoriker ihr andichten. Sie bedeutet, wie der Historiker Rudolf Hernegger feststellt,[58] nur den Höhepunkt einer Entwicklung. Entscheidender für die heutige Gestalt des Kirchenfürstentums waren die vorausgegangenen Jahre der Inkubation, da der Bazillus des Neids langsam, aber tödlich sicher sein Werk vollendete. Die Hirten konnten ihm nicht widerstehen; sie wollten es nicht. Sie sahen, was auf sie zukam: Anerkennung, Einfluß, Geld.

Endlich durften sie aus den Katakomben, über die die gelenkte Geschichtsschreibung soviel zu berichten weiß, empor zum Licht. Da sie sein wollten wie die anderen, mußten sie sich dem Zeitgeist anpassen (Röm 12, 2) – und sie bewiesen gerade darin großes Geschick. Die Anpassung ist keine Erfindung der Gegenwart, auch wenn Konservative es den Menschen einreden wollen. Sie ist ein Erbstück aus der Hinterlassenschaft der Kirchenfürsten.

Daß Bischöfe wegen einer besonderen Privilegierung zu allen Opfern bereit sind, wurde ebenfalls seit Konstantin offenbar. Der Kaiser gab nicht umsonst. Niemand tut das, schon gar kein Machtpolitiker wie Konstantin. Um Gottes Lohn – wie die verdummten

Herden – rührt ein Kaiser keine Hand. Er bekommt als Gegengabe, was er will – und was er politisch vermarkten kann: Er erklärt, alles, was er sei und habe, schulde er dem »größten Gott«. Aber er sei auch dessen Stellvertreter auf Erden, nicht mehr und nicht weniger. Also darf er die entsprechende Verehrung verlangen. Sie drückt sich nicht nur im Hofzeremoniell (Kaiserkult) aus wie bei den vorchristlichen Monarchen. Konstantin entmachtet mit Hilfe seiner neuen Ideologie alle, die nicht – gleich ihm – Gottes Stellvertreter sind, somit alle Menschen seines Reiches. Menschenrechte gibt es nicht, nur den Willen eines Kaisers, der sich mit Gottes Willen identifizieren läßt.[59]
Warum wohl eine kirchenfürstlich geprägte Kirche noch heute nichts mit den allgemeinen Menschenrechten anzufangen weiß?
Was Jesus aus Nazareth gewollt haben dürfte – die Verwandlung aller in neue Menschen –, ist als Ziel der Institution Kirche gründlich aufgegeben. Nichts auf der Welt wandelte sich durch Kirchenfürsten zum Besseren; die ethischen Forderungen sind verblaßt, die Menschen brauchten sich nicht zu ändern, zumal sie sahen, wie wenig neu die Oberhirten waren und sind, und die Strukturen einer inhumanen Welt sind nicht nur dieselben geblieben, sondern von Papst und Bischof in ihrer Unmenschlichkeit noch verstärkt worden. Das Kirchenfürstentum ist damit nur eines: Spiegelbild einer Welt der Herrschenden, und zwar vergröbertes Spiegelbild. Nie steht es für Befreiung, für Zerschlagung aller Herrschaft von Menschen über Menschen. Im Gegenteil: Es bleibt selbst subtile Form materieller und geistiger Ausbeutung.
Ausbeutung setzt freilich Menschen voraus, die sich ausbeuten lassen. Auch das wußten die Kirchenfürsten von Anfang an. Schon die frühen Bemühungen um eine möglichst große Zahl an Kirchengläubigen wurden nicht aus so edlen Motiven inszeniert, wie die Kirchengeschichtsschreibung es gern hätte. Wonach Kirchenfürsten schon im 2. Jahrhundert strebten[60], waren riesige Volksmassen. Nur mit vielen Menschen im Rücken konnte der sich ausbildende Hirtenstand politischen Einfluß gewinnen und sichern. Diese Überlegung veranlaßte die Oberhirten, eine folgenschwere Unterscheidung zu treffen: Die Menschen im Kirchenfürstentum wurden künftig in zwei Klassen geteilt, in die der »Vollkommenen« und in

die der »Durchschnittlichen«, in Gotteshirten und Gotteslämmer. Die Differenzierung und Selektierung führte einerseits dazu, daß der Stand der Vollkommenheit aus der gewöhnlichen Gemeinde abwanderte und sich zunehmend elitärer gebärdete. Zum anderen ließ sich aus der Masse der Durchschnittskatholiken jene »Volkskirche« bilden, die sich politisch so hervorragend nutzen ließ.
Daß die Kirchenideologen stets auch juristisches Gespür hatten, half ihren Hirten nicht wenig. Papst und Bischöfen konnte es nur recht sein, wenn die Beziehungen zwischen Gott und den Menschen nach rechtlichen Kategorien abliefen. Sie waren an einer scharfen Kirchenzucht interessiert, über die sie selbst wachten. Das Recht als Stütze der wahren Religion: Autorität und Macht, Grundbegriffe des patriarchalen Denkens im römischen Imperium, werden bei Gott und den Menschen zu bestimmenden Faktoren. Gott wird im Kirchenfürstentum als eine Art Gesetzgeber gedeutet: Er hat überzeitliche Gesetze (Gebote) erlassen, über deren Befolgung er eifersüchtig wacht und von eigenen Kirchenbeamten wachen läßt. Diese Hirten, mit eigener Vollmacht ausgestattet, regeln in der Folgezeit Norm und Abweichung. Sie allein bestimmen, im Fall des Papstes sogar unfehlbar, was Norm ist, was Moral, was Sünde – und was Absolution und Erlösung.
Damit sie dieses Wächteramt ausüben können, das sie als Seelsorgsdienst deuten, gebührt ihnen Gehorsam – und Geld. Das weiß schon Kaiser Konstantin. Er spart nicht mit Privilegien für seinen Hofklerus. Bischöfe setzen sich jetzt auf den Thron, die »cathedra«. Sie werden von der Steuerpflicht befreit; das führt zu einem immensen Andrang reicher Römer zum Hirtenstand. Kirchenfürsten leben nach dem byzantinischen Hofzeremoniell. All dies genießen sie noch heute. Oder streichen sie nicht noch immer Geld aus staatlichen Mitteln ein? Oder tragen sie keine Festgewänder mehr, kein Lila und Purpur, keine Schleppen und Ringe, keine Mitren und Goldkreuze? Gibt es keine Hochwürden, keine Exzellenzen und Eminenzen, keine »Heiligen Väter« mehr? Ein Blick in den kirchenfürstlichen Alltag (oder eine Durchsicht der geltenden Kirchenverträge) sagt mehr über die konkrete Kirche als jedes Evangelium, das keiner Kirche bedarf.

Die Schafe bilden die Basis für Privilegierungen. Sie tragen die Herren auf ihrem Rücken. Ohne Schafe keine Hirten. Die ursprünglichen Forderungen Umkehr und Glaube, die einen kleinen, heiligen Rest auserwählter Bekenner hätten schaffen sollen, wurden aus taktischen Gründen bei der ersten sich bietenden Gelegenheit aufgegeben. Hirten verkrafteten alles, nur nicht, gegenüber anderen politischen oder weltanschaulichen Gruppierungen zurückgesetzt zu sein, weil es ihnen an Herden fehlte. Daher mußte ihre Theologie notwendigerweise zur Sieges- und Heilslehre werden, die Rettung nur den gehorsam Gläubigen versprach und zugleich die Anforderungen für diesen Glaubensgehorsam auf ein ethisches Minimum beschränkte. Kaum waren die Anforderungen in diesem Sinn zurechtgestutzt, strömten den Oberhirten breiteste Massen zu.

Neidische Intoleranz erstarrte zu einem festen Bestandteil kirchenfürstlicher Doktrin. Rechter Glaube ist nach dieser Lehre monopolisierter, von Papst und Bischöfen überwachter Einheits-Glaube. Die Uniformität solch lebensfeindlichen Glaubens kam den Neidischen entgegen: Neid erträgt keine Differenzierungen. Er braucht Nivellierung, Gleichförmigkeit, Gleichschaltung.

Ein ungeheures Glücksgefühl für die Neidischen, das sich bis heute in den Statistiken der Hirten niederschlägt, die so naiv mit der großen Zahl jonglieren und das Abendland noch immer als christlich bejubeln. Daß dieses Glücksgefühl längst zum Opium für Bischöfe verkam, steht auf einem anderen Blatt. Weder die große Zahl noch der einheitliche Glaube sind etwas anderes als ein Popanz für das kleine Häuflein jener Ewiggestrigen, die ohne nachzudenken an eine »katholische, apostolische, heilige Kirche« glauben.

Kirchenfürsten wollten immer alles haben, was andere schon hatten, und sie wollten es noch sicherer haben. Alle Dogmen, alle Rechtssätze, alle Morallehren ihres Herrschaftsbereichs verfolgen diesen Zweck. So »überlebt« die Organisation. Da Papst und Bischöfe es zu ihrem obersten Ziel machten, die eigene Existenz nur ja nicht zu gefährden, schafften sie es auch – Methoden hin oder her –, mit jeder Form der »Welt«, also mit allen gesellschaftlichen und staatlichen Formationen auszukommen. Ein Beispiel von vielen gibt das Verhältnis von Staat und Kirche in Deutschland ab[61]: Vor 1918 hat es ein »Ineinander« von Kirche und Staat gegeben, in der Weimarer Republik ein »Nebeneinander«, von 1933 bis 1945 ein sogenanntes »Gegeneinander« – und jetzt gibt es eben ein »Miteinander«. Merkwürdig, daß die Kirchenfürsten in jedem dieser Fälle finanziell profitierten. Offensichtlich dreht keine noch so prostitutive Argumentation den Bischöfen irgendeinen staatlichen Geldhahn zu.

Unter Politikern gilt es als Ehrensache, sich hin und wieder beim Papst sehen zu lassen. Doch sind dies Ausnahmetage in ihrem Leben. Ungleich alltäglicher ist jene Gratifikation, die sie den Kirchenfürsten zukommen lassen, weil diese angeblich »letzte Werte« vertreten, ohne die kein Mensch leben könne, wolle er wahrer Mensch sein. Der religionsferne Mensch ein Monster? Der von Hirten gelenkte dagegen einer mit dem Heiligenschein? Die geschichtlichen Erfahrungen mit den Kirchenfürsten sprechen strikt gegen diese Annahme. Dennoch wird sie nach wie vor hartnäckig verfochten – oder zumindest suggeriert. Denn irgendwie sind immer die anderen die Bösen, und irgendwie ist stets die eigene Gruppe, auch und gerade die religiöse, die Heimstatt aller Guten. Mord und Totschlag also außerhalb des eingepferchten Weidelands? Die Kirchenfürsten Wächter und Aufseher über Sitte und Anstand der Bürger, ja mehr noch: über die Moral einer Welt?

Mitten im Zweiten Weltkrieg war in den »Catholic Principles of Politics«, einem mit päpstlicher Billigung publizierten Lehrbuch an katholischen Universitäten, zu lesen, es gebe nur eine wahre Religion, und die römische Kirche müsse in den USA Staatskirche werden. Denn die Doktrin dieser Kirche sei fundamental: »Der Staat muß die wahre Religion anerkennen«.[62] Und die weniger wahren Religionen niederhalten und ausrotten helfen? Und die einzig wahre finanziell aushalten? Kirchenfürsten als Aufpasser in Demokratien?

1953 verlangten die deutschen Bischöfe vom Gesetzgeber eine Totalrevision des Ehe- und Familienrechts: die prinzipielle Unscheidbarkeit der Ehe, die Abschaffung der obligatorischen Zivilehe, das ausschlaggebende Entscheidungsrecht für den Vater, die Nicht-Begünstigung der berufstätigen Ehefrau und Mutter.[63] Alle Forderungen waren gestützt auf göttliches und natürliches Recht. In der Diskussion um § 218 StGB ist das inzwischen genauso. Doch die Rede vom

Wächteramt der Kirchenfürsten läßt sich weder historisch belegen – es sei denn, Anpassungsleistungen gälten als Widerstand gegen den Zeitgeist –, noch ist sie unter aktuellen weltanschaulichen Gesichtspunkten wahr. Dennoch werden die angeblichen »Wächter« belohnt wie eh und je. Das Bonner Grundgesetz respektiert nicht nur die Tatsache, daß Kirchenfürsten schalten und walten können, wie sie wollen (also oberhirtlich-undemokratisch). Die Verfassungen des Bundes und der Länder lassen auch zu, daß diese Gruppe privilegiert wird wie keine andere. Wohl nur wenige Staatsbürger und Berufspolitiker haben eine zutreffende Vorstellung vom finanziellen Ausmaß und von der Reichweite dieser Privilegien. Freilich wollen die meisten auch gar nicht viel davon wissen. Sie haben ihren eigenen Willen abgetreten, wie sie sich mit ihrem Obolus an die Oberhirten von ihrer Verpflichtung gegenüber den Armen der Welt freigekauft zu haben glauben.

Und die Staaten? Die zahlen weiter wie bisher. Oder sie nehmen bestimmte Zahlungen auf. Zwei Beispiele von 1990: Die Präsidentin von Nicaragua, Violeta Chamorro, sagte, ungeachtet der katastrophalen Finanzlage ihres Landes, zu, den Bau einer neuen Kathedrale in Managua mit Staatsgeldern zu unterstützen. Und wenige Tage vor seinem Überfall auf Kuwait zeigte sich Iraks Präsident Saddam Hussein als großzügiger Freund der Hirten: Er schenkte der katholischen Kirche des chaldäischen Ritus, der 2,4 Prozent der Iraker angehören, ein 25000 Quadratmeter großes und auf über 15 Millionen Dollar beziffertes Grundstück in Bagdad zum Bau einer Kathedrale. Diese Großkirche soll 5000 Personen fassen und 20 Millionen US-Dollar kosten.[64]

Weigert sich ein Staatswesen, das schlimme Spiel mitzumachen, und hängt eine Gesellschaft den kirchlichen Brotkorb etwas höher, dann ist oberhirtliches Gezeter angezeigt: Dann eifern die Herren, die ihren Brotberuf am Evangelium haben, solche Staaten hätten die Tendenz, sich »zum Antichrist der Endzeit« zu entwickeln. Einen völligen Rückzug treten sie freilich nicht an, solange der tendenzielle Antichrist sie wenigstens weiterhin bezahlt.

Daß typische Kirchenfürsten eingefleischte Monarchisten sind oder auch, wenn es sich lohnt, Lobredner der Diktatur, ist nicht verwunderlich: Oberhirten, deren Reich nicht von dieser Welt ist, verstehen sich am besten mit Herren von Gottes Gnaden. Dann finden – wie im erwähnten Fall des Habsburg-Fans und Kardinals J. Mindszenty[65] – Herrenmenschen zu Herrenmenschen. Der überzeugte Anti-Demokrat Faulhaber, der Wilhelm II. eine »erzstarke Herrschergestalt mit goldenem Herrschergewissen« genannt hatte, lehrte während des Ersten Weltkriegs: »Das lebenslängliche Bekenntnis zu den Kronrechten des Kaisers ist Nachfolge Jesu.«[66] Derselbe Hirt, Bischof von Speyer, meinte 1921, Könige von Volkes Gnaden seien keine Gnade für das Volk, und wo das Volk sein eigener König sei, werde es über kurz oder lang auch sein eigener Totengräber. Woher sollte bei soviel Verachtung für das Demokratische denn auch ein Ja zur Republik kommen?

Das heutige »Miteinander«? Theologe Claus-Dieter Schulze schildert die Lage: »Das unverändert westliche Staatskirchenrecht ist die Voraussetzung für die volle Integration der Kirchen in das Wertesystem der sozialen Marktwirtschaft, zugleich die Stillhalteprämie für Zurückhaltung in deutscher Selbstkritik angesichts weltweiter Ungerechtigkeit und Erdverwüstung. Die partnerschaftliche, eheähnliche, zwillinghafte, arbeitsteilige, parallele Zuordnung von Kirche und Staat... bedeutet eine ausbalancierte gemeinsame Verpflichtung auf die herrschende Gesellschaftsordnung.«[67]

Sind Kirchenfürsten gleichberechtigte Gesprächs- und Aktionspartner? Nein. Mit Bischöfen und Päpsten sind allenfalls taktische Übereinkünfte möglich. Grundsätzlich können Demokraten aller Lager nicht mehr mit Leuten verhandeln, die in ihrer eigenen Institution und Gruppe ein undemokratisches System aufrechterhalten, das nicht einmal der Menschenrechts-Charta der UNO gerecht wird. Kurienkardinal Ratzinger, Cheftheoretiker Papst Wojtylas, ließ 1984 die Katze aus dem Sack. Er bezeichnete – wie im 19. Jahrhundert im Vatikan üblich – den modernen Staat ebenso unverfroren wie entlarvend als »unvollständige Gesellschaft« und bot ihm, dem Unvollkommenen, aufgrund der Überlegenheit des Kirchenfürstentums »Kräfte von außerhalb seiner selbst« an, »um als er selbst bestehen zu können«.[68] Seither könnten manche wissen, woran sie sind. »Partnerschaft« ist zu hoch gegriffen, der Begriff nach Lage

der Dinge ähnlich unpassend, wie wenn er auf andere totalitäre Systeme angewandt würde. Nicht-Demokraten können von Demokraten nicht ohne Gesichtsverlust Partner genannt werden. Wer meint, sich dennoch mit kirchenfürstlichen »Partnern« sehen lassen und handeln zu können, hat keine Entschuldigung vor der Zukunft. Er nimmt nicht auf die Mehrheit der Bevölkerung Rücksicht, sondern auf die Empfindlichkeiten einer bestimmten sozialen Klasse.
Aber da gibt es doch den oberhirtlichen »Dienst am Ganzen«? Nochmals, weil es wichtig und entlarvend ist: Juristisch änderte sich unter Kirchenfürsten nichts Entscheidendes. Der Papst blieb Papst, die Bischöfe gaben kein Quentchen ihrer Macht an die da unten ab, Pfarrer haben nach wie vor das Sagen. Aber da sich eine derart unvergleichliche Machtfülle heutzutage nicht mehr unbefragt ausüben läßt, muß sie als Dienst vermarktet werden. Seither dienen die Hirten aus Gründen der Werbung ihrer Herde, indem sie ihre Gotteslämmer durch Dienstgewalt beherrschen und ausbeuten. Nur die Begriffe sind ausgetauscht; die juristische Basis ist ebensowenig tangiert wie die finanzielle.
Nach wie vor warten Menschen auf den Beweis des Gegenteils, auf eine bleibende Beschränkung der päpstlichen Macht. Der gegenwärtige Amtsinhaber im Vatikan macht nicht die geringsten Anstalten in dieser Richtung. Je intensiver er sich als Dienenden vermarktet, desto bewußter hält er an allen mittelalterlichen Ansprüchen seines Kirchenfürstentums fest. So berechnend wie er waren viele seiner Vorgänger. Daß sich die Päpste schon früher als die besten Diener der Erde feiern ließen[69], sollte jenen geistlichen Machtanspruch und jene materielle Machtfülle verschleiern, die sie sich zusammengescharrt hatten – und für die es kein zweites Beispiel gibt.
Orthodoxie läßt sich in Geld umsetzen und Geld in Rechtgläubigkeit. Wer noch nicht ins Grübeln kommt, darf weitere Möglichkeiten bedenken, die Kirchenfürsten nutzen, um – aus seelsorglichen und karitativen Gründen, versteht sich – an Geld zu kommen oder Geld zu sparen. Glaube und Nächstenliebe sind nun einmal nicht um Gotteslohn zu haben. Der frühere Vorsitzende der »Publizistischen Kommission der Deutschen Katholischen Bischofskonferenz«, Bischof Moser (Rottenburg-Stuttgart), kritisierte 1987 den zur

Ratifizierung anstehenden Staatsvertrag über die Medien, »weil private Rundfunkveranstalter den Kirchen die Selbstkosten für Sendezeit in Rechnung stellen könnten«[70]. Bei den öffentlich-rechtlichen Anstalten geht das – und die Kirchenfürsten wissen es gut – spottbillig ab.

Es ist nicht bekannt, wie viele Hirten für ihr »Wort zum Sonntag« bezahlen oder ob sie diese Sendezeiten für ihre Werbung kostenfrei besetzen. Doch wissen wir, daß die auftretenden Redner und Rednerinnen ein Honorar bekommen. Wir dürfen auch sicher sein, daß schon der Gedanke an ein ähnliches »Wort« in den öffentlich-rechtlichen Sendeanstalten, das von Kirchenfreien gefordert werden könnte (die auch Gebühren zahlen), von den Besitzbischöfen sofort empört zurückgewiesen würde. Kirchenfürsten genießen nach wie vor Narrenfreiheit. Ihre missionarische Zielrichtung kann im weltanschaulich neutralen Staat ohne Bedenken propagiert werden. Die Zuteilung der – auch von Bürgerinnen und Bürgern anderer, ja gegenteiliger Weltanschauungen aufgebrachten – Finanzmittel wird durch die entsprechenden Äußerungen der Hirten nicht im geringsten gefährdet. Kölns Kardinal Meisner gab denn auch vor den Elitetruppen des Opus Dei die wegweisende Parole aus, die bundesdeutsche Gesellschaft sei »christlich zu unterwandern«[71]. Offenbar ist eine neue Katholisierung in Sicht, denn alles geht zurück: der Glaube, die Moral, der Gehorsam. Nur nicht das Geld.

Und auch nicht die bischöflichen Privilegien. Die stehen allem Anschein nach fester als der Felsen Petri, und die Pforten der Hölle werden sie vorerst nicht überwältigen. Kein Wunder, denn in Deutschland sind sie pikanterweise Erbstücke aus Hitlers Konkursmasse. Der Vatikan fand sich seinerzeit, als der Verbrecher die Maske schon abgelegt hatte, bereit, seine Bischöfe künftig schwören zu lassen, »die verfassungsmäßig gebildete Regierung zu achten und von meinem Klerus achten zu lassen« (Artikel 16 des Reichskonkordats von 1933). Die Bischöfe waren vertragstreu. Sie schworen, achteten und ließen achten. Auch war ein eigenes »Gebet für das Wohlergehen des Deutschen Reiches und Volkes« zugesagt worden (Artikel 30), das an allen Sonntagen in allen Kirchen »eingelegt« werden mußte. Die Bischöfe beteten und ließen beten.

Im Gegenzug sagte Hitler zu, den Gebrauch der geistlichen Kleidung durch Laien »mit den gleichen Strafen wie den Mißbrauch der militärischen Uniform« zu belegen (Artikel 10). Da muß nichts erfunden werden. Es handelt sich um keine Satire, sondern um geltendes Recht. Bischofs- und Generalsmütze, Meßgewand und Ausgehuniform, Birett und Käppi sind strafrechtlich gleichermaßen geschützt. Jede Elite hat sich ihre Rechte gesichert: Während das Militär seine Uniform gegen die Nicht-Soldaten abschirmt, schützen Hirten ihre Talare gegen jene, die sie, die Bischöfe, bezahlen. Die Hirten blieben vertragstreu. Sie haben ihre »Uniform« geschützt und schützen lassen. Sie tun es noch immer.
Das Reichskonkordat garantierte auch das Amt des Nuntius, »um die guten Beziehungen zwischen dem Hl. Stuhl und dem Deutschen Reich zu pflegen« (Artikel 3). Nuntius Pacelli, der spätere Pius XII., wußte, wovon er sprach, und Hitler auch. Die deutschen Bischöfe waren vertragstreu. Sie haben die guten Beziehungen zwischen dem Dritten Deutschen Reich und dem Hl. Stuhl gepflegt und pflegen lassen.
Soweit ein kleiner Exkurs über die Inhalte jener Abmachungen, die Vatikan und Diktatur trafen. Jeder Bischof ist auf diese Normen verpflichtet. Kein einziger von ihnen machte sich je daran, über diese Abmachungen mit Hitler nicht länger zu schweigen oder gar Abhilfe zu schaffen. Offenbar erscheint es jedem Kirchenfürsten noch heute wichtiger, die mit Hitler ausgehandelten Privilegien zu wahren. Privilegien freilich nicht der Schafe, sondern der Hirten: die Befreiung der geistlichen Amtseinkommen von der Zwangsvollstreckung (Artikel 8). Oder der Schutz der Hirten vor Beleidigung ihrer Person oder ihres Amtes (Artikel 5). Oder die Zusage des Artikels 13, die allem kirchenfürstlichen Besitz besonderen Rechtsschutz garantiert. Oder die Garantie des Artikels 17, daß »aus keinem irgendwie gearteten Grunde« ein »Abbruch von gottesdienstlichen Gebäuden« erfolgen dürfe. Oder die Zusage an den Nuntius des Papstes, grundsätzlich der »Doyen« (Sprecher) des Diplomatischen Corps sein zu dürfen (Schlußprotokoll). Oder, und dies vor allem, Hitlers Garantie der Kirchensteuer (Schlußprotokoll). Bischöfe sind ausgesprochen hitlervertragstreu. Sie rühren sich noch heute keinen Millimeter, um ihre Hitler-Privilegien aufzugeben.

Ein Herbst in Deutschland: Die Presse berichtet innerhalb weniger Wochen, daß Sachsen als erstes der fünf neuen Bundesländer die finanziellen Staatsleistungen an die Kirchen (etwa als Zuschüsse zu den Gehältern der Pfarrer) wiederaufnimmt, Sachsen-Anhalt den Abschluß eines Konkordats mit dem Vatikan (Religionsunterricht, Finanzierung kirchlicher Schulen, Mitspracherecht der Kirche bei der Ernennung von Theologieprofessoren) plant und der Ministerpräsident des Freistaats Bayern an einer »noch engeren Zusammenarbeit« mit dem Vatikan interessiert ist.

Weshalb es sich auszahlt, Hirte statt Schaf zu sein

Ich fange bei den Details kirchlicher Finanzwirtschaft oben an. Das ist keine Laune. Das hat seinen wichtigen innerkirchlichen Grund. Über alles halten nämlich die Diözesanbischöfe ihre Hand. Sie sind, eine kirchenfürstliche Besonderheit, nicht nur die obersten geistlichen Herren in ihrem Sprengel. Sie feiern nicht nur Pontifikalämter in ihren Domen. Sie beschränken sich nicht allein auf die Liturgie. Sie sind auf ihrem Territorium auch die Gesetzgeber, da es keine legislativen Vollmachten von Synoden gibt, die an den Bischöfen vorbei irgend etwas regeln könnten.
Immer haben die Hirten das Sagen, die Nachfolger jener Machtpolitiker, Aufpasser und Umverteiler, die schon im frühen Kirchenfürstentum dafür sorgten, daß sie unentbehrlich wurden.[72] Noch heute, gut 1800 Jahre später, wird hin und wieder eine ferne Erinnerung an die damaligen Kämpfe um das Lehramt wach. Theologieprofessoren streiten sich immer wieder mit Papst und Bischöfen ums wahre Wort. Bekanntlich waren nicht wenige Bischöfe früher selbst Professoren. Mit der Annahme des »Hirtenamtes« wechselten die ehemaligen Theologen aber nicht nur auf die andere Seite über. Als Bischöfe müssen sie sich auch um wichtigere Dinge kümmern als Hochschullehrer. Sie brauchen allerdings auch keine Bücher mehr zu schreiben. Was sie zu sagen haben, druckt jeder oberhirtlich überwachte Verlag gern und ausgiebig nach.
Die Herkunft des Bischofsamtes aus dem finanziellen – und nicht

aus dem geistlichen – Sektor des Gemeindelebens sollte nicht vergessen werden. Kein Wunder, daß die Bischöfe noch immer die obersten »Währungshüter« für die Ihren sind. Wird eine weitere kirchliche Bank gegründet, so kommt der zuständige Bischof nicht nur, um zur feierlichen Einweihung das Gemäuer zu segnen. Er kommt auch als oberster Finanzchef. Denn allein die Bischöfe haben, wenn es darauf ankommt, das Sagen in Finanzfragen, auch wenn sie ihre Kompetenz an eigene Manager abgaben. Die inneren Strukturen eines Kirchenfürstentums, das keinerlei Gewaltenteilung kennt und kein wirkliches Mitspracherecht von »Laien«, führen dazu, daß der Bischof sich auch in finanziellen Angelegenheiten stets gegen seine Untergebenen durchsetzen kann – und wird. An seinem Willen führt kein Weg vorbei.

Gewiß lernten selbst die Oberhirten inzwischen dazu und nahmen in ihre Finanzkommissionen und Kirchensteuerbeiräte auch Nicht-Kleriker auf. Doch können auch diese sachverständigen »Laien« nicht mehr als beraten. Eine Entscheidungskompetenz, die sich gegen den erklärten Willen ihres Bischofs richtete, haben sie nicht. Daß sie im übrigen hirtentreue Christen sind, braucht nicht eigens gesagt zu werden. Warum auch sollten Kirchenfremde über die Verwendung kircheneigener Finanzen mitberaten? Keine Partei wird ihren Schatzmeister ausgerechnet von einer gegnerischen Partei ausleihen. Keine Aktiengesellschaft läßt sich von der Konkurrenz in die Karten schauen. Genau, das ist es wieder: Kirche, Partei, Gewerkschaft sind sich auf dieser Welt und mit diesem Geld zum Verwechseln ähnlich.

Nur einen kleinen Unterschied gibt es: Die Hirten nehmen nicht nur das Geld der Herden ein und geben es auch wieder aus. Sie haben auch Milliarden zur Verfügung, die aus den von allen Bürgerinnen und Bürgern aufgebrachten öffentlichen Mitteln stammen. Über deren Verwendung bestimmen jedoch nicht die Vertretungen der Zahlenden, sondern die Bischöfe, beraten von ausgesuchten Ratgebern – allesamt handverlesene »Berufslaien«. Von demokratischer Kontrolle ist auch das meilenweit entfernt. Ich sage das zunächst ohne Vorwurf. Wenn ein Kirchenfürstentum glaubt, es sei von seinem Stifter eben unabänderlich als eine undemokratische Institution gewollt, kann ich nichts einwenden. Erst wenn es ebenso

glaubt, der »Stifter« habe – wenigstens für das Gebiet der Bundesrepublik – auch an ein besonders effizientes Finanzierungssystem gedacht, melde ich Bedenken an.
Daß Bischöfe inzwischen Vollmachten aufgeben mußten, die vor Jahrhunderten ihren Vorgängern noch manche Freuden verschafft haben, wissen wir. Kein Bischof kann heute eigene Jagden unterhalten (obgleich er die Wälder noch immer besitzt), keiner kann sich in voller Rüstung auf Kriegszüge begeben wie früher, keiner kann mehr barocke Prachtbauten erstellen. Aber die Vollmachten, die er mit seinem fürstlichen Amt ererbte, sind fast dieselben wie vor Jahrhunderten. An den – unaufgebbar erscheinenden – Resten früherer Herrlichkeit, an den Wappen und Titeln kann abgelesen werden, was das bedeutet. Daß ein solcher Herr in der Bundesrepublik besoldet wird wie die ziemlich kleine Schar der hohen Staatsdiener unseres Landes (Besoldungsgruppen B 6 bis B 9), leuchtet ein. Das bedeutet etwa ein Jahressalär von 150 000 bis 180 000 DM vor Steuern. Der Generalvikar der Erzdiözese Köln, oberster Verwaltungschef des Bistums, bezieht ein Gehalt nach A 16 (wie z. B. ein Leitender Regierungsbaudirektor). Domherren in Bayern erhalten Dienstbezüge nach der Besoldungsgruppe B 3, also etwa 9000 DM monatlich. Das liegt über den Gehältern von Oberstudiendirektoren. Ganz um Gotteslohn arbeiten die Herren also nicht. Ehrenamtliche Helferinnen und Helfer finden sich ausnahmslos auf den untersten Rängen des Kirchenfürstentums.
Hirten wissen ziemlich gut, welche Gelder auf sie zukommen, wenn sie sich in die Nachfolge Jesu begeben. Sie kennen eine penibel eingehaltene Rangordnung, und die macht sich bezahlt. Innerhalb des Kirchenfürstentums finden sich, was Kirchenbezahlte genau wissen und einkalkulieren, dieselben Aufstiegsmöglichkeiten wie »in der Welt«. Wer ein solides Hirtenleben führt, kann davon ausgehen, daß früher oder später Ehren auf ihn warten, besondere Titel, farbliche Novitäten – und entsprechende Gehaltszulagen. Je größere Vollmachten ein Hirte bekommt, je mehr geistliche Befugnisse ihm zuwachsen, desto beeindruckender gestaltet sich auch das Gehalt des Betroffenen. Bischöfe verdienen gut das Doppelte eines Pfarrers, und Pfarrer sind wiederum ihren Hilfsgeistlichen finanziell weit voraus. Da sich – im

Gegensatz zur »Glaubensstärke« – nur die Verwaltungstätigkeit eines Hirten kalkulieren, nachmessen und bewerten läßt, leuchtet es ein, daß »Leistungsnachweise« auffallend häufig auf bürokratischem Terrain erbracht und entsprechend bürokratisch honoriert werden.
Ein vergleichbar hohes Gehalt wie die Oberhirten beziehen nur etwa 0,5 Prozent der jeweiligen Landesbeamten. Die weitaus überwiegende Mehrheit der Beamten (von Arbeitern und Angestellten nicht zu reden) liegt weit darunter: Postbeamte, Polizeibeamte, Finanzbeamte erreichen in der Regel nicht die Hälfte dieser Bezüge. Nun wirkt zwar die Steuerklasse wegen des Zölibats der Hirten etwas nachteilig, doch werden solche Nachteile durch die freie Dienstwohnung (einschließlich anteiliger Energiekosten, Telefongebühren, Dienstwagen u. ä.) leicht ausgeglichen. Hinzu kommt, daß sich Bischöfe und Prälaten auf den häufigen Dienstreisen regelmäßig in Pfarrhäusern, Klöstern, Akademien und sonstigen geistlichen Anstalten verköstigen lassen. Der eigene Monatsetat leidet daher nicht übermäßig. So ist garantiert, daß die eine oder andere überzählige Mark dem Privatvermögen zugeführt werden kann. Daß Bischöfe hin und wieder auch karitativ tätig sein können, läßt sich angesichts solcher Privatgehälter ebenso unschwer nachvollziehen.

Warum halten Kirchenfürsten gar nichts von der Demokratie? Oder: Ein Patriarch, der Macht aufgibt, ist keiner

»Machtübernahme der Gottlosen«

Erzbischof Johannes Dyba (Fulda)
1989 über die Französische Revolution

Immer wieder ist zu hören, daß alle Christen in einem Boot sitzen, ja daß »wir alle eins« sind – oder wenigstens werden sollen. Nichts scheint die Oberhirten mehr aufzuregen als eine Gefährdung dieser Einheit. Wer die Einheit zerstört, gehört ausgeschlossen, fordern sie. Er bringt unsere Sicherheit in Gefahr. Wer nicht so will wie wir, soll draußen sitzen.

Nicht alle lieben Christenschafe merken schon, daß da etwas nicht stimmt. Das »Wir-Gefühl« macht stark. Das Ringen gehört dazu, und das Draufschlagen gehört sogar wesentlich zu den »letzten geistigen, religiösen und sittlichen Werten« des Abendlandes. Man vermißte etwas, wenn es nicht auch zum Kirchenfürstentum gehörte, dem Wächter über ebendiese letzten Werte, dem Retter des Abendlandes. Zorn ist keinem Kirchenfürsten fremd. Im Gegenteil. Zorn gehört – noch ungleich mehr als etwa Obszönität – zu den Strukturen einer Kirchenherrschaft. Das Kirchenfürstentum kann als gesellschaftliche Organisation gar nicht überleben, wenn es nicht gegen diejenigen mit äußerstem Zorn vorgeht, die nicht so wollen wie es selbst.

Aber nicht nur dieser Eifer gegen die anderen, die nach draußen abgeschoben werden können, ist hier gemeint. Zornig sind die Hirten auch gegen die eigenen Schafe, gegen die »Laien«. An keinem anderen Beispiel ist so klar darzustellen, wie tödlich eine derartige Haltung wirkt. Die verworfenen Laien laufen ihren Hirten weg, die gemaßregelten Ehepartner tun dies ebenso. Zurückbleiben werden schließlich nur noch die Zornigen selbst; sie sind unter ihresgleichen im selben Wahn gefangen. Aber bis es soweit ist, bis auch das letzte Schaf seine Ausbeutung verspürt und die richtigen Konsequenzen gezogen hat, wird es noch dauern.

Es geht mir nicht darum, auf die vielen Maßregelungen einzugehen, die von Kanzeln und Kathedern seit Jahrhunderten auf die Menschen herabgehen. Obgleich dies traurig genug ist, bleibt es nur ein Symptom für eine tieferliegende Wirklichkeit. Denn das Kirchenfürstentum ist nach Meinung der in ihm Herrschenden aufgeteilt in die Gruppe der Gouvernanten und in die der Unmündigen. Die einen lehren, die andern werden belehrt. Die einen schimpfen, die andern werden beschimpft. Das bedeutet ein Gefälle mitten im Pferch.

Zwar hatte sich das oberhirtliche Schimpfen und Anordnen einmal aus Themen ergeben, die als theologisch zu klassifizieren waren. Über den lieben Gott redete nun einmal am besten sein Bodenpersonal. Die anderen hörten zu und schwiegen. Von diesem Stoff verständen sie nichts, hatten ihnen die Hirten gesagt. Gott war eine

Domäne derer, die die letzten Werte definierten und predigten. Ihre letzten Werte, ihren eigenen Gott.
Aber mit der Zeit genügte den Kirchenfürsten nicht einmal mehr der liebe Gott. Über den war bald alles definitiv gesagt; nach ein paar Jahrhunderten Kirchengeschichte waren keine Dogmen über ihn mehr zu erwarten. Gotteslehre wirkte nur noch langweilig. Mit Dogmatik im engeren Sinn konnten die Bischöfe und Päpste nichts mehr anfangen. Sie wollten mehr. Ihre Interessengebiete weiteten sich aus. Schließlich gelang es ihnen sogar, im Pferch die Vorstellung durchzusetzen, alle Regungen eines Menschenlebens müßten von einigen Besserwissern, den Amtsträgern, zunächst diagnostiziert, abgewogen, gewertet und endlich, als Norm für alle Eventualitäten, geregelt werden. Diagnose und Therapie lagen in einer Hand.
Jetzt hatten die Hirten wieder zu tun. Jetzt konnten sie sich bestätigen, indem sie alles und jedes perfektionistisch lenkten. Jetzt wußte jeder, was eine Sünde war und was nicht. Und wer es doch noch nicht recht wußte, konnte den Experten fragen. So füllten sich die Beichtstühle. Bald war das Leben der Menschen umschlossen von einem immer enger gestrickten Netz moralisch anspruchsvoller Normen. Das umsorgte Gotteslamm war nur noch darauf hinzuweisen, daß es, falls notwendig, von oben jederzeit Fürsorge erhalten würde, am besten in Form mundgerecht vorgekauter Erklärungen zu Moralproblemen (die nicht unbedingt die seinen waren, doch die der Hirten). Schließlich war es noch dazu zu erziehen, wollte es wirklich ein guter Vertreter seines Standes bleiben, auf diese Stimme aus der Höhe auch zu hören. Die Meinungsdiktatur war perfekt.

Weshalb Menschenrechte nicht für Schafe gelten

Es ist keine nur individuelle Verfehlung, wenn Oberhirten hochmütig sind. Sie leben in einem strukturell stolzen System. Ihr hauptsächlicher Charaktermangel besteht freilich darin, sich ein Hirtenleben lang nicht um irgendeine Änderung zu bemühen, sondern das stolze System durch dick und dünn mitzutragen. Die Ideologie des kirchenfürstlichen Hochmuts[1] gründet auf dem Vorzug des Habens vor dem Sein, auf dem Willen, andere Menschen zu beherrschen statt ihnen gleich zu sein, auf der als »Hierarchie« (Heiliger Dienst!) ausgegebenen Überordnung der wenigen einen über die vielen anderen, auf der notwendigerweise ständigen Sorge, die eignen Vorzüge im Konkurrenzkampf zu behaupten und durch Geld, Prestige, Macht und Titel zu sichern, auf der Förderung bestimmter patriarchaler Interessengemeinschaften (Seilschaften), die die natürliche Feindin brüderlicher Solidarität ist.

Wie lange schweigt die Herde noch, nimmt hin, schluckt wieder und wieder – und fühlt sich gläubig? Ihr wurde suggeriert, sie müsse an ein bestimmtes System glauben. An ein System, das schlicht antidemokratisch ist und bleibt, aber als gottgewollt gepriesen wird. Was nur ist von einem Gott zu halten, der mit Demokratie nichts zu tun haben möchte? Der im Innenraum des Kirchenfürstentums, wo seine angeblich treuesten Anhänger wirken, demokratische Verhältnisse haßt wie den Satan?

Antidemokratische Kirchenfürsten desavouieren ihren eigenen Gott. Denn es steht in der Bibel nicht nachzulesen, daß Jesus aus Nazareth die innerkirchliche Machtausübung exklusiv einigen wenigen Nichtdemokraten (Monarchisten) vorbehalten hätte. Fällt es schon schwer zu glauben, daß dieser Gottessohn irgend etwas mit dem Kirchenfürstentum zu tun haben könnte, so wird seine Position noch mehr durch die offizielle Meinung geschwächt, er habe seiner »Gründung« ausgesprochen undemokratische Elemente mit auf den Weg gegeben – und eine absolute Monarchie gewollt. Stimmte diese Annahme der Kirchenfürsten, wäre Jesus aus Nazareth wirklich ein Monarchist gewesen, dann hätte er schon lange nichts mehr mit unserer Welt (dafür viel mit dem Feudalismus) zu tun. Dann wäre er längst – und für immer – als anachronistischer Narr überholt.

»Seine« Kirche soll keine Gewaltenteilung kennen? Gesetzgebung, Rechtsprechung und Verwaltung sollen ungeteilt in den Händen weniger liegen? »Vollmacht« soll im Kirchenfürstentum vom Gott der Herrschenden und nicht vom Volk ausgehen? Vollmacht bei wenigen Hirten liegen? Und diese niemandem außer dem Papst verantwortlich sein? Wer dies lehrt (und es ist die oberhirtliche Meinung), entlarvt sich selbst. Er beschreibt den eigenen Machtwillen und hat mit Jesus aus Nazareth nichts zu tun. Merkwürdig, daß der Nazarener von einem neuzeitlich-demokratischen Denken, das heute allein human ist, gegen die angeblich eigene Hirtenschaft verteidigt werden muß.

Demgegenüber machen es sich Kirchenfürsten sehr leicht. Zu leicht, wie ich meine, denn sie versuchen, eine schon überholte und eigentlich indiskutable Klassengesellschaft zu verteidigen oder neu zu etablieren. Jedes frühere Privileg, das ganze elitäre Führertum von ehedem sollen bewahrt werden. Das nenne ich detaillierte Wahrung eines Besitzstandes, Profitsuche auf Oberhirtenart. Alleinvertretungsansprüche, die durchzusetzen sind, bringen, wie geschichtlich erwiesen, das meiste Geld.

Wer zahlt die Zeche? Die Schafe. Sie müssen gegenüber den Hirten ohnmächtig bleiben. Rechenschafts- und Begründungspflichten können einem Bischof nicht zugemutet werden. Je höher ein Hirte in der Hierarchie steigt, desto weniger muß er sich rechtfertigen, desto mehr profitiert er von seinem Amt. Werden einfache Pfarrer hin und wieder, wenn es nicht mehr anders geht (wenn sie viel Geld unterschlagen oder zu viele Kinder gezeugt haben), von ihren Bischöfen zur Rechenschaft gezogen, so werden Bischöfe selbst ungleich weniger gemaßregelt. Der Papst selbst ist völlig unantastbar. Er kann sich – wie kein anderer Mensch auf Erden – leisten, was er will. Noch sitzt niemand über ihn zu Gericht.

Diesen Sonderstatus haben sich frühere Päpste blutig erkämpft. Er stammt aus völlig anderen gesellschaftlichen Verhältnissen, aber er gilt als zeitlos. Der Vatikan macht es sich sehr leicht, solange die Herden schweigen: Seine Hirten reklamieren eine biblische Fundierung für Zustände, die nichts sind als eingefrorene Anpassung an einen früheren Zeitgeist. In einer konkreten Epoche der Kirchengeschichte war es den Kirchenfürsten gelungen, bestimmte Privilegien zu ergattern, und nun – über tausend Jahre später – nutzen sie diese noch immer, als habe sich auf der Welt nichts geändert.

Die neuzeitliche Geschichte der Menschenrechte haben Bischöfe und Päpste entweder nicht mitbekommen oder nicht zur Kenntnis genommen. Im Vatikan wursteln die Herren so weiter, wie es ihre Vorgänger vor Jahrhunderten taten. Gewiß, inzwischen hielten

Elektrizität und Computertechnik Einzug. Aber die Mentalität änderte sich nicht. Telefone und Fernschreiber sind Instrumente, mit deren Hilfe eine mittelalterliche Geistigkeit in der Welt verbreitet wird.
Immer wieder kamen von Papst und Bischöfen strikt antidemokratische Äußerungen: Rom weigerte sich aus Gründen der Selbsterhaltung, die bürgerlichen Rechte auch nur von fern anzuerkennen. Zur Erinnerung: Kirchenfürsten beantworteten die Erklärung der Menschenrechte zu Beginn der Französischen Revolution mit einer Verlautbarung, die diese Menschenrechte – Gedankenfreiheit, Religionsfreiheit, Rede- und Pressefreiheit – als Ungeheuerlichkeiten verdammte.[2]
Neuzeitliche Menschen fühlen sich durch solche Fakten beschmutzt. Eine solches Fürstentum kann nichts mit der Gegenwart zu schaffen haben; es bleibt hilflos anachronistisch.
Kein Gott wird die Hirten retten, es sei denn der, den sie sich selbst zurechtmachten. Dieser kann freilich, schweigsam wie er geworden ist, nichts dafür, daß er dazu herhalten muß, schlimme Zustände zu rechtfertigen: das Fehlen von Chancengleichheit beispielsweise, wie es das Kirchenfürstentum charakterisiert. Denn in ihm sind bestimmte Personengruppen privilegiert und andere rechtlich unterentwickelt. Es gibt in der Catholica keine soziale Autonomie der Individuen, keine praktikablen Formen der Mitbestimmung, keine Transparenz der Entscheidungsprozesse, weder ein Mehrheits- noch ein Öffentlichkeitsprinzip, keinen hinlänglichen Rechtsschutz, kein Dienstrecht, das nicht am Gehorsam orientiert wäre.
Wie Kirchenfürsten sich noch 1991 geben? Was diejenigen von Demokratie verstehen, die sich selbst zu Wächtern über das demokratische Gemeinwesen ernannten? Bischof Stimpfle (Augsburg) kündigt dem Chefredakteur der Kirchenzeitung fristlos, weil sich dessen Auffassung von Journalismus nicht mit der des Oberhirten verträgt. Kardinal Meisner (Köln) weist die Bücher-Beschaffungsstelle seines Generalvikariats an, künftig keine Bücher mehr bei einer bestimmten Kölner Buchhandlung zu kaufen, weil diese sich auch für kirchenkritische Autoren engagierte. Solche Bischöfe stammen aus einem anderen Jahrhundert. Sie sehen sich als Eigentümer und

nicht als Treuhänder eines Vermögens, das von den Steuerzahlern aufgebracht wird. Sie meinen, demokratische Pflichten gälten für alle anderen, nur nicht für sie.
Sie wissen, weshalb. Kirchenrechtler Georg May, Hochschullehrer an der Universität Mainz, darf verlauten lassen: »Die Verfassung der Kirche ruht in ihrem Grundbestand nicht auf dem Willen des Volkes, der Gläubigen, sondern auf dem Willen Christi, in ihrer Ausgestaltung auf dem Willen der Hirten der Kirche.«[3] Dieser Denker gibt den Herrenwillen seiner Hirten wieder, und Schafe schweigen. Sie sind eben »als die Kirchenglieder« zu bestimmen, »die nicht die Kirchengewalt ausüben«[4].
Und damit die Schafe wissen, warum das so ist, verrät May, was er von ihresgleichen hält: »Denn der Herr Jedermann neigt auch in der Kirche dem religiösen und ethischen Minimum zu.«[5]
Dem Laienvolk, religiös und ethisch minderwertig, kann nichts und alles zugetraut werden, meinen die Herren. Daher ist ein Führertum jeder Demokratisierung im Kirchenfürstentum vorzuziehen. Daher ist jedes innerkirchliche Wahlrecht eine Konzession von oben nach unten. Daher stellt jeder demokratische Zug in der Verfassung dieses Fürstentums nur eine »Selbstbeschränkung der Amtsträger« dar (die jederzeit zu widerrufen ist). Daher kann Theologe May faseln, Mitbestimmung schwäche nur die oberhirtlichen Führungsenergien und gefährde den Heilszweck überhaupt, Gleichheit sei Nivellierungssucht, Räte begünstigten die Flucht aus der Verantwortung, Information stelle eine bessere geistige Vergewaltigung dar, und die unleugbare Autoritätskrise lasse sich allein durch Führung lösen, zumal die Mehrheit der Gläubigen ohnehin kein Bedürfnis nach Demokratie, sondern nach Befehlsempfang verspüre.[6]
Recht gedacht. Schafe bedürfen keiner Aufklärung über ihre Lage; sie sind wunschlos glücklich. Sie wollen, sind sie besonders treu, gar nicht aufgeklärt sein. Für sie ist dieses Buch nicht geschrieben; Zeitverschwendung, gehorsam Gläubige je über Tatsachen informieren zu wollen. Freilich, die weiten Ränder der Herde bröckeln; hoffentlich setzt sich einmal die Aufklärung durch.
Sprechen Oberhirten von Demokratie, reden Blinde von der Farbe. Sie haben nichts mit ihr im Sinn, soweit sie ihre eigene Herde

betrifft. Was Wunder, daß sie alles daransetzen, im Kirchenfürstentum noch nicht einmal einen Hauch demokratischen Bewußtseins aufkommen zu lassen. Kaum Zufall, daß sie für diese Schäbigkeit den sogenannten Willen Gottes herbeizitieren. Verständlich, daß ihre Vorgänger im Amt noch vor wenigen Jahrzehnten die Demokratie ablehnten, die Volkssouveränität im neuzeitlichen Staat ebenso kategorisch verwarfen wie das »Schlagwort von der Gleichberechtigung aller Stände«[7]. Kein Wunder, daß sie im März 1920 die deutsche Revolution, die das Kaiserreich abgelöst hatte (und der wir die gegenwärtige Demokratie mitverdanken), »Stunde und Macht der Finsternis« hießen.[8]

Kein Wunder auch, daß in einer Welt, die entscheidend durch das neuzeitliche Freiheitsverständnis geprägt ist, die stärksten Bewegungen zu dessen Verwirklichung nicht innerhalb, sondern außerhalb des Einflußbereichs der Kirchenfürsten entstanden. Kein Wunder, daß dieser Prozeß an den Oberhirten vorbeiläuft, ja, sich gegen diese wendet. Kein Wunder, daß Gotteslämmer nicht in einem einzigen Fall Schrittmacher der Gesellschaft und der Kultur sind, sondern Gläubige immer auf einen fahrenden Zug aufspringen. Aus diesem Kirchenfürstentum kommen keine wegweisenden Worte oder Taten.

Erkenntnis soll sich nicht durchsetzen; oberhirtliche Herrensöhne führen gegen sie die großartigen Leistungen christlicher Baugeschichte (»Kaiserdome« u. ä.) ins Feld. Weitere Kulturleistungen der Geschichte wie Kreuzzüge, »Ketzer«- und »Hexen«-Verfolgungen werden verschwiegen. Dasselbe gilt für den Beitrag der Kirchenfürsten zum wissenschaftlichen Fortschritt: Er ist gleich Null. Was die Hirten für die Wissenschaft taten, ist mit dem Begriff »Inquisition« hinlänglich umschrieben.

Eine besonders schmerzliche Erfahrung der Menschen: Grundrechte müssen gegen die Herrenkirche durchgesetzt werden. Mit ihr zusammen läßt sich nichts bewegen. An der Emanzipation des neuzeitlichen Menschen haben weder Bischöfe noch Päpste einen Anteil. Martin Dibelius, protestantischer Theologe, sagte einmal knapp: »Darum waren alle, die eine Verbesserung der Zustände dieser Welt wünschten, genötigt, gegen das Christentum zu kämpfen.«[9]

Arm bleibt arm und reich bleibt reich. So will es der Kirchengott, sagen seine Stellvertreter auf Erden.[10] Unternehmer bleibt Unternehmer, und Arbeitnehmer Arbeitnehmer, so praktizieren es die Kirchenfürsten, die Großunternehmer. Weil Oberhirten ihre Monopolstellung auch und gerade in Sachen Caritas weidlich ausnützen, haben Menschen mit nichtkirchlicher Weltanschauung, sofern sie sozial tätig sein wollen, keine echte Berufschance gegenüber den kirchenfürstlich monopolisierten Tendenzbetrieben. Obwohl der Staat bis zu 100 Prozent der Kosten solcher Einrichtungen trägt, läßt er darin die Kirchenfürsten als Arbeitgeber walten – und damit, unter Bezug auf den in Kirchensachen angeblich undemokratischen Willen Gottes, demokratieferne Räume schaffen. Kirchliches Dienstrecht – so Stimmen aus dem Dunstkreis der Hirten – sei weder Arbeitsrecht noch öffentliches Recht. Es sei schlicht Kirchenrecht und damit dem Zugriff der Oberhirten freigegeben. Ergo möchten diese schalten und walten, wie sie wollen, und ihre Einflußzonen ausdehnen. Nach ihrem Selbstverständnis könnten nicht nur sämtliche konfessionellen Krankenhäuser, sondern auch Kindergärten, Sozialstationen, Altenheime als »Stätten der Religionsausübung« unter den besonderen Grundrechtsschutz der Verfassung fallen. Die Kirchenherren versuchen zu bestimmen, welche Bereiche des Staatslebens von der speziellen Kirchenfreiheit (Glaubens-, Religionsfreiheit) erfaßt werden. Gegenüber einer solch expansiven Deutung werden die Schranken des für alle geltenden Gesetzes praktisch bedeutungslos. Religion wird in einem Sektor ausgeübt, der dem Staat verschlossen bleibt.[11]

Der Deutsche Caritasverband – oberhirtlich kontrolliert – schätzte schon 1979 den Durchschnittswert des pro Arbeitsplatz investierten Vermögens auf 300000 DM. Das bedeutet einen Aufwand an Gesamtinvestitionen von über 50 Milliarden DM. Aber was geschieht mit und an diesen Arbeitsplätzen? Nicht ohne Grund kritisieren Gewerkschaften immer wieder die unter demokratischen Gesichtspunkten unhaltbaren Zustände in kirchenfürstlichen Einrichtungen. Zwar sind Oberhirten sofort bereit, überall dort soziale Aufgaben an

sich zu ziehen, wo Ansprüche gegenüber Staat oder Sozialversicherungsträgern und Krankenkassen geltend gemacht werden können. Doch weigern sie sich strikt, die Arbeitsbedingungen ihrer MitarbeiterInnen tariflich so festzulegen und abzusichern, wie das den Regeln eines demokratischen, sozialen Rechtsstaats entspricht.
Es ist unglaublich, aber wahr: Oberhirten schränken die – in Verfassung und Gesetz verbrieften – Rechte ihrer Bediensteten ein. Aus vorgeblich »dogmatischen« Gründen. Es zeigt sich ein Prinzip kirchenfürstlicher Arbeitsmarktstrategie: Zum einen sind Bischöfe nicht von dieser Welt, zum andern beanspruchen sie alle Privilegien dieser Welt. Also decken sie sich, was ihre Institution und alle ihre Einrichtungen und Besitztümer (Brauereien eingeschlossen) betrifft, mit dem Mantel einer öffentlich-rechtlichen Körperschaft. Zum anderen fordern sie Ausnahmen von den für alle geltenden Gesetzen unter Berufung auf ihren unvergleichlich »höheren Zweck«. In beiden Fällen bringt dieses doppelmoralische Verhalten erhebliche finanzielle Vorteile.
Menschen im Geltungsbereich des Grundgesetzes, die in oberhirtlich bestimmten Einrichtungen beschäftigt sind, tun gut daran, sich auch in ihrem Privatleben an die Grundsätze der Kirchenfürsten zu halten. Scheidungen und Wiederverheiratungen, Abtreibungen, Geburten unehelicher Kinder oder auch nur Stellungnahmen gegen die jeweils gültige oberhirtliche Anschauung (wie die zum § 218 StGB) gelten als unvereinbar mit ebendiesen Prinzipien – und führen zum Verlust eines Arbeitsplatzes, der aus Steuermitteln bezahlt wird. Prozesse vor Arbeitsgerichten haben den Betroffenen deutlich gemacht, was es heißt, in einem Land zu leben, das kirchenfürstliche und damit undemokratische Räume zuläßt. Daß Oberhirten hierzulande ihre Angelegenheiten selbständig regeln können, nehmen sie als Freibrief für arbeitsrechtlich skandalöse Zustände. Bedienstete, die Oberhirten zu Arbeitgebern haben, bleiben ArbeitnehmerInnen minderen Rechts.
Verbände von Kirchenbezahlten gibt es genug; Küster und Kindergärtnerinnen sind organisiert. Aber sie pflegen das Bewußtsein von Kindern, die ehrfürchtig zu ihren Vätern aufschauen und von diesen das Heil (und das Gehalt) erwarten. Ihr Gehorsam lähmt sie.[12] So

weit kommt es mit Menschen, die statt Unterricht in Demokratie Bibelunterricht genossen haben und Jahr für Jahr vertröstet statt ernst genommen werden. Warum hören wir nicht von Aufständen? Weil sie dazu erzogen sind, gläubig-gehorsam zu bleiben. Weil diese Lebenshaltung ihnen das Jenseits garantieren soll. Weil jeder wirkliche Aufstand sie die berufliche Existenz kostet – und die Kirchenfürsten selbst noch immer nicht tangiert.

Was Hirtenworte und Fensterpredigten gemeinsam haben

Wahrheit ist konkret; große Worte machen sie ebensowenig aus wie Fensterpredigten. Machiavelli, ein genauer Beobachter der Wirklichkeit, erkannte in den Jahren zwischen 1510 und 1520, »daß die Völker am wenigsten Religion haben, die der römischen Kirche, dem Haupt unseres Glaubens, am nächsten sind«[13]. Woher das kommt? Vielleicht reden die Hirten zuviel – und tun zuwenig für ihre Herde. Kann die Welt überhaupt perfekt erklärt werden? Läßt sie sich theologisch so vollkommen kategorisieren, daß es den Bischöfen und Päpsten nicht schwerfällt, ständig zwischen Gut und Böse zu unterscheiden? Ich glaube nicht. Die dauernden Entscheidungszwänge, denen Hirtenherren unterliegen, offenbaren die tiefgehende Unsicherheit selbsternannter Experten.

Kirchenfürsten wissen von Gut und Böse nicht mehr als andere Leute. Was sie auszeichnet, ist die Angst, etwas nicht perfekt genug zu wissen und entsprechend als Besitzer von Achtelwahrheiten entlarvt zu werden. Niemand kann so simpel, wie Hirten es versuchen, zwischen Wahrheitsbesitz (bei sich selbst) und Wahrheitsbeurteilung (bei anderen) hin und her schaukeln, ohne sich lächerlich zu machen. Es sei denn, einer zöge sich in einen elfenbeinernen Turm zurück, fern der Gesellschaft und ihrer Fragen und Nöte, und ließe sich »Papst« nennen.

Von Moral darf niemand reden, wo ihre Vorbedingungen fehlen, wo wortgeübte Strategen der Tabuierung Strukturen, die unverändert von den Hirten des Mittelalters übernommen wurden, derart mysti-

fizierten, daß sie den Schafen als unvergängliche Werte erscheinen.[14] Von Moral kann niemand sprechen, wenn es um ein System geht, das lebendige Menschen zum Gegenstand seiner Lenkung macht. Dieses System vergaß, daß freie Menschen seinetwegen in Unfreiheit überführt werden mußten, daß Kindereien an die Stelle der Kindschaft traten. Kritik an solchen Traditionen, die sich vor der Freiheitsgeschichte der Menschen schamhaft verstecken müssen, wird – Stolz der Unschuldigen – als moralisch unsauber disqualifiziert.
Kirchenfürsten versuchen immer wieder, den aufkommenden Eindruck, sie taugten eigentlich nicht viel und seien schon längst anachronistisch, durch besondere Anstrengungen zu verwischen. Dabei waren sie noch nie unnütz; zu allen Zeiten konnten sie zumindest als schlechtes Beispiel dienen. Und heute? Da es mit dem allgemeinen Glauben nicht mehr weit her ist, versuchen Hirten es – die feiertags üblichen folkloristischen Einlagen einmal beiseite – mit dem, was sie Moral nennen. Auf diesem Terrain fühlen sie sich noch immer zu Hause; es gibt sogar Leute (vor allem Parteipolitiker), die meinen, Kirchenfürsten besäßen so etwas wie ein Moralmonopol. Aber die Wirklichkeit sieht ganz anders aus. Was von oberhirtlicher Seite als zeitlose Moral, letzter Wert, göttliches Gebot verkündigt wird, ist Ergebnis einer geschickten Anpassung an die jeweiligen Zeitläufte. Beliebigkeit statt Zeitlosigkeit ist an der Tagesordnung. Neue Moralen verdanken ihre Öffentlichkeitswirkung nicht selten dem Gespür ihrer Erzeuger für die Themen, die in der Luft liegen.[15] Theologen taugen was, wenn sie ein solches Gespür offenbaren – und für die Interessen ihrer Oberhirten einsetzen. Ob die so entstehende und propagierte Moral für Menschen taugt, ist eine andere Frage.
Hirten müssen, wollen sie gehört werden, den Durchschnitt bedienen. Heilige sind zu selten, als daß Realpolitiker (und was wollen Kirchenfürsten anderes sein?) auf sie zählen dürften. Hirten müssen eine mittlere, dem allgemeinen Denken und Empfinden angepaßte Meinung vertreten. Dieser Grundsatz gilt vor allem für Oberhirten, die eine kirchenoffizielle Moral propagieren. Den Zeitgeist, dem sie ihre Moral verdanken, verraten sie nie; sie leiten ihre Auffassungen aus ihm ab, selbst wenn es zuweilen anders aussieht. Ihr Pech: Es handelt sich stets um den Geist vergangener Zeiten, dem sie sich anpaßten.

Nach vorne weisen sie nicht. Als jüngste Schicht in den oberhirtlichen Moralsystemen und -aussagen (»Hirtenworte«) lassen sich jeweils ethische Reflexe auf den Teil der Wirklichkeit ausmachen, den die Kirchenoffiziellen positiv oder negativ zur Kenntnis nehmen dürfen.[16] Sie entnehmen dem Vorrat der religiös interessierenden Themen jeweils die, die zum Zeitgeist passen. Sie setzen ihre Schwerpunkte nach eigenem Gusto. Dabei beweisen sie diplomatisches Geschick: Sie passen sich zu fast 99 Prozent an, indem sie Themen von allgemeinem Interesse nun auch ihrerseits als moralisches Problem behandeln, und sie halten sich ein, zwei Prozente an Widerspruch frei (gegenwärtig die Frage des Schwangerschaftsabbruchs), um von sich behaupten zu können, sie seien »nicht von dieser Welt«. Derart bleiben sie – vorerst – im Gespräch und behalten einen bestimmten Einfluß auf die öffentliche Meinung. Ob sie aber goldene Kreuze tragen müssen, um ungeborenes Leben zu verteidigen?
Fehlorientierungen rächen sich: Auf dem Weg zur humanen Gesellschaft sind Kirchenfürsten keine Führer. Von Oberhirten kann kein Anstoß zum Leben erwartet werden. Moral, der es um eine lebendigere Zukunft geht, kommt um diese Wahrheit nicht herum. Bischöfe und Päpste verfingen sich so sehr in ihren eigenen Netzen, daß sie in wirklich bedeutsamen Bereichen kein Gehör mehr finden. Daß sie hinter jedem neuen Problem herlaufen, um eine »Lösung« zu erarbeiten, die niemanden interessiert, daß die wirklich praktikablen Lösungen von anderen kommen, sei hier nur angemerkt.
Während Kirchenfürsten auf der ganzen Welt Ratschläge erteilen, wie andere es zu machen haben, nehmen sie sich selbst von diesen Mahnungen aus. Ein Beispiel für viele: die sogenannte christliche Soziallehre, die ehrlicher katholisch und ganz ehrlich kirchenfürstlich genannt würde. Sie lehrt – zum Fenster hinaus –, von Gewerkschaften sei »eine demokratische Struktur und eine weitgehende Achtung von Minderheitspositionen in der Mitgliedschaft« zu fordern.[17] Hauptamtliche Funktionäre dürften sich nicht von den Mitgliedern verselbständigen. Die Forderungen der Gewerkschaften unterlägen einer »Gemeinwohlverpflichtung«; sie sollten nicht nur die Interessen der Mitglieder, sondern auch allgemeine Interessen

(Steuerzahler) im Auge haben und auf Drittwirkungen achten (Arbeitslose, Dritte Welt, Umwelt). Um eine solche Rücksichtnahme zu gewährleisten, sei eine öffentliche Kritik an den Gewerkschaften unerläßlich und legitim.
Ich staune nicht über diese Fensterpredigt. Ich habe sie erwartet. Denn jede einzelne der an die Gewerkschaften gerichteten Forderungen wird von einem Kirchenfürstentum, dessen Privilegierte sich als Wächter über die neuzeitliche Demokratie aufspielen, *nicht* erfüllt. Kirchenfürsten schätzen weder demokratische Strukturen noch eine Achtung von Minderheitspositionen. Sie haben sich selbst von den sogenannten Herden abgesondert und isoliert. Ihre Forderungen haben ausschließlich die eigenen Interessen – und keineswegs die der Allgemeinheit – im Auge. Drittwirkungen sind ihnen seit Jahrhunderten nachweislich unwichtig. Öffentliche Kritik an ihnen gilt weder als unerläßlich noch als legitim.
Wovon oberhirtliche Fensterpredigten handeln? Hirtenworte suchen sich ihre Lieblingsthemen, und die sind nicht nur allesamt nach draußen, an die anderen, gerichtet, sondern sie verschweigen auch bewußt bestimmte Themen oder greifen sie erst auf, nachdem kein Weg mehr daran vorbeiführt. Beispiele gibt es genug: Die Berufsverbote wurden von den Oberhirten nicht einmal thematisiert, und Themen des Umweltschutzes wurden erst aufgegriffen, als die Gesellschaft sie schon längst diskutierte. In Sachen Neutronenbombe veröffentlichte ich 1978 in der Frankfurter Rundschau einen Artikel; er fand seinerzeit, als den Herren die Nachrüstung geboten schien, sogleich eine bischöfliche Erwiderung und »Richtigstellung«. Das geschah in den Monaten, da mir bei öffentlichen Auftritten Offiziere der Bundeswehr beigegeben wurden, weil ich, als Gegner der Bombe, auch unter Christen ein »Außenseiter« sei und Ausgewogenheit hergestellt werden müsse . . .
Hirten und Wächter, blinde Führer von Blinden. Die Kirche sei geschichtlich, heißt es – eine bloße Banalität. Was anders sollte ein Kirchenfürstentum sein? Was anders als eine zu einem geschichtlich festzumachenden Zeitpunkt entstandene, legitimierte und ausgestaltete Institution? Was anders als eine Einrichtung, die ein geschichtlich festzustellendes Ende haben wird, da sie einen histori-

schen Anfang hat? Gerade das »Mehr«, das von Kirchenfürsten mit Zähnen und Klauen verteidigt wird, erwies sich als geschichtlich gewordenes und geschäftlich genutztes Sammelsurium von frommen Wünschen. Nirgendwo gelang der Nachweis, daß es – über die Anhäufung von Ängsten und Wunschphantasien hinaus – ein tatsächliches Mehr gibt.

Diese Wahrheit fürchteten Oberhirten zu allen Zeiten. Die durchweg festzustellende Reformunwilligkeit der Kirchenfürsten gründet auch in der Tatsache, daß eine Moral, die nicht von Menschen stammen will, nicht zugeben wird, sie könne von Menschen verbessert (humanisiert) werden. Und solche Eigenmoral einer elitären Gruppe soll als Vorbild für eine ganze Welt dienen? Sie, die im Kirchenfürstentum praktizierte, soll in die Kulturen der Erde exportiert werden? Daß das Kirchenfürstentum historisch gescheitert ist, beweisen Hunderte von Beispielen. Um so zäher verteidigen seine Erben die Reste ihrer Macht. In Gesetzgebung, Verwaltung und Rechtsprechung. Hier geht es um die Ausübung reiner Gewalt unter dem Etikett des »heiligen Dienstes«; Mitbestimmung, die nicht Augenwischerei wäre, findet nicht statt.

Die Einsicht in das fehlerhafte Grundschema bleibt Kirchenfürsten verwehrt. Sähen sie ein und zögen sie Konsequenzen, wären sie von Stund an keine Hirten mehr. Was bleibt ihnen anderes übrig, als den eigenen Status als den eines »Zeichens von Widerspruch« auszugeben, eines Nein zur Welt, eines Opferlebens, eines Martyriums um der Wahrheit willen? Der frühere Kölner Erzbischof Kardinal Höffner, dessen Leichenbittermiene ebenso sprichwörtlich war wie die des Papstes Paul VI., sagte am 17. November 1980 in Fulda zu Johannes Paul II.: »Heiliger Vater, wir wissen um die Schwere Ihres Amtes. Sie machen den unter uns gegenwärtig, der die Dornenkrone getragen hat! ... Sie scheuen das Ärgernis und die Torheit des Kreuzes nicht. Die Gestalt des Gekreuzigten leuchtet in einem Papst des Widerspruchs auf, aber nicht in einem Nachfolger Petri, der sich überall anpassen würde.«[18]

Wenige Sätze eines Kirchenfürsten an den anderen, doch eine historische Unwahrheit an die andere gereiht, eine Unverfrorenheit auf die andere gehäuft, ein Musterbeispiel dafür, wie absolute Herrscher und Millionäre sich als Träger von Dornenkronen zu kaschieren suchen.

Kirchenfürsten mögen Unsinn reden und Lügen auftischen. Kabinettspolitik, Geheimhaltungsängste und Ablehnung wirklicher Mitbestimmung machen es den Oberhirten unmöglich, sich zu befreien. Bischöfe und Päpste mögen über alles mögliche informiert sein (und werden): Von ihrer wahren Lage wissen sie nichts. Eine Befreiung aus der Verklemmung ist ihnen ebensowenig möglich wie eine auch nur halbwegs unbefangene Kommunikation mit den Millionen Mitmenschen, die als »falsche Welt« gedeutet werden. Nicht ohne Grund verlieren Mahnungen, die von diesen Hirten kommen, ständig an Gewicht. Die Akzeptanz des Kirchenfürstentums nähert sich auffallend schnell derjenigen einer Sekte. Gehorsam bringen nur noch jene auf, die als harter Kern gelten möchten und sich entsprechend elitär gebärden.

Das innerkirchlich von Konjunktur zu Konjunktur anwachsende Friedens- und Versöhnungsgerede ist längst unglaubwürdig. Je weiter sich die reale Lage nämlich vom zeitlos geglaubten Zustand entfernt, desto unfriedlicher ist der Status einer gesellschaftlichen Gruppe. Alle Einsichtigen wissen längst, daß der alte Zustand des Kirchenfürstentums, auf den die Hirten sich geeinigt zu haben schienen, von den Realitäten überholt ist. Die reale Lage ist viel explosiver, da der Graben zwischen Wirklichkeit und theoretischer Basis immer breiter wird. Für die Sehenden befindet sich die kirchenfürstliche Gesellschaft in einer vorrevolutionären Phase.

Freilich ist keine eigentliche Revolution zu erwarten. Von daher gesehen, haben Papst und Bischöfe ihre Schäfchen im trockenen. Aber Revolution ist in dieser Organisation nicht gewaltsamer Aufstand, sondern stille Erosion, wirksame Abstimmung mit den Füßen. Strukturbedingten Frieden gibt es in der Herren-Kirche nicht, und je lauter Kirchenfürsten von Frieden sprechen, desto häufiger haben sie Grund, den innerkirchlichen Kriegszustand zu übertönen. Eine Gesellschaft, die so wenig fundamentaldemokratisch ist wie das Kirchenfürstentum, treibt zum Krieg, ja, sie stellt inmitten einer zunehmend demokratisch denkenden und handelnden Welt ein Relikt barbarischer Vergangenheit dar.

Aber nach wie vor ist kirchenoffiziell das überkommene Modell gültig, und kein Hirte ging je dezidiert von ihm ab. Im Gegenteil, der Papst tut, was er kann, um die Konzeption des totalitären Kirchenfürstentums neu zu etablieren und zu befestigen. Die Schultheologie, die gegenwärtig in bischöflichem Auftrag Tausenden von Priesterschülern eingeredet wird (in Deutschland auf Staatskosten!), spricht in den wechselseitigen Zitationen ihrer Standardbücher davon, daß den Hirten ein bestimmtes Glaubensgut anvertraut worden sei, das es unverfälscht zu bewahren und weiterzugeben gelte. »Heute aber ist die Kirche nicht weniger als früher dazu aufgerufen, die Unversehrtheit der Botschaft Christi zu bewahren. Denn sein Wort wurde ihr nicht anvertraut, damit sie damit mache, was ihr beliebt«, meinte Johannes Paul II. 1981 in Guam.[19]
Der Papst hat wie immer recht, denn Kirchenfürsten brauchen längst nicht mehr zu machen, was ihnen beliebt. Ihresgleichen machte mit der Botschaft schon sehr früh, was den größten Gewinn eintrug. Das bedeutet, daß die Kirchenfürsten den objektiven (besser: objektivierten) Inhalt der Glaubenslehre gegen jede Umdeutung und Abweichung sichern. Und es besagt, daß sie sich um die willige Übernahme dieser Doktrin durch alle, die sich katholisch nennen wollen, kümmern. Nicht mehr und nicht weniger.
Was daraus folgt, liegt vor aller Augen: Hirten und Herden sprechen, wo immer sie können, von Bekenntnis und straffer Disziplin. Sie lieben die uniformen Prägungen, die Bildung elitärer Gruppierungen – und den Kampf gegen Andersdenkende. Ein Loyalitätsanspruch ohnegleichen durchzieht ihre öffentlichen Äußerungen. Wehe dem, der anderes zu sagen wagt! Er darf sich zwar noch Mensch nennen (so weit ist der innerkirchliche Pluralismus gediehen), aber den »Ehrennamen Katholik« verliert er von Stund an, es sei denn, er bekehrte sich zum allgemeinen Bekenntnis.
Kirchenfürsten verkünden nie das Heil als solches. Immer beschwören sie zuvor einen adäquaten Notstand. Diagnose und Therapie halten sich in jedem Fall die Waage. Kein Bischof, der auf sich hält, wird eine Krise öffentlich zur Kenntnis geben, für deren Lösung er nicht selbst als Rezept gilt. Dieser Umstand erklärt die Herzenskälte so vieler Kirchenherren. Was sie nicht selbst – zum eigenen Vorteil –

»lösen« können und wollen, interessiert sie von vornherein nicht. Nothilfe muß exklusiv sein und Geld, Ruhm, Macht bringen. Andernfalls rentiert sie sich nicht. »Seelsorge« geschieht im Dienst des Systems oder gar nicht. Daher kümmert sie sich am allerwenigsten um die eigenen Opfer, um jene vielen Menschen, die oberhirtliche Erziehung zu seelischen Krüppeln machte.
Der immer wieder beschworene Dialog zwischen Kirchenfürstentum und Welt scheitert an dieser Unmoral. Wo Demokratie nach außen verkündet, nach innen verweigert wird, schafft Doppelmoral Unfrieden und Unglaubwürdigkeit. Der Eindruck so vieler Demokraten, Kirchenfürsten stellten prinzipiell antidemokratische Faktoren in der neuzeitlichen Gesellschaft dar, läßt sich Tag für Tag erneut erhärten. Die Oberhirten stellen Klassenrecht, Klassenjustiz, Desinteresse an demokratischen Spielregeln derart penetrant zur Schau, daß einem schlecht wird. Daß sie gleichzeitig ein besonderes Wächteramt anmahnen, macht ihre Lage nicht besser. Hinzu kommt, daß ein ausgesprochen antidemokratisches Potential, das sich bei vielen Kirchenbezahlten und -gebundenen noch immer leicht mobilisieren läßt, mit seinen autoritären Erwartungshaltungen und anerzogenen Gehorsamsmustern den Hirten von unten entgegenkommt. Die braven Laienlämmer, die ihre Unmündigkeit als Gottesgeschenk akzeptierten, finden sich zwar seltener denn je, doch ausgestorben sind sie nicht. Aus ihrer Ecke kommt, wenn es frommt, der anonyme Schmerzensschrei, die Denunziation, die Strafanzeige.
Typisch kirchenfürstlich ist die Versuchung, alle überkommenen Auffassungen zu vereinfachenden Schemata umzuformen, den Glauben handlich zu machen, wenn nicht von vornherein zu simplifizieren. Nachdenken, das zu Andersdenken führen kann und muß, ist höchst verdächtig. Das Schaf frißt, der Gläubige glaubt, was ihm vorgesetzt wird. Er ißt seinen Teller immer leer, zumal ihm sein Koch gesagt hat, das sei Heilsspeise, hüben wie drüben bekömmlich: das Sakrament, die dröge Katechismuswahrheit, die hausbackene Disziplin, das Milieu, der Mief.
Die Handlichkeit der Lehre, ein spezifisch vatikanischer Beitrag zum Pluralismus-Problem der Gegenwart, schafft eine besondere Füg-

samkeit des derart umsorgten Volks. Die vom System beanspruchte innere Exklusivität (die alles unverdaulich Fremde ausscheidet wie ein Exkrement und alles Verdauliche, wie Geld und Gut, in sich hineinfrißt) absorbiert den lebendigen Menschen. Sie verlangt mit tödlicher Folgerichtigkeit die innere wie die äußere Abgrenzung. Diese aber bedeutet Ausgrenzung: Freigabe alles Abgegrenzten zur ideologischen oder, in Jahrhunderten bewiesen, tatsächlichen Vernichtung.

Was aber ist beispielsweise aus den Vermögen und Liegenschaften geworden, die Kirchenfürsten ihren Blutopfern abnahmen? Daß es keine Statistik gibt, die auch nur auf den Gedanken käme, nach der schlimmen Herkunft vieler kirchlicher Immobilien zu fragen, sagt vieles. Daß kein einziger unter den wissenden Oberhirten darauf käme, an eine Art Entschädigung zu denken, beantwortet alles. Wäre guter Wille vorhanden, ließe sich gewiß ein Weg finden, wenigstens symbolisch, wenn schon nicht real, Entschädigung zu leisten. Ein Fonds, eine Stiftung . . .

Aber niemand kümmert sich darum. Keiner der sonst recht geschwätzigen Bischöfe verliert ein Wort zu diesem Thema. Es gab Bischöfe, die sich einmal an ihren Opfern schadlos hielten, und es gibt deren heutige Gesinnungsgenossen, die nicht bereit sind, irgendein Opfer zu entschädigen. Die Kumpanei funktioniert, und die himmlischen Seilschaften halten zusammen: Der Besitz, das unrechte Gut, bleibt entschädigungslos bei den Erben der Bluttäter. Und weiteres Vermögen sammelt sich in Hirtenkreisen an.

Was Kirchenfürsten unter Gerechtigkeit verstehen

Ein kleines Sofa in meinem Arbeitszimmer könnte Geschichten erzählen.[20] Auf ihm saßen Menschen, die die konkrete Kirche erlitten hatten. Das Kirchenfürstentum in seiner Rechts-Form: Menschen mußten sich dem Strafrecht der Mutter Kirche beugen oder sich in langwierige Prozesse verstricken, um sich aus ihrer Ehe oder aus ihrem Priesterstand zu befreien. Wenn einer zehn Jahre lang Professor des Kirchenrechts war wie ich, kommt schon etwas zusammen.

Wohin sollen denn auch zwei gehen, die sich im Gestrüpp kirchenfürstlicher Paragraphen verfangen und verirrt haben? Sie müssen, da sich kein Zivilanwalt um sie kümmert, zum Kirchenrechtler gehen. Doch wo gibt es solche Experten, die ihr Brot nicht von den Bischöfen beziehen?

Auch das folgende Detailstück kirchenfürstlicher Seelsorge ist nicht uninteressant. Bischöfe, deren Kirchenfürstentum keinerlei Gewalteilung im neuzeitlichen Sinn anerkennt, sind nicht nur Gesetzgeber in ihrem Bistum, sondern auch die Gerichtsherren ihres Pferchs. Jede Diözese unterhält ein eigenes Gericht, und dieses beschäftigt sich hauptsächlich mit Eheprozessen. Da der Bischof in aller Regel nicht selbst zu Gericht sitzt, hält er sich seine Justizbeamten (und alle leben aus seiner Kasse): Richter, Vernehmungsrichter, Kirchenanwälte, »Ehebandsverteidiger«, Notare.

Der ganze Troß hat gut zu tun. Jahr für Jahr fallen Eheprozesse an, denn die Ehe ist nach kirchenfürstlicher Auffassung ein »Sakrament«, über das, wen wundert's, nur Oberhirten befinden. Und sie ist eigentlich »unauflöslich«. Kommt ein Katholik oder eine Katholikin zu der Ansicht, mit der eigenen Ehe stehe es nicht mehr zum besten, gelingt zwar relativ schnell eine Scheidung vor dem zivilen Richter, aber das »unauflösliche Eheband«, über das Bischöfe wachen, ist damit noch nicht zerschnitten. Zivile Scheidungsprozesse haben nicht die geringste Wirkung auf den oberhirtlichen Sachverhalt Ehe.

Nun kann die bischöfliche Rechtsprechung einem zwar völlig egal sein, und immer mehr Bürger und Bürgerinnen sind der Ansicht, ihre Ehe oder ihre Ehescheidung gehe nur sie selbst etwas an. Aber es gibt auch andere: Die einen fühlen sich aufgrund ihres »Glaubens« gebunden, die anderen stehen im Kirchendienst und müssen, um nicht fristlos gekündigt zu werden, wohl oder übel einen kirchenfürstlichen Prozeß durchstehen.

Päpste und Bischöfe kennen nicht nur Scheidungen auf katholisch (darüber später), sondern sie erfanden auch eine trickreiche Praxis, um in Prozessen nachzuweisen, daß eine »Ehe« von allem Anfang an keine war. Da die Oberhirten aufgrund ihres mittelalterlichen Erbes eine ausschließliche Oberhoheit über das Sakrament beanspruchen, können

sie festlegen, was eine Ehe »gültig« macht – und was schon das Zustandekommen einer Ehe hindert (oder wenigstens unerlaubt macht).
Eine von Kirchenfürsten als »ungültig« bezeichnete Verbindung gründet beispielsweise auf den sogenannten trennenden Ehehindernissen (z. B. Impotenz, Priesterweihe, Blutsverwandtschaft) oder auf dem »mangelnden Ehewillen« (z. B. Ausschluß des »Kindersegens«) oder auf dem Fehlen der vorgeschriebenen Eheschließungsform (z. B. nichtkatholische Trauung). Will ein Ehepartner seine Ehe verlassen, muß er folglich nachzuweisen suchen, daß er von Anfang an ungültig verheiratet war, und vor dem bischöflichen oder päpstlichen Gericht einen »Nichtigkeitsprozeß« führen. Das kostet Geld und Nerven. In jedem Fall halten die Oberhirten ihre Hand über die Verbindung zweier Menschen: entweder bei den Vorschriften über das Eingehen einer Ehe oder bei den Vorschriften (und Prozessen) über die »Nichtigerklärung« einer Ehe. Für gläubige Katholiken (oder für aus beruflichen Gründen Gläubige) führt kein Weg an den Kirchenfürsten, an deren Paragraphen und an deren Gerichtspersonal vorbei. Daß das Urteil über Bestand oder Nichtbestand einer konkreten Ehe allein bei den Hirten liegt, die die Prozesse und deren rechtliche Grundlagen lenken können wie sie wollen, zeigt, wie Kirchenfürsten auf diesem Gebiet herrschen.
Zu welch schweren Beeinträchtigungen eines Menschenlebens die von den Hirten beanspruchte Oberhoheit führt, liegt auf der Hand. Die Betroffenen müssen neben dem Zivilprozeß einen Kirchenprozeß führen, sich auf Klerikeranwälte und -richter verlassen und sich diesen offenbaren, Beweiszeugen und Dokumente beibringen, eigene »Unzulänglichkeiten« (mangelnder Kinderwille, Verhütungspraktiken) bekennen, ihre eventuelle Impotenz oder den »Nichtvollzug der Ehe« kirchenamtlich untersuchen lassen. Und, was nach meiner Erfahrung als besonders würdelos empfunden wird, sie müssen auf einem Gebiet tätig werden, das ihnen völlig fremd ist, in einer Materie, zu der sie, die »Laien«, nach kirchenfürstlichem Verständnis nie einen Zugang haben werden. Denn die Inhalte des Eherechts und die Verfahrensvorschriften werden ausschließlich von Papst und Bischöfen bestimmt. Nach rechtspolitischem Gutdünken. Selbst die Winke an das Gerichtspersonal, es in den Prozessen härter

angehen zu lassen oder nicht, eine prozeßrechtliche Vorschrift so oder anders anzuwenden, kommen ohne Ausnahme von oben. Sucht jemand aktuelle Beispiele für Klassenjustiz, findet er sie in der Gerichtspraxis des Kirchenfürstentums zuhauf.

Ist solche »Gerechtigkeit« das letzte Wort an die Menschen? Nein. Mutter Kirche, vertreten durch die Schar der Kirchenväter von heute, kennt auch die »Gnade«. Aber gerade dieses Terrain im Pferch bleibt durchsetzt von unwürdigen Praktiken. Kein Papst, kein Bischof wich je vom Weg, den das harte Denken der mittelalterlichen Kirchenfürsten vorgab. Ich nenne als Beispiel das sogenannte Dispenswesen im Kirchenfürstentum. Viele, die das hören, nehmen an, es betreffe sie nicht. Doch sie täuschen sich. Dispensfälle gibt es genug. Das System verlangt sie: Unter »Dispens« verstehen die Hirten eine vom zuständigen Amtsträger einem Bittsteller völlig freiwillig zugestandene Befreiung von der Verpflichtungskraft eines Gesetzes. Mit einer solchen Dispens kommen Gläubige immer wieder in Berührung: bei der Ehevorbereitung (wo es um Befreiung von Ehegesetzen geht), bei der Sonntagspflicht, bei der Befreiung vom Abstinenzgebot. In den alltäglichen Fällen, wo es sich um eine kirchliche Trauung handelt, fielen manche schon aus allen Wolken, als sie erfuhren, daß sich ohne Dispens nichts erreichen lasse.

Das System hat es in sich, und es ist zutiefst unmenschlich. Denn es führt dazu, daß der eine (stets ein »Laie«) als Bittsteller fungiert, dem kein Recht auf Gewährung seiner Bitte zusteht, und der andere (stets ein Hirte) Macht ausübt, indem er, nach Ermessen, von einem Gesetz dispensiert, ohne dessen Existenz es überhaupt keine Bittsteller gäbe. Wieder das alte Lied: Kirchenfürsten stellen, aus Gründen eigener Machtentfaltung und -erhaltung, Gesetze auf, die die Menschen belasten. Und sie gewähren, aus Gründen der Machtentfaltung und -erhaltung, von diesen Gesetzen Dispens. In beiden Fällen binden die Hirten ihre Schafe in ihren Pferch.

Abgestufte Abhängigkeiten schaffen, heißt geistliche Macht bis in den Gewissensbereich der Menschen hinein entfalten.

»Nur der Milde verdankt die Kirche, die der Herr in seinem Blute gestiftet hat, ihre Ausbreitung. Sie ahmt den himmlischen Wohltäter nach ...« sagte Bischof Ambrosius von Mailand, Heiliger und

Kirchenlehrer.[21] Geschichte und Gegenwart kirchenfürstlichen Handelns strafen ihn Lügen. Denn was ist von einem Recht und von einer Moral zu halten, die von dem Grundgedanken beseelt sind, zunächst Berge von Normen im Weideland aufzubauen und diese dann einzeln wieder abzutragen? Wie sagte doch jener Jesus aus Nazareth? »Die Schriftgelehrten und Pharisäer sitzen auf dem Lehrstuhl des Mose... Sie machen Worte, handeln aber nicht danach. Sie binden schwere, ja unerträgliche Lasten zusammen und bürden sie den Menschen auf. Selbst aber rühren sie mit keinem Finger daran.« (Mt 23, 2–4)

Wer – wie gegenwärtig noch die Kirchenfürsten – die Hand auf der Ehe hat, kann Millionen Gewissen gängeln.

Was die Hirten anrichteten? Sie demütigten Menschen, indem sie ihnen einredeten, ihre Sexualität sei nicht so zu leben und zu erleben, wie sie selbst wollten, sondern so, wie Päpste es sagten. Sie lehrten, daß die bischöflichen Wege zur Geschlechtlichkeit die für Menschen einzig gangbaren seien – und sie logen auch in diesem Fall. Sie füllten ihr eigenes Recht und ihre eigene Moral mit so vielen Unwahrheiten und Obszönitäten[22], daß sie schamhaft schweigen müßten, wenn es künftig um solche Probleme geht. Doch da sie keine Scham kennen und keine Reue, wird nicht damit zu rechnen sein, daß sie sich nicht wieder in Fragen einmischen, von denen sie nichts verstehen.

Geschichtliche Fehler, Sünden der Kirchenfürsten am Menschsein? Ich kann aus der Fülle nur ein paar Stichworte nennen: das grundsätzlich menschenfeindliche Eherecht der Kirchenherren, der Biologismus bischöflicher Ehevorstellungen, die ausnehmend starke Akzentuierung sexueller Vergehen, die prinzipielle Geringschätzung des fraulichen Anteils an Ehe und Familie, der durchgängige Sexismus päpstlicher Äußerungen.

Johannes Paul II. spricht sich selbst das Gericht, wenn er – 1979 vor der UNO – predigt: »Die Verletzung der Menschenrechte auch in Zeiten des ›Friedens‹ ist eine Form des Krieges gegen den Menschen.«[23]

Was treibt man im Vatikan, wenn Tage und Nächte lang sind? Oder: Wie der Heilige Vater seine Hausaufgaben macht

»Die Kathedra des Petrus hier in Rom besteigt heute ein Bischof, der kein Römer ist, ein Bischof, der aus Polen stammt. Aber von jetzt an wird auch er ein Römer. Ja, ein Römer! . . . Wie unerforschlich ist der Plan der Vorsehung Gottes!«

Papst Johannes Paul II.
1978 bei seiner Amtseinführung

Warum der Papst noch eine Zeitlang unfehlbar sein dürfte

Katholische Messen neuerdings ungültig, ja sündhafte Handlungen? Plötzlich keine Wandlung von Brot und Wein mehr in Leib und Blut Christi? Die Handkommunion ein gotteslästerlicher Frevel? Die in Rom geweihten Bischöfe irregulär, die von ihnen gespendeten Priesterweihen und Firmungen daher durch echte Oberhirten nachzuholen? Hirten in Zivil reine Satansdiener? Im Vatikan Freimaurer im Kardinalspurpur am bösen Werk? Paul VI. ein Regent unter Drogeneinfluß, bei dessen öffentlichen Auftritten im Papstornat jahrelang ein Double agierte?
Keine Sorge. Was unter tieffrommen Gläubigen umlief und von fundamentalistischen Oberhirten weidlich ausgenützt wurde (um Geld und Glauben der Herden umzuleiten), erwies sich als Fabel. Inzwischen ist der Fabelerzähler Erzbischof Lefèbvre tot, und seine Gemeinde schrumpft. Mittlerweile ist auch ein Papst an der Macht, der keine Schwierigkeiten zeigt, es den Konservativen aller Lager recht zu machen. Johannes Paul II., ein geschickterer Lefèbvre als das Original, steht nicht im Verdacht, dem Teufel, dessen Existenz er selbst beschwört, im Kirchenfürstentum allzu sehr entgegenzukommen. Dieser Papst hat alles wieder fest im Griff.
Mittelalterliche Bußbücher, eine Art Preisliste für Beichtväter, unterschieden streng nach Hirten und Schafen und spiegelten damit getreu die Ständegesellschaft der Epoche wider. So kannte das weitverbreitete Bußbuch des Wormser Kirchenfürsten Burchard

j(965–1025) allein für Mord zwanzig verschiedene »Bußleistungen«; alle waren nach dem Rang des Opfers gestaffelt. Am billigsten kam nach dieser oberhirtlichen Auffassung der Mörder eines Sklaven davon: Auf seiner Tat stand die gleiche Buße wie auf dem Diebstahl eines Huhns.[1]

Gewiß änderten sich die Zeiten auch im Kirchenfürstentum; Sklavenmenschen gelten mittlerweile unter Hirten mehr als Hühner. Doch sind die »Laien«, deren Stellung das letzte Konzil angeblich stärkte, von Papst Wojtyla längst wieder in die Schranken zurückverwiesen, die schon die kriminelle Energie der mittelalterlichen Kirchenfürsten für sie vorgesehen hatte. Engagierte Laien, im Kirchenfürstentum selten genug, erfuhren unter Johannes Paul II. sehr schnell, daß das Zweite Vatikanische Konzil einen gigantischen Etikettenschwindel betrieb, als es von der Würde des Gottesvolkes sprach. Lefèbvre selbst hatte das Zweite Vatikanum im übrigen als ein bloß pastorales, nicht dogmatisches Konzil gedeutet, als »eine Predigt, die an sich keine Unfehlbarkeit beanspruchen kann«[2]. Die konziliare Erklärung über die Religionsfreiheit, der vor allem Protestanten und Kommunisten »so großes Interesse entgegengebracht« hatten, erschien Lefèbvre gar als »der Apfel, der Eva gefiel«.[3] Und Wojtyla tat ein übriges, redete und handelte wie seine Vorgänger im Feudalismus und wies dem Gottesvolk wieder den Platz an, den es schon vor tausend Jahren einzunehmen hatte: ganz unten.

Ein Vergleich zwischen zwei zeitgenössischen Oberhirten: Lefèbvre hatte gepredigt, nach dem hl. Thomas von Aquin sei es ein Sakrileg, wenn Laien die Hostie in die Hand nähmen. Zudem handle es sich um einen Mangel an Ehrfurcht, wenn »Teilchen in den Händen der Gläubigen« blieben: »eine gotteslästerliche Mißachtung der Gegenwart Unseres Herrn«[4]. Und zum Gründonnerstag 1980 sekundierte der getreue Papst, die Berührung der Hostie, des »Herrenleibs«, sei »ein Vorrang der Geweihten«, der »auf ihre aktive Teilnahme am eucharistischen Dienst hindeutet«[5]. Die Schafe, falls sie überhaupt merkten, was ihrer Würde durch diese Hirten geschah, ließen sich's gefallen; der spezifisch katholische Gehorsam ist ebenso einmalig auf Erden wie die Zweiklassengesellschaft, die er begründet.

Kenner fühlen sich bereits an die Zustände unter Pius X. (†1914) erinnert, als der – heiliggesprochene! – Papst die Meinungsdiktatur so weit trieb, allen Priesteramtskandidaten und Theologiestudenten das Lesen von Zeitungen, ausdrücklich auch von »ausgezeichneten Blättern«, zu verbieten.[6] Ob sich unter Johannes Paul II. auch wieder das System der Klerikalspionage[7] wird etablieren lassen, das unter Pius X. den Treuen, Gläubigen, Orthodoxen so großen Gewinn eintrug? Wie lange es noch dauern mag, bis es neue Spionagenetze gibt, die über das gesamte Weideland geworfen werden können? Die nicht nur Schafe einfangen, sondern auch – wie unter Pius X. – alle Hirten im richtigen Pferch halten? Der Wojtyla-Papst läßt keine Gelegenheit aus, sein Lehramt so auszuüben, daß die orthodoxe Tradition zurückgewonnen wird. Die Säuberungen im elitären Kader, die er in aller Stille durchführt, sind ein Beispiel für dieses Vorhaben. Wer unter Johannes Paul II. ins Kirchenfürstentum berufen wird, verdankt diese Ehrung weniger dem Heiligen Geist als seiner eigenen unbefleckten Papsttreue.

Der unter Paul VI. aufgetretene »Gegenpapst von Sevilla«[8] hat zur Zeit keine Chance. Der 1978 noch vor der Wahl Papst Johannes Pauls I. in Kolumbien zum Papst ausgerufene spanische Buchhalter Dominguez Gomez, bereits 1975 von einem Lefèbvre-Hirten zum Bischof geweiht, hatte sich den Namen Gregor XVII. ausgedacht. Im Lauf seiner Regierungszeit hatte er dann vier neue Dogmen verkündet und, standesgemäß, eigene Kardinäle (in Marien-Blau statt in Purpur) kreiert. Einer von diesen, Kardinal Albertus Magnus, vulgo ein bayerischer Bäckermeister, tat sich bis zu seiner Verhaftung besonders hervor: Innerhalb von zwei Jahren sammelte er – wohl wissend, wie gern Schafe ihre Hirten bezahlen – insgesamt vier Millionen DM Spendengelder. Ein anderer Kirchenfürst der gegenpäpstlichen Linie, Stefan, hatte jahrelang Popcorn am Stuttgarter Hauptbahnhof vertrieben, bevor er sich darauf besann, wie dringend Gregor XVII. Kardinäle brauchte.

Ob solche Hirten »gültig« geweiht wurden, ob sie nach päpstlicher Dogmatik überhaupt so echte Bischöfe wie die von Rom gekürten sind? Der Vatikan hüllt sich in Schweigen. Da freilich die meisten Gründe für die Gültigkeit jener Bischofsweihe sprechen, die Gregor XVII. empfing und spendete, fällt das Schweigen Roms zu den genannten Vorgängen unter die Rubrik diplomatisches Kalkül. Im übrigen hält sich der Verdacht, das auffällige Schweigen des Gegenpapstes und seiner Bischöfe sei mit vatikanischem Geld erkauft. Schweigegelder und Abfindungszahlungen sind in Hirtenkreisen nicht ungewöhnlich. Mir selbst wurde vor Jahren ein Angebot gemacht, wenn ich ein Buch nicht erscheinen ließe ...

Das Gegenpapsttum blieb Episode. Das Kirchenfürstentum besann sich, und der neue Papst, noch im Todesjahr des Faschistenfreundes Pius XII. zum Oberhirten berufen, war endlich wieder katholisch. Die Treuen haben es nun nicht mehr nötig, gegen den römischen Papst zu opponieren oder gleich eine Ersatzkirche mit einem Eigenbau-Papst zu etablieren. Wojtyla erledigt alles ohne besondere Aufforderung, was sie sich von ihm wünschen. Jesuit Vincent O'Keefe lobte den neuen Herrn: »Er, der einzige wirkliche Führer dieser Welt, formuliert die Werte, für die zu leben es sich lohnt.«[9] Die einflußreiche Organisation Opus Dei, die sich ebenso entschieden wie der US-amerikanische CIA für die Wahl Wojtylas eingesetzt hatte, ist wieder mit dem Papsttum im reinen. Ihre Mitglieder, vor allem »stramm stehend vor ihren Vorgesetzten, aber höchst herablassend gegenüber den anderen, Fechter Gottes, leistungsfähig und entpersönlicht, diszipliniert bis zum äußersten, intolerant und inquisitorisch«[10], sind eine mächtige Stütze für das päpstliche Amt, wie Johannes Paul II. es deutet.

Im April 1980 wurde der Papst von interessierter militanter Seite, von »Speckpater« Werenfried van Straaten, dem sehr publikumsscheuen Leiter einer »Hilfsorganisation für die Kirche hinter dem Eisernen Vorhang«[11], als Offenbarung begrüßt: »Mit dem neuen Papst, diesem kostbaren Geschenk aus Polen, hat Gott eine Offensive des Guten und für das Gute, eine Neubelebung schon totgeglaubter Kräfte, ein längst ersehntes Wiederaufleuchten verdunkelter Wahrheiten unseres Glaubens in Gang gebracht. In der belagerten Festung des Gottesreiches befiehlt jetzt ein neuer Papst, der eine neue Aufgabe zu erfüllen hat. Die Zeit der entmutigenden Abwehrkämpfe ist vorbei. Die Trennung der Geister vollzieht sich. Die Kirche, die nicht länger durch Zwietracht, Zuchtlosigkeit und Sabotage gelähmt werden darf, wird gereinigt. Die Offensive hat begonnen. Der Papst geht voran. Millionen folgen ihm.«[12]

Millionen? Ob die Akzeptanz des Papstes noch in so gewaltigen Zahlen ausgedrückt werden kann, ist fraglich. Denn die Zeiten sind vorbei, in denen allein die große Zahl der Getauften (Protestanten wurden bis in die letzten Jahrzehnte unseres Jahrhunderts hinein kurzerhand der »alleinseligmachenden« Kirche zugerechnet) als Basis kirchenfürstlicher Ansprüche und Privilegien galt. Aufgegeben werden mußte auch die extrem katholische Übung, zwangsbekehrte Völkerscharen einfach mit Taufwasser zu überschütten: Zwei Missionare begossen beispielsweise im 17. Jahrhundert an einem einzigen Tag in einem mexikanischen Städtchen 15000 Häupter.[13] Aber selbst wenn der jetzige Papst nicht mehr gar so viele Bewunderer hat wie zu Beginn seines Pontifikats, als 12000 Nonnen im Petersdom in Trance fielen und zu rasen begannen, nachdem sie seiner ansichtig wurden[14]: Die treuen Schafe zählen noch immer. Ihre Qualität, blöken sie, zeichne sie aus.

Seit Johannes Paul II. an der Macht ist, wissen die Parteigänger wieder, wem sie folgen müssen. Der Führer geht voran. Prälat R. Grosche hatte ähnliches schon im Heilsjahr 1933 gesagt, und durchaus mit dem richtigen Zungenschlag: »Als im Jahre 1870 die Unfehlbarkeit des Papstes definiert wurde, da nahm die Kirche auf der höheren Ebene jene geschichtliche Entscheidung voraus, die heute auf der politischen Ebene gefällt wird: für die Autorität und gegen die Diskussion, für den Papst und gegen die Souveränität des Konzils, für den Führer und gegen das Parlament.«[15]

Autoritätsabhängige suchen Führergestalten; sie brauchen sie wie das tägliche Brot und nehmen sie zu sich wie eine Droge. Nachdem die frühere Unfehlbarkeit der von Gottes Gnaden Regierenden, der Kaiser, Könige, Zaren, gefallen ist und auch neuere Unfehlbare, Diktatoren, Duces, Führer, Caudillos, Generalsekretäre, am Ende sind, erhebt sich der Fels Petri siegreich wie eh und je aus dem Chaos. Parteien, die immer recht hatten, fallen in Ost und West in sich zusammen – und die wahre Kirche, die auch immer recht hatte, triumphiert.[16] Das muß Freude auslösen im Pferch. Und schon kann auch über politische Folgen nachgedacht werden. Lefèbvre hatte den

Weg gewiesen: »Die Lösung der gesellschaftlichen Probleme liegt in der Herrschaft Unseres Herrn Jesus Christus über die Gesellschaft, so wie es die katholische Kirche kennt und lehrt.«[17] Und Wojtyla predigte: »Reißt weit die Tore auf für Christus! Seiner rettenden Macht öffnet die Grenzen der Staaten, die wirtschaftlichen und politischen Systeme, die weiten Bereiche der Kultur, der Zivilisation und des Fortschritts.«[18] Die Demokratien der Erde werden sehen, wozu das Gottesreich des Kirchenfürstentums noch fähig ist.
Herr Wojtyla und seine Knechte leben von einer Ausbreitungs- und Missionsmentalität. Ob diese spezifisch theologische Gründe hat, bezweifle ich. Eher verrät sie das politische Gespür des Wende-Papstes: Nach dem Erfolg des islamischen Fundamentalismus merkte auch der Vatikan, daß sich gesellschaftliche Auseinandersetzungen zur Zeit nicht unbedingt entlang der »Vernunftgründe« entwickeln und lösen, sondern immer häufiger im Rahmen irrationaler, im »Glauben« wurzelnder Massenbewegungen. Kirchenfürstlich ausgedrückt: Auf der Basis der Ideologie von Hirt und Herde.
Diese Simpel-Theologie mag zwar nicht der letzte Schrei unter Intellektuellen sein, massenwirksam ist sie (noch) immer. Johannes Paul II., der dies weiß und nutzt, wurde von einem Landsmann als »vielbegabter Intellektueller« angepriesen.[19] Wäre Wojtyla nicht gerade Papst geworden, hätte er, so der Jubelpole, »jederzeit an einer beliebigen Universität nicht nur Theologie, Philosophie, Soziologie, Jurisprudenz oder Geschichte, sondern auch Literaturwissenschaft lehren« können. Ich weiß nicht recht. Man muß schon sehr viel Phantasie aufbringen, um sich Karol Wojtyla als Professor der Soziologie in Bremen, als Theologieprofessor in Tübingen, als Lehrer der Philosophie in Frankfurt, als Jurist in Berlin vorzustellen. Die Treuen können froh sein, daß ihr Oberhirte kaum die Probe aufs Exempel machen müssen wird.
Wer die Kirche wanken sah, wer aus Angst versuchte, selbst die totale Kontrolle über die Situation zu übernehmen[20] und festzustellen, was »katholisch« sei und was nicht, kann sich beruhigt zurücklehnen. Die Kirchenfürsten werden wieder katholisch, und der Papst wird noch lange unfehlbar bleiben. Alle entschlossenen Traditionalisten halten die moderne Welt ohnedies für einen vorübergehenden

Triumph des Unglaubens und des Bösen. Sie hoffen unbeirrt auf den »Sieg des Glaubens ihrer Väter«[21]. Die wahre Menschennatur, von den römischen Oberhirten unfehlbar in ihrem Sinn gedeutet, werde sich so oder so wieder durchsetzen, glauben die treuesten Schafe noch immer. Wojtylas Denken und Handeln ist, von daher gesehen, höchst irrtumsfrei und konsequent.

Waren Päpste aber stets so unfehlbar wie heute? Irrten sie nie? Ist das von Pius IX. oktroyierte Dogma selbst unfehlbar wahr? Genügend historische Gründe sprechen dagegen, Päpste lehrten immer wieder Irrtümer, und die Umstände, unter denen der Konzilsbeschluß von 1870 zustande kam, sind peinlich. Aber unvorbereitet traf das Dogma den Vatikan keineswegs: Gregor XVI., Vorgänger des neunten Pius, hatte bereits das richtige Milieu hergestellt, indem er 1832 die Ansicht, das Gewissen aller Menschen sei frei, offiziell als »Delirium«, als »eine absurde und falsche Meinung« verurteilte.[22] Und Pius IX. selbst forderte 1868 alle nichtkatholischen Christen auf, endlich zur Herde Christi zurückzukehren.[23]

Die Treuesten fanden in den folgenden Jahren immer wieder Anlässe, diesen »Vizegott der Menschheit« zu bejubeln. Der englische Laiendogmatiker W. G. Ward wünschte sich »zu jedem Frühstück eine Enzyklika«, und die offiziöse Vatikanzeitschrift schrieb, es sei Gott, der im Papst denke, wenn dieser meditiere.[24] Pius IX. wurde von seinen besten Schafen Wunderkraft angedichtet: Oberhirten schickten Wäschestücke und Haare des Papstes zu Heilzwecken ins Land, und der belgische Erzbischof Dechamps zeigte sich davon überzeugt, der päpstliche Segen könne wie »der Schlag der Vorsehung« wirken. Der Erzbischof von Messina verstieg sich schließlich im Mai 1870 bei einer Intervention zugunsten des heraufziehenden Dogmas zu der Ansicht, es habe keine Zeit gegeben, zu der die Einwohner seines Bischofssitzes die päpstliche Unfehlbarkeit nicht aus Leibeskräften verteidigt hätten. Im übrigen habe eine Delegation von Edlen aus Messina vor der Jungfrau Maria diesen Glauben bekannt – kurz nachdem ihre Stadt durch den Apostel Paulus bekehrt worden sei.[25]

Bischof Pie von Poitiers argumentierte ebenso historisch, der Apostel Petrus sei seinerzeit nicht wie Kollege Paulus enthauptet worden, sondern am Kreuz gestorben, weil Petrus, und damit der Papst, als Haupt der Kirche nie vom Rumpf getrennt werden könne.[26] Dieselbe Einheitsideologie verleitete den Oberhirten von Havanna zu der Meinung, der Kirche stünde ein einheitlicher Katechismus am besten an, da die Natur selbst für einen solchen spreche: Schließlich seien die Mütter der Welt zwar von verschiedener Farbe und Rasse, doch ihre Milch sei überall auf Erden einheitlich weiß.[27]

Die Gegner der drohenden Dogmatisierung eines »unfehlbaren Papstes« hatten in einem derart aufgeladenen Milieu einen schweren Stand. Obgleich sich unter ihnen Kardinäle, Erzbischöfe, Patriarchen befanden, wurde ihnen der Mund verbunden. Auf dem Konzil bekamen sie »blutwenig zu tun, weil sie nicht zur Partei gehörten«[28]. Schon im Vorfeld des Konzils waren die Weichen gestellt worden: Kirchensprengel wie Breslau mit 1,7 Millionen oder Köln mit 1,2 Millionen Katholiken sahen sich nur mit einem Hirten auf der Versammlung vertreten, während der Kirchenstaat (700000 Einwohner) 62 Prälaten, Neapel für 800000 Katholiken 68 Vertreter mit Sitz und Stimme entsandten. Das Kardinalskollegium zählte übrigens noch 1918 nicht weniger als 34 italienische Purpurträger (auf 34,4 Millionen Katholiken), Deutschland hatte damals für 23,8 Millionen Katholiken einen einzigen Kardinal. Kein Wunder, daß das Kirchenfürstentum eine schlichte Theologie betrieb und beinahe alle offiziellen »Beweisstellen«, die das Konzil aus der Bibel beibrachte, unzutreffend gebraucht und falsch plaziert sind.[29]

Oberhirten, die nicht dachten, was der Papst angeordnet hatte, bekamen während der ganzen Konzilszeit keine Gelegenheit zur Audienz bei Pius IX. Der Papst überschüttete die Abweichler, immerhin Bischöfe und Kardinäle, mit Schimpfworten, hieß sie dumm, unwissend, geisteskrank, wünschte ihnen den Tod. Ein anderer Hirt, dem Pius IX. – »ich habe die Gottesmutter auf meiner Seite« – zur Besserung seines Denkens Exerzitien und Klosterhaft verordnet hatte, entging mit knapper Not der Verhaftung auf offener Straße durch die päpstliche Polizei.[30] Den deutschen Kardinal von Hohenlohe nahm Pius IX. während einer förmlichen Unterwerfungsszene beim Ohr und sagte: »Warum bist du so gegen deinen Vater, der dich so sehr geliebt hat und liebt?«[31] Dem Präfekten des Päpstlichen

Geheimarchivs entzog der Stellvertreter Christi in einem Wutanfall das Amt, ließ ihm die Schlüssel zum Archiv abnehmen und die direkten Zugänge zu den Archivräumen vermauern.

Das vom Papst und seiner simplen Denkart dominierte Konzil blieb unter sich; als ein Bischof in der Konzilsaula zu sagen wagte, es fänden sich auch ein paar Protestanten, die Jesus liebten, brach ein Sturm der Entrüstung los. Als er anschloß, dogmatische Probleme ließen sich nicht durch die Mehrheit eines Konzils lösen, gingen seine Worte im allgemeinen Lärm unter. »Er ist Luzifer, in den Bann mit ihm!«, brüllten die bischöflichen Mitbrüder ihn, den »zweiten Luther«, nieder.[32]

Es gab Oberhirten, die sich dem Papst nicht widersetzten, weil Pius IX. die dunklen Flecken auf ihrer Weste kannte: Kardinal Di Pietro zum Beispiel unterhielt als Nuntius in Portugal 1845 ein Verhältnis mit einer Tänzerin, die ihn ihrerseits mit einem russischen General betrog. Der Kirchenfürst entging nur mit Mühe einem Duell, nicht aber dem folgenden Skandal.[33] Daß der Papst selbst eine nicht ganz saubere Vergangenheit habe, wurde immer wieder gemunkelt. Eine Episode auf dem Konzil deutet in diese Richtung: Widerspruch gegen Pius IX. wagte, wenn auch nur für einige Zeit, ein Kardinal namens Guidi. Dieser Kirchenfürst konnte sich offensichtlich mehr herausnehmen als andere; nach nicht widerlegten Angaben handelte es sich bei Guidi um einen leiblichen Sohn des Heiligen Vaters.[34] Anderen Bischöfen stand Pius IX. weit weniger nah: Als Oberhirten wegen des in Rom grassierenden Sumpffiebers erkrankten und eine Vertagung des Konzils erwogen, widersetzte sich der Papst entschieden. »Che crepino pure!«, dann sollen sie halt verrecken, ist als Wort dieses Hirten überliefert.[35]

Der Kampf um die Unfehlbarkeit ging unverdrossen weiter. Der Souverän des Kirchenstaats ließ, eine Groteske am Rand, sogar Zündhölzer beschlagnahmen, die als »unfehlbar sicher« beworben worden waren.[36] Denn wer oder was unfehlbar war, bestimmte Pius IX. selbst. Er war ein Kirchenfürst reinsten Wassers, gehörte er doch zu jenen geistigen Tyrannen, bei denen Person und Amt eins werden und die sich – im Namen ihres Amtes – bewußt und unbewußt zu tun erlauben, was ihnen ihr Egoismus eingibt.

Der Papst, nur oberflächlich gebildet, dafür mit dem »Köhlerglauben eines alten Weibes«[37] begabt, scheute kein Mittel, seine Lieblingsidee – die »der gesamten Kirche« – durchzusetzen und das Dogma mit Hilfe eines geknechteten Konzils zu etablieren. Schließlich hatte er seine Unfehlbarkeit unter Dach und Fach, und das Konzil wurde aufgelöst. Deutschland und Frankreich hatten den Krieg eröffnet: die »Strafe Gottes für die Völker, aus denen die Gegner der Unfehlbarkeit stammten«.[38]
Wer sich noch immer nicht dem neuen Glauben beugte, hatte den Ungehorsam seines Verstandes schwer zu bereuen. Innerhalb weniger Monate wurden im deutschsprachigen Raum zwanzig Professoren exkommuniziert; zwei Drittel aller katholischen Historiker, die an deutschen Universitäten lehrten, kehrten freilich von sich aus dem Regime der Kirchenfürsten den Rücken, allein in München fünf.[39] Der Vatikan kümmerte sich nicht um solche Folgen, sondern vertrat unfehlbar die eigenen Interessen. Aufzeichnungen abweichender Oberhirten über die Vorgänge auf dem Konzil wurden unterdrückt; die Kurie kaufte Unterlagen des Historikers Vincenzo Tizzani auf, um sie in den eigenen Geheimarchiven auf Nimmerwiedersehen verschwinden zu lassen.[40] Das war keine Neuigkeit für den Vatikan: Zwischen 1815 und 1817 machten Unterhändler in Paris mit Zustimmung des Kardinalstaatssekretärs Consalvi nicht weniger als 4158 Bände mit Prozeßunterlagen der Inquisition unleserlich und verschacherten sie anschließend an Altpapierhändler.[41] Dokumente von unschätzbarem historischem Wert waren unwiederbringlich verloren. Und im September 1870 verbrannte die Polizeidirektion des Papstes große Teile des Geheimarchivs, um keine belastenden Dokumente in die Hand der Besatzer fallen zu lassen.
Pius IX. verfolgte persönlich die Minderheitsbischöfe, die der entscheidenden Abstimmung ferngeblieben und abgereist waren (einer hatte aus Zorn seine gesamten Konzilsunterlagen in den Tiber geworfen), auch nach dem Abschluß des Konzils mit seinem Haß. Einzelne wurden zum Rücktritt gezwungen, und Bischof Hefele von Rottenburg klagte, als er sich noch nicht unterworfen hatte, daß der Vatikan seinen Diözesanen die notwendigen Ehedispensen

verweigere und Katholiken deshalb nicht mehr gültig heiraten könnten.[42] Oberhirten in anderen Ländern, deren Gläubigen kurzerhand auch die Dispensen versagt wurden, um sie gegen ihre Bischöfe aufzubringen, führten dieselbe Klage gegen den autoritären Greis in Rom. Ein Kardinal schwor, in seinem ganzen Leben sei ihm kein Mensch begegnet, der es mit der Wahrheit weniger genau genommen habe als Pius IX.[43] Das römische Volk scheint eine ähnliche Meinung von dem »heiligen« Stellvertreter gehabt zu haben: Als der Leichnam Pius' IX. durch Rom zog – vier Karossen mit vatikanischen Hofprälaten, 200 des Stadtadels leisteten Beistand –, rotteten sich Demonstranten zusammen, riefen »Werft das Schwein in den Fluß, das Aas in den Tiber!« und versuchten, den Sarg mit dem ehemaligen Papstkönig tatsächlich ins Wasser zu stürzen.[44]

Auch das wäre nichts Besonderes gewesen. Denn keine noch so ekelerregende Schandtat ist dem Papsttum selbst fremd. Was immer kranke Gehirne sich ausdenken können – Kirchenfürsten praktizierten es schon. Immerhin hatte Papst Stephan VI. (896–897) den bereits neun Monate im Grab ruhenden Leichnam seines Vorgängers Formosus (891–896) aus seiner Gruft holen, in einem Saal aufstellen, mit den Papstkleidern bekleiden und in einem makaberen Totengericht feierlich verurteilen lassen. Während dieser Leichensynode wurden der Papstmumie die kirchenfürstlichen Gewänder abgerissen, die Finger der rechten Hand, womit Päpste den Segen erteilen, abgeschnitten. Schließlich schleppte man den Verwesenden unter barbarischem Geschrei aus dem Saal, schleifte ihn in einer Hohnprozession durch die Straßen und warf ihn in den Tiber.[45] Der Täter Stephan VI. überlebte die Schandtat nicht lange: Das Volk von Rom schleppte das Papstmonstrum bald darauf in einen Kerker, wo der Stellvertreter Christi erdrosselt wurde. Nachfolger Theodor II. ließ in seiner Regierungszeit, die nur drei Wochen dauerte, die Leiche des Formosus wieder aus dem Tiber fischen und mit allen Ehren neu bestatten.[46]

Pius IX. hatte Glück; das Schicksal seines Vorgängers Formosus blieb ihm erspart. Doch die Gegner blieben. Der päpstliche Hofprediger, Erzbischof Puecher-Passavalli, der sich pro forma unterworfen hatte, nannte noch 1891 das neue Dogma eine sakrilegische Beleidigung Gottes, die das Papstamt »in ein despotisches Sultanat Mohammeds und Christi Schafstall in eine Sklavenherde« umgewandelt habe.[47] Trotz alledem war das Dogma von der päpstlichen Unfehlbarkeit kein gigantischer Betriebsunfall. Vielmehr stellt es einen der folgerichtigsten Glaubenssätze im Kirchenfürstentum dar. Er vollzieht, wie alle anderen Doktrinen der Catholica auch, die faktische Entwicklung nach, die hin zur Macht. Gäbe es dies Dogma nicht, müßten die Herren es noch heute erfinden. Es bringt ihnen reichsten Gewinn.

Nur wenn die Pyramide eine einsame Spitze hat, nur wenn der oberste aller Herren absoluten Glaubensgehorsam von allen Knechten, die Mitbrüder im Bischofsamt nicht ausgenommen, für bestimmte Lehren fordern und Zweifel, Disput, Diskussion verbieten kann, funktioniert das System. Eine Hierarchie ohne Chef? Unpraktisch. Ein Chef ohne diktatorische Vollmachten? Unhandlich. Eine diktatorische Vollmacht, die in wesentlichen Belangen ihrer Amtsausübung irren kann? Unnötig. Auch wenn es vielen sogenannten Reformern nicht in den Kram paßt: Konservative Denker sind ihnen an logischer und praktischer Konsequenz um Längen voraus. Wer ein Amt hat, wer gar glaubt, sein Gott habe es ihm verliehen, tut gut daran, es mit allen Vollmachten auszustatten, die durchzusetzen ihm möglich sind, und es dementsprechend auszunutzen. Wer dies nicht gelernt hat oder nicht praktizieren will, ist als Kirchenfürst völlig fehl am Platz. Besser ist es, ich nenne nur ein einziges Beispiel für den erwünschten Stil im Umgang mit dem Unfehlbaren, sich an den Pontifex mit den Worten zu wenden, die 1917 der Kardinal von Mecheln wählte: »Demütig niederkniend zu den Füßen Eurer Heiligkeit, bitte ich Sie, meine ehrfürchtigen Glückwünsche zum hl. Osterfest und die Beteuerung meiner kindlichen Ergebenheit wohlgefällig hinzunehmen.«[48] So sprechen die Nachfolger der Apostel miteinander, so artikulieren sich Kinder, wenn sie sich an ihren Vater wenden.

Die neulich noch marktüblichen Debatten der Schultheologen, ob sie einen unfehlbaren Papst benötigten, hielt ich für Zeitverschwendung. Die Frage ist nämlich nicht, ob die Kirche einen Papst, sondern ob die Welt eine Kirche brauche. Die Diskussionen um die sogenannte »Unfehlbarkeit« bleiben eine innerkirchliche Spezialität für Experten; an die Probleme unserer Welt rühren sie nicht. Ob und inwieweit ein Papst unfehlbar ist oder nicht, mag ein paar Spezialisten kümmern. Wer allerdings die diesbezügliche päpstliche Lehre anzweifelt, hat nicht viel vom System Kirchenfürstentum verstanden. Denn die »richtige« Kirche braucht einen Papst, und dieser seine Unfehlbarkeit. Die Welt aber benötigt weder Kirchen noch Päpste.

Die unterlegene Minderheit unterwarf sich jedenfalls in den auf das Erste Vaticanum folgenden Jahren dem unfehlbar autoritären Pius IX. Diese kirchenpolitisch verständliche, doch unwürdige Haltung nenne ich hirtenspezifisch. Sie wird sich noch so lange bewähren, wie es ein Kirchenfürstentum gibt. Ich gehe jede Wette ein, daß sich kein Oberhirte aufgrund meines Buches und seiner so oft erschreckenden Daten, Fakten und Hintergründe auf das eigene Amt besinnt, Konsequenzen fordert oder gar persönliche Folgerungen zieht. Den Bischof möchte ich erleben, dem die Last der »Heilsgeschichte« zu schwer wird! Den die endlosen Scharen Toter und geistlich Verletzter nicht schlafen lassen, die das Kirchenfürstentum auf dem Gewissen hat! Keine Sorge. Wer in einer solchen Organisation nach oben kommt, muß eine dicke Haut haben.

Eine jahrzehntelange Erfahrung mit bischöflichen Verdrängungsmechanismen läßt mich befürchten, wieder einmal, zum hundertstenmal, werde von Hirt und Herde eingewandt, in jeder größeren Organisation gebe es schwarze Schafe, Fehlleistungen, Sünden. Also auch im Kirchenfürstentum. Müssen es aber gleich so viele, grauenvolle, strukturell bedingte, über alle Jahrhunderte nachgewiesene sein? Steht nicht auch für die Catholica geschrieben: »An ihren Früchten sollt ihr sie erkennen«?

Wie eine kirchliche Siegerehrung gefeiert wird

Die Chronique scandaleuse ist nicht alles, was »Kirche« ausmacht, wenden Hirten ein. Wir lassen unsere Schafe nicht ins Ungewisse hinein glauben oder ins Ärgerliche. Es gibt da auch viel Gutes, zum Beispiel das Beste, unsere Heiligen. In diesen Menschen sehen wir Beispiele geglückten Lebens, menschliches Leben, das seine Identität gefunden hat und frei ist von Entfremdung. Diese These ist auf ihren Wahrheitsgehalt zu prüfen.

Bereits die Legenden, die in Predigten und Kinderbüchern ihr Leben fristen, haben mit der Wahrheit wenig zu tun. Zwar gilt es als Ausnahme, daß Clemens X. (†1676) einen Venantius kanonisierte – und es »den Historikern der Zukunft« überließ, »herauszufinden, wer dieser wirklich war«.[49] Zwar stört die Tatsache nicht über Gebühr, daß die Heiligenbiographie der Agnes Galand (†1634) viermal umgeschrieben und der herrschenden Meinung angepaßt werden mußte.[50] Denn auch die oberhirtliche Regel hat es in sich: Nicht alle sogenannten Heiligen, die von Kirchenfürsten präsentiert werden, waren nach den Maßstäben des Menschseins tugendhaft oder gar groß. Im Gegenteil: Unter ihnen gibt es leibhaftige Verbrecher, Mörder und Totschläger. Doch bis heute steht das Kirchenfürstentum nicht zu dieser Wahrheit. Seine Gläubigen können sie offenbar nicht ertragen.

Die Päpste stecken selbst in der Klemme. Wenn ein Papst heiligspricht, muß er notgedrungen dafür seine »Unfehlbarkeit« in Anspruch nehmen. Da amtlich erklärt wird, ein bestimmter Mensch sei »heilig« und könne als Heiliger verehrt werden, dürfen sich keine Fehler einschleichen. Ein Irrtum darüber, daß ein Toter im Himmel ist und nicht in der Hölle, bleibt unerlaubt. Von daher ist das päpstliche Ministerium, das die Heiligsprechungen bearbeitet, nicht das geringste, obgleich es keine auch nur annähernd so wichtige Weisungsbefugnisse besitzt wie andere vatikanische Behörden. Die »Ehre der Altäre«? Das besagt, einen Menschen unfehlbar für im Himmel befindlich bezeichnen, ihm einen eigenen Festtag im Kalender zuweisen, seine Verehrung auf der ganzen Erde erlauben.

Unechte Heilige wie Christophorus, Ursula oder Georg, die nie lebten, doch jahrhundertelang als Schutzpatrone herhalten mußten, wurden inzwischen aus dem Festkalender getilgt. Andere Heilige wurden auf ihre lokale Bedeutung zurückgestuft: Der hl. Patrick mag für Iren unentbehrlich sein, für Japaner ist er es nicht.[51] Manch unappetitlicher Heiliger durfte bleiben: Kaiser gehören zu ihnen, Kirchenlehrer, Bischöfe, Päpste. Liest man Heiligenlegenden, sagt Helvétius, findet man die Namen von tausend heiliggesprochenen Verbrechern.[52] Und harmlos ist kein einziger Heiliger, nicht einmal der aus Gips.

Geld machen läßt sich freilich mit Heiligen und Heiligtümern immer. Der Vatikan investiert keine einzige Lira in eine Heiligsprechung; er läßt sich alles bezahlen, was dem Kirchenfürstentum einen neuen Heiligen einbringt, angefangen von den ersten Aktensammlungen bis hin zur feierlichen Papstmesse, bei der es dann soweit ist (Mietpreis für den Petersdom: 10000 Dollar)[53]. Das einzige Wunder, was sich mancherorts permanent ereignet, ist das Wirtschaftswunder. Die für Selig- und Heiligsprechung vorgeschriebenen Nachweise »echter Wunder«, die der in Aussicht genommene Kandidat »gewirkt« (erfleht) haben soll, sind relativ leicht zu führen. Wunder geschehen im Pferch bei jeder passenden Gelegenheit (allein Johannes XXIII. soll seit 1963 mindestens 20 unerklärliche Heilungen bewirkt haben); schwierig ist es allenfalls, immer wieder die Ärzte zu finden, die diese Wunder auch beglaubigen. In das ärztliche Kollegium berufen zu werden, das Wunder begutachtet, gilt unter Katholiken freilich als »Vatikanischer Ritterschlag«[54] und zeitigt die entsprechend erstaunlichen Resultate. Und wenn dies noch immer nicht hilft, weiß der Papst einen Rat: Johannes Paul II. deutete 1988 an, Gottes Pädagogik erleuchte die Menschen von heute weniger mit Hilfe körperlicher Heilungen als mit spirituellen Offenbarungen.[55]

Eine psychoanalytische Ausbildung, die sich auf einem Gebiet anböte, wo sich Mystiker, Seher, Wundertäter tummeln, ist im Vatikan nicht gefragt. Sigmund Freud und C. G. Jung gelten den Kirchenfürsten als stramme Atheisten; ihre Lehren sind geringgeachtet.[56] Auch die Ansicht des Patriarchen von Venedig, Albino Luciani, des späteren Papstes Johannes Paul I., das Wirken des in

Italien hochverehrten Mystikers Padre Pio sei nur ein »unverdaulicher Leckerbissen«[57], galt in interessierten Kreisen vergleichsweise wenig.
Da Heiligkeit sich in klingender Münze auszahlt, investiert der Papst entsprechend und unterhält ein eigenes Ministerium. Ein paar Dutzend Oberhirten aus aller Welt treffen sich fallweise in den Gremien dieser Behörde; an ihrer Spitze steht ein Kardinal. Daß der Posten nicht immer so besetzt wird, wie man es von dem Gegenstand seiner Beschäftigung her erwarten könnte, zeigt das Beispiel Bafile.[58] Dieser Hirt war zu seiner Zeit als Nuntius in der Bundesrepublik als Denunziant eines deutschen Bischofs aufgeflogen und mußte aus dem Verkehr gezogen werden.[59] War es Ironie der Kollegen oder normale Hirtenmentalität, daß Bafile anschließend zum Chef des für Heiligsprechungsprozesse zuständigen Ministeriums befördert wurde?
Diese Behörde, von Sixtus V. 1588 errichtet und durch Johannes Paul II. 1983 neu gestaltet, mußte jahrhundertelang den »Grad heroischer Tugend« bei einzelnen Katholiken (wer nicht im Pferch ist, scheidet von vornherein aus) feststellen und dem Papst schließlich einen anerkannt tugendhaften Menschen zur Seligsprechung vorschlagen. Wojtylas Neuordnung übertrug die Beweislast den Diözesanbischöfen. Rom behält sich aber noch immer das letzte Wort vor. Die Sicherheitsüberprüfung ist nicht unwichtig: Beispielsweise konnte der schon weit fortgeschrittene Prozeß eines »heiligen« Ordensgründers noch rechtzeitig gestoppt werden, nachdem der Vatikan herausbekommen hatte, daß dieser Hirte der sexuellen Belästigung Minderjähriger in verschiedenen Fällen überführt war.[60] Eine nachträgliche Aufdeckung dieses Tatbestandes hätte zwar kaum mehr etwas an der »Heiligsprechung« geändert, doch wären alle Beteiligten gezwungen gewesen, der fragenden Welt einige fromme Lügen aufzutischen.
Die Untersuchung der biographischen (und literarischen) Details benötigt viel Zeit und Geld. Das Ministerium, dem Bistümer und Orden ihre »Beweise« zuliefern, geht davon aus, daß jedes noch so kleine Lebenszeichen eines Menschen auf seinen »heroischen Grad« hin erforscht werden müsse (negative Faktoren werden hin und

wieder unterdrückt; so im Fall belastender Schriftstücke bei Pius X.[61]). Nur wohlhabende Familien oder Ordensgemeinschaften können sich einen derart teuren Prozeß erlauben, um einen oder eine der Ihren zur Ehre der Altäre erhoben zu sehen. Wie dem auch sei: Der Vatikan bleibt aus finanziellen Gründen an möglichst vielen und langwierigen Prozessen interessiert. Die Beschäftigungstherapie rentiert sich, und Johannes Paul II. kanonisierte denn auch in seiner bisherigen Amtszeit (seit 1978) eine inflationäre Zahl von Katholikinnen und Katholiken. Allein 1988 verschaffte er dem Kirchenfürstentum 122 Heilige und 22 Selige, mehr als alle Päpste des 20. Jahrhunderts zusammen.[62]

Dieser Papst der frommen Superlative weiß, welche Heiligen er will. Nachdem es immer weniger Theologen gibt, die sich an seinen Lehren orientieren, versucht Wojtyla, diese Lehren mit Hilfe neuer »passender« Heiligen ins Weideland einzuführen.[63] Auffallend, daß die ihm zuarbeitende Behörde ihre Arbeit immer dann mit einem positiven Gutachten abschließt, wenn der oberste Hirt ein solches braucht oder seine Reisepläne gebieterisch nach einem entsprechenden Schaustück verlangen: So wurde just zum Papstbesuch im andersgläubigen Dänemark das Verfahren des Konvertiten Niels Stensen (†1686) beendet.[64] So wurde Agnes von Böhmen 707 Jahre nach ihrem Tod von Johannes Paul II. kanonisiert; ihre Heiligsprechung kam 1989 gerade noch rechtzeitig, um während der Wende in der Tschechoslowakei katholischen Nutzen zu bringen.[65] Wojtyla sprach 1988 auch 117 Märtyrer aus Vietnam heilig; der Einwand der kommunistischen Behörden, eine solche Ehrung für Menschen des 17. und des 18. Jahrhunderts glorifiziere noch nachträglich die damalige Fremdherrschaft, kümmerte den Papst nicht.[66]

Von Wojtyla war auch die Kanonisation des Opus-Dei-Gründers Escrivà de Balaguer zu erwarten, dessen – nach Ansicht seiner Herde »revolutionäre« – Denkleistungen in Sätzen wie diesem kulminierten: »Die Ehe ist für den Großteil des Heeres Christi, nicht aber für seinen Führungsstab.«[67] Die Kanonisation des politisierenden polnischen Priesters Jerzy Popieluszko, eines »Märtyrers des Glaubens«, wurde von Landsmann Wojtyla bereits angekündigt. Offenbar paßt der Pole besser ins Weltbild des Papstes als die 900 seit 1969 in

Lateinamerika ermordeten Priester (darunter drei Bischöfe), die Wojtyla selbst in seinen Appellen für mehr Gerechtigkeit unerwähnt läßt.
Wird Johannes Paul II. statt dessen den Prälaten Jozef Tiso heiligsprechen? Dieser ließ – von 1939 bis 1945 Präsident des Nazi-Vasallenstaates Slowakei – 70000 Juden an die Nazis ausliefern. Seine Begründung: »Ist es christlich, wenn sich die Slowaken von ihren ewigen Feinden, den Juden, befreien wollen? Die Liebe zu unserem Nächsten ist Gottes Gebot. Seine Liebe macht es mir zur Pflicht, alles zu beseitigen, was meinem Nächsten Böses antun will.«[68] Hirte Tiso wurde 1947 wegen Hochverrats gehängt; 1990 forderten Slowaken anläßlich des Papstbesuchs in der Tschechoslowakei die Heiligsprechung des »Märtyrers« und »Verteidigers der christlichen Zivilisation«.
Zwischen 1500 und 1903 wurden 113 Menschen kanonisiert; darunter waren 39 Italiener, 19 Spanier, neun Franzosen und zwei Deutsche. 1905 liefen 287 Prozesse: Italien war mit 141, Frankreich mit 67, Deutschland mit drei Kandidaten beteiligt. Gegenwärtig stehen etwa 1500 Kandidatinnen und Kandidaten auf der Warteliste;[69] zwischen 1972 und 1973 wurden 275 Verfahren eingeleitet (darunter sind nur 13 Prozent »Laien« und 38 Prozent Frauen). Manche Anwärter warten seit Jahrhunderten auf ihre Siegerehrung. Die hl. Jeanne d'Arc, Jungfrau von Orléans, mußte sich von 1431, dem Jahr ihrer Hinrichtung durch englisch gesinnte Hirten, bis 1920 gedulden, als der Vatikan gerade wieder bessere Beziehungen zu dem im Weltkrieg siegreichen Frankreich wünschte und Papst Benedikt XV. es öffentlich bedauerte, »Franzose nur von Herzen zu sein«.[70] Die Kanonisation der kämpferischen Johanna wurde denn auch besonders feierlich gestaltet; alle im Umkreis von 100 Kilometern um Rom residierenden Bischöfe wurden zur Feier kommandiert, die übrigen Hirten dringend eingeladen und im Fall ihres Erscheinens von der nächstfälligen Besuchspflicht beim Papst entbunden.[71] Rom richtete damals eine förmliche »französische Woche« aus, und Frankreich durfte sich des Apostolischen Segens besonders wert fühlen. Johanna von Orléans hatte nicht umsonst 500 Jahre auf das päpstliche Wohlwollen gewartet.

Anderen gelingt der Sprung aufs Treppchen schneller. Hochmögende Kreise aus Chicago verhalfen einer Frau Cabrini schon 1946, keine dreißig Jahre nach ihrem Tod, zur Ehre der Altäre. Daß »Mutter Cabrini« sich kaum im wahren Glauben hervorgetan, jedoch ständig mit Bischöfen um Grundbesitz gestritten hatte[72], wurde ihr nicht als Mangel an Tugend angerechnet. Daß Katherine Drexel aus Philadelphia (†1955) oberhirtliche Projekte mit ererbten Millionen finanzierte, hielt ihre Heiligsprechung ebenfalls nicht auf.[73]

Ohnedies sind US-Heilige stark im Kommen. Diese Entwicklung mit der Zahlungskraft der amerikanischen Währung in Verbindung zu bringen, hieße nach Meinung von Kirchenfürsten den Geist unterschätzen, der bekanntlich weht, wo er will. Der erwähnte Erzbischof von New York, O'Connor, betreibt derzeit gegen intensiven Widerstand die Kanonisation seines Vorgängers Cooke, um der wichtigsten Stadt der USA endlich einen vorzeigbaren Heiligen zu verschaffen und eine ganze Epoche US-amerikanischer Hirtenpolitik (seit Kardinal Spellman) nachträglich absegnen zu lassen.[74]

Angesichts aller Aktivitäten um den »Heroismus« mancher erst noch heiligzusprechender Menschen ist es verwunderlich, daß bei den bereits als Heilige Verehrten nicht sorgsamer verfahren worden ist und wird. Werden die »Tugenden« der im Lauf von Jahrhunderten Heiliggesprochenen überprüft, verstärkt sich der Eindruck, daß nur bestimmte anerzogene Verhaltensmerkmale in den Geruch oberhirtlich erwünschter Heiligkeit gelangten: Bei Frauen Demut und Opferbereitschaft (glücklich verheiratete Frauen sind freilich die seltenste Spezies unter den Heiliggesprochenen), bei Männern ein starker bis fanatischer Wille, im Interesse der Hirten selbst über Leichen zu gehen. Tugend macht benutzbar. Heilige waren vor allem kirchenpolitisch griffig zu verwendende, für machtpolitische Zwecke taugende Menschen. Tugend kommt auch in diesem Fall von Tauglichkeit. Tugendhaft sein meint: für alles und jedes taugen.

Wer nicht ins Kalkül paßt, wird kirchenoffiziell als untaugliche Unperson behandelt. Einem der genialsten Denker der Neuzeit, dem nach sieben Jahren Haft 1600 verbrannten »Ketzer« Giordano Bruno, wurde 1889 auf demselben Platz, auf dem ihn die Hirten zu Asche gemacht hatten, ein Denkmal errichtet. Papst Leo XIII. freilich, bar jeder Reue über den auf seiner Organisation lastenden Mord, betete zur »Sühne« für die Enthüllung des Denkmals einen Tag lang in seiner Hauskapelle – und erhielt zahlreiche Beileidsschreiben aus der katholischen Welt.[75] Ähnlich unmoralisch verhält man sich im Kirchenfürstentum, wenn es um die eigenen Denkmäler geht: In vielen Kirchen, vor allem im Petersdom, stehen Monumente von Päpsten, die leibhaftige Verbrecher waren und viele Opfer zu verantworten haben. Keines dieser Kirchendenkmäler wurde je gestürzt; hierin läßt die katholische Herde dem sowjetischen Volk den Vorrang.

Wozu Gotteslämmer taugen? Pius XII. sprach 1947 Maria Goretti als »Märtyrerin der Keuschheit« selig, zeigte sich mit der Mutter und zweien ihrer Brüder auf der Loggia von St. Peter und beschimpfte aus diesem Anlaß Filmindustrie, Mode, Presse und Theater wegen ihres unheilvollen Einflusses auf die Jugend.[76] Ob sich die neue Selige (und seit 1950 Heilige) wirklich als Heldin der Keuschheit bewährte, blieb freilich zweifelhaft. Noch 1985 wurde Maria Gorettis Widerstand gegen den Vergewaltiger bestritten und behauptet, Pius XII. habe das Mädchen nur benutzt, um so gegen die sexuelle Unmoral der US-Soldaten zu protestieren, die Italien 1944 befreit hatten.[77] Pius XII. tat sich auch in einem weiteren Fall hervor: 1958 ernannte er die hl. Klara von Assisi zur Patronin des Fernsehens. Das erschien vielen ungewöhnlich, immerhin war sie schon 700 Jahre vor der Erfindung der Television gestorben. Doch hatte der Papst seine Gründe: Zum einen bedurfte die »Kultur der neuen Medien« dringend einer bewährten Fürbitterin, zum anderen hatte Klara einst eine Messe per Vision miterlebt, an der sie, bettlägerig, nicht teilnehmen konnte.[78]

Pius IX. sprach 1862 eine ganze Schar von Ordensbrüdern heilig, die vor über dreihundert Jahren ihren Missionseifer mit dem Tod bezahlt hatten. Der Papst sagte ausdrücklich, er habe so gehandelt, »weil die Kirche in den bedrängten Zeiten neuer Fürsprecher bei Gott bedürfe«.[79] Über diese Aussage, die die »alten Heiligen« bei

Gott verbraucht sieht, urteile ich nicht; ein Urteil setzt sicher voraus, daß man logisches und theologisches Denken überhaupt vereinbaren kann.
Einige Menschen scheinen es als ihr persönliches Verdienst zu empfinden, einen anderen durch die Mühlen des Heiligsprechungsprozesses zu schleusen und ans Ziel zu bringen. Da scheuen sie keine Kosten und keine Verdrehungen der historischen Wahrheit. Bei jeder dieser Petitionen finden sich emsige Zuträger; selbstverständlich auch bei Kardinal von Galen – und, schon seit 1907, bei Pius IX. Zwar dürfte es der bis vor kurzem »advocatus diaboli« genannte »Bestreiter der Heiligkeit« in beiden Fällen nicht schwer haben, von Amts wegen Gründe gegen die Kanonisation zu finden. Immerhin leistete sich Galen eine jahrelange Nibelungentreue zu Hitler, immerhin ist die lange Regierungszeit Pius IX. voll von Ereignissen und Handlungen, die – wie selbst Nachfolger Pius X. meinte[80] – dem Charakter des Papstes kein gutes Zeugnis ausstellen. Immerhin erinnern sich noch genug Menschen an die Bluttaten des absolutistischen Pontifex – oder an die Tatsache, daß er einen stadtbekannten Konkubinarier zum Kardinal machte.[81] Doch seine Parteigänger, darunter der in den Lockheed-Skandal verwickelte Kardinal (und bis 1989 Chef der Ritenkongregation) P. Palazzini[82], kennen das Schlupfloch: Ein heiliger Papst, streuen sie, brauche gar nicht fehlerfrei zu sein. Ausschlaggebend sei, daß durch eine Heiligsprechung die »besondere kirchliche Sendung« anerkannt werde, »die nach dem Plan der Vorsehung diesem Oberhirten anvertraut war«.[83] Daß Papst Innozenz IV. bereits vor 700 Jahren verkündet hatte, eine Heiligsprechung setze bei den Betroffenen ein Leben von »zusammenhängender, ununterbrochener Tugendhaftigkeit« voraus[84], ist längst Makulatur.
Hätte es noch eines Beweises bedurft, daß Kanonisationen ausschließlich aus tagespolitischen Erwägungen im Kirchenfürstentum geschehen (oder nicht), wäre er hier erbracht. In Sachen Pius IX., der kein Einzelfall bleibt, rücken die Hirten nicht nur ausdrücklich von den landläufigen Meinungen über »Tugend« ab und verzichten auf den Nachweis beispielsweise von Glaube, Hoffnung, Liebe, Klugheit, Mäßigung, Gerechtigkeit, Starkmut. Sie stellen auch,

nachdem sich die genannten Tauglichkeiten bei ihrem Objekt nur schwach oder gar nicht ausgeprägt finden, ein neues Tugend-Kriterium auf: die – von der »Vorsehung« gewollte – Tagesbedeutung eines Papstes. Würde dieses Prinzip anerkannt (und nicht viel spricht im Pferch dagegen), ließen sich allerdings alle Päpste heiligsprechen; schließlich kann nicht angenommen werden, daß die beschworene Vorsehung bei dem einen oder anderen aussetzte und für ihn keine besondere Sendung bereithielt.
Im übrigen genießen einige Päpste bereits die Ehre der Altäre, die kaum weniger fragwürdig waren als Pius IX. Ich nannte bereits einige: Gregor VII., Pius V., Pius X. Keiner von ihnen wies Eigenschaften auf, die nach humanen Gesichtspunkten einer außergewöhnlichen Ehrung bedurft hätten. Jeder von ihnen war aber für die jeweilige Epoche des Kirchenfürstentums von ausschlaggebender Tauglichkeit. Und nur darauf kommt es schließlich an, wenn der Stellvertreter Christi seinen Himmel bevölkert und Menschen heiligspricht. Zur Ehrenrettung einiger Ausnahmen von dieser Hirtenregel sei gesagt, daß der einzelne noch nicht einmal sich selbst als derart tauglich verstanden zu haben brauchte. Die Methoden der tagespolitisch motivierten Heiligsprechungen lassen den Toten, die sich nicht mehr gegen die vatikanischen Sieger wehren können, nicht einmal die Würde, es auch anders gewollt zu haben.
Faseln Kirchenfürsten von ihrer »heiligen Kirche«, geraten sie schnell in Hitze. Das wundert nicht. Je durchdringender der Ruf nach Heiligkeit wird, je praktikabler sich Heilige verwerten und vorzeigen lassen, desto schneller vergessen die Adressaten solcher Hirtenworte, was deren Autoren vergessen machen wollen: die Tatsache, daß die Kirchenherren vor allem finanziell stark von der Heiligkeit anderer profitieren. Himmelsexperten, die nicht müde werden, alle möglichen heroischen Tugenden zu erfinden und ihre Erfindung sogleich auf wirkliche Menschen anzuwenden, übersehen bewußt die höchst irdische Basis ihrer Bemühungen. Vatikanische Prälaten reden gern über Sex, beim Geld verstummen sie. Dabei lebt ihre Organisation davon, und sie selbst haben ihr Auskommen. Im 19. Jahrhundert wurden die Sachbearbeiter der Heiligsprechungsbehörde noch mit Naturalien bestochen, mit Zuk-

ker, Schokolade oder Gewürzen, die gerade rar geworden waren.[85] Mittlerweile geht es um bare Summen. Und spendet eine Interessengruppe mehr, als verbraucht wird, legen die Hirten die überschüssigen Spendengelder gewinnbringend an, zur freien Verfügung des Papstes.[86]

Heiligkeit ist ein wesentlicher Wirtschaftsfaktor. Sie rentiert sich nicht allein in den vielen Wallfahrtsorten, wo sie massenhaft in Spenden umgesetzt wird. Sie lohnt sich nicht nur lokal oder regional. Sie liefert eine wichtige Grundlage für die Gesamtfinanzierung des Kirchenfürstentums. Wäre dieses – unter seiner Bezeichnung Kirche – nicht »heilig«, verstünde es nicht, die jeweilige oberhirtlich genehme Tugend als letzten Wert auf Erden zu verkaufen, könnten Menschen auf die Idee kommen, sich von den Hirten zu verabschieden – oder sie zumindest nicht mehr finanziell zu bedienen.

Goethe: »Es ist viel Dummes in den Satzungen der Kirche. Aber sie will herrschen, und da muß sie eine bornierte Masse haben, die sich duckt und die geeignet ist, sich beherrschen zu lassen. Die hohe, reichdotierte Geistlichkeit fürchtet nichts mehr als die Aufklärung der unteren Massen.«

Daß sich der Hauptsitz des Kirchenfürstentums »Heiliger Stuhl« nennt, kommt nicht von ungefähr. Die größten Unternehmensgewinne sind noch immer dort zu machen, wo es sich um Investitionen in das Jenseits handelt. Ist gar das Unternehmen in aller Öffentlichkeit noch als »heilig« legitimiert, müssen Geld und Immobilien sich mehren. Nicht ohne Grund gelang es den Päpsten, das angebliche Petrusgrab zu Rom in eine der augenfälligsten Anhäufungen von Besitz an Grund und Boden zu verwandeln. Dieses Konglomerat St. Peter gibt Basis und Hintergrund für die ausnehmend feierliche Zeremonie einer Heiligsprechung ab; deren Prunk wird nur übertroffen, wenn sich neue Päpste inthronisieren lassen. Bestand ein Mensch den kirchenfürstlichen Prozeß und wird heiliggesprochen, gerät seine Siegerehrung zum Selbstlob des Kirchenfürstentums. Der neue Heilige kann darauf zählen, daß der Papst aufbietet, was ihm der Pferch zur Verfügung stellt: Kardinäle, Bischöfe, das Diplomatische Corps, die Jubelherde.

Ein Standardwerk des Kirchenrechts, nach dem Generationen von Junghirten unterrichtet wurden, nennt Reliquien »Überbleibsel von verehrungswürdigen Gegenständen (z. B. Kreuz des Herrn) oder von Heiligen und Seligen«.[87] Daß allein vom »Kreuz des Herrn« so viel auf Erden übrigblieb, daß aus den Holzsplittern Schiffe gebaut werden könnten, steht da nicht zu lesen. Doch verständlich ist die Suche nach solch hölzernen Herren-Reliquien schon: Die genuine katholische Frömmigkeit blieb, da ihr Meister mit Leib und Seele auferstand und in den Himmel fuhr, ohne eigentliche Reliquien zurück. Nur sein Kreuz, 300 Jahre nach der Hinrichtung wunderbar aufgefunden, konnte dazu dienen, den Besitzwillen der Frömmsten zu befriedigen. Allerdings gibt es, vom Kreuz abgesehen, nach der zumindest bis in die achtziger Jahre des 20. Jahrhunderts offiziellen Kirchenmeinung auch sonstige »hervorragende« Reste[88]: Leib, Haupt, Arm, Vorderarm, Herz, Zunge, Bein oder jener Körperteil, an dem ein Märtyrer gepeinigt wurde, vorausgesetzt das Glied ist vollständig erhalten und nicht zu klein.

Ich zitiere einige Bestimmungen des noch in den achtziger Jahren geltenden Reliquienrechts (das seither nur in Details kosmetisch geändert wurde): Mit Rücksicht auf die besondere Bedeutung hervorragender Reliquien ist es untersagt, sie ohne kirchenfürstliche Erlaubnis privat aufzubewahren. Oberhirten stellen von Amts wegen fest, ob es sich im Einzelfall um eine echte Reliquie handelt oder nicht. Dubiose Teile sind vorsichtig der Verehrung der Gläubigen zu entziehen. Öffentliche Diskussionen über Echtheit oder Unechtheit können nicht geduldet werden, vor allem nicht, wenn zu erkennen ist, daß es sich um Spott und Verachtung handelt. Ein Bischof, der ein Brustkreuz ersteht, das Teile des Kreuzes Christi enthält, erwirbt persönliches Eigentum auch an diesen. Doch muß er die Kreuzpartikel testamentarisch seiner Bischofskirche vermachen, damit sie nicht »in fremde Hände gelangen«, sondern in die seiner Nachfolger. Besondere Sorge sollen Hirten tragen, Reliquien vor dem Verkauf an Unbefugte zu schützen und sie »nicht in die Hände von Nichtkatholiken fallen« zu lassen.[89]

Schafe unter sich. Die Geschichte heiliger Überbleibsel paßt auffallend gut zu der des Kirchenfürstentums. Zu dessen glorreichsten Zeiten fehlte es nicht an heiligem Nachschub; Bonifaz IV. (608–615) konnte es sich leisten, aus Anlaß der Umtaufe des römischen Pantheon zur Kirche »Maria von den Märtyrern« und der Einführung des Festes »Allerheiligen« achtundzwanzig Karren Märtyrergebein zur Verfügung zu stellen. Diese Reliquien wurden dem Pantheon untergegraben, um die dort noch immer vermuteten heidnischen Götter auszutreiben. Andere Kirchen Roms verfügten über ähnlich hohe Bestände. Allein an heiligen Kreuzesnägeln fanden sich zuzeiten siebenundzwanzig, und an Dornen der Dornenkrone Jesu über achthundert. Nach dem Fall des Kirchenstaats ließen die italienischen Behörden allerdings Dutzende von Reliquienbehältern versteigern; die schönsten Stücke wanderten in Museen des Auslands, und der Vatikan war gezwungen, die besseren Exemplare zurückzukaufen. Er tat es gründlich: Eine Aufstellung ergab, daß die Prälaten zehnmal mehr Reliquien zurückgekauft hatten, als je verkauft worden waren.

Kirchenfürsten brauchten selten zu geizen; immerhin nennt noch der gegenwärtige Heiligenkalender fast zweitausend Namen. Päpste vermittelten und verscherbelten die heiligsten Schätze und deckten jeden frommen Betrug im Reliquienhandel. Noch ist die Zeit nicht gekommen, da selbst Heilige nur zwei Arme und zwei Beine haben wie andere Menschen. Von 19 überprüften Heiligen existieren noch heute in Kirchen und Kapellen 121 Köpfe, 136 Leiber und eine stupende Fülle anderer Glieder.[90] Der hl. Stephan besaß in seinen besten Zeiten 13 Arme, der hl. Philippus ein Dutzend, der hl. Vincenz zehn, der hl. Andreas 17.

Besonders angesehene Heilige liefen Gefahr, ihre Glieder unfreiwillig zu verlieren: Der hl. Romuald entging mit knapper Not den Seinen, die ihn töten wollten, um vorzeitig aus ihm Reliquien zu machen.

Heilige konnten freilich nicht verhindern, daß ihre Reste sich multiplizierten. So wurde der heilige Thomas von Aquin, der 1274 so unklug gewesen war, in der Obhut eines fremden Ordens zu sterben, zwischen den Zisterziensern (bei denen er verschieden war) und den Dominikanern, deren Orden er angehörte, förmlich aufgeteilt. Nach einem Jahrhundert Streit zwischen den frommen Brüdern entschied Urban V., der teure Leichnam gehöre den Dominikanern. Doch die Zisterzienser hatten Vorsorge getroffen, den Kopf des Heiligen abgetrennt (um ihn gesondert aufzubewahren) und den Rumpf ausgekocht (um ihm das Fett zu entziehen, das noch lange Zeit in zwei Ampullen gezeigt und verehrt wurde). Also rückten sie nur den ausgekochten Leib heraus – und ein höchst zweifelhaftes Haupt. Die Folge: Thomas von Aquin, der größte Denker der Kirche, hat seit langem zwei Köpfe, einen in Italien, einen in Frankreich.

Ich erwähnte, daß die heilige Vorhaut Jesu jahrhundertelang verehrt wurde. Besser: viele heilige Vorhäute. Allerdings scheuten sich die Hirten mehr und mehr, diesen Körperteil beim Namen zu nennen, und sprachen fortan von der »heiligen Tugend«. Bischof Pie von Poitiers, ein heftiger Freund des Unfehlbarkeitsdogmas und schon deswegen zum Kardinal erhoben, erkannte das 1856 wundersam wiederaufgefundene Reliquiar seiner Stadt, in dem eine hl. Vorhaut ruhte, nach zweijähriger Prüfung als echt an. Dann rief der Hirte eine Lotterie ins Leben, um eine Kapelle für das heilige Teilchen erbauen zu können. Die Konkurrenz in Rom hatte vergleichsweise Pech: Die in der päpstlichen Hauptkirche des Laterans verehrte Vorhaut war schon 1527 entwendet worden. Nicht so andere Vorhäute in Italien, die bis ins 19. Jahrhundert hinein eifrigst verehrt wurden. Da sich jedoch deutsche Protestanten in das urkatholische Thema einmischten und tendenziöse Artikel publizierten, ordnete der Vatikan im Februar 1900 an, es sei unter Strafe des Kirchenbanns verboten, weiter über diese Art Reliquien zu sprechen oder zu schreiben; nicht einmal mehr die regionale Fremdenverkehrswerbung durfte sich der Vorhaut Jesu annehmen.

Italiens Glaube ist zur Zeit anderswo konzentriert. Der hl. Antonius von Padua (†1231) wirkt noch attraktiv genug, um viele Menschen zum Kuß seines Reliquienbehälters zu verleiten, sie ihre Babies daran reiben zu lassen – oder ihre Lotterielose.[91] Und auch die diversen Marienwallfahrtsorte des Landes ziehen Hunderttausende an. Vor allem die immer wieder auftretenden Erscheinungen weinender

Madonnen machen den Hirten Zuversicht. Am 11. Dezember 1953 tagen neun sizilianische Kirchenfürsten und kommen unter dem Vorsitz des Kardinals von Palermo zu dem Schluß, daß im Fall des gerade zu Syrakus weinenden Marienbildes »die Realität des Tränenflusses nicht bezweifelt werden kann«.[92] Mit dieser Erklärung, die auch die Erwartung äußert, daß das neue Wunder bald den Bau einer stattlichen Kirche befördere, sind dem Volksglauben Tür und Tor geöffnet: Die weinende Madonna bekam seinerzeit allein 30000 Telegramme zugestellt. Ein eigenes Klerikerbüro mußte eingerichtet werden, um den postalischen Wunderglauben in die gewünschten Bahnen zu lenken. Der zuständige Oberhirte frohlockte: Das Tränenwunder »belebte« das Glaubensleben in ganz Sizilien, die Zahl der Kommunionen verdreifachte sich, die Priester konnten den Strom der Beichtenden kaum noch bewältigen, 653 wunderbar Geheilte ließen sich registrieren. Unheil drohte nur aus den USA: Die dortigen Italiener beschlossen, nicht das sizilianische Syrakus mit ihren Spenden zu bedenken, sondern in ihrer eigenen Stadt Syracuse (bei New York) eine Kirche zu finanzieren.[93]

Die eigens eingesetzte Kommission, die die »chemische Zusammensetzung« der Tränen von Syrakus zu untersuchen hatte, sparte freilich das Hauptproblem aus. Sie fragte nicht, warum die Madonna überhaupt zu Tränen gerührt war. Vielleicht weinte Maria, weil sich niemand im Vatikan über die Tränen erregt, die nicht von Gottesmüttern vergossen werden, sondern von den Müttern, deren Kinder hungern. Vielleicht weinte sie, weil in Sizilien zuviel von Wundern erwartet wird – und zuwenig von tätigem Mitleid, von praktischer sozialer Fürsorge, von einer Umverteilung des Besitzes zugunsten der Bedürftigen.

Eine solche Frage durfte gar nicht erst erörtert werden. Der Vatikan, tief in die feudalen Besitzverhältnisse Siziliens verstrickt, hätte sich eine Blöße gegeben.

Genug solcher Wunder. Mit dem Kirchenbann bestraft wurde – angesichts bereits vorhandener Betrugstatbestände eine Farce – derjenige, der »falsche Reliquien« anfertigt, indem er »Gebeine eines Unbekannten herholt und diese als echte Reliquien ausgibt«[94], einerlei ob dafür eine echte Urkunde erschlichen wurde oder nicht.

Was aber ist eine falsche Reliquie wirklich? Vielleicht eine echte, die allzuoft vervielfältigt wurde? Päpste lassen den geistlichen Schacher auf diesem Gebiet noch immer zu. Zwar gibt es keine Märtyrerknochen mehr, die mit Schaufeln verteilt werden könnten. Vielmehr finden sich nur noch wenige echte Partikel von Heiligen. Wird aber irgendwo in der kirchenfürstlichen Welt eine Kirche geweiht, werden in deren Hauptaltar Reliquien eingemauert, und das läßt das geistliche Geschäft nicht auslaufen. Auch ist ein heiliger Rest stark gefragt, wenn der Papst gerade einen »Diener Gottes« selig- oder heiligsprach. Pilgerinnen und Pilger sind daran interessiert, ihren Besuch in Rom mit dem günstigen Erwerb einer authentischen Reliquie des neuen Heiligen zu verbinden. Während ich dies schreibe, erinnere ich mich an eigene Versuche und fördere tatsächlich zwei kleine Döschen zutage, die ich vor Jahren im Vatikan erwarb und die dort als Behältnisse echter Reliquien gelten.
Der Besitz von Reliquien ist immer ein Gewinn. Alle Päpste, der jetzige eingeschlossen, sahen dies so: Auch wenn die meisten Reliquien Zweifel an ihrer Echtheit aufkommen lassen, dienen sie nach wie vor dazu, gläubige Herzen zum Gebet anzuregen. Das ist immerhin etwas. Produktion und Abgabe solch anregender Überreste sind nicht minder profitabel. Mittlerweile kennt der Vatikan nicht nur hochwertige Reliquien wie diejenigen, auf deren Behältnis »ex pilis« (aus den Haaren) oder »ex carne« (vom Körper) steht, sondern auch solche, die »ex capsa« (vom Sarg, in viele Teile zerlegbar) oder »a contactu« stammen. Inzwischen kann die Nachfrage nämlich nur noch befriedigt werden, indem die Oberhirten »Berührungsreliquien« (A-contactu-Teile) unters Volk bringen: Gegenstände (Stoffteilchen u. ä.) also, die mit einem Originalteil vom jeweiligen Heiligen (oder von dessen Sarg, Kleidern und so fort) in Berührung kamen – und sich so wunderbar multiplizieren lassen.
Einer der merkwürdigsten Räume im Vatikan beherbergt einen geweihten Bürokraten, der, umgeben von Metallschränken und Aktenregalen, der sonderbaren Tätigkeit eines offiziellen Reliquienvermittlers nachgeht.[95] Seine Arbeit besteht darin, kleine Kästchen und Umschläge in alle Welt zu versenden. Sein Büro ist vollgestopft mit Reliquien, die er beurkundet und zum Versand fertigmacht. In Rom

schwört man freilich auf Anfrage alle heiligen Eide, daß nichts im strengen Sinn verkauft werde. Schließlich sei der geschäftsmäßig betriebene Handel mit Reliquien schon immer (?) verboten und mit Kirchenstrafen belegt gewesen. Aber gegen einen kleinen oder größeren Unkostenbeitrag gebe es nichts einzuwenden, und jene Gläubigen oder Hirten, denen an besonders eindrücklichen Stücken oder an Reliquien besonders interessanter Heiliger gelegen sei, berappten erfahrungsgemäß auch mal ein wenig mehr. Eine kalabrische Kirchengemeinde ließ sich die erwünschte »Nabelschnur der hl. Veneria« angeblich 200000 Dollar kosten.[96] Nichts Besonderes: Venedig hatte bereits vor Jahrhunderten in den angeblichen Daumen des Stadtpatrons Markus 100000 Dukaten investiert.[97]
Auch Johannes Paul II. ist mit der Suche nach Geldquellen beschäftigt, sei seine Kirche doch »ärmer, als die meisten Menschen denken«. Ein Papst muß nach wie vor an das Geld anderer Leute kommen. Ergo kostet jetzt ein päpstlicher Segen, auf eigener Urkunde ausgefertigt und im Vatikan vertrieben, 5000 DM. Orden werden verhökert (je nach Höhe bis zu 120000 DM), Adelstitel desgleichen. Der Preis für einen Freiherrn-Titel liegt bei 300000 DM.
Wer mehr sein will als bloß ein Baron, muß mehr anlegen: Fürstentitel kosten 2,5 Millionen DM. Nach einer gewissen Wartezeit (Schamfrist wäre zuviel gesagt) wird die Erhebung im Petersdom gefeiert. Die Nebenkosten für eine solche Prozedur, etwa anläßlich der Ostermesse, belaufen sich auf weitere 50000 DM. Daß auffallend viele US-Amerikaner in den päpstlichen Ehrenlisten auftauchen, daß sich unter den »Päpstlichen Hausprälaten« und besonders in deren höchster Klasse, den »Apostolischen Protonotaren«, ausgesprochen viele Vertreter des American way of life finden, spricht für den gesunden Geschäftssinn der Päpste.
Wer die Gepflogenheiten kennt, weiß, wo und wie vatikanische Reliquien, Orden, Kleidungsstücke einzukaufen sind. Reliquien werden gegenwärtig zwar, unter strenger Buchführung, fast verschwörerisch gehandelt, doch Ordenskreuze und -sterne liegen in den Auslagen der einschlägigen Geschäfte zum Kauf aus (freilich müssen sie korrekterweise erst »verliehen« und dem Verleiher honoriert sein, bevor sie öffentlich getragen werden dürfen).

Welche päpstliche Orden es gibt? Ich nenne den teuersten, den »Christus-Orden« (schon sein Name ist mir nicht geheuer), ein »schmal goldgesäumtes, dunkelrot emailliertes, mit dergleichen weißem lateinischen Kreuz belegtes Kreuz . . ., darüber an goldener Arabeske eine goldene Bügelkrone, über der, wenn für Militärverdienst verliehen, eine goldene Waffentrophäe«[98]. Sein Band ist »nach Gefallen am Halse oder auf der Brust zu tragen«. Die dazugehörige Uniform ist »scharlachfarben, hat mit goldenen Eichblättern gestickte Patten, Kragen und Aufschläge von weißem Tuche und goldene Knöpfe. Hierzu weiße Hosen mit 4 cm breiter Goldtresse, einen Hut mit weißer Feder und goldenen Quasten, sowie einen mit goldenen Flittern gestickten Halbmantel«. Der Orden wird nur selten verliehen. Zu seinen Trägern gehörten Salazar, Franco, Perón, Adenauer.

Anders steht es um den Pius-Orden. Dieser wurde von Pius IX. 1847 gestiftet und, je nach Rangklasse, mit dem persönlichen oder erblichen Adel versehen. Unter Pius XII. wurde die »automatische« Erhebung in den Adelsstand freilich wieder gestrichen: kein besonders demokratisches Vorgehen, als welches Hirten die Maßnahme priesen, sondern die Chance für den obersten Kirchenfürsten, doppelt zu kassieren, nämlich bei der Ordensverleihung und bei der tariflich eigens erfaßten Erhebung in den Adel.

Der Silvester-Orden, der als »Belohnung für ausgezeichnete Rechtschaffenheit, hervorragende Leistungen in Künsten und Wissenschaften und Civil- und Militärdienst verliehen werden soll«[99], ist ähnlich beliebt wie der Pius-Orden. Träger dieser begehrten Orden (Trägerinnen sind in der Regel nicht vorgesehen) finden sich in aller Welt; 1990 wurde Thomas Goppel, damals Staatssekretär im bayerischen Kultusministerium, wegen besonderer Verdienste um die Katholische Universität Eichstätt zum Komtur des Silvester-Ordens ernannt.

Über Gelder für derlei Aktivitäten des Papstes kann man spotten. Wer meint, er brauche unbedingt einen päpstlichen Orden oder einen Grafentitel, der soll dafür zahlen. Schlimmer wird die geistliche Ausbeutung in Millionen anderer Fälle. Wenn es um jene geht, die nicht nur kein Geld haben, um sich beim Vatikan Titel zu kaufen, sondern deren Pfennige auch noch vom selben Vatikan erpreßt werden. Die Rede ist von den Armen und Besitzlosen der Welt.

Wozu Petrus heute so viele Paläste braucht

Jahr für Jahr besuchen etwa zehn Millionen Menschen die Zentrale des Kirchenfürstentums. Kommen Pilgerinnen und Pilger ins Ewige Rom, verlassen ihre Busse und streben dem Vatikanstaat zu, finden sie sich zunächst auf dem ungeheuer geräumig dimensionierten Petersplatz wieder. Dort kommen sie sich, umgeben von den ausladenden Kolonnaden des Bernini, recht verlassen vor, erdrückt von einer Baumasse, die ihresgleichen in allen Religionen und an allen Höfen der Welt sucht. Ihre Verblüffung weicht auch nicht, wenn sie die Zensur an den Pforten überwunden haben, in den Petersdom geführt werden und die einmalige Sammlung barocker Nacktheiten in der Papstkirche begucken dürfen, die die Grabmäler der Stellvertreter Christi zieren, beispielsweise die schmucken Schenkel der Giulia Farnese am Sarkophag Pauls III. (†1549), des Vaters von vier Kindern.

Vielleicht erholen sich die frommen Zuschauer erst wieder, wenn ihnen Fremdenführer beflissen weismachen, daß es sich um ein »Gotteshaus« handelt und daß für den lieben Gott bekanntlich nichts zu schade ist. Daß der Petersdom sich nebenbei als die größte und wichtigste Kirche der Welt versteht, kann er selbst beweisen: Sein Marmorboden zeigt die Maße der Konkurrenzkirchen an; sie bleiben weit hinter dem katholischen St. Peter zurück, einem Dom, dessen Fläche etwa der von sechs Fußballplätzen entspricht. Auf diesem Terrain erheben sich gegen 500 Säulen, über 430 Großstatuen, 40 Altäre und zehn Kuppeln. Größenwahn? Der Turm des Freiburger Münsters ließe sich unter der Hauptkuppel von St. Peter unterbringen. Eigene Putz- und Ausbesserungskolonnen werden benötigt, um den Gigantismus dieser einen Papstkirche nicht verfallen zu lassen; die reinen Unterhaltskosten belaufen sich auf 2000 US-Dollar täglich.[100]

Ingeborg Bachmann: »In Rom sah ich, daß die Peterskirche kleiner erscheint als ihre Masse und doch zu groß ist. Es heißt, Gott wollte seine Kirche auf einem Felsen und fest stehen haben. Diese nun erhebt sich über dem Grab ihres Heiligen, das man freilegt. So ist's der Heilige selbst, der sie in Gefahr bringt und schwächt. Trotzdem treten die großen Feste noch laut auf, mit Balletten in Purpur unter Baldachinen, und in den Nischen ersetzt Gold das Wachs... Noch sorgen die Armen in ihrer Behutsamkeit dafür, daß die Kirche nicht fällt, und der sie gegründet hat, verläßt sich schon auf den Schritt der Engel.«[101]

Wieder draußen auf dem Platz, bemerken die Staunenden, daß hoch droben auch Fenster zu bewundern sind, hinter denen die Arbeitsräume des Heiligen Vaters vermutet werden. Haben die Frommen Glück, erscheint der Papst sonntags um 12 Uhr an einem dieser Fenster, nimmt mehrmals den Applaus entgegen und richtet ein Wort an sie und an die Welt. Aber auch wenn sie ihn bei dieser Gelegenheit nicht sehen, wagen sie sich vielleicht nachts auf den Riesenplatz und schauen empor. Zumindest ein Fenster wird professionell und automatisch beleuchtet; es ist aufgrund dieses Beweises beruhigend zu wissen, daß der Stellvertreter Christi nächtelang arbeitet, zumal ihn die Sorge um die Herde nicht schlafen läßt.

Wie Päpste der jüngeren Geschichte ihren Tag verbrachten, wenn sie einmal nicht 18 Stunden hintereinander arbeiteten? Pius XII. erbaute sich an einer quicklebendigen Vogelschar; seine Kanaris waren berühmt. Im Bad war ein Holzpferd aufgestellt, auf dem sich der Papst sportlich entspannte. Seine Lebensgefährtin, eine deutsche Nonne, umsorgte den Pontifex. Wer ihn sprechen wollte, mußte den Weg über ihre Fürsprache nehmen. Diese Madame Maintenon des Kirchenfürstentums[102], so genannt nach der Geliebten und heimlichen zweiten Ehefrau Ludwigs XIV., verteilte die Gunst des regierenden Papstes, hatte ihre – und damit seine – Günstlinge (etwa Kardinal Spellman), wählte sich behutsam ihre Erbfeinde. Keiner von den letzteren hätte je die Chance gehabt, von Pius XII. ins Bischofsamt oder zur Kardinalswürde erhoben zu werden. Der ungeliebte Kardinal Tisserant, immerhin ranghöchster Würdenträger des Vatikans nach dem Papst, mußte bis zu 60 Tagen auf eine Audienz beim Chef warten. Einmal erlebte er, daß sein Termin abgesagt wurde, weil Pasqualina Zeit für Gary Cooper brauchte, dessen Filme sie mehr mochte als den Kardinal. Pius XII., der »Pastor angelicus« (Engelshirt), den Mussolini »vulpis angelica« (Engelsfuchs) hieß, hielt auf Ordnung; für eben diese sorgte 41 Jahre lang

Schwester Pasqualina Lehnert. Und nach dem Tod des Pontifex betrieb sie, bis sie mit 89 Jahren starb, auffällig meisterhaft seine Verklärung ins Legendäre, die Vorstufe zur Heiligsprechung.
Pasqualina Lehnert führte im Namen des Pacelli-Papstes Telefongespräche, fuhr in der Staatskarosse durch Rom, überbrachte im Auftrag des Chefs Briefe, Geld, Befehle. Pius XII. rief auf den Korridoren des Papstpalastes häufig nach der in ihrer Jugend sehr attraktiven Nonne. Er schrie auf deutsch, auf italienisch, wann immer er sie brauchte. Sie solle alles liegen und stehen lassen, was sie gerade tue – der Papst könne nicht warten.[103] Pasqualina tröstete, litt mit, schuf Abhilfe, brachte Verständnis auf für die Macken ihres Herrn.
Der Beobachter Godfried Bomans: »Der Papst hat sehr feine, zart geformte Hände und weiß damit ein Gebärdenspiel zu spielen, das selbst auf einen Italiener bezaubernd wirken muß. Das Gesicht ist sehr beweglich und gleitet mit verblüffender Leichtigkeit von einem Ausdruck in den andern. Die Augen sind tief und voller Leben, der große Mund könnte der eines Schauspielers sein, wäre er nicht der eines Asketen. Selten habe ich ein Gesicht gesehen, das so sehr den Eindruck der Unstofflichkeit macht. Die Seele leuchtete darin auf wie mildes Licht hinter Pergament.«[104]
Pius XII., stets in strahlend hygienischem Papstweiß vorgeführt, hatte eine Phobie gegen Fliegen, die er als Krankheitsüberträger fürchtete. Daß der Papst mit einer Klatsche durch den Palast rannte, daß diese unter seiner weißen Robe versteckt am Gürtel hing, war Eingeweihten bekannt. Ebenso die Tatsache, daß der Hypochonder um seine Zähne fürchtete, sie täglich dutzendmal putzte, sich eigene Zahnpasten anfertigen ließ, das Zahnfleisch ständig mit Wattebäuschchen massierte.[105] Doch die Öffentlichkeit erfuhr nichts von den päpstlichen Übungen, auch nicht von der Vorliebe des Pontifex für Dörrpflaumen. Daß Pius XII. immer wieder an einem lästigen Schluckauf litt, ließ sich freilich nicht verheimlichen. Einmal verhinderte ein Anfall beinahe sein Erscheinen zur feierlichen Osterbotschaft.[106] Mitarbeiter von Radio Vaticana versuchten damals alle Hausmittel, um den Stellvertreter noch rechtzeitig zu heilen, drehten und wendeten ihn, ließen ihn den Atem anhalten und stülpten dem Lehrer der Welt eine Papiertüte über das Haupt.

Bis zum Fall des Kirchenstaats (ein »sakrilegisches Attentat«, so Pius IX.) lebten die Päpste statt im Vatikan lieber in ihrer Sommerresidenz, dem Quirinal, in dem heute der italienische Staatspräsident residiert. Im Palast des Quirinals geschah den obersten Kirchenfürsten mehrmals Schlimmes. 1798 erschienen zwei Abgesandte des Pariser Direktoriums und ersuchten Pius VI., abzudanken und sein Leben als Staatspensionär der Französischen Republik zu beenden; 1809 ließ Napoleon I., der die Aufhebung des Kirchenstaats dekretiert hatte, hier Papst Pius VII. verhaften; 1848 floh vom belagerten Quirinal aus Pius IX. ins Exil nach Gaeta und überließ seine Hauptstadt einer kurzlebigen Französischen Republik.
Aber immer wieder gelang es den Stellvertretern Christi, nach Rom zurückzukehren und ihr Regime fortzusetzen. Als Pius IX. zurückgekommen war, mochte er den Quirinal, Stätte seiner Niederlage, nicht mehr besonders und zog in den Vatikan um. Freilich erteilte er dem deutschen Maler Friedrich Overbeck den Auftrag, den ehemaligen Palast mit einem Gemälde zu schmücken, das die Verhaftung Pius' VI. darstellte. Der Künstler mochte nicht, weil sich sein frommer Pinsel weigerte, »die Soldaten des Direktoriums« an heiliger Stätte zu verewigen. Overbeck schlug als Ersatz die Darstellung der Vertreibung Jesu aus dem Tempel vor – und so geschah es denn auch. Nachdem Italiens König aber 1870 den Quirinal zu seiner Residenz gewählt hatte, schickte er dem Papst das Bild als »persönliches Eigentum« in den Vatikan nach.[107] Dort ruht es noch heute.
Verhältnismäßig wenig erfahren Wallfahrer über die vielen Prachtbauten, an denen sie vorübergeführt werden. Dabei finden diese sich zuhauf im Vatikan und um diesen herum, etwa in der Via della conciliazione, deren Namen auf die Versöhnung zwischen dem Duce des faschistischen Italien und dem Führer Katholiens hindeutet. Die Zurückhaltung der Fremdenführer ist unbegründet: Hinter den Marmorfassaden verbergen sich päpstliche Ministerien und Ämter, und katholische Gläubige dürften ein Recht haben zu erfahren, daß die Verwaltung ihrer Superkirche nicht nur Tausende von Beschäftigten verlangt, sondern auch die angemessenen Büroräume.
Freilich würden die Schafe staunen, erführen sie je, was in Hirtenkreisen als angemessen gilt: überdimensionierte Eingangspforten

und -gitter, lauschige Innenhöfe, fast endlose, mit Marmorfußböden ausgestattete Flure, barockisierende Schreibtische. Alles mehr als eine Spur zu bombastisch, selbst für die Schaltzentrale eines riesigen multinationalen Konzerns. Fischer Simon Petrus würde sich wundern, was aus seinesgleichen wurde. Aber die vatikanische Doktrin steht inzwischen so fest, daß auch der Felsenmann Petrus nichts mehr einzuwenden wagte. Die »Weltkirche« benötigt Paläste; sie kann sich im internationalen Vergleich nicht nur sehen lassen, sie gibt sogar das Weltniveau vor. Die Herde aber hat nicht nur den gegenwärtigen Stand kirchenfürstlicher Baumasse finanziert, sondern bekanntlich auch – durch den Erwerb von Ablässen und sonstigen Gnadenerweisen – die Vorgänger der heutigen Paläste.
Diese Tatsache unterliegt dem vatikanischen Schweigen. Überall in Rom prunken Papstwappen, die auf Bauten der Nachfolger Petri verweisen; nirgendwo ist nachzulesen, aus welchen Quellen der jeweilige Papst seine Bauwut finanzierte. Die Kirchenfürsten wußten sehr gut, wie kurz das Gedächtnis der Menschen ist. Daher trugen sie beizeiten Sorge, daß den Vorübergehenden noch an geringster Stelle die Segnungen der päpstlichen Bautätigkeit klargemacht wurden. So wandert zum Beispiel der Wappenlöwe Sixtus' V. durch die Räume des Laterans; mal lacht das Tier, mal guckt es grimmig, einmal sitzt das Löwchen gar im Fischernachen Petri. In metallenen Buchstaben steht über den Lifttüren, die den Zugang in die höheren Regionen des Papstpalastes eröffnen, der Aufzug sei von Johannes XXIII., Primus Pontifex, erstellt worden. Der »Apostolische Palast«, ein Sammelsurium von ineinander verschachtelten Gebäuden (fast jeder Hirte hat an- und umgebaut), wird nebenbei als das gewaltigste Palastgebäude der Erde betrachtet.
Der »Passetto«, ein 14 Meter hoher und im Durchschnitt 3,5 Meter breiter historischer Fluchtweg aus dem Vatikan zur Engelsburg, den viele Päpste als Schlupfloch benutzten, um ihr Leben zu retten, wurde 1991, nach jahrzehntelangen Verhandlungen, der Republik Italien überschrieben; das Land übernimmt eine Renovationsschuld von über 20 Millionen Mark für das baufällige Werk. Der Vatikan ist froh, das Gemäuer loszusein: Päpste brauchen sich nicht mehr auf mittelalterliche Weise in Sicherheit zu bringen. Der Papst verfügt

für den Fall der Fälle über einen Hubschrauberlandeplatz – und, seit acht Jahren, über einen atomsicheren Bunker, der 500 Prälaten aufnehmen kann.
Der Vatikanstaat zählt an die 750 Einwohner, davon sind 95 Prozent Männer.[108] Weniger als die Hälfte besitzt die vatikanische Staatsbürgerschaft. Diese wird eigens verliehen; nur Kardinäle werden mit ihrer Ernennung Bürger des Vatikans, auch wenn sie nicht am Ort wohnen. Da der Vatikanstaat ein souveränes Gebilde ist, kann er die Seinen vor Verfolgung schützen; Haftbefehle auswärtiger Staaten nützen nichts; es gibt keine Auslieferungsabkommen. Was das praktisch bedeutet, wird noch zu sehen sein.
In vatikanischem Dienst stehen zur Zeit etwa 3000 Beschäftigte. Ein böses Gerücht, daß höchstens die Hälfte der in den päpstlichen Ministerien Tätigen auch arbeite. Der Stadtstaat verfügt, im Verhältnis zur Zahl seiner Einwohner, über mehr Telefone als irgendein anderes Land oder eine andere Stadt. Man kann den Vatikan eines der gigantischsten Bürozentren der Welt nennen, so perfekt eingerichtet und ausgestattet, daß es jedes Bürokratenherz höher schlagen läßt. Hier wird, einmalig auf der Erde, eine weltumspannende Religionsgemeinschaft zentralistisch verwaltet. Ich sah immer wieder geschäftige Prälaten in vatikanischer Amtstracht über die glattgebohnerten Gänge huschen; ihr Gesichtsausdruck bewies, wie wichtig ihre Tätigkeit war.
Neben solchen Sachbearbeitern finden sich viele »Laienhelfer« im vatikanischen Dienst. Ihre Kleidung ist vergleichsweise bescheiden, ihre Bezahlung so beschämend gering (sie betrug zuzeiten nur ein Fünftel vergleichbarer Löhne in Italien), daß sie sich einmal sogar zum Gedanken an eine Gewerkschaftsgründung hinreißen ließen. Paul VI. schuf immerhin ein geregeltes Lohn- und Gehaltsschema sowie einen Pensionsfonds[109], genehmigte 1970 eine zehnprozentige Lohnerhöhung – und löste im selben Jahr aus Kostengründen alle bewaffneten Militäreinheiten auf. Mit Ausnahme der propagandaträchtigen Schweizergarde.
Selbst Prälaten sind nicht immer auf Rosen gebettet. Ihr Fortkommen hängt von der Gunst des jeweiligen Pontifex ab – oder von der Intensität des Neides, den die Kollegen ihnen entgegenbringen.

Auch auf diesem Gebiet sind Vatikan-Beamte nicht zu schlagen. Auf engstem Raum zusammengepfercht, ohne Möglichkeit, beruflichen Frust an Frauen und Kindern auszulassen, bleiben sie Tag für Tag auf ihresgleichen angewiesen. Gerüchte wuchern, Intrigen spinnen sich fort, Freundschaften zerbrechen, und nicht immer verlaufen Karrieren wunschgemäß. Nicht jeder Hirt steht so weit über den Dingen wie jener Kardinal Lambertini, der sich 1740 dem Konklave mit den Worten empfahl: »Wenn ihr einen schönen Trottel (bel coglione) wollt, nehmt mich!« Und der daraufhin – Benedikt XIV. – wirklich gewählt wurde.
Vatikanische Prälaten sind auch finanziell auf die päpstliche Großzügigkeit angewiesen, und hin und wieder sehen sie sich gar, wie nach dem Zweiten Weltkrieg, genötigt, ihren Unterhalt mit dem Verkauf amerikanischer Zigaretten auf dem Schwarzmarkt zu bestreiten. Etwas besser mag es den päpstlichen Ministern gehen; in aller Regel Kardinäle. Doch auch sie sind, zumal die vatikanische Doktrin sie zu Recht als Kreaturen des Papstes bezeichnet, von den Gunsterweisen des obersten Hirten abhängig, der sie jederzeit und ohne Angabe von Gründen einsetzen, umsetzen, absetzen kann. Nicht jeder Kardinal erfüllt die Erwartungen dessen, der ihn berief. Wie sagen die Römer? Päpste verleihen Hüte, aber nicht die Köpfe.
Das äußere Ansehen der Kardinäle litt unter den letzten Neuerungen der Päpste: Hatten ihre Haushalte vor Jahrhunderten noch ein paar Hundert Höflinge zu verköstigen, unterhielten sie einmal allein sechs Klassen von Dienstpersonal, eine immense Dienerschaft in Livree, einen ganzen Zug von Galakarossen, leben sie mittlerweile relativ zurückhaltend aus den Beständen des vatikanischen – zollfreien – Supermarkts. An eine Bautätigkeit einzelner Kardinäle ist nicht mehr zu denken; das Betätigungsfeld ihrer Herrschaft beschränkt sich auf den Vorsitz eines Ministeriums und auf die Mitgliedschaft in den Vorstandsgremien anderer Ministerien. Pius XII., ganz Trompete des Jüngsten Gerichts, verbot ihnen 1952 sogar, »in größter Besorgnis über die besonderen Zeiterscheinungen, die die Menschen von heute in ständiger Unruhe halten und sie immer höhere Ansprüche stellen lassen«, die früheren Schleppen[110], und Paul VI. schloß die über achtzigjährigen Mitglieder des Kardinals-

kollegiums von der Papstwahl aus. Beide Maßnahmen schürten verständlicherweise den Haß der Betroffenen auf den Chef.
Ein stiller Trost: Die Päpste konnten sich nicht selbst von den um Christi willen eingeleiteten Sparmaßnahmen ausnehmen. Es geht am Hof nicht mehr gar so prunkvoll zu wie ehedem; auch Päpste leisten sich nicht mehr alles. Ihre Großquartiermeister, Großstallmeister, Träger der Goldenen Rose, Marschälle der Heiligen Römischen Kirche, Postsuperintendenten, Großmeister des Heiligen Hospizes, Geheimen Seneschalle, Großalmoseniers, Kämmerer mit Mantel und Degen, Oberkämmerer für das Schlafgemach Seiner Heiligkeit, Oberbeaufsichtiger der Kaminputzer Seiner Heiligkeit und so fort hatten zu bestimmten Epochen des Kirchenfürstentums eine Aufgabe, vielleicht auch einen Sinn. Gegenwärtig fielen sie unangenehmer auf als die konsequente Haltung des Kardinals Chatillon, der rechtzeitig zu den Hugenotten überlief, um sich im Kardinalspurpur mit einer Frau Kardinalin trauen zu lassen.
Weniger auffällig gestaltet sich der private Lebenswandel mancher Prälaten. Da Büroarbeit nicht den ganzen Tag ausfüllt und die innervatikanischen Sitten streng sind (so werden die Tore um 23 Uhr geschlossen), muß jeder sehen, was er mit seiner Zeit anfängt. Da es im Vatikan selbst keine Lichtreklamen, keine Kinos oder Diskotheken gibt, keine Bars und Restaurants, die auch Nichteinwohnern zugänglich wären, tun sich die Prälaten außerhalb der grauen Mauern um. Es finden sich Oberhirten, die sich teure Sportwagen besorgten und ihre Runden durchs abendliche Rom drehen. Es gibt auch Kirchenfürsten, die Vorliebe für neckische Pudel zeigen und diese nur ungern zu Hause lassen, wenn sie offiziell unterwegs sind. Andere entdeckten, in die Jahre gekommen, ihr Herz für die Notleidenden: Mehrere fromme Stiftungen für Waisen tragen ihren Namen, und der jeweilige leutselige Hirt entspannt sich, indem er den Schutzbefohlenen beim Fußballspielen zuschaut. Für die Freuden jüngerer oder junggebliebener Oberhirten prägte der römische Volksmund längst ein passendes Wort: »La mattina una messetta, la sera una donnetta«, morgens ein Meßchen, abends ein Mädchen. Wenn Volkes Stimme Gottes Stimme ist . . .
Rom war immer eine Stadt mit zwei Gesichtern: Auf der einen Seite

ist sie vom Heer der Prälaten geprägt, die den größten Teil der vatikanischen Beamtenschaft bilden, auf der anderen lebt sie von den zugleich bigotten und spottlustigen Menschen, dem »popolino«, den kleinen Leuten. Als der Papst noch Herr einer »Stadt der Bettler, der Priester, des Adels«[111] war, dämmerte Rom vor sich hin: Zwar wurde 1859 eine Eisenbahn erbaut, aber die notwendigsten Neuerungen ließen auf sich warten. Die Straßenbeleuchtung führte der Stellvertreter Christi erst lange nach den übrigen Weltstädten ein; sie galt den Hirten zuzeiten als theologisch suspekt, denn schließlich hatte Gott der Herr Tag und Nacht geschaffen, und der Schöpfer-Mond ersetzte im Kleinstaat das von Menschenhand gestaltete Gaslicht. An Unterhaltung fehlte es hingegen nie: Die Päpste bejubelten ihre Dogmen, Heiligsprechungen, Hochfeste mit eigenem Pomp, mit Konzerten, Illuminationen, Feuerwerken, und das Volk war nicht nur belustigt, sondern auch abgelenkt.

Auf der Piazza Navona, dem populärsten Platz der Stadt, feierten Hirten bis ins späte 18. Jahrhundert hinein ihre Feste. Bisweilen wurde der ganze Platz in einen riesigen See verwandelt, auf dem die Prachtbarken der Herren schwammen, während die Kutschen der Kardinäle (und ihrer Mätressen) den künstlichen See umrundeten und das Volk gaffte. Kaum jemand erinnert sich heute solch oberhirtlicher Lustbarkeiten; keine Erinnerung auch an die Tatsache, daß auf der Piazza Navona einst die Dirnen und Flucher der päpstlichen Hauptstadt ausgepeitscht wurden – und 1520 der Bannfluch gegen Martin Luther verlesen worden ist.[112]

Genug der kirchenfürstlichen Belustigungen, zurück an die Arbeit. Der Vatikan hat ein gutes Dutzend eigener Ministerien und Ämter eingerichtet, und nicht alle sind so harmlos wie das des früheren Kardinals Bacci, der seine Lebensaufgabe darin sah, die moderne Welt auf Latein wiederzugeben und Fachausdrücke für »fliegende Untertassen«, »Atombomben« und »Fahrstühle« zu erfinden. Auch sind Kommissionen der Kurie wie diejenige, die über die Heraldik im Kirchenfürstentum zu wachen und Vorschläge für das Wappen eines vom Schustersprößling zum Kardinal aufgestiegenen Hirten vorzulegen hat, nicht unbedingt wichtig, wenn auch selten unterbeschäftigt.

Was sonst Tag für Tag im Vatikan geschieht? Die Elite der Hirten trifft sich in einem – sich als sehr wichtig interpretierenden – Glaubens-Ministerium, das über den »der Kirche anvertrauten Schatz des Glaubens und der Sitte« zu wachen glaubt. Daher begegnet die neuzeitliche Inquisition allen Möglichkeiten des Abfalls so früh wie möglich, läßt jede am Horizont des Fürstentums auftauchende Häresie ausforschen und denunzieren, rottet Spaltpilze mit Stumpf und Stiel aus, läßt theologisches Unkraut gar nicht erst auf der Weide hochkommen, zensiert Druckerzeugnisse, lenkt das Denken frommer Progressiver zurück in den Pferch. Es ist dasjenige Heilige Büro, das den mit Abstand strengsten Vertrauensschutz verlangt; was sich hinter seinen Mauern tut, unterliegt einem absoluten Schweigegebot. Geschützt werden damit nicht so sehr die Daten der mutmaßlichen Ketzer als vielmehr die der Glaubensbeamten.
Ich nenne ein Beispiel für die Mentalität und Vorgehensweise dieser Glaubenskongregation, wenn es sich um moderne »Ketzerei« handelt. Einem wegen seines Engagements in Lateinamerika der kirchenpolitischen Häresie verdächtigten Priester, dem weltweit bekannten Prälaten Ivan Illich, wurden 1968 unter anderem folgende Fragen vorgelegt[113]:

▷ Ist es wahr, daß Sie . . . durch persönliche Sympathie für die politische und soziale Linke in der Welt, durch ein krankhaftes Verständnis für ehemalige Ordensleute und Priester starke Verwirrung in den Seelen und Gewissen anderer angestiftet haben?
▷ Ist es wahr, daß in den Räumen des von Ihnen gegründeten Instituts Parties stattfinden, auch nachts und in den Privatzimmern von Mädchen, oft unter Anwesenheit von Priestern und Nonnen?
▷ Warum, wann und wie begannen Ihre kulturellen und freundschaftlichen Verbindungen zu bekannten Anführern internationaler politischer Bewegungen, speziell . . . zu dem verstorbenen Che Guevara?
▷ Haben Sie vielleicht etwas mit der Entführung des Bischofs Casariego von Guatemala zu tun?
▷ Wie bewerten Sie moralisch den Fall der empörenden Abwei-

chungen des überaus bekannten Camilo Torres Restrepo? Warum glauben Sie, daß die Kirche schlecht daran tat, ihn wegen seiner kriegerischen und revolutionären Ideen anzuzeigen?

▷ Welcher Art sind Ihre Beziehungen ... zu Fräulein Olivieri, der Mitarbeiterin von Camilo Torres?

▷ Ist es wahr, daß Ihrer Meinung nach die katholische Kirche eine Mischung aus Aberglauben und Anarchie und ein Supermarkt des Geldverdienens ist, in dem Priester und Ordensleute zu ihrem Vorteil und nur gegen Geld arbeiten?

▷ Ist es wahr, daß Sie Mitglied der puertorikanischen staatlichen Kommission für Geburtenkontrolle waren und ... empfohlen haben, die Pille zu benutzen?

▷ Was denken Sie über die manchmal exhibitionistischen und verführerischen Vorträge gewisser Priester, die in übertriebener Weise den Anschein erwecken wollen, arm und bedürftig zu sein, und die aus religiösen und sozialen Motiven den Kampf um wirtschaftliche Güter anstiften, oft auch in Gegensatz zu den göttlichen Gesetzen der Buße und der Demut?

▷ Ist es wahr, daß Sie die Jungfräulichkeit der Madonna bestreiten und die Kirche beschuldigen, sie mache Propaganda für Wunder, um Heilige zu produzieren?

▷ Warum nennen Sie die katholische Kirche eine »edle Dame«, die Almosen gibt ...?

▷ Leugnen Sie den Unterschied zwischen lehrender und hörender Kirche, zwischen Hirten und Schafen im Volk Gottes auf Erden?

▷ Was meinen Sie mit der Bezeichnung »kirchliche Bürokratie«, und warum nennen Sie die Kirche »Hazienda Gottes« und »Supermarkt des Herrn«?

▷ Ist es wahr, daß Ihrer Meinung nach die Ordensschwestern heute in den Klöstern ihrem Egoismus frönen und zu nichts in der Welt nütze sind?

▷ Ist es wahr, daß Sie die Klöster mit Konzentrationslagern vergleichen, weil in ihnen die Persönlichkeit zerstört und Zwangsarbeit geleistet werde?

▷ Ist es wahr, daß bei Ihnen Meßfeiern stattfanden ohne Soutane und in Hemdsärmeln?

▷ Wollen Sie vielleicht darüber urteilen, daß die Kirche gegenwärtig nicht mehr Haus Gottes und Ort des Gebetes wie des Opfers sei, sondern Sammelplatz und Treffpunkt folkloristischer Kostüme und eine Bühne volkstümlicher Sehenswürdigkeiten?

Verständlich, daß diese Fragen, eine aufschlußreiche Mischung von vatikanischer Sexualneurose und Hirtenpolitik, dem Befragten zuwider waren. Illich lehnte jede Antwort ab, verließ Rom, veröffentlichte den Katalog und brachte das päpstliche Ministerium damit in höchste Bedrängnis. Aufgrund von Protesten aus aller Welt wurde der Prozeß eingestellt. Die Prälaten, die sich die Fragen an Illich ausgedacht hatten und deren Namen bekannt geworden waren, versetzte man heimlich in andere Ministerien; einer der beiden wurde bald darauf zum Bischof befördert.[114]
Business as usual. Auch andere Ministerien des Papstes befassen sich mit Fragen, die im Lauf der Kirchengeschichte danach verlangten, bürokratisch erledigt zu werden. Offenbar erlauben alle Gegenstände oberhirtlicher Tätigkeit das Formular, die Registriernummer, das Aktenzeichen. Höhere Prälaten lassen sich von niedrigeren (den »Minutanten«) zuarbeiten, Sachbearbeiter bereiten Sitzungen vor, oberste Gremien filtern, was dem Papst zur Entscheidung vorgelegt wird. In solchen Sitzungen führt ein Kardinal den Vorsitz, Bischöfe der Weltkirche werden hinzugezogen. An keiner auch nur halbwegs wichtigen Stelle im Vatikan findet sich eine Frau.
Männerprobleme gibt es genug: Kandidaten für das Oberhirtenamt werden erwählt und verworfen, neue Ordensgemeinschaften zugelassen, liturgische und andere Zeremonien normiert, Strategien kirchenfürstlicher Diplomatie entwickelt, päpstliche Einnahmen und Ausgaben wieder und wieder bilanziert, Sakramente wie Ehe, Priesterweihe, Krankensalbung rechtlich schärfer oder unschärfer gefaßt, Vermögenswerte des Hl. Stuhls verschoben, Claims für die Ausbreitung des Glaubens abgesteckt, Diözesen wie Polizeireviere umschrieben, Priesterseminare und Hochschulen überwacht. Diese Tätigkeiten in den klassischen Ministerien und Ämtern des Vatikans gelten unter Hirten als erstklassige Beschäftigung; vor Alltagsroutine bewahren sie keinen.

Und die Herren in der zweiten Reihe? Die Vatikanische Bibliothek ist zwar keine moderne Zentralbibliothek, die sich mit denen vieler Länder vergleichen könnte, doch besteht ihre Bedeutung in der Sammlung und Pflege von etwa 100000 Handschriften. Daß diese unschätzbaren und unersetzlichen Werte verwaltet, geschützt, restauriert, vermehrt werden müssen, liegt auf der Hand. Das Personal der Bibliothek ist neuerdings wissenschaftlich geschult.[115] Der Zutritt zu den geheiligten Räumen ist nur möglich, wenn ein oberhirtliches Empfehlungsschreiben vorgelegt wird; rein wissenschaftliche Meriten reichen nicht an erwiesene Glaubenstreue heran.
Eine andere Abteilung der vatikanischen Bürokratie befaßt sich mit dem Widersacher Gottes höchstselbst; zumal auch Johannes Paul II. von der Existenz des Leibhaftigen überzeugt scheint, ist kaum mit einer Auflösung der zuständigen Behörde zu rechnen. Redet also eine Frau plötzlich mit Baritonstimme[116], spricht sie unerwartet Latein oder Aramäisch, wiegt sie von heute auf morgen fünfhundert Kilogramm, schwebt aber durchs Gelände, läßt sie Gegenstände durch die Luft fliegen, miaut, blökt, wiehert sie, versagt sie sich allen sogenannten natürlichen Erklärungen, tritt der päpstliche »Exorzist« auf den Plan, bemüht Weihwasserwedel, Gebete, Ritualien – und hofft auf Erfolg. Denn nur wenn es ihm gelingt, dem dämonischen Treiben ein Ende zu setzen, ist sein Posten ein weiteres Mal gerettet.
Selbst Ablässe, obgleich schon vor Jahrhunderten von der reformatorischen Theologie überwunden, sind noch immer Produkt oberhirtlicher Maschinerie. Zwar sprechen Bischöfe nicht mehr in allen Ländern der Erde gleich laut von diesem Relikt, doch abgeschafft ist es nicht. Noch können – strikt gestaffelte – Ablässe gewonnen werden, wenn Hirtenringe geküßt, privilegierte Kirchen aufgesucht, fromme Werke verrichtet werden. Offizielle Tariflisten finden sich seit einiger Zeit nicht mehr, so daß die Herde darauf angewiesen ist, sich selbst von Fall zu Fall über Höhe und Wirkung des jeweiligen Ablasses zu informieren. Schließlich ist es für fromme Gemüter nicht unwichtig, ob der Besuch einer Kirche an bestimmten Tagen einen »vollkommenen« Ablaß in Aussicht stellt oder nur einen »unvollkommenen«, das heißt, ob ein Gotteslamm damit rechnen kann,

mit der vorsätzlichen Gewinnung eines Ablasses sofort von allen Sündenstrafen oder nur von einem bestimmten Prozentsatz der zu erwartenden Qualen im Fegefeuer befreit zu sein. Die Hirten sind dagegen ihrer Sache ganz sicher: Clemens XIII. (†1769) sprach ausdrücklich vom »unausschöpflichen, unausgeschöpften Ablaßschatz«, der dem Kirchenfürstentum zur Verfügung stehe.
Einsichtig, daß die Verteilung solcher Schätze noch immer einen gewissen Verwaltungsaufwand benötigt. Nur eine Neuheit vatikanischen Denkens sei genannt: 1985 dehnte Johannes Paul II. den Ablaß auch auf die Menschen aus[117], welche »mit Sammlung« seinen Ostersegen per Radio oder Fernsehen mitverfolgen. Den Ablaß gewinnen freilich nur jene Gläubigen, die »vernünftige Gründe« fürs Fernsehen haben und »nicht zur Messe gehen können«. Wer aus Bequemlichkeit im Sessel bleibt, muß sich um andere Offerten bemühen, dem Fegefeuer zu entgehen.
Das kirchenfürstliche Bann-Wesen litt in letzter Zeit vergleichsweise stark. Zählten frühere Jahrhunderte die Gebannten noch nach Hunderttausenden, so daß sich in manchen Städten mehr Exkommunizierte fanden als nicht-gebannte Gläubige, hält sich der Papst gegenwärtig zurück. Ob der Bannstrahl freilich je die großen Diebe traf? Immerhin war nicht einmal der Massenmörder Hitler betroffen, wohl aber – noch nach dem Kirchenrecht unserer achtziger Jahre – Menschen, die vatikanische Regierungshandlungen angriffen oder die Staatsgewalt gegen den Papst anriefen, an ein Allgemeines Konzil appellierten, päpstliche Urkunden oder Reliquien fälschten, das Amtsgeheimnis der Glaubenskongregation brachen, geweihte Hostien auf den Boden warfen.
Die Bannformel überschlug sich: »Verflucht seist du immer und überall; verflucht bei Tag und Nacht und zu jeder Stunde, wenn du schläfst und wenn du wachst; verflucht, wenn du fastest, wenn du ißt und trinkst; verflucht sei deine Rede und dein Schweigen; verflucht seist du drinnen und draußen; auf dem Feld und auf dem Wasser; verflucht vom Wirbel deines Hauptes bis zu den Sohlen der Füße. Deine Augen sollen blind, deine Ohren taub, dein Mund stumm werden; die Zunge soll in deinem Gaumen stocken; deine Hände sollen sich nicht bewegen, deine Füße nicht gehen ... Dein

Begräbnis geschehe mit den Hunden und den Eseln; deine Leiche mögen gefräßige Wölfe fressen; der Teufel mit seinen Engeln sei dein ständiger Begleiter!«[118] Frühere Päpste zelebrierten solchen Segen, versammelten viel Volk um sich, ließen Pauken und Trompeten tönen, Kanonen abfeuern, zerbrachen Bannstäbe, warfen Bannkerzen vom Balkon, hießen ihre Gegner Majestätsverbrecher, forderten die Untertanen auf, die Gebannten zu meiden und deren Dienste zu verlassen.[119]

So feierlich-dämonisch ging es im Pferch allerdings selten zu. Katholikinnen und Katholiken jedoch, die sich von einem »akatholischen Religionsdiener« (d. h. von einem evangelischen Pastor) trauen, ihre Kinder nicht-katholisch taufen oder erziehen ließen, verfielen noch bis vor wenigen Jahrzehnten der »automatischen« Exkommunikation. Daher waren sehr viele Menschen, ohne es zu wissen, seit langem »gebannt«. Ich habe immer wieder miterlebt, wie verblüfft sie waren, erfuhren sie von ihrem innerkirchlichen Zustand. Und wie wenig sie sich schließlich um ihn scherten.

Der Papst unterhält verschiedene Gerichtshöfe; Pius X. errichtete sie im Zug seiner Kurienreform neu. Damals löste er die bis ins 20. Jahrhundert hinein üblichen Sporteln (Einkünfte aus Gebühren und Taxen) durch eine halbwegs geregelte Beamtenbesoldung ab. Solange sich die Stellvertreter Christi noch einen eigenen Staat leisteten, solange auch die konkordatären Abmachungen zwischen dem Hl. Stuhl und Italien von 1929 eine Zivilscheidung verboten, hatten die in Rot und Hermelin gekleideten Richter der »Heiligen Rota« freilich mehr zu tun als heute. Allerdings sind die gleich noch zu erwähnenden »Ehenichtigkeitsverfahren«, die aus aller Welt an diese Oberinstanz gelangen, Grund genug, das – unter dem berüchtigten Finanzgenie Johannes XXII. (†1334) zur Mehrung seiner Einnahmen gegründete[120] und über Jahrhunderte hinweg bestechliche – Gericht nicht abzuschaffen. Dutzende Prälate, Anwälte, Notare leben davon; die Prozesse dauern in der Regel mehrere Jahre.

Kirchenfürsten betreiben auch eine eigene Sternwarte. Gregor XIII. (unrühmlich bekannt durch sein Te Deum nach den Morden der Bartholomäusnacht von 1572) schuf sie, um kirchenoffizielle Kalenderberechnungen durchführen zu können und auch in naturwissenschaftlichen Fragen nicht auf lästige weltliche Konkurrenten angewiesen zu sein. Freilich besetzten italienische Truppen 1870 auch diese Sternwarte, und die kirchenfürstliche Sternguckerei schien einen tödlichen Schlag versetzt bekommen zu haben. Doch schon Leo XIII. gründete 1880 ein neues Observatorium. Gegenwärtig finanziert der Papst sieben hauptberufliche Astronomen und vier Hilfstechniker[121] in seiner Sommerresidenz Castel Gandolfo. Was erforschen die kircheneigenen Beobachter, wenn sie gen Himmel blicken? Die Milchstraße.

Wie die »Süddeutsche Zeitung« am 22. Juli 1991 berichtet, werden Oberhirten aus aller Welt hin und wieder eingeladen, einen Sommerkurs an der Vatikanischen Sternwarte zu besuchen. Denn, so der Direktor der Sternwarte, Jesuit G. Coyne, »in einer immer mehr von der Technik beherrschten Welt ist es für die Bischöfe wichtig, ihre Kenntnisse auf diesem Gebiet zu erweitern«. Zugleich sollen die Kirchenfürsten die »Möglichkeit zu einer neuen Bewußtseinsbildung über die Aufgabe« bekommen, »daß die Kirche in die Welt der Wissenschaft eingebracht werden müsse«. Daß der Sommerkurs des Jahres 1991 unter dem Thema »Die Milchstraßen und Galileo Galilei« stand, beweist, für wie wichtig die Hirten das Problem »Glauben und Wissen« halten. Daß Galilei dabei vorgeworfen wurde, er habe Tatsachen behauptet, ohne Beweise vorlegen zu können, und es an »diplomatischer und wissenschaftlicher Vorsicht« fehlen lassen und damit eine Auseinandersetzung mit der Inquisition provoziert, beweist, wie wenig die Kirche von Galilei gelernt hat.

Wie man von einem Hl. Stuhl herab zur Welt spricht

Die Konkurrenz liegt nicht ganz am Boden. Zur Beerdigung des Kommunistenführers Enrico Berlinguer kamen im Juni 1984 eineinhalb Millionen Menschen nach Rom. Von dieser Beliebtheit beim »popolino« kann der Hirt im Pferch bloß träumen; kein Pontifex erreichte sie je. Gewiß war es schon erhebender als heute, Papst zu sein. Die feudalen Zeiten, da der Stellvertreter Christi auf Erden noch einen eigenen Staat – und nicht nur ein Ministädtchen – besaß und mit harter Hand regierte, sind ja fürs erste vorbei. Fremde Truppen, die sich als Befreier verstanden und den Kirchenfürsten als Besatzer galten, lösten das Problem. Allerdings nicht auf Anhieb: Noch 1796, als Franzosen in den Kirchenstaat einfielen, kam der Himmel seinem Stellvertreter auf Erden zu Hilfe. Angeblich begannen damals nicht weniger als 19 Madonnen an den Mauern Roms zu weinen, mit den Augen zu blinzeln oder den Kopf zu schütteln; Votivtafeln machten noch lange auf diesen Umstand aufmerksam. Zwar ließen sich die Revolutionstruppen der »ältesten Tochter der Kirche« zunächst nicht stören, doch gelang es dem Papst Jahre später, sein Fürstentum im Zug der Restauration wiederherstellen zu lassen.

1848 erreichte die Revolution auch den Stellvertreter Christi. Er floh als erster, seine Kardinäle schlugen sich – als Jäger, Rinderhirt, Seiltänzer verkleidet – in die Büsche, die Herde harrte aus. Aber nochmals kamen die Oberhirten mit dem Schrecken davon. 1867 kämpften dann päpstliche und französische Truppen gegen den italienischen Freischärler Garibaldi und schlugen ihn bei Mentana; ich besitze eine Antiquität, ein silbernes Ehrenkreuz, das Pius IX. anschließend seinen siegreichen Kämpfern verlieh. Der Orden trägt auf der Vorderseite ein lorbeergesäumtes Kreuz mit der Inschrift »hinc victoria«, von hier, vom Kreuz, ging der Sieg unserer Waffen aus.

1870 war Schluß. Nur haben die Päpste diesen Verlust kaum je verschmerzt, und jener Pius IX., den das harte Los traf, den zusammengerafften Besitz aufgeben zu müssen, beklagte bis zu seinem Tod das »Unrecht«, das ihm widerfahren sei. Schließlich hatte er in seinem berüchtigten »Syllabus« von 1864, einem Lasterkatalog von »Zeitirrtümern«, die Meinung, es trage zur Freiheit und Wohlfahrt der Kirche bei, wenn die anachronistischen Relikte Kirchenstaat und weltliches Königtum des Papstes abgeschafft würden, als irrig bezeichnet – und die Doktrinen dieses Schriftstücks sogar zum Dogma erheben lassen wollen.[122] Freiwillig drangegeben hat dieser Nachfolger Petri, einer der Eitelsten seines Standes, keine Handbreit Boden: Der Hirte erteilte vielmehr, als alles aussichtslos und er selbst weit vom Schuß war, ausdrücklich den Feuerbefehl, was im September

1870 beim stundenlangen Kampf um den päpstlichen Grundbesitz ungefähr 70 Menschen das Leben kostete.[123] Die Kolportage vom bloß »symbolischen Widerstand«, nach der dieser Papst sofort kapitulierte und eine weiße Fahne hissen ließ[124], ist eine gepflegte Lüge. Der Stratege Pius IX. verabschiedete sich kurz nach dem Schreibtischmord vom irdischen Königtum Christi mit auffallend stilsicher gewählten Worten aus der Bibel: »Es ist vollbracht.«[125] Was Jesus aus Nazareth gesagt haben soll, als er – der als »König der Juden« verspottete Gekreuzigte – starb, erschien dem Papstkönig passend, und kein Gotteslamm empfand das Zitat als Blasphemie.
Paul VI. betrieb schließlich – immerhin schon 100 Jahre nach dem Fall des Kirchenstaats – ein wenig Kosmetik und ließ die martialische Uniform der päpstlichen Gendarmerie, die den Betroffenen das Aussehen gestiefelter Kater verlieh, gegen Zivilkleidung austauschen. Auch müssen die Bediensteten nicht mehr auf die Knie fallen, wenn sie des Heiligen Vaters ansichtig werden. Damit waren einige der schlimmsten Auswüchse des geistlichen Herrentums beseitigt; immerhin fand es nun selbst ein Papst unpassend, wenn Menschen noch gegen Ende des 20. Jahrhunderts vor ihm knieten. Pius IX. sah das noch ganz anders; Fotografien aus seiner Regierungszeit machen einen erschrecken: Bataillone päpstlicher Soldaten liegen da vor dem Priesterkönig auf den Knien[126], und wenn Pius IX. mit seiner Privateisenbahn durchs Land zuckelte, warfen sich die Menschen vor dem Salonwagen zu Boden.[127]
Mark Twain, der 1867 auf seiner Europareise in das päpstliche Rom kam, schrieb, wenn er Römer wäre, würde er sofort nach Amerika auswandern. So heruntergewirtschaftet erschien ihm die Stadt, so arm waren die Untertanen des Priesterkönigs. Pius IX., ein unglaublich harter Charakter, hatte freilich nach wie vor seinen Spaß am Regieren. Er führte die Hauptstadt seines Kirchenfürstentums zwar in den endgültigen wirtschaftlichen Ruin. Doch zum Entzücken der damaligen reichen Touristen konnte er in Rom die klassische vorrevolutionäre Welt vorstellen: die Adeligen in ihren Villen, die geistlichen Hirten in ihren Palästen, das auf allen Straßen präsente Militär, die Armen in den seit dem Mittelalter unverändert menschenunwürdigen Behausungen.

Pius IX. behielt nicht nur die alten Sitten bei, die seine Vorgänger eingeführt und legitimiert hatten, er sah auch peinlich genau darauf, daß sie eingehalten wurden. Beispiel: der Fußkuß. Jesus hatte den Hirten befohlen, anderen die Füße zu waschen (Joh 13, 14f.). Aber dieser Befehl – wie alle anderen, die sich nicht zum Regieren eigneten – war längst schon vergessen. Gregor VII. (†1085) lehrte, »alle Fürsten der Erde« müßten des Papstes Füße küssen.[128] Und Pius IX. zog die Lehre des Vorgängers der jesuanischen Botschaft vor. Wer sich ihm näherte, Bischof und Kardinal nicht ausgenommen, mußte sich erniedrigen und den Fußkuß leisten.

Solche Einübungen im Gehorsam waren durchaus keine Spezialitäten vergangener Epochen. Rangniedrigere Hirten hatten – bis vor wenigen Jahrzehnten – dreimal das Knie zu beugen, bevor sie sich dem Papst nähern durften. Und Kirchenrechtler lehrten noch in den fünfziger Jahren dieses Jahrhunderts das protokollarisch korrekte Küssen päpstlicher Körperteile: Einfache Gläubige mußten den Fuß küssen, Bischöfe Fuß und Knie, Kardinäle Fuß und Hand, regierende Fürsten nur die Hand.[129]

Kniebeugen galten übrigens nicht nur als Zeichen der Unterwerfung vor dem Papst, sondern auch als Symbol für den Sündenfall, von dem sich ein Mensch wieder erhob, wenn er sich auf jenen anderen Menschen zubewegte, dem einmal die Gewalt verliehen worden sein soll, auf Erden zu binden und zu lösen.

Besonders schlimme Beispiele für Gewalt von Menschen über Menschen sind aus der Zeit des Ersten Vatikanischen Konzils überliefert: Pius IX. fuhr in Privataudienzen mehrere Oberhirten so zornig an, daß sie Herzattacken erlitten und zuweilen kurz danach verstarben.[130] Als der Statthalter Christi einem ungeliebten Kandidaten, dem Franzosen de Falloux, in einer öffentlichen Zeremonie das Kardinalsbirett aufsetzte, sorgte er dafür, daß dessen Perücke auf den Boden fiel.[131] Und als er einen Gegner seiner Unfehlbarkeit, den Patriarchen Youssef, zu sich zitierte, um ihm den Kopf zu waschen, setzte er beim Fußkuß, eine ganz absolutistische Siegerpose, seinen Fuß auf den Kopf des Kirchenfürsten, drehte ihn mehrmals im Nakken des Knienden herum und rief: »mala testa«, schlimmer Holzkopf.[132]

Das leisten sich die Päpste nicht mehr; schließlich sitzen ihnen die Pressefotografen der Welt im Nacken. Diesem Druck – sie selbst deuten ihn als Leidensdruck – halten die Stellvertreter, so gut es geht, stand. Vorbei sind die Zeiten, da ein Kirchenblatt schreiben konnte: »Dem herrschenden Übel der haltlosen Freiheit der Presse, dank der die Journalisten täglich Lügen und Verleumdungen verbreiten, muß der unfehlbare Papst als Heilmittel entgegengesetzt werden.«[133]

Die neuesten Änderungen im Kirchenfürstentum sind ausnahmslos kosmetischer Natur, denn der geistliche Anspruch des Papsttums ist unverändert. Daß selbst Päpste neuerdings von Demokratie, Menschenrechten, Reformen reden, hat Methode: Leerformeln sind ausgesprochen nützliche Regierungsinstrumente. Noch immer steht der Heilige Stuhl so weit oben, daß den Menschen gar nichts anderes bleibt, als zu diesem Heiligtum aufzuschauen. Der Prunk, den sich das angeblich reformierte Papsttum noch immer leistet, wenn es feierlich zur Welt spricht, unterstreicht diesen Anspruch, ganz oben und weit über der Welt zu stehen: Päpste verfügen nach wie vor über Hunderte von goldgestickten Prachtgewändern, Handschuhen und Pantoffeln, umgeben sich bei ihren Messen mit Dutzenden von Assistenten, rühren kein liturgisches Gefäß an, das nicht aus Gold wäre, tragen kostbarste Ringe und Kreuze zur Schau.

1914 wurde Benedikt XV., mitten im Weltkrieg, mit der Krone des Kirchenfürstentums gekrönt. Der entsprechende »Segensspruch« lautete: »Empfange die Tiara, mit drei Kronen geziert, und wisse, daß du Vater der Fürsten und Könige, Herrscher des Erdkreises, Stellvertreter auf Erden unseres Erlösers Jesus Christus bist.«[134] Und noch unter dem reformfreudigen Johannes XXIII. wurde die Tiara, Symbol höchsten Kirchenfürstenstolzes, während der Papstmessen in St. Peter direkt auf den Altar gestellt, in unmittelbare Nähe des »Allerheiligsten Sakraments«. Pius IX., nur ein Beispiel von vielen, bekam eine Papstkrone geschenkt, die mit 18000 Brillanten und tausend anderen Edelsteinen geschmückt war. Leo XIII. erhielt vom deutschen Kaiser Wilhelm II. eine ähnlich gloriose Mitra. Beide Prunkstücke sind der vatikanischen Schatzkammer einverleibt und warten unter Dutzenden ähnlicher Pretiosen auf ihre Wiederauferstehung. Niemand kann mit Sicherheit sagen, ob

sich nicht schon bald die Theologie des Kirchenfürstentums wieder in diese Richtung drehen wird.
Immerhin bewirkten Papstworte über fast zweitausend Jahre der Weltgeschichte hinweg, daß Märtyrer und Heilige gemacht, Kirchen und Paläste errichtet, Könige gekrönt und verworfen, Völker befreit und unterworfen, Kriege begonnen und Friede geschlossen, Gelder gesammelt und verpraßt, Gnaden erwiesen und versagt, Sünden erfunden und Absolutionen erteilt, Menschen geknechtet, gefoltert und getötet wurden. Diese historische Macht ist nicht leicht zu überschätzen.
Kirchenfürsten verfügen über die beste Lobby. Sie mischen sich seit eh und je mit größter Selbstverständlichkeit in alles ein, was ihnen profitabel erscheint. Sie treiben, wo immer es sich lohnt und niemand ihnen widerspricht, Politik im Weltmaßstab. Aber sich selbst schufen sie einen optimalen Freiraum; ihre eigenen Belange gelten als unantastbar. Während demokratisch gewählte Politiker es sich gefallen lassen, vom Hl. Stuhl, von Bischofssitzen, von Pfarrkanzeln herab beurteilt zu werden, wagt es nach wie vor kaum einer, den Spieß umzudrehen, den Hirten einen Spiegel vorzuhalten, sie argumentativ zum Schweigen zu bringen. In deutschen Weidelanden ist diese Furcht besonders verbreitet; schon die Erwähnung des Begriffs »Kulturkampf« läßt alle verstummen, die von Amts wegen sprechen und kämpfen müßten.
Der Papst spricht, wie jeder weiß, nicht nur aufgrund besonderer Anlässe zur Welt. Auch während der wöchentlichen Audienzen (für die vor wenigen Jahren in unmittelbarer Nähe des Petersdoms eine noch geräumigere Halle erbaut wurde) sind besondere Hirtenworte zu erwarten, oft in wochenlang nach Art von Fernsehserien fortgesetzten Themenfolgen. Die noch in den sechziger Jahren zu beobachtende Sitte, dem Stellvertreter zur Audienz ein weißes Käppchen mitzubringen, es vom Papst persönlich gegen das bisher getragene eingetauscht zu sehen und damit ein wirklich vorzeigbares Souvenir (wenn nicht eine spätere Reliquie »a contactu«) erworben zu haben, ist mittlerweile aus Gründen der Eskalation aufgehoben. Andere Mitbringsel, Banknoten nicht ausgenommen, werden nach wie vor von den Assistenz-Prälaten Seiner Heiligkeit entgegengenommen.

Ein Augenzeuge über die zu beiden Seiten des päpstlichen Audienz-Stuhles stehenden Prälaten, die sich sichtlich langweilten: »Zu loben war jedoch die Art, in der sie das Gähnen und die sich daraus ergebende Bewegung der Hand zum Mund in eine Art klerikaler Geste umzusetzen wußten. Einer von ihnen fing plötzlich mit der hohlen Hand eine Fliege und steckte sie still lächelnd in die Tasche seines Talars; wahrscheinlich meinte er, daß es außerhalb des für diesen Augenblick Schicklichen liege, sie totzuschlagen, während das Fangen, sofern man es nur diskret ausführte, noch für zulässig erachtet werden könne. Die Unterscheidung solch kleiner Feinheiten darf nicht unterschätzt werden und führt früher oder später zum Violett des vatikanischen Prälaten.«[135]

Ungefragt das Wort an den Papst zu richten, gilt als schlimmste Entgleisung. Audienzen tragen einen irreführenden Namen; der Stellvertreter Christi, der eine Audienz gewährt, redet nämlich selbst und hört nicht zu. Das bedeutet für die Herde, daß Audienzen Veranstaltungen sind, bei denen der Oberhirte angehört, nicht angesprochen wird. Im Fall des lieben Gottes dürfte es umgekehrt sein. Immerhin gelang es einer süditalienischen Ordensfrau, anläßlich einer Audienz Papst Wojtyla leicht hinters Ohr zu beißen, und eine andere verstieg sich zu dem Ausruf: »Er ist noch schöner als Jesus Christus!«[136]

Zu den Massenaudienzen kommen die vielen Einzelaudienzen, die der Heilige Vater gibt. Zwar gelingt es, wie gesagt, nicht jedem Bischof, einzeln zu seinem Chef vorgelassen zu werden, und die rangniedrigeren Mitarbeiter der Kurie haben überhaupt keine Chance, den Papst sprechen zu können. Doch stehen für andere die Tore des Vatikans – und die des päpstlichen Herzens – weit offen. Auch Päpsten fällt hin und wieder die Decke auf den Kopf, und sie langweilen sich. Es ist daher nicht ungewöhnlich, daß sie Besucherinnen und Besucher empfangen, die eine gewisse Zerstreuung versprechen: Bereits Leo XIII. versagte sich dem Besuch des Buffalo Bill nebst einer Schar wildfarbener Indianer nicht, und seit Pius XII., der zu allem und jedem etwas zu sagen wußte und dementsprechende Einladungen verteilte, ist es Sitte, alles, was irgendwie ausgefallen erscheint, zur Audienz zu bitten.

Sobald ein halbwegs bekannter Revuestar, ein exotischer Präsident, eine Sportmannschaft in Rom gesichtet werden, erhalten sie Besuch von Abgesandten des Vatikans, die ihnen nahelegen, auch dem Stellvertreter Christi ihre Huldigung nicht zu versagen und einige wegweisende Worte mit auf den Heimweg zu nehmen. Dabei fehlt auch der Hinweis nicht, die zum Handkuß zugelassenen Damen möchten sich gebührend bekleiden; schwarze Mantillen und hochgeschlossene Kleider sind so strikt vorgeschrieben, als halte das vatikanische Protokoll jeden Stellvertreter Christi für leicht entflammbar und fürchte Tag für Tag um die Tugend des Papstes.
Den treuesten Gläubigen fällt es nicht immer leicht, solchen Besuch richtig einzuordnen. Es bedarf schon besonderer Glaubensstärke, ohne Neidgefühle mitzuerleben, wie Schauspielerinnen und Schauspieler, die früher wegen ihres extravaganten Lebenswandels und ihrer wenig dezenten Auffassungen von Ehe und Familie noch nicht einmal ein kirchliches Begräbnis bekommen hätten, eine Audienz bewilligt erhalten. Eine Audienz, die selbst Familienmüttern und -vätern versagt wird, die sich ein ganzes Geschlechtsleben lang strikt an die Pillenenzyklika Pauls VI. hielten. Doch kommt eben mehr Freude bei den Engeln des Himmels auf, wenn sich ein schwarzes Schaf willig zeigt, als wenn neunundneunzig weiße Gotteslämmer blöken, die des Hirtenworts nicht bedürfen.
Die Reden, Ansprachen, Ermahnungen und Wegweisungen des Papstes Pius XII. umfassen zwei Dutzend Bände. Dieser Stellvertreter schlechthin, der hohe Posten an seinem Hof jahrelang unbesetzt ließ, um keine Konkurrenz befürchten zu müssen, hielt es unter anderem für dringend geboten, Jahr für Jahr bei jedem sich bietenden Kongreß der verschiedensten Berufsstände das Wort zu ergreifen. Bei Augenärzten, Goldschmieden, Konditoren, Veterinären, Polizisten, Feuerwehrleuten, Tabakbauern, Winzern, Astronomen, Hebammen, Psychiatern, Urologen. Verständlich, daß bei so vielen Worten die vatikanische Hofdruckerei ihre liebe Not hatte, keine Perle verlorengehen zu lassen. Der Vatikan gibt auch ein Jahrbuch mit dem wohlklingenden, aber irreführenden Namen »Aktivität des Hl. Stuhles« heraus, in dem sich alle Tätigkeiten des Papstes finden – oder doch wenigstens diejenigen, deren Veröffentlichung nichts im

Weg steht. Auf Jahrbücher, die beispielsweise über die spezifischen Machenschaften des Vatikans in Sachen Bankwesen berichten, wartet die Welt noch immer vergebens.
Das Milieu, in dem sich vatikanische Entscheidungen vorbereiten, ist sorgsam weltabgewandt. Es wird vom Stil einer – auch sprachlich – geschlossenen und gegen äußere Einflüsse immunisierten Umwelt bestimmt. In aller Regel können Oberhirten kaum irgendwelche Erfahrungen über eine säkular gewordene Welt sammeln, die nicht mehrfach gefiltert und subtil auf die eigenen Erfordernisse zugerichtet worden wären.[137] Kirchenfürsten bilden zu ihrem eigenen Schutz – mitten im Weideland und auf einer Insel im Ozean Welt isoliert – eine homogene Sprachgemeinschaft. Daher bleiben ihre Verlautbarungen, selbst die nebensächlichsten, seltsam feierlich, sogar liturgisch, gerade wenn sie Probleme betreffen, von denen sie überhaupt nichts verstehen. Immer wieder werden förmliche Sprachbarrieren aufgebaut, die angeblich Heiliges vom Profanen trennen. Mit Vorliebe verwandte Gegensatzpaare wie falsch – richtig, sündig – heilig, moralisch – unmoralisch weisen in dieselbe Richtung. Die streitlustig daherkommende Sprache, das verbale Freund-Feind-Verhältnis, die suggestive Wortwahl, der auf Verpflichtung abgehobene Ton: Alles hat Methode.
Was den Inhalt der oberhirtlichen Verlautbarungen betrifft, sind größte Zweifel angebracht. Ich wähle einen Vergleich: Kirchenfürstliche Äußerungen stammen aus einem riesigen Sumpfgewässer. Wohin man den Eimer wirft, zieht man ein leeres Gefäß heraus. Hat man Glück, ist es gefüllt mit dem gewohnten endlosen Geschwätz, mit den bekannten Nichtigkeiten, mit dem Gewäsch früherer Jahrhunderte. Die treuesten Schafe, durch und durch hirtenfixiert, stören sich nicht an solchen Unzulänglichkeiten; sie lieben sie und brauchen sie. Auch mögen sie meinen, eine antiquierte Sprache zeige bereits an, daß die Sprechenden nicht von dieser Welt seien. Der Applaus, den ein Papst von dieser Seite erhält, gehört notwendig zum System; Johannes Paul II. schrieb den Jubel 1979 sogar dem Einfluß des Hl. Geistes zu.[138]
Wojtyla verwendet noch immer die antikisierenden Bezeichnungen »Apostelfürst« oder »Patron des 20. Jahrhunderts«, Benennungen,

die einer vergangenen Geistigkeit entstammen, die Patrone und Fürsten kannte. Er schleppt die Titel gewiß nicht aus Gedankenlosigkeit weiter, sondern aus Gründen der Sprachlenkung. Er will eine feudale Tradition in die Gegenwart herüberretten. Daher wird niemand gegen die Verwendung der Bezeichnung »Kirchenfürst« protestieren; sie kommt der Wirklichkeit auch heute noch näher als jede andere.
Wer hofft, irgendwelche Informationen aus dem Vatikan zu erhalten, die über die gewohnten gelenkten Meinungsäußerungen hinausreichen, wird enttäuscht: Weder der päpstliche Rundfunk noch die Tageszeitung des Vatikans, der »Osservatore Romano«, helfen weiter. Die halboffizielle Zeitung des Papstes, selbst unter Parteiorganen eines der langweiligsten aller Zeiten, ist mehr dafür bekannt, was sie nicht meldet, als für das, was sie zu veröffentlichen wagt. Ihr jährliches Defizit liegt bei etwa zwei Millionen Dollar;[139] viele Oberhirten halten sie nur aus Gründen der Pietät. Und Radio Vaticana exportiert zwar wöchentlich 225 Stunden lang in 33 Sprachen Hirtenmeinungen in über 100 Länder der Erde, doch die von dieser Anstalt betriebene größte Rotationsantenne der Welt dient ausschließlich einem – mit über vier Millionen Dollar pro Jahr finanzierten – Tendenzbetrieb.[140] Was die wenigsten der etwa 80 Millionen Hörer wissen: An jedem Wochentag strahlt Radio Vaticana, meist verschlüsselt, frühmorgens Mitteilungen aus, die nur für die Ohren von Oberhirten bestimmt sind.
Daß Kirchenfürsten, wenn es sich lohnt, dieselben Unwahrheiten verkünden wie die Medien des Vatikans, sei an einem Beispiel gezeigt. Am 19. Oktober 1968 schrieb Kardinal Pericle Felici im »Osservatore«, Papst Paul VI. habe in der Enzyklika »Humanae vitae« als oberster Lehrer der Kirche eine Wahrheit verkündet, »die ständig vom Lehramt der Kirche verkündet worden ist und die den Lehren der Offenbarung entspricht«.[141] Man kann sich kaum schlimmer gegen die historische Wahrheit vergehen. Zum einen schweigen sich die »Lehren der Offenbarung« zum Thema Geburtenkontrolle völlig aus, und zum anderen wurde die von Paul VI. verkündete Doktrin keineswegs ständig vom Lehramt gepredigt. Was der Kardinal zudem verschwieg: Die Kommission, die eine

lehramtliche Äußerung vorbereiten und den arg verunsicherten Stellvertreter Christi beraten sollte, war mehrheitlich gerade zum gegenteiligen Schluß gelangt. Und nur die Angst Pauls VI., er könne, indem er die Empfängnisverhütung nicht verwarf, einige seiner Vorgänger desavouieren, ließ ihn die Minderheit unterstützen.[142] Daß seine Frohbotschaft Millionen verunsichern und Hunderttausende aus dem Pferch treiben würde, ahnte der Papst damals noch nicht. Auch bedachte er offensichtlich nicht die Konsequenzen, die seine Entscheidung für das eigene Vermögen haben würde: Immerhin war der Vatikan in der Folgezeit mehrfach gezwungen, seine Beteiligungen an pharmazeutischen Unternehmen zu bestreiten, die empfängnisverhütende Mittel herstellen.[143]

Das kirchenfürstliche Lehren geht unverdrossen weiter; schon steht der Herde ein neuer, weltumspannender »Katechismus« des Vatikans ins Haus. Was er zu glauben auftragen wird?[144] Die Existenz von »Engeln« zum Beispiel kann keinem Zweifel unterliegen; ihnen hat Gott den Schutz der Nationen anvertraut. Der »Teufel«, zuerst ein guter Engel, verführt mittlerweile die Menschen, »Gott den Gehorsam zu verweigern« (und den Hirten gewiß auch). Die »Hölle« kennt ein »Feuer, das nie erlischt«. Masturbation ist eine »schwere moralische Unordnung«, Ehescheidung »die schwerste Sünde gegen das sechste Gebot«.

Schwer vorzustellen, daß diese Inhalte außerhalb des Weidelands akzeptiert werden und überhaupt bis an die Ränder des Pferchs vordringen. Nicht weniger fragwürdig ist die gewählte Sprache: Sie ist derart erhaben, daß sie nur von Kirchenfürst zu Kirchenfürst weitergegeben werden kann; Berufsschülerinnen und -schüler werden ihre Schwierigkeiten mit dem Idiom des zuständigen Kardinal Ratzinger bekommen. Im Kirchenfürstentum schert man sich nicht darum; die Hirten sind so eingesponnen, so weltfremd, so sektiererisch, daß es ihnen längst egal sein mag, wie viele Gotteslämmer noch glauben – wenn sie nur zahlen.

Die angeblich irrtumsfreie Lehre leidet unter diesen Umständen nicht, auch wenn sie blanken Unsinn als Glaubenslehre verkündet. Zur Erinnerung ein Beispiel. Der für die ganze katholische Welt 1905 unter Pius X. vorgeschriebene Einheitskatechismus hatte zu

glauben gelehrt: »Der Protestantismus oder die verbesserte Religion, wie sie ihre Gründer hochmütig nannten, ist die Summe aller Irrlehren, die vor ihr waren, nach ihr gewesen sind und nach ihr noch entstehen können, um die Seelen zu verderben.«[145] Papst Benedikt XV. sekundierte 1915 und nannte nichtkatholische Christen »Räuber und Verschwörer« sowie »Sendboten des Satans, die mitten in der heiligen Stadt Rom Tempel errichten, in denen Gott die wahre Ehre verweigert wird; die Pestkanzeln errichten, um unter dem Volke Irrlehren zu verbreiten; die mit vollen Händen Lüge und Verleumdungen gegen die katholische Religion und ihre Diener ausstreuen.«[146] Schon 1873 hatte Pius IX. den deutschen Kaiser belehrt, jeder Getaufte, also auch der evangelische, »gehört in irgendeiner Art und in irgendeiner Weise... dem Papste an«[147]. Wilhelm I. korrigierte den Papst, sein protestantischer Glaube gestatte es nicht, »in dem Verhältnis zu Gott einen anderen Vermittler als unseren Herrn Jesum Christum anzuerkennen«[148].
Den treukatholischen Schafen Deutschlands schien das Hirtenwort einleuchtender; sie zahlten nach wie vor an den Papst, was das Zeug hielt – und der Papst nahm dankend an. Auf dem Katholikentag von Münster 1885 hatte ihr politischer Führer, der bewährte Kulturkämpfer L. Windthorst, die Losung ausgegeben: »Von Rom aus wird die Welt regiert, vom Papst in Rom!«[149] Ein solches Machtzentrum brauchte Geld, und die deutschen Gotteslämmer besorgten es. Schließlich wollten sie gehegt sein; ihre Liebessehnsucht galt ihnen, finanziell unterstützt, als »religiöse und nationale Ehrenpflicht«.[150] 1915 sammelten sie, »um die Unabhängigkeit des Papstes im Weltkrieg zu sichern«[151], an die 20 Millionen. Die Neutralität des Oberhaupts mit Geld erkaufen? Nicht nur daß diese Begründung selbst in vatikanischen Augen haarsträubend war: Eine auch nur halbwegs befriedigende Auskunft über die Verwendung der immensen Summe blieb der »Vater und Lehrer aller Christen«, wie das Erste Vatikanische Konzil den Papst nannte[152], freilich schuldig. Die von Benedikt XV. 1915 ausgeschriebene »Polenspende« wurde zum größten Teil auch von den deutschen Lämmern aufgebracht; ein sichtbarer Erfolg, der die politischen Hoffnungen der Zahlenden erfüllt hätte, zeichnete sich wiederum nicht ab.[153] Was der Herde

blieb: das gewohnte – und von aller Welt, den profitierenden Vatikan eingeschlossen, verspottete – »ruere in servitium Romae«, die geschäftige Dienstbeflissenheit der Deutschen gegen Rom.[154]
Und die Hirten? Als Papst Nikolaus III. (†1280) einen frommen Mönch zum Kardinal erheben wollte, lehnte dieser die Würde ab: »... die römische Kurie beschäftigt sich kaum mit anderen Dingen als mit Kriegen und Gaukelwerk... um das Heil der Seelen kümmert sie sich nicht.« Der Stellvertreter Christi antwortete auf diese Wahrheit mit einer anderen: »... wir sind an diese Dinge so gewöhnt, daß wir meinen, alles, was wir tun und sagen, sei nützlich.«[155]

Welche Ehen der Papst so gern auf katholisch scheidet

Scheidungen – das wissen alle – sind im Geltungsbereich des Kirchenfürstenrechts nicht möglich. Es gibt sie einfach nicht. Wer noch immer strenggläubig ist, weiß genau, daß eine Scheidung für ihn nicht in Frage kommt. Die Ehe, so wenigstens die ehelosen Oberhirten, ist »unauflöslich«. Daran ließen die Päpste so gut wie nie rütteln. Diese Ansicht stellt heute – neben der zu Geburtenkontrolle und Schwangerschaftsabbruch – eine der letzten »moralischen Bastionen« des Vatikans dar. Die Oberhirten berufen sich auf das indiskutable »Herrenwort«, daß der Mensch nicht lösen dürfe, was Gott verbunden habe.
Freilich ist Rom auch in diesem Fall nicht sehr auskunftsfreudig, geht es darum, die ganze Wahrheit zu sagen. Es gibt in der Tat eine Scheidung auf katholisch. Nur muß der Gläubige sie kennen. Das als völlig unantastbar erklärte Herrengebot von der absoluten Treue in der Ehe und deren Unauflöslichkeit wurde längst ausgehöhlt. Auch katholische Kirchenfürsten, die auf die Hirten anderer Pferche herabsehen wie auf Abtrünnige, kennen nur ein bedingtes, nicht ein absolutes Scheidungsverbot. Und die Bedingungen für eine Scheidung erfanden sie selber.
Der Papst löst eine »gültige« Ehe durchaus auf: wenn sie »geschlechtlich nicht vollzogen« wurde. Allerdings schweigt Jesus ge-

nau zu diesem Punkt. Nirgendwo ist nachzulesen, der Gottessohn habe irgendwelche Schlafzimmerprobleme erörtert. Penetration und Defloration sind Angelegenheiten, die spätere Hirten unter sich ausmachten. Und steht fest, daß ein »Jungfernhäutchen« nicht beschädigt ist, kann der Papst Hausaufgaben machen und eine solche Ehe annullieren. Im Vatikan gibt es ein eigenes Büro für derlei Aktivitäten, und auch die einzelnen Diözesen haben ihre Fachmänner. Alle suchen nach faktischen Beweisen, lassen den Unterleib von Frauen beschauen und trennen Jahr für Jahr einige hundert solcher Ehen. Das geschieht mit verachtendem Seitenblick auf andere Religionsgemeinschaften, die gar eine Wiederverheiratung Geschiedener kennen.

Nicht, daß ich falsch verstanden werde: Kein Kirchenfürst überprüft eigenhändig die nackten Tatsachen. Dafür stehen (immer noch!) Hebammen und Gynäkologen bereit. Es handelt sich in diesem Fall um eine Art von gehobenem Voyeurismus. Erst wenn andere nachschauten und begutachteten, verwertet der Vatikan die Ergebnisse. Ich sah in Rom mehrmals Dokumente zum Thema; einschlägige Zeichnungen waren beigeheftet. Die Hirten sind gründlich; schließlich handelt es sich bei der Ehe um ein »Sakrament«. Aber ich bedauerte die Prälaten immer, die als Sachbearbeiter in diesen Prozessen fungieren und Tag für Tag Unterleibsakten studieren, um dem Heiligen Vater zuzuarbeiten. Sich von Amts wegen ständig mit dem Zölibat und dann noch beruflich mit dem weiblichen Unterleib befassen zu müssen, ist auf Dauer ein bißchen viel Beschäftigung mit der Sexualität.

Der Vatikan hat die Beschau geregelt. Der Ort, an dem die Untersuchungen durchzuführen sind, wird bestimmt, ebenso die zugelassenen Ärzte (am besten Katholiken), ja sogar das lauwarme Badewasser, das erforderlich erscheint, damit sich wenigstens die Sichtverhältnisse bessern, wenn schon nicht das Befinden der betroffenen Frau. Und da der Vatikan selbst Ärzten der eigenen Konfession nicht ganz über den Weg traut, rät man, beim ganzen Vorgang eine »ehrsame Matrone« anwesend sein zu lassen. Mit Betrügereien rechnen die oberhirtlichen Fetischisten ohnedies. Es handelt sich immerhin um ein recht heikles Geschäft, das über Sein oder Nicht-Sein einer Ehe entscheiden kann. Man will dem Papst, der – nach intensivem Aktenstudium – die letzte Entscheidung fällt, nur ein hundertprozentig ehrliches Ergebnis vorlegen. Die Jungfräulichkeit, wie sie von echten Biologisten verstanden wird, muß sicher feststehen. Entsprechend lesen sich die Herrenworte zum Thema.

Hirten machen sich noch im 20. Jahrhundert von Amts wegen Gedanken über das Jungfernhäutchen, erörtern dessen spezifische Variabilität, wissen etwas über mögliche Mißbildungen und über dessen acht bis zehn natürliche Erscheinungsformen. Auch von Verletzungen, gerade von diesen, wird gesprochen: Die Vermutungen reichen von übermäßigem Sport über die »Sünde der Selbstbeflekkung« bis hin zum schlimmsten Fall, dem Geschlechtsverkehr. Vor allem Manipulationen wie das »Ausbessern der Unschuld« finden Interesse. Schließlich ist von Schwangerschaften bei unverletztem Häutchen die Rede. Ein Autor wundert sich gar, daß »selbst bei Freudenmädchen noch unverletzte Hymen gefunden wurden«[156].

Alles in allem ein hitziges Problem. Die Heilssorge der oberhirtlichen Mediziner überschlägt sich förmlich. Sie haben es wirklich nicht leicht, zur Jungfräulichkeit, zum Nichtvollzug der Ehe und damit zur Möglichkeit einer Scheidung auf katholisch ja oder nein zu sagen. Der Papst denkt wahrscheinlich noch intensiver über derlei nach. Aber während Johannes Paul II. alle Junghirten zappeln läßt, die ein bißchen legale Liebe wollen, und keinen von seinem Amt dispensiert, entläßt er nach wie vor pro Jahr einige hundert Quasi-Eheleute in die Freiheit der Ledigen. Weil ihnen augenscheinlich der Beweis glückte, die eigene Ehe nie durch Geschlechtsverkehr vollzogen zu haben. Niemand braucht ins Mittelalter des Kirchenfürstentums auszuweichen, wenn er Beispiele oberhirtlicher Obszönität sucht.

Ein Trauerspiel. Traurig, weil sich Kirchenfürsten zu Lasten der ihnen Verfallenen Macht sichern. Traurig, weil die wenigsten Gläubigen jemals über solche Unterdrückungsmechanismen informiert wurden. Traurig, weil noch immer Frauen auf ihre »Jungfräulichkeit« hin untersucht werden. Traurig, weil Millionen auch diese Schandtaten hinnehmen, ohne ein solch menschenverachtendes Kirchenfürstentum für immer zu verlassen.

Was aber glaubte die schwedische Königin Christine, Tochter Gustav Adolfs und in St. Peter verewigt, im Zusammenhang mit ihrem Beitritt zum Kirchenfürstentum? »Wenn man katholisch ist, hat man den Trost, zu glauben, was so viele edle Geister 16 Jahrhunderte lang geglaubt; einer Religion anzugehören, die durch Millionen Wunder, Millionen Märtyrer bestätigt ist, die endlich so viele wunderbare Jungfrauen hervorgebracht hat, welche die Schwachheit ihres Geschlechts überwunden und sich Gott geopfert haben.«[157] Welch stark katholisches Lebensgefühl! Ich wundere mich weder darüber, daß die Monarchin eine Zentralfigur der damaligen Dolce vita Roms war[158], noch über die zwanzigtausend Messen, die 1689 bei ihrem Tod gelesen wurden, um Christine ein süßes Leben auch da drüben zu vermitteln.

Wie der Vatikan mit seinen Pfunden wuchert

Die Hirten setzten einmal ein an sich recht harmloses Buch über die päpstlichen Ministerien auf den Index und untersagten der Herde die Lektüre des Werkleins, weil es ganz nebenbei auch die Gebühren und Tarife dieser Ministerien offenlegte. Vorsicht ist demnach geboten, wenn es um das Thema der Themen geht. Denn noch heute kommt niemand über Versuche hinaus. Es geht allen gleich, die die Finanzen des Vatikans untersuchen wollten. Sie mußten gegenüber dem Gegenstand ihrer Untersuchung klein beigeben und ihre Leserinnen und Leser in dem Glauben lassen, daß Paul VI. die Wahrheit sagte, als er von »Unserer heiligen Armut« sprach.[159]
Damit der Glaube an die päpstliche Wahrheitsliebe jedoch nicht ausufert, erinnere ich an die Jahrhunderte der Ausbeutung weltlicher Güter durch geistliche Vertröstungen, an Einnahmen der Päpste durch Verkauf von Dispensen, an Gewinne durch Zinsen, Mieten und Verkäufe, an Einnahmen durch Börsenspekulationen, durch Bestechungsgelder und Sondersteuern, durch eigene Kriegskassen. So wie Rom nicht an einem Tag erbaut wurde, akkumulierte auch der Papst sein Vermögen nicht von heute auf morgen. Doch irgendwo muß das viele Geld ja geblieben sein. Verpraßten es die Hirten?

Betrieb die römische Kurie Mißwirtschaft? Verteilte sie das Geld gar an die Armen der Welt?

Paul VI. versäumte selten, den Glauben der Welt in diese letzte Richtung zu weisen. Klagte er über den chronischen Geldmangel im Vatikan, so erinnerte er an den »mißlichen Umstand..., daß die Kirche der materiellen Mittel ermangelt, die sie für ihre Werke der unbegrenzten Wohltätigkeit und Barmherzigkeit braucht...«[160] Das wirkte allerdings ziemlich unglaubwürdig, zumal in einem Kirchenfürstentum, dessen vornehmste Bank sich »Institut für die Werke der Religion« nennt und riesige Devisenspekulationen betreibt. Vielleicht war der Stellvertreter Christi aber wirklich in Not. Zumal die Welt aufgehorcht hatte, als eine Schlagzeile erschienen war, die den armen Souverän des Vatikans zutiefst hatte erschrecken lassen: »Erzbischof betrog Papst Paul um 752 Millionen«. Es ging damals um die jüngste der vielen vatikanischen Bankaffären. Es war nicht die erste, und die letzte wird es auch nicht gewesen sein. Zumal das einzige Laster, das die oberhirtlich-bürgerliche Moral weder vergißt noch verzeiht, ist: nicht flüssig zu sein.

Skandale gelten am Amtssitz des Stellvertreters Christi nicht eben als Neuigkeiten; vatikanspezifisch ist vielmehr die in den Jahrhunderten des Kirchenfürstentums entwickelte und erprobte Methode, mit Skandalen fertig zu werden. Von der angeblich »reinigenden Kraft« solcher Ärgernisse ist nichts zu bemerken. Stellt sich die Frage, wie man Skandale nicht nur selbst produziere, sondern sie auch zu seinen eigenen Gunsten drehe und wende, bleibt der Vatikan keine Antwort schuldig. Im Verursachen, Vertuschen, Vergolden von Skandalen sind Päpste Champions; seit jeher bleiben sie in diesem Metier unbestritten, unerreicht, unfehlbar.

Paul VI., Prediger der »heiligen Armut«, wohnte in Rom, wo es genug Arme gibt, die in Slums hausen, keineswegs in einer Notunterkunft. Seine Suite im Vatikan umfaßte 13 Zimmer, für ihn persönlich, und fünf Domestiken hat er auch beschäftigt. Doch ist das keine römische Spezialität. Es gibt auch anderswo Städte mit Slums, mit Obdachlosen, mit kinderreichen Familien, die am Rand des Existenzminimums leben. Solche Städte nennen sich hin und wieder, wenn sie Werbung machen, »Bischofsstädte«. Sie wissen, warum.

Ich kenne keinen einzigen Kirchenfürsten, der nicht in einem ganz ansehnlichen – und in keiner einzigen Hinsicht mit den Armenquartieren der eigenen Bischofsstadt vergleichbaren – Haus wohnt. Eine »Exzellenz« mit einem Kreuz aus Gold und Edelsteinen auf der Brust kann sich nicht unter die Herde mischen, es sei denn so lange, wie Kamera und Mikrofon auf den Hirten gerichtet sind.
Wie die Päpste mit ihrer über Jahrhunderte hinweg »eigenen Stadt« und ihrem Volk umgingen, belegen viele Zeugnisse. Während die Hirten sich vergnügten, darbte die Herde. Als Eugen IV. 1443 endlich nach Rom zurückkehrte, das die Päpste jahrzehntelang gemieden hatten, fand er eine verwahrloste Stadt vor. Die Einwohner der Metropole waren Kuhhirten geworden; sie unterschieden sich kaum von den Leuten auf dem Land ringsum. Vieh lief durch die Gassen, auf weite Strecken hin war alles Garten und Sumpf; mitten in der Papststadt jagte man Wildenten.[161] Die alte St. Peterskirche war dem Einsturz nahe. Und noch ein Jahrhundert später hatte Rom gerade 80000, kurz darauf nur mehr 50000 Einwohner; alles in allem handelte es sich um eine zusammengewürfelte Masse verschiedener Landsmannschaften, die sich gegenseitig als Konkurrenten bekriegten. Überdurchschnittlich waren ledige Männer vertreten; sie sahen die größten Chancen, im Dunstkreis des Papstes ihr Glück zu machen. Über alldem thronten die Stellvertreter Christi, bauten auf und ließen einstürzen, kümmerten sich um ihre Einkünfte und ungleich weniger um die Herde.
1796 schreibt eine deutsche Besucherin in ihr Tagebuch: »Auf dem schön gezierten Platz neben der Fontäne wird aller Unrat, aller Gemüseabfall aus den Palästen ... zu Bergen, ohne daß je daran gedacht würde, den kostbaren Dünger auf Roms verödete Felder zu führen und die in Gärung übergehende, die Krankheit betreibende Masse wegzuführen. Kinder und Arme wühlen darin herum, nagen begierig an den Broccolistengeln ...«[162] Die römische Altstadt, Schöpfung vieler Päpste, ist im Sinn moderner Hygiene unbewohnbar; Seuchen verbreiten sich wie Feuer im trockenen Gras. Die Häuser und Wohnungen, in denen die »einfachen Leute« des Papstes hausen, entsprechen keinen baupolizeilichen Vorschriften; es gibt Räume, die das ganze Jahr kein Sonnenstrahl erreicht.

Kontrastreich, aber nicht auffällig ist die Schilderung eines Festmahls, die die Lage der Kirchenfürsten unter Leo X. beschreibt: Zwischen zwei Palästen Roms wurde ein riesiges Freilufttheater errichtet, das dem Bankett der Herren diente. Die Speisenfolge ist erhalten: Nicht weniger als 25 Hauptgänge schlangen die Hirten in sich hinein, Geflügel kam im Federkleid auf die Tafel, ein fellbekleideter Widder wurde aufgetragen, gebratene Kapaune, Rebhühner, Schnepfen folgten, Fischsuppen, Wachtelpasteten, Marzipantorten wurden gereicht. Ein zeitgenössisches Dokument sagt, mit diesen den Kirchenfürsten aufgetischten teuren Mengen hätte »man ganz Rom satt machen können«.[163] Freilich: »Man« hat nicht, damals im 16. Jahrhundert nicht – und auch sonst nie.
Die Schriftstellerin Natalia Ginzburg über die Metropole, deren Bischof seit Jahrhunderten der Papst persönlich ist: »So ist Rom: An die Kranken, Alten und Toten wird nie, auch nicht zufällig, ein Gedanke verschwendet. Statt dessen hätschelt man Träume von Sommerfrische: Weil dies eine Stadt ist, in der es vielleicht noch möglich ist zu faulenzen ...«[164] Das schlimmste Übel dieser päpstlichen Stadt: »eine unerbittliche Gleichgültigkeit, die in jedem kleinsten Winkel zum Vorschein kommt, gegenüber Krankheit, Leiden, Armut und Tod.«
»Mich erbarmt das Volk« (misereor super turbam). Wer so sprach, hatte allein das Recht dazu: der arme Jesus aus Nazareth. Wer seither das Bibelwort zitierte, log in die eigene Tasche. Kirchenfürsten verstanden stets besser und teurer als andere zu leben, sonst wären sie nie berufen worden. Sie aßen und tranken vom Feinsten, bauten Villen rings um die Stadt ihres Papstes, statteten ihre Lieblingskirchen nach Gusto aus – und schafften es immer wieder, reiche Quellen zu erschließen, die für finanziellen Nachschub sorgten. Freilich ist heute nicht mehr in jedem Fall zu sagen, welche Quellen sprudelten. Nachgewiesen ist aber die Methode des Papstes Johannes XXII., der ganze Tariflisten für die Erteilung von Dispensen und Absolutionen erstellte. Kaum verwunderlich, daß dieser Stellvertreter Christi 1334 bei seinem Tod 16 Millionen in Münzen und 17 Millionen in Goldbarren hinterließ.[165]
Belegt ist auch die kirchenfürstliche Übung, die Juden Roms zu

schröpfen. Bei der zigtausend Dukaten teuren Inthronisation von Leo X. (1513) waren diese angetreten, um von dem neuen Papst wie üblich die Duldung ihrer Religion zu erbitten. Sie hielten dem Stellvertreter Christi ihre Gesetzestafeln entgegen, als er – auf weißem Zelter – an ihnen vorbeiritt. Der Papst schaute sie sich an, blätterte in den Schriften, meinte »Wir bestätigen, stimmen aber nicht zu«, ließ das heilige Buch der Juden zu Boden fallen und setzte seinen Zug fort.[166] Bezahlt wurde die so erteilte Gnade später.
Leo X., der sein Amt zu nutzen verstand, ging in der Villa des Bankiers Chigi aus und ein. Gab der Geldmann ein Bankett, fand jeder Gast ein silbernes Gedeck mit seinem eigenen Wappen vor. Dieses Geschirr wurde nach dem Essen in den Tiber geworfen. Julius III. (†1555) errichtete auf dem linken Ufer des Flusses eine pompöse Villa, ließ sich bei jeder Gelegenheit auf teppichgeschmückten Lustbooten zu diesem Ruhesitz fahren, feierte rauschende Feste mit den Seinen, ergötzte sich an Stierkämpfen, Maskeraden, Jagden, Glücksspielen – und fand Finanziers. Sixtus V. blieb jede Erklärung dafür schuldig, wer die 123 580 Golddukaten besorgte, die 1587 Ausgrabung, Transport, Aufstellung eines Obelisken seine »Kammer« kosteten.[167]
Machten die Herren des Kirchenfürstentums Millionen für ihre eigenen Zwecke locker, so zeigten sie sich ausgesprochen knausrig, ging es um Menschen, die nicht das Glück hatten, zum Pferch zu gehören. Erst im 18. Jahrhundert wurde in der Stadt der Päpste ein »Friedhof nichtkatholischer Ausländer« erlaubt. Allerdings war es den Hinterbliebenen nicht gestattet, ihre Toten bei Tageslicht auf dem unwegsamen Gelände zu beerdigen. Bei Nacht und Nebel und unter dem wachsamen Auge päpstlicher Gendarmen wurde der Sarg zum Friedhof gebracht; kein Stein durfte das Grab kennzeichnen. Erst dem Einfluß Wilhelm von Humboldts, des preußischen Gesandten beim Heiligen Stuhl, war im frühen 19. Jahrhundert eine Lockerung der rigiden Vorschriften zuzuschreiben. Eine Umzäunung des ungeliebten Friedhofs gestatteten die päpstlichen Behörden erst zwanzig Jahre später. Auf Roms akatholischem Begräbnisplatz liegen die Dichter John Keats und Percy Bysshe Shelley, Goethes einziger Sohn, zwei Kinder Humboldts, der Maler Hans von Ma-

rées, der Architekt Gottfried Semper und ein kommunistischer Ketzer, Antonio Gramsci.
Rom ist eine gewaltige Stadt. Vergnügt oder traurig ist sie nicht. Ebensowenig wie große Tiere je lustig oder traurig sind, sondern riesig, feierlich, gleichgültig und tragisch. Lachen können sie nicht und nicht weinen; sie brüllen, schreien, heulen.[168] Und die sich Rom halten wie ein großes Tier, die Oberhirten, bauen sich ihre Käfige, übertrumpfen sich über Jahrhunderte hinweg gegenseitig in ihrer Baufreudigkeit. Sie errichten in der Stadt ihre Paläste, ihre Villen auf dem Land, und wenn der eigene Lebensstil ihnen zu teuer wird, verkaufen sie den Besitz kurzerhand weiter: Stets findet sich ein Kollege, der ein wenig wohlhabender ist. So kam Kardinal Alessandro de Medici, später für 27 Tage Leo XI. (†1605), in den Besitz der nach ihm benannten Villa.[169] Sie blieb übrigens lange Jahre Gefängnis des Galileo Galilei, dem die Inquisition das Verbrechen nicht verzieh, gesehen und mitgeteilt zu haben, daß die Erde um die Sonne kreist.
Die nicht weniger berühmte Villa Torlonia – ihr Terrain ist größer als die heutigen vatikanischen Gärten – gehörte jahrhundertelang dem römischen Adelsgeschlecht der Colonna, das mehrere Päpste hervorbrachte und finanzierte. Als die Familie zu Anfang des 19. Jahrhunderts dringend Geld brauchte, verkaufte sie den riesigen Besitz dem Hofbankier des Papstes, Giovanni Torlonia, der – Sohn eines Kammerdieners – das gewaltigste Vermögen im Kirchenstaat zusammengerafft hatte – und mehrere Adelstitel dazu. Sein Sohn baute das Besitztum aus, beschaffte sich am Lago Maggiore zwei granitene Obelisken, verschiffte diese um Italien herum nach Rom – und richtete den besseren Teilen der Herde ein sprichwörtlich bombastisches Fest aus; Hirte Gregor XVI. fühlte sich sichtlich wohl unter den siebentausend geladenen Gästen.[170] Dieser Papst, der als militanter Mönch vierzig Jahre im Umfeld der Gegenrevolution gelebt hatte, paßte zu den Herren des Festes: Zum einen war er qualifiziert durch seine Lehrmeinung, jede Aufforderung zum Widerstand sei ein Verbrechen, jedes »Sich-Erheben« Sünde, die Volkssouveränität indiskutabel. Zum anderen hatte er sich in die bekannte Siegerliste eingeschrieben, als er mit Hilfe angeworbener

Soldaten blutig gegen die Rebellion im Kirchenstaat vorgegangen war.[171]
Nicht, als seien Oberhirten neuerdings verarmt und keine Herren mehr. Noch immer gilt es als offenes Geheimnis im Vatikan, daß die – jedem Kardinal zustehende – »römische Titelkirche« nicht nur nach den kirchenrechtlich vorgeschriebenen Qualitäten des Neuernannten zugewiesen wird. Kommt der Papst zum Schluß, eine der Kirchen seiner Bischofsstadt benötige dringend eine Renovierung, sucht er sich bei der nächsten Kardinalserhebung einen besonders potenten Hirten für sie aus. US-Kardinal Spellman, ansonsten als Prediger des Vietnamkrieges bekannt, investierte beispielsweise Unsummen in »seine« Titelkirche S. Giovanni e Paolo.[172]
Päpste des 20. Jahrhunderts darben ebensowenig wie ihre Vorgänger. Der als ätherische Hirtengestalt vermarktete Pius XII. hinterließ 1958 ein Privatvermögen in Millionenhöhe.[173] Zwar war es lange Übung am Vatikan, sofort nach dem Tod eines Papstes dessen Privatwohnung zu plündern und den vom jeweiligen Amtsinhaber angehäuften Schatz verschwinden zu lassen. Doch Pius XII., Sohn einer alten römischen Familie, hatte vorgesorgt und das Vermögen – 80 Millionen in Gold und Valuten – bei den Seinen in Sicherheit gebracht.
Schon zu Beginn des 20. Jahrhunderts wurde das päpstliche Vermögen auf eine Zahl geschätzt, die ungefähr sechsmal größer war als dasjenige des reichsten Deutschen, das von Krupp.[174] Nach einer Angabe aus den siebziger Jahren verfügte der Stellvertreter Christi allein im Stadtgebiet von Rom über 15 Millionen Quadratmeter Land. Die Kommune selbst besaß dagegen nur rund 4 Millionen Quadratmeter unbebauter Fläche.[175] Die Lateranverträge, die der Hl. Stuhl 1929 mit Mussolini schloß, brachten bares Geld. Zwar hatten Kirchenfürsten damals geklagt, die »ungeheuren Schäden«, die ihnen durch den Verlust des früheren Kirchenstaates (des auf gefälschten Dokumenten beruhenden »Patrimonium des hl. Petrus«) entstanden seien, könnten mit italienischem Geld allein gar nicht behoben werden.[176]
Dennoch ließen sie sich schließlich abfinden, das heißt für den Verlust jenes Territoriums »entschädigen«, das ihre Vorgänger geraubt

hatten. Recht mußte Recht bleiben. Die – in aller Stille gezahlte – Entschädigungssumme betrug zum 19. Februar 1929 nicht weniger als 91656 250 Dollar – und die für damalige Verhältnisse riesige Summe mußte gewinnbringend angelegt werden. Pius XI. setzte in Umlauf[177], auf Geld und Gut des neuen Vatikanstaats angesprochen, es scheine, »als seien die Dinge an dem Punkt, an dem sie beim heiligen Franziskus waren: das bißchen Körper, das genügt, die Seele zusammenzuhalten«.

Allerdings beauftragte dieser Papst umgehend einen Finanzfachmann namens Nogara mit der Verwaltung des »bißchen Körper«. Nogara schlug dem Pontifex vor, sich auch künftig nicht an irgendwelche Gedanken über die »Armut der Kirche« zu verlieren. Vielmehr sei das Geld allein unter finanzpolitischen Gesichtspunkten anzugehen und mindestens ein Drittel der faschistischen Abstandszahlungen in Gold (im amerikanischen Fort Knox) anzulegen. Pius XI. widersprach dem Experten nicht. Nogara tat, was beliebte, starb 1958, hinterließ ein vielfach verschachteltes päpstliches Vermögen, eine ausgefeilte Investitionspolitik – und die Überzeugung im Vatikan, er selbst sei »das Beste gewesen, das der Kirche seit unserem Herrn Jesus Christus widerfahren ist«.[178]

Als Mussolini 1936 den italienischen Firmen und Grundbesitzern Abgaben auferlegte, um seinen Krieg mit Abessinien zu finanzieren, wurden die Unternehmen des Papstes eigens von der Zahlung ausgenommen. Die faschistische wie die päpstliche Presse verschwiegen wohlweislich dieses Entgegenkommen. Der Vatikan wurde auch in den folgenden Jahren von allen neuen Steuern befreit; die Befreiung von der Umsatzsteuer gilt bis heute. Nach dem Krieg forderten die Oberhirten als erstes die Übernahme der faschistischen Privilegierung durch die Republik Italien.[179]

Der Papst wuchert daher relativ ungehindert mit seinen Talenten. Mit Zinsen, Zinseszinsen, Spekulationsgewinnen und -verlusten. »Für Werke der Religion und der christlichen Barmherzigkeit in aller Welt.« Genaueres ist nicht zu erfahren. Der römische Korrespondent der »FAZ« rechnete 1982 mit einem Bestand von mehreren hundert Millionen Dollar aus diesem Bereich, »was wohl einige Dutzend Millionen Dollar Rendite einbringt«.[180] Nach Auskunft des

Vatikan-Beobachters Corrado Pallenberg[181] besaß der Hl. Stuhl noch in den sechziger Jahren riesige Aktienberge, oft sogar die Aktienmehrheit, von italienischen Banken und Versorgungsunternehmen (Gas, Licht, Transport, Telefon), von Immobiliengesellschaften, Hotelketten, Versicherungen. Aufsichtsratsmandate in solchen Gesellschaften wurden von katholischen »Laien« wahrgenommen, die freilich den Direktiven von vatikanischen Kirchenfürsten unterliegen. Bestimmte seit Jahrhunderten nachweislich dem Vatikan treu ergebene und auch nach dem Fall des Kirchenstaats nicht abgefallene Familien, nicht selten päpstlich geadelt, durften sich zum engeren Vertrauenskreis rechnen und einige der Ihren in Aufsichtsrat oder Management eines Unternehmens entsenden, dessen Aktienmehrheit der Papst besaß.[182]

Der Stellvertreter weiß, was er an solchen Leuten hat. Benedikt XV. meinte 1917 in einer – abschreckend bibelfesten – Neujahrsansprache vor dem römischen Adel: »Vor Gott gibt es zwar keinen Vorrang der Personen. Aber es steht außer Zweifel..., daß ihm die Tugend der Vornehmen angenehmer ist, weil sie heller leuchtet. Auch Jesus Christus war adlig; adelig waren auch Maria und Joseph, als Abkömmlinge aus königlichem Stamm... Christus also, der in so hervorragender Weise mit dem irdischen Adel in Beziehung steht, möge... den heißen Wunsch aufnehmen, den wir heute vor seiner Wiege niederlegen, nämlich, daß wie in der Krippe sich der höchste Adel mit der vollendetsten Tugend verband, dies auch an unseren geliebten Söhnen, den Patriziern und Adeligen Roms, sich bewahrheiten möge. Ihre Tugend möge die christliche Wiedergeburt der Gesellschaft herbeiführen...«[183]

Was aus der Wiedergeburt der christlichen Gesellschaft wurde? Insgesamt dürfte sich der Besitz der Kirchenzentrale an Aktien und anderen Kapitalbeteiligungen schon 1958 auf etwa 50 Milliarden DM belaufen haben. Trotz verschiedener Bankkräche und -skandale hat sich diese Summe bis heute nicht gerade verringert. Als die italienische Öffentlichkeit aber immer aufmerksamer wurde, begann der Papst, seinen Besitz umzuschichten. Halsbrecherische Immobilienoperationen, immense Devisenverschiebungen waren die Folge; meist handelten die Hirten dabei zu Lasten der italienischen

Republik. Mittlerweile sind die Transaktionen abgeschlossen: Die Finanzreserven des Papstes sind vor allem an der Wallstreet konzentriert. Dort arbeiten sie still vor sich hin. Hirten tasten, so lautet ein Grundsatz vatikanischer Währungspolitik, nie ihr Vermögen an, erwecken aber stets den Eindruck, sie bluteten sich aus.

Ein Großteil des sizilianischen Bodens gehört dem aufs engste mit dem Vatikan verbundenen Adel. Kein Zufall, daß dieselben Herren auch der Mafia freundschaftlich verbunden sind.[184] Indem die Grundbesitzer ihre Interessen an dem besetzten Land schützen, arbeiten sie zugleich dem vatikanischen Mitbesitz oder den oberhirtlichen Interessen an verschiedenen neuen Bauprojekten und Industrieanlagen zu. Anders gelagerte Interessen des Vatikans sind nicht zu erkennen; wo Armut, Unwissenheit und Unterdrückung herrschen, wie in bestimmten Regionen Süditaliens, profitiert das Kirchenfürstentum am meisten.[185] Die Oberhirten hielten sich für schlecht beraten, wollten sie die Zustände im Land wirklich ändern helfen.

Päpste haben auch dafür gesorgt, daß die wichtigsten unter den vielen Ordensgemeinschaften der Welt ihren Hauptsitz – und damit ihre Kassen – nach Rom verlegten. So ist es dem Auge des Herrn besser möglich, Eingänge und Ausgänge zu kontrollieren. Auch überwacht der Hl. Stuhl aus ähnlich einleuchtenden Gründen streng die Vorgänge in den ertragreichsten Wallfahrtsorten Italiens. Die immer wieder anfallenden heiligen Jahre oder die diesen nachgebildeten Marianischen Jahre bringen nicht nur der Herde reichen Gewinn in Form von Ablässen und sonstigen Gunsterweisen. Sie zahlen sich auch für die Hirten aus. Immerhin gelang es beispielsweise allein 1856, nicht weniger als 20 Millionen Marien-Medaillen abzusetzen, darunter zwei Millionen in Gold oder Silber.

Die alltäglicheren Einnahmen des Papstes sind vergleichsweise bescheiden. Mit dem Verkauf von Briefmarken, Medaillen und Münzen, mit den Konzessionen für Andenken und Devotionalien, mit dem Handel des Papstes mit zollfreien Waren (unter anderem Benzin) und mit den Eintrittsgeldern aus den Museen lassen sich die angestiegenen Personalkosten nicht abdecken, auch wenn berücksichtigt wird, daß vatikanische Bedienstete traditionell unterbezahlt

bleiben (die Vergelt's-Gott-Währung!) und ein Kardinal an der römischen Kurie offiziell nicht mehr als umgerechnet 3000 DM im Monat verdient.
Johannes Paul II. soll 1979 eine völlig »revolutionäre Änderung« angeregt haben, die sich nur »ein ausländischer Papst« erlauben durfte.[186] Er wollte eine Summe seiner Finanzen vorlegen, eine Art konsolidierter Bilanz. Unter dem Strich kam schließlich – bei etwa 100 Millionen US-Dollar reinen Lohngeldern, die der Papst pro Jahr zahlt[187] – ein Defizit des Staatshaushalts heraus, über dessen Höhe sich Experten noch streiten (1991 soll das Defizit über 90 Millionen Dollar betragen). Heftiger ist freilich der Streit, wenn es darum geht herauszufinden, wie das alljährliche Loch im Haushalt gestopft werden soll. Deutsche und US-amerikanische Oberhirten wissen in dieser Hinsicht gewiß manches – weil sie sicher viel zahlen. Die eine oder die andere Devise reist im Köfferchen mit, wenn der Hirt einer wohlhabenden Diözese den Chef in Rom besucht.
Millionär Pius XII. hatte zwar gesagt: »Die Kirche Christi geht den Weg, den ihr der göttliche Erlöser vorgezeichnet hat... Sie mischt sich nicht in rein... wirtschaftliche Fragen ein.«[188] Doch gab es einen langwierigen Streit zwischen dem Vatikan und der Republik Italien um die Besteuerung des päpstlichen Aktienbesitzes. Daß kein Papst sich bereit findet, für seine Wertpapiere und deren Dividenden Kapitalertragssteuer zu zahlen, ist verständlich. Wer mit Geld zu tun hat, sucht sich vor Abgaben zu drücken. Wer viel Geld besitzt, macht aus der Drückebergerei ein Geschäft. Wer gar geistliches Geld einnimmt, läßt sich erst recht nicht besteuern. Schließlich handelt es sich um Summen, die für die Belange des Hirtenhimmels eingenommen und ausgegeben werden. Kein Finanzamt dieser Welt habe dabei mitzusprechen, lehren die Kirchenfürsten.
1967 rechnete die angesehene italienische Wochenzeitung »L'Espresso« dem Vatikan, dem »größten Steuerhinterzieher in Italiens Nachkriegsgeschichte«, vor, er habe mindestens 36 Millionen Dollar in Form nichtbezahlter Steuern gespart.[189] Der italienische Finanzminister bestätigte zwar diese Zahl nicht, sprach jedoch auch von einer Steuerschuld in Millionenhöhe. 1968 forderte Italiens Ministerpräsident Leone in einer Rede zur Lage der Nation den Vatikan auf,

seine Schulden zu bezahlen. Dieser weigerte sich offen und verwies – nach oberhirtlichem Erfolgsrezept – auf die guten Taten, die Hirten der Republik auf sozialem Terrain leisteten und die die – nicht anerkannte – Steuerschuld bei weitem überträfen. Die Schuld der sechziger Jahre ist offenbar bis heute nicht beglichen; von den Rückständen aus den siebziger und achtziger Jahren ist gleich gar nicht die Rede.

Wer die angeführten Beispiele für vatikanische Besonderheiten hält, die nichts mit auswärtigen Bistümern zu tun haben, den halte ich nicht nur für schlecht informiert. Zum einen lebt die römische Zentrale nämlich noch heute wesentlich von ausländischem Geld, so daß die Frage für viele Gläubige nicht uninteressant ist, was mit ihrem Geld passiert ist, wo und wofür es gerade arbeitet. Zum anderen kann mir keiner erklären, weshalb der überall beschworene Grundsatz von der Catholica ausgerechnet dann versage, wenn es um die finanziellen Verflechtungen zwischen dem Papst und den Bischöfen der Welt geht. Von denen, die sich mit Emphase katholisch nennen, darf erwartet werden, daß sie sich auch dann vor ihre Päpste stellen, wenn es um so peinliche Angelegenheiten wie um deren (Privat-) Vermögen oder um Bankgeschäfte in Milliardenhöhe geht.

Daß der Vatikan sich über ausländische Kirchenfürsten (die erst 1991 wieder zu verstärkter Finanzhilfe aufgefordert wurden) mitfinanzieren läßt, steht fest. Nicht nur in Form des sogenannten »Peterspfennigs« fließen reiche Gelder nach Rom, der bis in das 8. Jahrhundert zurückgeht und für den Jahr für Jahr zum Fest Peter und Paul (29. Juni), dem Nationalfeiertag des Vatikans, gesammelt wird. Peterspfennig? Ein nicht harmloser Name für eine nicht gerade harmlose Sache. Denn der Peterspfennig geht ebenso wenig an den hl. Petrus, wie es sich bei dieser Spende um bloße Pfennige handelt. Seit einiger Zeit ist der alte »Peterspfennig« denn auch amtlich umgetauft; er nennt sich mittlerweile »Papstspende«. In der Sache änderte sich nichts. Noch immer plärren Oberhirten, »diese Einrichtung« sei »heute mehr denn je notwendig«. Die Papstspende sei nämlich »die solidarische Antwort der Katholiken auf die vielfältigen Herausforderungen, die dem Apostolischen Stuhl in der Leitung der Weltkirche gestellt sind«.[190] Konkreter werden die Hirten-

herren nicht. Geht es um die mannigfachen »Herausforderungen« des Papstes, verfängt bei den Schafen das Schweigen. Hirten kassieren in jedem Fall. Sie tun gut daran, ihre Schafe nicht über jene Herausforderungen zu informieren, die der Welt durch ebendiesen Papst gestellt sind. Ich spreche noch von den Details.
Wie viele Millionen aber nimmt der Papst ein? Während man bei Spenden aus den USA von etwa 100 Millionen Dollar pro Jahr ausgeht, sind bundesdeutsche Zahlen nur zu schätzen. Die einmal angegebene Zahl von »gut einer Million« braucht nicht weiter zu interessieren. Sie ist lächerlich falsch; 15 Millionen DM halte ich für die Untergrenze. Als sich Bischöfe übrigens kurz nach dem Zusammenbruch des Kirchenstaats nach der Verwendung des Peterspfennigs erkundigten, hatte der Vatikan geantwortet, darüber führe er keine Bücher. Und wenn beträchtliche Summen verschwänden, sei, um den öffentlichen Skandal zu vermeiden, Nachsicht zu üben.[191] Nachsicht gegenüber dem »buco nero«, dem schwarzen Loch, wie Hirten den Peterspfennig nennen? Riesensummen? Die deutschen Katholiken, lammfromm wie immer, hatten allein im ersten Jahr des Ersten Weltkriegs sieben Millionen Mark als Peterspfennig gesammelt, mehr als die Katholiken aller anderen Länder zusammen.[192]
Immer sitzt an der Quelle, wer Orden verleihen kann wie Bistümer und seligsprechen wie verdammen. Das mystische Dunkel lichtet sich nicht. Es ist nach wie vor wesentlich leichter, sich von einem Bischof das Mysterium der Unbefleckten Empfängnis deuten zu lassen, als das Geheimnis kirchenfürstlicher Finanzen zu lüften. Eine aussagekräftige gesamtkirchliche Statistik fehlt, aus der die einzelnen Arten von Einnahmen und Ausgaben zu entnehmen wären. Andere wären froh, wenn sie es auch nur annäherungsweise so leicht hätten wie die bischöflichen Finanzmanager. Während jeder Aktiengesellschaft die jährliche Hauptversammlung droht und jeder Rundfunkanstalt der Rechnungshof im Nacken sitzt, dürfen oberhirtliche Finanziers schalten und walten, wie sie wollen. Offenbar ist es sehr leicht, geistlich motivierte Projekte in Geld umzusetzen, aber ungeheuer schwierig, sie in Mark und Pfennig vor aller Öffentlichkeit auszubreiten.

Diese Schwierigkeit resultiert zum einen aus der Angst vor einem »Laizismus«, der typisch kirchenfürstlich bestimmte Aktivitäten nachrechnen und abblocken, zumindest andere Akzente setzen würde. Auch bestünde die Gefahr, daß noch mehr Schafe ihre Zahlungen einstellten, sagte man ihnen offen, was genau sie mitfinanzieren sollen. Daß die Münsteraner Bistumszeitung im April 1991 vermeldet, der Papst brauche neuerdings noch mehr Geld als früher, weil er neue Sekretariate für »Ökumene und interreligiösen Dialog«, »Räte für die Laien, für Kultur« geschaffen habe, fällt unter die übliche Rubrik Etikettenschwindel. Zum einen fließt das vatikanische Geld bestimmt in andere Kanäle, zum anderen brauchte der Papst keinen »Rat für die Laien«, keine »Sekretariate für Ökumene und Dialog«, nähme er andere Menschen, innerhalb wie außerhalb des Pferchs, endlich so ernst wie sich selbst.
Oberhirten haben auch Angst, durch eine Offenlegung der Finanzen entstehe der Eindruck, »das Heil«, die Gewissenssphäre, der Glaubensbereich würden einfach (finanz-)amtlich verwaltet. Daß Kirchenfürsten seit eh und je etwas, und nicht wenig, mit Amtlichkeit und Behörden zu tun haben, störte diese Argumentation allerdings noch nie. Störend wirkt in diesem Zusammenhang eher die Tatsache, daß Kirchenfürsten

- ihre Hilfshirten nach der Beamtenbesoldungsordnung bezahlen,
- sich selbst aus öffentlichen Steuermitteln finanzieren lassen,
- förmliche »Amtsblätter« veröffentlichen,
- am Begriff »Kirchensteuer« nichts auszusetzen haben,
- Scharen von Kirchenjuristen und -notaren beschäftigen,
- unter Scheinnamen Banken gründen und diese spezifische Geschäfte machen lassen,
- riesige Devisentransaktionen auch etwas außerhalb der Legalität betreiben,
- immer wieder Besuch von Steuerfahndern und Kriminalbeamten erhalten,
- selbst auf Haftbefehle wegen illegaler Finanzgeschäfte gefaßt sein müssen.

Wer so etwas hinnimmt, könnte auch seine Finanzen – und die damit verbundene Bürokratie – aus dem Dämmerlicht befreien, ohne einen Verlust an »Glaubensgeheimnis« befürchten zu müssen. Das Geld steht am Ursprung fast aller Dinge, es bleibt das Geheimnis fast aller Dinge. Gerade im Kirchenfürstentum ist dies so. Daher habe ich eine einfache Regel, nach der ich bestimme, ob ein Mensch die Hirten durchschaut: Versteht er, was Kirche und Geld notwendig gemeinsam haben, ist er zum Wesen der Institution vorgedrungen.

Wann kehren Kirchenfürsten mal vor der eigenen Tür? Oder: Was Oberhirten noch immer an Sex and Crime fasziniert

> »Ihr seid entschlossen, eine gerechte, freie und blühende Gesellschaft aufzubauen, wo alle sich an den Wohltaten des Fortschritts erfreuen können. Ich hatte in meiner Jugendzeit dieselben Überzeugungen ... Ich entschloß mich, sie mit Christus gegen ich weiß nicht was für unvermeidliche Abnutzungserscheinungen zu verteidigen.«
>
> *Papst Johannes Paul II.*
> *1979 an die Jugend Brasiliens*

Wer schon zusammenzuckt, wenn im Zusammenhang mit der Kirche das Wort Korruption fällt, ist erfolgreich gläubig erzogen und beweist daher keinen besonderen Sinn für Realität. Dasselbe gilt für diejenigen, die meinen, die dunklen Jahrhunderte des Kirchenfürstentums lägen weit zurück. Menschen, die so denken – oder besser: glauben –, beweisen eine unter ihresgleichen häufig anzutreffende Ignoranz gegenüber der Institution, die sie die »eigene Kirche« heißen – oder sie sind, weil besser informiert, einfach zynisch.
Denn die Glaubensgrundlage des Pferchs bleibt mißlich. Angesichts dieser unbestreitbaren Tatsache erledigt sich die immer noch verhandelte Frage nach der Reform des Weidelands von selbst. Wollten

die Kirchenfürsten – und dies wäre doch die unerläßliche Bedingung jeder Reform – auf den »Stifter« selbst zurückgreifen, auf Jesus aus Nazareth, und dies hieße heute auf jenen Menschen, den eine fast zweihundertjährige Evangelienforschung und Bibelkritik aus dem Schutt der Legenden herauslöste, müßten die Hirten doch alles auf- und preisgeben, was ihr Leben so angenehm macht und was ihren Pferch sichert: Dogmen, Sakramente, Bischofsamt, Papsttum, staatliche Finanzierung und Privilegierung, Ritus und Folklore, kurz, das gesamte Service-Unternehmen von heute, en gros und en détail.
Der Priesterphilosoph Erasmus von Rotterdam schrieb dazu vor fast 500 Jahren: »Wie viele Vorteile und Vergünstigungen würden die Päpste verlieren, wenn sie nur einmal von der Weisheit heimgesucht würden..., dahin wären finanzieller Reichtum, kirchliche Ehrenstellung, Mitspracherecht bei der Vergabe wichtiger Ämter, militärische Siege, die große Zahl Sonderrechte, Dispense, Steuern und Ablässe...« An deren Stelle träten Predigten, Nachtwachen, Gebete, Studien »und tausend ähnliche Belastungen«. Kopisten, Notare, Advokaten, Sekretäre, Maultiertreiber, Pferdeknechte, Wechsler, Kuppler wären plötzlich arbeitslos. Doch soweit läßt Rom es nicht kommen, und Erasmus faßt zusammen: »Ich sehe, daß die Monarchie des Papstes zu Rom, so wie sie jetzt ist, die Pest des Christentums ist.«[1]
Eine jesuanische Reform müßte nicht nur das Unternehmen Kirchenfürstentum hinwegfegen, sondern auch die menschlichen Verhältnisse selbst umstürzen: vor allem das Patriarchat, die Ausbeutung von Menschen durch Menschen. Allein schon das Gebot der Feindesliebe ließe, endlich einmal auch von Hirten und Herden beherzigt, eine ganze Welt anders aussehen und handeln. Von Kirchenfürsten kann eine solche Reform, die in Wahrheit Revolution nach innen wie nach außen bedeutete, nie erwartet werden. Von einer »stets zu reformierenden Kirche« zu sprechen, bleibt Augenwischerei sogenannter progressiver Berufstheologen, die nichts vom Gegenstand verstehen.
Alle Rezepte helfen nichts, die Oberhirten in diesen Tagen favorisieren. Weder die Anrufung der Madonna als der »Knotenlöserin«, wie das in den »Herbstwallfahrten 1991« der Diözese Rottenburg-Stutt-

gart geschah, reicht hin, den kirchenfürstlichen Knoten durchzutrennen, noch die Bemühungen des Limburger Bischofs F. Kamphaus aus demselben Jahr, einen »geistlichen und pastoralen Perspektivenwechsel« zu inszenieren, um die Kirche zu »evangelisieren«.[2]
Wenige sind ähnlich reformunfähig und reformunwillig wie die Inhaber des Pferchs. Oder haben sie je reformiert? Doch. Seit eh und je. Schon die zweite Generation reformierte gegenüber der ersten von Grund auf, indem sie ein ganz neues Jesus-, Gemeinde- und Glaubensbild schuf. Die nachkonstantinischen Kirchenherren reformierten gegenüber der vorkonstantinischen durchgreifend: Aus Pazifisten wurden damals Kriegsgewinnler, von den Christenmenschen hoben sich endgültig privilegierte Hirten ab. Dann wurde das gesamte Mittelalter hindurch reformiert, in Rom und anderswo, in Hirsau beispielsweise, in Cluny, auf den Konzilien. Und da kommen immer noch Reformer auf die Menschheit zu? Hirten-Reformer, die – zweitausend Jahre Reform im Rücken und ebenso viele Jahre Mord und Totschlag unter ihresgleichen – den Menschen von heute ihr reformiertes Heil predigen?
Waren es denn die Dümmsten, die protestierten, sich mokierten, erbrachen fast vor Ekel, Zorn? Der Katholizismus sei »eine Lüge«, »die Religion der unanständigen Leute«, und der Papst »der beste Schauspieler« Roms, steht da geschrieben.[3] »Der Katholizismus verteidigte stets den Diebstahl, den Raub, die Gewalttat und den Mord«, heißt es anderswo; »in der Regel« werde »jeder katholische Priester zu einem Scheusal«, und »jeder anständige Mensch« müsse es »als eine Beleidigung ansehen . . . katholisch genannt zu werden«, schreibt man an anderer Stelle. Dem Christentum wird attestiert, es habe »siebzehn Jahrhunderte Schurkereien und Schwachsinnigkeiten« auf sich geladen, es sei ein »Wahn«, der »die ganze Welt bestach«, der »eine unsterbliche Schandfleck«, das »Blatterngift der Menschheit«.
Die dies und anderes mehr erklärten, waren keine kleinen Köpfe abendländischer Kultur, keine so geringen Geister wie Theologen gern lehren. Es waren Menschen mit Namen: Pierre Bayle, Voltaire, Helvétius, Goethe, Schiller, Heine, Hebbel, Nietzsche, Freud. Leute ohne Einfluß, mögen Kleindenker sagen, Randerscheinungen der

menschlichen Kultur. Aber desavouieren solche Richter sich nicht selbst? Bei Gott, spricht es für Gott, daß er all die dummen Köpfe braucht, die ihn predigen? Das Christentum war immer die Religion der Kleinen. Nicht der sogenannten einfachen Leute. Denn die erreichten die Hirten selten. Die tauften und mordeten sie, über deren wahres Leben, deren alte Volksgötter legten sie ihren Firnis. Eine Religion dieser Leute war die »Hochreligion« der Kirchenherren nicht. Sie war eine Ideologie der kleinen Geister, deren ausgeprägte Machtgier es nicht ertragen konnte, den Großen nur dienen zu dürfen. Also mußten diese nieder in den Staub, und der Kleinhirt konnte über sie herrschen. Seither sind die Anschauungen der Andersdenkenden, mochten diese geistig so groß sein, wie sie wollten, »Seuche«, »Krankheit«, »von Gottlosigkeit strotzende Possen«, »wildes Heulen und Gekläff«, »Erbrechen und Auswurf«, »stinkender Unrat«, »Kot«, »Jauchegrube«. Seither sind Menschen außerhalb des Pferchs »Verseuchte«, »Invaliden«, »Vorläufer des Antichrist«, »Tiere in Menschengestalt«, »Söhne des Teufels«. Alle diese Kulturwörter stammen aus dem Mund von Kirchenfürsten, alle sind sie gegen »Ketzer« gerichtet, gegen »schlimme Bestien«, wider das »Schlachtvieh für die Hölle«.[4]

Was wäre los im Land, schimpfte einer heute den Papst ein »Tier«, einen »Drachen und Höllendrachen«, »Bestie der Erde«? Fände Johannes Paul II. sich plötzlich als »Fastnachtslarve« charakterisiert, als »Rattenkönig«, »erzpestilenzialisches Ungetüm«? Schriee ihm einer ins Gesicht, er sei ein »stinkender Madensack«, »besessen vom Teufel«, »des Teufels Bischof und der Teufel selbst, ja der Dreck, den der Teufel in die Kirche geschissen«?[5] Dann wären ein ausländisches Staatsoberhaupt und alle wahren Gotteslämmer beleidigt, wäre der »öffentliche Friede« gestört, dann hätte der Staatsanwalt Ermittlungen nach § 166 StGB eingeleitet, dann hätten ihn Kirche und Staat partnerschaftlich zu fassen bekommen, hätten ihn verurteilt, den Doktor Martin Luther, diesen Christenführer, der solches wider einen obersten Kirchenfürsten schleuderte, inzwischen aber in deutschen Landen als salonfähig gilt.

Ehrliche Bücher machen die Lesenden ehrlich, indem sie wenigstens deren Widerwillen und Haß hervorlocken. »Aggressiv« zu schreiben, gilt nur unter Lauen als unfein. Wie hätten Sie's denn gern? Wie wollen Millionen Blutopfer »aufbereitet« sein? Mit Gesäusel gegen ihre Mörder? Niemand kann behaupten, »nur« die vergangenen 1900 Jahre Christentum seien böse gewesen, die Situation habe sich in den letzten Jahrzehnten grundlegend geändert, gebessert. Das Gegenteil ist wahr: In jüngster Vergangenheit brandmarkt eine neue Blutschuld die Hirten, die an Scheußlichkeit nicht hinter den schlimmsten Missetaten des kirchenfürstlichen Mittelalters zurücksteht. Der grauenhafteste Skandal des Hirtentums im 20. Jahrhundert, die Kroatengreuel zwischen 1941 und 1943, sind nicht ohne Grund das unbekannteste und am meisten verdrängte Faktum im Kirchenfürstentum.[6]

Kurienkardinal Ratzinger riet auf der außerordentlichen Vollversammlung des Kardinalskollegiums im April 1991 seinen Kollegen: »Wir müssen die Kultur des Todes stoppen!«[7] Daß er sich dabei auf die Vorzeigethemen oberhirtlicher Moral wie Geburtenkontrolle und Schwangerschaftsabbruch bezog und nicht auf die in Jahrhunderten bewiesene und legitimierte Todeskultur der Organisation, die er vertritt, kann als normale Verblendung eines Kirchenfürsten von heute gelten. An die »Haltet-den-Dieb!«-Allüren von Bischöfen scheint sich die Welt gewöhnen zu müssen. Kirchenfürsten kehren ausschließlich vor fremden Türen; das macht ihren Beruf so unsauber wie den der Theologen, die sie sich genehmigen.

Und der Amtsgott, den sie sich gerade halten, sanktioniert alles, was sie ihm unterbreiten. Hitler, der rhetorisch nur selten von seinem »Herrgott« lassen konnte, wußte eine willige Kirche hinter sich, wenn er zu seinen Verbrechen aufrief, und in den USA war das ganz ähnlich.[8] Stets waren die amerikanischen Kirchen in »Gottes eigenem Land« auf der richtigen Seite, immer erfüllten sie ihre patriotische Pflicht und interpretierten den jeweiligen Willen der politischen Führer als den der Vorsehung. Die Pfaffen zum Beispiel, die sich, zufällig in den Südstaaten heimisch, ausdrücklich auf die Seite der Befürworter der Sklaverei schlugen und diese für gottgewollt ausgaben.

Weshalb Kirche und Korruption sich keineswegs ausschließen

Nietzsche läßt seinen Zarathustra über die Hirten sagen: »Böse Feinde sind sie: nichts ist rachsüchtiger als ihre Demut. Und leicht besudelt sich der, welcher sie angreift.« Doch einfach schweigen? Kirchenkritik ist ihrem Wesen nach Pflicht, gleich, ob sie sich gegen einzelne richtet oder gegen politische, gesellschaftliche, dogmatische Strukturen. Ihre entscheidenden Begriffe sind Korruption und Gerechtigkeit, Gemeinwohl und Egoismus. Einfach den Mund halten? Ließen frühere Kritiker sich den Mund verbieten, auch wenn sie – von den frömmsten Gotteslämmern – wegen ihrer Kritik direkt und indirekt, anonym und öffentlich angegangen wurden? Sagte nicht einmal eine Frau, der Papst sei schlimmer als Luzifer, »ein Mörder der anvertrauten Seelen, der Unschuldige verdammt und auserwählte Gläubige um schmutzigen Gewinn verkauft«[9]? Wurde sie, die schwedische Birgitta, nicht wenig später trotz oder wegen dieser Worte zur Heiligen gemacht?

Haß ist es nicht, der die Hirtengreuel aufdeckt. Die Unterstellung, Kirchenkritiker seien haßerfüllte Menschen oder handelten aus Rache, ist zwar beliebt, doch gerade deswegen spiegelt sie das Denken und Fühlen jener wider, die das unterstellen. Kirchentreue haben zu hassen und sich zu rächen gelernt. Ihre Konfession erzog sie jahrhundertelang zu diesen Tauglichkeiten, zum Haß gegen Andersdenkende und zur Rache an diesen. Haß und Rachsucht sind Grundmuster starr ideologischen, sprich: dogmatischen Denkens und Handelns. Die Geschichte des Kirchenfürstentums zeigt, wie Menschen korrumpiert werden. Daß Oberhirten weiter hetzen, Theologen bei Achtelwahrheiten bleiben und sich die Mehrheit der Betroffenen noch immer nicht befreit, verdient keinen Haß, verdient auch Mitleid nur in den seltensten Fällen. Was ansteht, ist Verachtung.

Korruption findet sich in allen Gesellschaften. Je höher eine Gesellschaft entwickelt ist, desto subtilere Formen der Korruption weist sie auf. Die Frage bleibt allerdings in jedem Fall, was genau unter Korruption verstanden werden soll – und darf. Die Antwort auf diese Frage hängt weniger von denen ab, die sie stellen, als von denen, die

die Macht besitzen, eine Antwort zu geben oder zu verweigern. Im Fall des Kirchenfürstentums, speziell des Vatikans, haben die Fragenden ganz besondere Schwierigkeiten, eine wahrheitsgetreue Antwort zu bekommen. Denn was Oberhirten gemeinhin antworten, ist irrig. Wer Korruption nur außerhalb der »heiligen Kirche« konstatiert und den Innenraum für besenrein hält, täuscht sich selbst nicht weniger als die Nachfragenden.

Nietzsche: »Ich verurteile das Christentum, ich erhebe gegen die christliche Kirche die furchtbarste aller Anklagen, die je ein Ankläger in den Mund genommen hat. Sie ist mir die höchste aller denkbaren Korruptionen, sie hat den Willen zur letzten auch nur möglichen Korruption gehabt. Die christliche Kirche ließ nichts mit ihrer Verderbnis unberührt, sie hat aus jedem Wert einen Unwert, aus jeder Wahrheit eine Lüge, aus jeder Rechtschaffenheit eine Seelen-Niedertracht gemacht. Man wage es noch, mir von ihren ›humanitären‹ Segnungen zu reden!«[10]

In die Tiefe blicken, zu der oberhirtliche Geschmacklosigkeit abzusinken vermag? Der Nachweis für Korruption ist hier nicht schwer zu führen; Geschichte und Gegenwart sprechen Bände. Ich bin aufgrund historischer Nachweise und Erfahrungen mit der Gegenwart sogar der Meinung, daß Korruption im Kirchenfürstentum nicht bloß eine Randerscheinung und schon gar keine Folge individueller (isolierbarer) »Sündhaftigkeit« darstellt, sondern geradezu konstitutiv ist. Das Kirchenfürstentum hätte sich ohne dieses Merkmal seiner Konstitution nicht über Jahrhunderte behaupten können, schon gar nicht inmitten eines Milieus anderer Gesellschaftsformen, die ähnlich korrupt waren und sind. Begriffe wie Nepotismus, Simonie, Ablaßhandel sind kirchentypische Korruptionsvokabeln. Niemand außerhalb des Pferchs brauchte sie zu prägen; sie entstammen einer unverwechselbaren Mentalität. Ohne die dieser entsprechende Praxis hätten Kirchenfürsten nicht überlebt.

Es ist unkorrekt, Nachweise nur für vergangene Jahrhunderte zu führen. Päpstlicher Nepotismus zum Beispiel läßt sich bis in die letzten Jahrzehnte hinein belegen. Die Sippe des Papstes Pius XII. wurde gut bedient, an entscheidenden Stellen des Kirchenfürstentums machten sich Herren breit, die zufällig auf denselben Namen

Pacelli hörten wie der Papst und nichts anderes als dessen Neffen waren.[11] Fürst Carlo Pacelli, Präsident einer Rückversicherungsgesellschaft und eines Verlagshauses, wurde zum Finanzberater des Vatikans ernannt und bekam damit Mitspracherecht bei allen Finanzangelegenheiten des Hohen Hauses. Sein Bruder Marcantonio war nicht nur Präsident einer großen Spaghettifabrik und einer Großmühle, nicht nur Vorstandsmitglied einer Großversicherung, sondern er saß auch im Verwaltungsrat der Società Generale Immobiliare, die das größte Unternehmen des vatikanischen Finanzimperiums darstellte. Giulio Pacelli war Rechtsberater des päpstlichen Ministeriums für die Verbreitung des Glaubens (»Propaganda fide«), aber auch Vertreter des Vatikans in einem der größten Bankhäuser Italiens, dem »Banco di Roma«. Außerdem bekleidete er das Amt eines Vizepräsidenten der »Società Italiana per il Gaz« und war Aufsichtsratsvorsitzender in jenem Vatikanunternehmen, das Antibabypillen herstellte.
Und da gab es einmal einen kleinen, rattengesichtigen[12] Prälaten namens Macchi. Der Freimaurer arbeitete sich zum Privatsekretär des Mailänder Erzbischofs Montini empor. Seine immer größer werdende Nähe zu diesem gab schon in den fünfziger Jahren Anlaß zu Gerüchten, der Kirchenfürst und sein Sekretär seien Liebhaber. Das stimmte zwar nicht, doch Macchi, der »wie Mao Tse-tung sprach und wie Louis Quatorze lebte«[13], hatte Montini auf andere Weise in der Hand. Er beherrschte den ständig grüblerischen und zu wenig selbständigen Entscheidungen fähigen Oberhirten geistig. Als Montini schließlich Papst wurde, war Macchi am Ziel seines Ehrgeizes. Paul VI. hörte auf den Kleinen; die Stimme des Papstes und die Macht des Papstes wurden zu Werkzeugen von Macchis Wille.[14] Die Symbiose währte bis zum Tod Pauls VI., und Macchi erwies seinem Gönner noch den letzten Dienst. Während Handwerker im Vatikan den Sarg für Paul VI. zimmerten, verbrannte er alles, was von Montinis Innenleben jemals hätte ans Tageslicht kommen können.[15] Dann zog er sich, die vom Papst geerbte Habe auf mehrere Lastwagen verstaut, ins Privatleben zurück.[16]
Neuere Forschung geht davon aus, daß Korruption als »Tausch von Medien« vor sich geht.[17] Unter Medien werden Sanktionen oder

Belohnungen verstanden, die den Verkehr zwischen den Subsystemen einer Gesellschaft regulieren. Korruption macht tauschen: Das eine Medium wird gegen das andere gegeben, Reichtum gegen Macht, Information gegen Geld, Loyalität gegen Einfluß und so fort. Alle Einzelphänomene des Tausches sind im Kirchenfürstentum zu Hause. Die Päpste sind geradezu Meister in der Kunst, knappe Mittel (wie geistliche Pfründen) gegen Geld oder Loyalität oder beides zu verteilen – oder, wenn das Medium allzu knapp werden sollte, durch Aufblähung (Schaffung neuer Ämter) zu vervielfachen. Nach der »Imitationstheorie« wird dieses Verhalten der Päpste schließlich von regionalen oder lokalen Kirchenfürsten nachgeahmt, und der Sittenverfall, der bei den Eliten beginnt (Fische stinken bekanntlich zuerst am Kopf), findet schließlich Zustimmung auch bei denen ganz unten. Die Schafe meinen dann, es müsse so sein, wie die Hirten es machen. Und von Korruption spricht niemand mehr. Die Klientel der Kirchenfürsten hat sich an die Usancen gewöhnt. Sie verlangt diese sogar und ist über ein eventuelles Ausbleiben von »Gnade« enttäuscht.

Die Strukturen kirchenfürstlicher Korruption sind der Hirte-Herde-Connection angepaßt; wer ein Verhältnis unter Menschen nach dem Bild von Hirt und Herde begründet, schafft notwendig Gelegenheitsstrukturen. Geschichte und Gegenwart des Kirchenfürstentums sprechen nicht gegen diese Annahme. Die Hirten-Elite bedient und bereichert sich direkt. Sie schafft sich die zu ihrem Machtstreben passenden Gesetze und Anordnungen selbst. Ihre Stellung ermöglicht es ihr, jede denkbare Vergünstigung für sich zu legalisieren, Privilegien unmittelbar zu ziehen.[18] Heutzutage hat sie es nicht mehr so bitter nötig wie noch vor Jahrhunderten, Schmiergelder einzufordern oder geistliche Gnaden einfach meistbietend zu verkaufen. Nicht vergessen werden soll dabei, daß es kirchenfürstliche Kreise waren, die nicht nur Bestechungsgelder forderten und nahmen, um Gnaden zu vermitteln, sondern ebendiese Gnaden auch »zu festen und allgemein bekannten Tarifen« erwiesen, eine besonders entwickelte Stufe der Korruption.[19]

In einer so perfekt funktionierenden Zynismokratie wie dem Kirchenfürstentum ist alles eine Frage der richtigen Definition. Wenn die Vatikanbank, stets engagiert im Ringen um einen anständigen Platz in der Welt der Hochfinanz, euphemistisch »Institut für religiöse Werke« heißt, können von ihr keine finanziellen Großbetrügereien erwartet werden, sagt das Schaf, das sich gegen die Wahrheit immunisierte. Wenn ein Papst die Kirche der Armen preist, darf angenommen werden, daß der Hinweis, ebendiese Kirche sei die größte private Grundbesitzerin der Welt, eine glatte Verleumdung darstellt. Wenn definiert ist, daß ein Bischof Nachfolger der Apostel ist, kann er nicht auch noch Lügner, Betrüger, Ehebrecher, Mörder sein. Wenn von Amts wegen jede Korruption im Kirchenfürstentum als unmöglich gilt, darf es sie auch real nicht geben; der Augenschein hat in solchen Fällen keine Beweiskraft.

Oder doch? Da im Weideland der Kirchenfürsten nachweislich seit Jahrhunderten Worte und Taten auseinanderdriften, sind moralische Appelle an das politische Handeln – wie in der italienischen Tagespolitik auf Schritt und Tritt zu sehen – längst vergeblich. Wenn alle Eingeweihten wissen, daß sich weder Päpste noch andere Kirchenfürsten an die eigenen Worte halten, fällt es immer schwerer, den oberhirtlichen Mahnungen im politischen Alltag Gehör zu verschaffen. Ein korruptes Kirchenfürstentum bringt sich auf diese Weise um den eigenen Lohn, und Zynismen regieren. Wie sagte doch der Bankier des Papstes, ein Erzbischof, der es wissen mußte? »Diese Kirche läßt sich nicht mit Ave Marias in Gang halten!«[20]

Dieser Meinung scheinen mehrere römische Kardinäle gewesen zu sein. Der Dekan des heiligen Kollegiums, der Artillerie-Leutnant des Ersten Weltkriegs (und Oberst im französischen Geheimdienst?) Eugène Tisserant, beschäftigte sich mit weitreichenden Projekten, die im engeren Sinn nichts mit seinen protokollarischen oder liturgischen Pflichten zu schaffen hatten. Er schien auffallend interessiert an Beteiligungen am Waffengeschäft, an Schiebereien und Scheingeschäften mit Osteuropa, am Handel mit Falschgold.[21] Auch war er wahrscheinlich in Geschäfte verstrickt, die die Lieferung von Antibabypillen nach Spanien zum Ziel hatten. Die Gewinne in Millionenhöhe wurden – der hohen Theorie nach – Hilfswerken in der Dritten Welt zugeführt; daß Provisionen von mehreren Millionen Dollar ausgezahlt wurden, erscheint glaubhaft belegt.[22]

Tisserant fiel übrigens aus anderen Gründen in Ungnade: Er hatte sich 1970 über die Anordnung Pauls VI. beklagt, über achtzigjährige Kardinäle seien von der Papstwahl auszuschließen. Das verzieh ihm der Chef nicht. Der todkranke Tisserant erhielt nicht wie üblich Besuch vom Papst, und der Vatikan übernahm nicht einmal die Beerdigungskosten, sondern finanzierte bloß eine einzige Seelenmesse. Der »Osservatore Romano« wußte freilich am 23. Februar 1972 aus den letzten Stunden Tisserants zu berichten, der Kardinal habe bis zuletzt »die Gefühle seiner unerschütterlichen Verehrung gegenüber dem Stellvertreter Christi zum Ausdruck gebracht«. Und Paul VI. predigte vier Monate später, der teure Verstorbene habe zeitlebens eine »brennende Liebe für die Kirche« und einen »unermüdlichen Eifer« bewiesen, »dessen Zeugen wir alle sind«.

Der Sportwagenfahrer Giovanni Benelli, lange Jahre hindurch der starke Mann im Vatikan und für seine rasante Fahrweise berüchtigt, dann als Erzbischof nach Mailand abgeschoben und im Konklave von 1978 schließlich ein ernsthafter Konkurrent Karol Wojtylas, war den Angaben eines Augenzeugen zufolge durchaus nicht jener Ehrenmann der Kurie, als der er häufig erscheint.[23] Nach dieser Quelle soll der Kirchenfürst an Schiebereien und Hehlereien mit wertvollen Kunstwerken und an dem Plan, seltene – und nur dem Vatikan zugängliche – Goldmünzen zu fälschen, beteiligt gewesen sein sowie Interesse an der Herstellung falscher Benzingutscheine gezeigt haben.

Aber mit Ave Marias allein läuft nun mal eben nichts in der Organisation. Kirchliche Geschäftspolitik bleibt lebens- und überlebensnotwendig. Papst Wojtyla lobte den toten Benelli im Oktober 1982 denn auch als einen Mann, der »der Kirche diente, ohne sich der Kirche zu bedienen«.

Benelli hatte wirklich seine Pflicht getan. Einer katholischen Wochenzeitung hatte er noch kurz vor seinem Tod gesagt, er selbst habe in den zehn Jahren, in denen er im Vatikan tätig war, kein einziges Mal eine Bilanz der päpstlichen Bank zu Gesicht bekommen. Und wenn es da je »Unvorsichtigkeiten« gegeben habe (was unbewiesen sei), dann seien diese allenfalls aus »Unfähigkeit und Unerfahrenheit« erfolgt.[24] Das alte Lied, das der »Osservatore Romano« jedesmal gleich perfekt zum besten gibt, wenn er gegen eine aufklärerische Journaille anschreibt, die in ihren Berichten über vatikanische Zustände »das elementarste Berufsethos der Information« verletzt.[25]

Schuld findet sich in kirchenfürstlichen Kreisen so selten wie Scham. Während Frankreich nach der Befreiung von der Hitler-Besatzung seine »épuration« durchführt, die Reinigung von allem, was nach Kollaboration mit dem Feind riecht, und während es in diesem Zusammenhang sieben der Zusammenarbeit mit den Nazis beschuldigte Bischöfe ablösen läßt, geschieht beispielsweise in der jungen Bundesrepublik nichts dergleichen. Eine Säuberung im Geburtsland des Nationalsozialismus gilt als undenkbar, unmoralisch; kein Bischof muß fürchten, wegen seines Geredes zwischen 1933 und 1945 zur Rechenschaft gezogen zu werden. Das Odium plebis (»Volkshaß«), das nach kirchlichem Recht selbst einen Bischof aus dem Amt drängen kann, weil er ganz und gar unhaltbar wurde und für den Vatikan nicht mehr verteidigenswert scheint, gab es nur in seiner französischen Spielart.

Selbstreinigung? Selbstverständlich hat gerade der Vatikan auf diesem Gebiet spezifische Erfahrungen vorzuweisen. Zwei Beispiele: Zum einen dementieren vatikanische Stellen nicht nur, sondern lügen nachweislich nach Kräften, wenn es notwendig erscheint. So wird die öffentliche Meinung sauber gehalten, die schwarze Flecken auf der weißen Weste eines Kirchenfürsten entdecken will. Zum anderen reinigen Prälaten die Vor- und Nachgeschichte der Ihren nach Belieben. Es ist gute vatikanische Übung, sofort nach dem Tod eines Papstes dessen Aufzeichnungen beiseite zu bringen; die Tagebücher Pius' XII. sind bis heute verschollen. Sogleich nach der Wahl eines Papstes wird auch dessen Vorleben durchforstet, um alle auch nur im entferntesten gefährlich erscheinenden Dokumente (Dissertationen, Predigtentwürfe) zu unterdrücken.[26] Das Vorgehen hat Geschichte: Sachen oder gar Personen auf Nimmerwiedersehen verschwinden zu lassen, ist eine nicht erst seit der Renaissance in Rom zu beobachtende Übung in Korruption.

Nichts zu sehen, nichts zu hören und vor allem nichts zu sagen (oder gar etwas zu zahlen) sind Überlebenstechniken in jedem diktatorisch verfaßten Gemeinwesen. Im Vatikan sind diese Methoden

seit Jahrhunderten erprobt. Daß zu einem korrupten System gut funktionierende Zensurmaßnahmen gehören, wirkt auf viele Schafe ganz selbstverständlich. Bevor auch nur eine Zeile in die Öffentlichkeit dringt, die einem Kirchenfürsten gefährlich werden könnte, bevor sich ein Gerücht über Bordellbesuche von Kardinälen oder über Sprößlinge von Bischöfen breitmachen kann, muß viel geschehen. Es ist symptomatisch, daß das große Dorf Vatikan zwar ständig von Gerüchten summt, die unter den spezifischen klimatischen Bedingungen der Kurie besonders gut gedeihen. Aber eine Art von »omertà« (Verschwiegenheit nach Mafia-Art) beherrscht die Kirchenfürsten, neuerdings freilich gekleidet in das modische Mäntelchen »christlicher Rücksichtnahme«.
Selbstverständlich kam nie etwas Offizielles über die Skandale heraus, in die vatikanische Würdenträger verwickelt waren: weder über die merkwürdigen Geschäfte, die Kirchenfürsten in den fünfziger Jahren machten, als ein neuer Großflughafen in Rom gebaut werden sollte und auf Drängen des Vatikans von der italienischen Regierung das denkbar ungeeignetste (Sumpf-)Gelände angekauft wurde[27], noch über die Vergabe der Bauarbeiten an einige damals dem Vatikan gehörende Unternehmen.[28] Ebensowenig erfuhr die Herde über die Praktiken der Oberhirten, als das Italienische Olympische Komitee Grundstücke von vatikaneigenen Firmen erwarb und Bauten für die Olympischen Spiele (Rom 1960) durch vatikaneigene Firmen ausführen ließ. Als sich gravierende Baumängel zeigten, waren die Verantwortlichen nicht mehr zu fassen, da die Firmen in der Zwischenzeit liquidiert worden waren.[29]
Das große vatikanische Schweigen hatte sich bereits über die sogenannte Cippico-Affäre unter Pius XII. gelegt, als ein Prälat aus dem Staatssekretariat beim illegalen Devisentransfer erwischt – und sofort aus dem Verkehr gezogen worden war, da er »nicht autorisiert« gewesen sei. Historisch bewanderte Lästerzungen meinten damals, es wäre für den Hirten Cippico weit besser gewesen, sich Mätressen zu leisten, als den Vatikan auf frischer Tat ertappt werden zu lassen. Wie dem auch sei, das Kirchenfürstentum schweigt sehr beredt: 1966 flog ein Handel mit Nonnen zwischen Indien und Europa auf, den einige um Nachwuchs besorgte Klöster eingefädelt hatten. Ver-

armte Mädchen waren in Kerala eingekauft worden, doch der Vatikan zog es vor, die Angelegenheit zu ignorieren, die sich über mindestens sechs Jahre hingezogen hatte. Die Hirten wickelten bis in die achtziger Jahre hinein diese Geschäfte einfach unter noch größeren Vorsichtsmaßnahmen ab – und taten offiziell, als hätten sie alles längst bereinigt.[30] Schöne, nichtssagende Antworten zu geben ist eine Kunst, die nur sehr bewährte Bischöfe beherrschen.

Italienische Journalisten können Lieder vom vatikanischen Schweigegebot singen. Sie, die Wand an Wand mit dem Vatikan wohnen, sind besonders benachteiligt: Die Abmachungen zwischen Italien und dem Vatikan kennen kein Pardon. Verletzungen der journalistischen Sorgfaltspflicht werden so streng verfolgt, daß bereits ein kritischer Kommentar die betroffene Zeitung vor den Kadi bringen kann. Nichts dringt aus dem Vatikan nach außen, es sei denn, es handle sich um ein gezieltes Gerücht, um eine eingefädelte Ehrabschneidung, um ein Mittel, innerkirchliche Konkurrenten zu schädigen oder mundtot zu machen.

Leopold Ledl, Inhaber eines vatikanischen Diplomatenpasses, Ehrendoktor kirchlicher Universitäten, aus Anlaß von Geschäftsgesprächen mit so ranghohen Würdenträgern des Kirchenfürstentums wie den Kardinälen Benelli, Tisserant, Vagnozzi und Cicognani abgelichtet, ist mittlerweile einschlägig vorbestraft. Er »redete« freilich schon 1989, da er meinte auspacken zu müssen, gerade weil er ein gläubiger Christ sei und dies auch bleiben wolle. Denn die eigenen Erlebnisse mit Kardinälen, Bankiers, Falschmünzern und Mafiosi »überfordern die Vorstellungskraft jedes Menschen, der nicht die Gelegenheit hatte, hinter die von Weihrauchduft durchzogenen Brokatvorhänge vatikanischer Paläste und Büros zu blicken«[31].

Ich scheue mich nicht, in Sachen Tisserant, Benelli e tutti quanti auch diesen Zeitzeugen beizuziehen. Ich habe keinen Grund, ihm weniger zu vertrauen als jenen vatikanischen Prälaten, die mittlerweile behaupten, ihn nie gekannt zu haben. Denn die kirchenfürstlichen Spielarten von Wahrheit sind mir wesentlich verdächtiger als die des vorbestraften Ex-Mafioso Ledl. Was dieser über die Schiebungen des Vatikans mit EG-Subventionen berichtet, was er über jene 126 Tonnen Butter sowie über die 1300 Tonnen Zucker zu sagen weiß, die allein 1969 an die paar tausend Einwohner im Kirchenstaat geliefert und vom Vatikanpersonal zum größten Teil an den italienischen Schwarzmarkt weitergereicht wurden[32], braucht nicht weniger glaubhaft zu sein als sein Bericht über gut 65 Tonnen Butter und Käse, die Italien 1969 dem Vatikan verkaufte und dieser weiterverkaufte. Auch der Plan Ledls, mit Zuschüssen aus der Hirtenkasse in Andorra oder auf gecharterten Schiffen in internationalen Gewässern Casinos zu errichten und aus der Spielsucht persönlichen Gewinn für die oberhirtlichen Geldgeber zu ziehen[33], hört sich nicht unglaubwürdig an. Wem die Kirchengeschichte ebensowenig ein Buch mit sieben Siegeln bedeutet wie die Zeitgeschichte des Vatikans, würde sich eher wundern, wenn der Augen- und Ohrenzeuge der Lüge überführt werden könnte.

Warum ein Papst so schnell wie möglich starb

»Mir ist aufgefallen, daß zwei Dinge im Vatikan nur sehr schwer zu erhalten sind: Ehrlichkeit und eine gute Tasse Kaffee.«[34] Wer diese Wahrheit, vor allem ihren ersten Teil, schon nach wenigen Tagen Amtszeit erkannte und äußerte, war vielleicht selbst ehrlich, aber auf keinen Fall ein brauchbarer Papst. Albino Luciani, der Patriarch von Venedig, der manchen schon in der Lagunenstadt unangenehm aufgefallen war, weil er die seiner Würde zustehende Yacht ausschlug und statt dessen im Feuerwehrboot durch seine Bischofsstadt fuhr[35], war als krasser Außenseiter auf den Thron gelangt. Als Johannes Paul I. störte der »Kandidat Gottes« (der Vatikan kann sich keine passendere Bezeichnung für einen unerträglichen Chef ausdenken) von Anfang an den Betrieb und die Geschäfte.
Der neue Papst, offensichtlich ein Idealist, machte in den Augen der Prälaten zwei entscheidende und unverzeihliche Fehler. Er nahm nicht nur die Botschaft Jesu viel zu wörtlich; das wäre noch beizubiegen gewesen. Johannes Paul I. wollte auch frischen Wind in das Gemäuer bringen. Der Vorsatz allein war nicht gefährlich; ihn faßten noch alle Neuen. Doch Luciani sah mehr und mehr danach aus, daß er den Worten auch Taten folgen lassen würde. Daß sich die

päpstlichen Aktivitäten in striktem Gegensatz zu der gewohnten Tätigkeit vatikanischer Kirchenfürsten, zu Ämterschacher, Geldschwindel, Bestechlichkeit befänden, war nicht hinzunehmen. Schon nach wenigen Tagen war es den Mächtigen klar, daß der Neue nicht alt werden dürfe. Sie fanden einen Weg, dem Luciani-Papst nicht nur eines der kürzesten Pontifikate der Geschichte zu bescheren (ganze 33 Tage), sondern ihr Vorgehen auch hinreichend zu verschleiern. Wer keine Ahnung von den Umständen dieses Todes hatte, sprach, als alles passiert war, erbaulich davon, der Tod komme »wie der Dieb in der Nacht«, oder nahm seine Zuflucht zu dem Vergleich, auf den Wiesen schlössen die schönen Blumen auch ihre Blütenblätter über Nacht.[36]

Vorsicht, wenn Hirten in Bildern reden! Sie sind gewohnt, ihre Interessen in schöne Vokabeln zu kleiden. Die Realität war auch im Fall des Albino Luciani wesentlich weniger blumig. Sein Tod wog leicht im Vergleich zu dem Schaden, den Johannes Paul I. hätte anrichten können, indem er beispielsweise die kirchenoffizielle Doktrin seines Vorgängers in Sachen Empfängnisverhütung zum Humanen hin verändert oder die illegalen Geldwäschereien seiner Hausbank gestoppt hätte. Hatte Luciani wirklich vor, das Machtimperium von innen her zu liquidieren und damit Tausende von Ansprüchen wegzufegen sowie Dutzende von Prälaten arbeitslos zu machen, war er als Papst nicht tragbar. Daß er im falschen Sinne weiterwirken würde und sich nicht schnell und gründlich durch einen genehmeren Kirchenfürsten, die »zweite Wahl« des Jahres 1978, ersetzen ließe, war für einige Angehörige der Altherrenbastion Vatikan ein Alptraum.

Luciani änderte bereits in den wenigen Tagen, da er etwas zu sagen hatte, Formen, die Jahrhunderte zu ihrer Entstehung benötigt hatten. Er wollte nicht mehr zum Papst »gekrönt« werden. Er hatte kein Interesse, von sich im Majestätsplural zu sprechen. Er fand es abwegig, daß die Angehörigen der Schweizergarde auf die Knie fielen, wenn er an ihnen vorbeiging (vor nicht allzu langer Zeit knieten Priester und Nonnen sogar, wenn der Papst sie ans Telefon rief). Johannes Paul I. sah auch nicht ein, weshalb er nicht mit den Wachsoldaten des Apostolischen Palastes sprechen sollte. Daß er sich nicht im Vatikan (10000 Zimmer, 997 Treppen, davon 30 ge-

heime) umsehen sollte, war ihm nicht klarzumachen. Auf einem Tragsitz in den Petersdom oder die Audienzhalle einziehen zu müssen, statt zu Fuß zu gehen, blieb ihm verdächtig.
Doch waren dies Formsachen (wenn sich hinter ihnen auch schwerwiegende Inhalte vatikanischer Hirten-Ideologie verbergen). Gravierender waren die personellen Änderungen, die der Papst plante. Dem Vorhaben, ihn deshalb zu beseitigen, förderlich war gewiß auch die Tatsache, daß Johannes Paul I. versehentlich in den Besitz einer höchst peinlichen Liste gelangt war: Sie nannte die Mitglieder der »Großen Vatikan-Loge« mit Namen; mehrheitlich Prälaten, Bischöfe und Kardinäle. Sollten die Angaben stimmen, wußte der Papst, daß die Gerüchte eine reale Basis hatten, mehrere der engeren Papstkandidaten im Konklave, das soeben zu seiner eigenen Wahl geführt hatte, seien Freimaurer.[37] Einigen dieser Namen werden wir noch begegnen.
Mag auch der kriminalistisch überzeugende Nachweis für einen Mord an Papst Luciani noch nicht geführt werden können, ein paar Motive für den »vielleicht perfektesten Mord des Jahrhunderts« (L. Ledl) stünden fest: Die gebieterischen Gesetze des Kapitalismus, denen die Vatikanbanker Tag für Tag gehorchen, wären auf die unbeugsamen Anschauungen des Johannes Paul I. geprallt. Und auch die ungeschriebenen Gesetze des eigenen Hofes hätten den Tod des Störenfrieds verlangt.
Der Papst wachte jedenfalls eines Morgens nicht mehr auf und wurde auffallend schnell (ohne Autopsie) einbalsamiert und begraben. Teile seiner Habe, Beweismittel also, wurden sofort nach Entdeckung der Leiche des Papstes von dessen eigenem Kardinalstaatssekretär, Freimaurer seit 1966, beiseitegeschafft, Augenzeugen zum Schweigen verpflichtet.[38]
Auffällig geschäftig und verdächtig eilig? Die Leiche eines unbekannten Wermutbruders, irgendwo am Stadtrand Roms aufgefunden, würde von Experten der Gerichtsmedizin wahrscheinlich mit größerer Sorgfalt und mit mehr Interesse für Todeszeitpunkt und Todesursache untersucht als die Leiche dieses Stellvertreters Christi auf Erden.[39] Der Vatikan zeigte sich nicht interessiert. Er gab einen Schwall von Lügen über die Todesumstände heraus und ließ über die

»kränkliche Verfassung« des Verblichenen spekulieren, die einen solchen Tod wahrscheinlich mache. Kardinal Sebastiano Baggio (Freimaurer seit 1957) kommentierte den plötzlichen Tod des Papstes Johannes Paul I. ebenso kalt wie korrekt: »Wir werden einen neuen machen!«[40]

Das war's. Johannes Paul I., der eben erst begonnen hatte, sich über die Ungeheuerlichkeiten Gedanken zu machen, die er im Vatikan erfahren mußte, führt die lange Reihe der auf höchst unklare Weise zu Tode gekommenen Päpste fort. Sollte er wirklich ermordet worden sein, wäre er mit Sicherheit nicht der erste Stellvertreter Christi gewesen, dem dies passierte. Und mit aller Wahrscheinlichkeit auch nicht der letzte.

Johannes Paul II. ist am 13. Mai 1981 einem Attentat entgangen. Noch immer spekulieren interessierte Kreise über die Hintergründe des Anschlags. Die Kurie des Papstes beteiligte sich nicht an solchen Überlegungen. Sie handelte. »Tage der Passion – Tage der Hoffnung« nannte sich die Neunzig-Minuten-Tonband-Kassette, die das Propagandabüro von Radio Vatikan auf den Markt warf. Der Preis: 7 DM. Daß die italienische Zeitung »La Stampa« etwas ungläubig nachgefragt hatte, ob man denn das Attentat so einfach »verscherbeln« dürfe, rührte keinen vatikanischen Prälaten.

Weshalb sich ein Erzbischof nicht mehr auf die Straße traute

Kaum zu glauben, aber wahr: Im Vatikan lebte bis vor kurzem ein Kirchenfürst, der bei seinem Aufstieg aus niedrigsten Verhältnissen vom New Yorker Erzbischof Spellman (Inhaber einer auf eine halbe Milliarde Dollar Immobilienbesitz geschätzten Diözese und berüchtigt als »Kardinal Geldsack«) protegiert worden war. Er durfte Macht ausüben wie kein zweiter, dieser langjährige Chef der päpstlichen Finanzen, ein Herr namens Paul Marcinkus, Träger der Mitra zwar, doch sowohl auf der Freimaurer-Liste als auch von den Strafverfolgungsbehörden mehrerer italienischer Städte zur Fahndung ausgeschrieben. Hätte dieser Nachfolger der Apostel noch vor kurzem die

Grenzen der Vatikanstadt überschritten, wäre mit seiner sofortigen Verhaftung zu rechnen gewesen. Daher blieb er, der seinen Wohnsitz flugs hinter die Vatikanmauern verlegte, als dies ratsam erschien, besser zu Hause, spazierte in den vatikanischen Gärten herum und erfreute sich des Wohlwollens dessen, der ihn schützte, des Papstes Johannes Paul II. Die Römer sagen, was sich leicht in alle Sprachen übersetzen läßt: »Chi sta vicino al sole si scalda«, wer in der Sonne steht, wird warm.

Inzwischen wurde Kirchenfürst Marcinkus in die USA befördert. Am früheren Wohnort Al Capones mimte er zunächst den einfachen Hirten und zog dann aufs »Altenteil« in Sun City, Arizona. Er hat jetzt noch mehr Zeit als früher, teure Zigarren zu rauchen und seinem Lieblingssport nachzugehen, dem Golfspiel. Marcinkus, ein typischer »scalatore«, ein sozialer Aufsteiger von der schlimmsten Sorte, war zwar schon zu besseren Zeiten in den Golfclubs der Ewigen Stadt von der römischen Aristokratie geschnitten worden; einen Neureichen brauchte man nicht einmal zu grüßen, auch wenn er zufällig Bischof war.[41] Doch hatte das den hohen Herrn ebensowenig gestört wie die Tatsache, daß die auffallend vielen hübschen Damen, die er als Sekretärinnen beschäftigte, öffentlich den Eindruck erweckten, seine heimlichen Geliebten zu sein.[42]

Marcinkus, Doktor des Kirchenrechts, als »Gorilla« (Leibwächter Pauls VI.) wie als »Bankier Gottes« apostrophiert und wiederholt erfolgreich in Gold- und Wertpapierspekulationen zugunsten des Heiligen Stuhles, war tief in die sogenannte »Sindona-Affäre« verstrickt, die die Hirten im Vatikan – und damit deren Schäfchen in aller Welt – finanziell schwer schädigte. Freilich: Marcinkus, von Hause aus alles andere als ein Finanzexperte, hatte den dubiosen Michele Sindona, der in den USA zu 25 Jahren, in Italien wegen Mordes zu lebenslanger Haft verurteilt wurde und 1986 in einem italienischen Hochsicherheitstrakt einem Giftanschlag zum Opfer fiel, nicht in den Vatikan geholt. Dieses Verdienst gebührt einer Gruppe Eingeweihter, zu der an vorderster Stelle der Freimaurer-Kardinal Villot zählte – und auch Paul VI.

Der Papst hatte es Anfang 1969 verstanden, Sindona in einem nächtlichen Gespräch unter vier Augen zu gewinnen.[43] Dieser, er-

wiesenermaßen ein Bankier der Mafia, die ihre Gelder zu nicht geringen Teilen dem Drogenhandel verdankt, wurde zum Finanzberater des Papstes gemacht. Er sollte Wege finden, auf denen der Vatikan seine bisherige massive Präsenz auf den italienischen Märkten, die zu peinlichem Aufsehen geführt hatte, abbauen und bessere, das heißt »stillere«, Einnahmequellen erschließen konnte.[44] Sindona machte auch politische Geschäfte: 1972 bot er eine Million Dollar für den Wahlkampffonds Präsident Nixons; ein guter Teil dieses Geldes gehörte dem Vatikan.[45] Ebenso einleuchtend klingt, was der Journalist N. Lo Bello berichtet[46]: Sindona habe sich 1979, bereits wegen Betrugs in 66 Fällen angeklagt, in Frankfurt mit dem päpstlichen Nuntius in der Bundesrepublik, Guido del Mestri, getroffen, der inkognito aus Bonn angereist sei, um Sindona seine und des Vatikans Hilfe im Betrugsprozeß zuzusagen. Daß die Kirchenfürsten ihren Partner fallenließen, als dies geraten schien, war eine »feige Tat, die an Verrat gemahnt«[47], doch konsequent in vatikanischem Interesse gehandelt.
Sindona, von dem einflußreichen Wirtschaftsblatt »Forbes!« einmal als »die Legende der Finanzwelt« bejubelt[48], lernte die rauhe Wirklichkeit des Kirchenfürstentums kennen. Als er stürzte, war kein Freund mehr aufzutreiben. Die beiden Kardinäle Guerri und Caprio, die eben noch zugesagt hatten, sie würden für den Komplizen aussagen, wurden zurückgepfiffen[49], und Nixon, der sich seinerseits in Watergate-Schwierigkeiten befand, mochte sein Image nicht weiter beschädigen.[50] Sindona erkannte schließlich, »daß die Macht des Vatikans auf der Dauer beruht. Wir müssen sterben, die Kirche nicht. Die Dauer eines Lebens ist nichts gegen die Jahrhunderte, in deren Rhythmus sich der langsame Pulsschlag des Vatikans vollzieht. Sie verurteilen Galilei und rollen den Fall dreihundert Jahre später wieder auf. Es handelt sich einfach um die große Maschine der Zeit. Leute wie Marcinkus sind wie Rädchen darin, sie werden ausgewechselt, wenn sie nicht mehr funktionieren, jedes halbe Jahrhundert etwa. Es ist entsetzlich.«[51]
Marcinkus hatte, als die Sonne noch schien, alles getan, um Sindona jene Geschäfte zu ermöglichen, die dieser im Interesse des Kirchenfürstentums und in seinem eigenen für erforderlich hielt. Als Sindona

im Regen stand, äußerte der Kirchenfürst freilich, er habe diesen Mann kaum gekannt (seit der biblischen Lüge des Petrus, er kenne Jesus nicht, ein beliebtes Verfahren in Hirtenkreisen). Sindona selbst gab zu Protokoll, er habe sich im Lauf der Jahre, in denen Marcinkus seine Geschäfte teilte, viele Male mit diesem getroffen. Immerhin sei Marcinkus in zwei Banken sein Partner gewesen.[52]

Noch ein Exempel kirchenfürstlicher Wahrheitsliebe: Während Marcinkus noch 1973 den amerikanischen Ermittlern sagt, Sindona und er seien sehr gute Freunde, gibt er 1975 als Wahrheit aus, er kenne Sindona überhaupt nicht, und daher habe der Vatikan durch diesen Mann auch keinen einzigen Cent verloren.[53] »Ich kenne diesen Menschen nicht«, log auch Kardinal Vagnozzi, ein Kirchenfürst, der Sindona nachweislich häufig getroffen hatte.[54] In Begleitung von Marcinkus.

Offiziell erklärten die Hirten, es habe sich im Fall Sindona um »begrenzte Verluste« gehandelt, die man erlitten habe, und noch etwas später war die Rede von nur etwa 140000 Dollar Verlust.[55] Die Wahrheit war in keinem Fall von den vatikanischen Erklärungen betroffen. Auch die Zusammenarbeit mit dem noch näher zu beschreibenden Bankier Roberto Calvi gelang Marcinkus: 1971 war Calvi dem Bischof vorgestellt worden (sinnigerweise von dem »unbekannten« Sindona) und hatte sofort Aufnahme in den exklusiven Kreis der vatikanischen Vertrauenspersonen gefunden.[56] Bald schon schmiedeten Marcinkus und Calvi einen finanziellen Operationsplan, dessen Realisierung nicht ohne eine ganze Reihe von Gesetzesverstößen ablaufen konnte. Marcinkus war nach den Untersuchungen von D. Yallop Komplize beim betrügerischen Bankrott Calvis und bei der Veruntreuung von 1,3 Milliarden Dollar.[57] Und die Bank des Papstes erhielt Jahr für Jahr immenses Geld dafür, daß sie Calvi ihren Ruf und das Hirtenpersonal für die Abwicklung gigantischer internationaler Schwindelgeschäfte zur Verfügung stellte.[58]

Der Vatikan wußte von alldem so gut wie nichts, und der Papst durfte von Amts wegen gleich gar nichts wissen. Nach Calvis Tod im Juni 1982 erklärten die Kirchenfürsten beispielsweise höchst offiziell – und damit besonders verdachterweckend –, sie hätten erst im August 1981 von der Existenz exotischer Firmen (unter anderem in Panama) erfahren, die angeblich in päpstlichem Besitz seien. Tatsache ist, daß Bischof Marcinkus bereits 1978 Maßnahmen ergriffen hatte, um die Aufdeckung der Besitzverhältnisse zu verschleiern.[59] Der Papst kassierte durchschnittlich zwei Millionen Dollar pro Jahr an Dividenden aus seinem Aktienbesitz an diesen Tarnfirmen. 1978 strich seine Bank (11000 Konten; Aktiva über eine Milliarde Dollar) bereits 120 Millionen Dollar Reingewinn ein; 85 Prozent dieser Summe flossen dem Stellvertreter Christi zur freien Verwendung zu.[60] Gelder, die auf vatikanischen Konten lagerten, blieben von den Nachstellungen irgendwelcher Finanzämter verschont.

An Gottes Segen kann es nicht gelegen haben: Eine der päpstlichen Firmen in Panama schaffte es immerhin, mit einem Eigenkapital von ganzen 10000 Dollar einen Schuldenberg von 460 Millionen Dollar aufzuhäufen.[61] Und die Verbindlichkeiten der von Calvi kontrollierten und nominell dem Papst gehörenden Tarnfirmen hatten schon Ende 1979 eine Höhe von über 500 Millionen Dollar erreicht.[62] Es war nur noch eine Frage der Zeit, bis der betrügerische Konkurs folgte.

Schon am 25. April 1973 hatte der Vatikan ungewöhnlichen Besuch bekommen. William Lynch, Leiter der Abteilung für Organisiertes Verbrechen und Korruption beim amerikanischen Justizministerium, legte dem Staatssekretariat des Papstes die Ergebnisse von Ermittlungen des FBI vor, die den Verdacht begründeten, daß der Vatikan – näherhin der Hauptverdächtige Marcinkus? – bei der Mafia gefälschte Wertpapiere im Gesamtnennwert von 950 Millionen Dollar bestellt hatte.[63] Marcinkus habe, so ein Zeuge der Amerikaner, im übrigen mit der Hilfe Sindonas mehrere geheime Nummernkonten auf den Bahamas zum persönlichen Gebrauch angelegt.[64] Die Vorwürfe gegen Marcinkus aus diesem Deal konnten jedoch weder bewiesen noch widerlegt werden, und der Kirchenfürst hatte den Kopf nochmals aus der Schlinge gezogen. In Sachen Sindona und Calvi sollte dies nicht mehr gelingen. Die Strafjustiz wollte sich den sauberen Hirten endgültig greifen.

Auch die italienische Presse war aufmerksam geworden. Sie fragte 1978, ob es rechtens sei, wenn der Vatikan sich auf den Finanzmärkten der Welt wie jeder andere Spekulant gebärde und eine Bank sein eigen nenne, die »beim ungesetzlichen Kapitaltransfer aus Italien in

andere Länder« mitwirke sowie Bürgern helfe, Steuern zu umgehen.[65] Marcinkus wurde in einem offenen Brief als »der einzige Bischof« bezeichnet, »der im Vorstand einer weltlichen Bank sitzt, einer Bank, die übrigens eine Filiale in einem der bekanntesten Steuerparadiese der kapitalistischen Welt betreibt«.[66]
Aber der Vatikan, der mittlerweile das Problem des ehrlichen Papstes Johannes Paul I. losgeworden war, hielt zu seinem Finanzprälaten. Daß die von Marcinkus geleitete Bank korrupt war, daß sie zum Beispiel Mafiagelder »waschen« half, stand seit langem außer Zweifel. Doch die Kirchenherren wußten Rat: Mit der spezifischen Arroganz, die Hirten eigen ist, weigerte sich der Vatikan zu Beginn der achtziger Jahre, irgendwelche von italienischen Gerichten gegen Marcinkus erlassenen Verfügungen anzuerkennen. Die Etikette zwischen zwei souveränen Staaten müsse beachtet werden, lautete die Auskunft der Herren. Ob auch die päpstliche Moral in einer Angelegenheit wie dem Diebstahl von mehr als einer Milliarde Dollar zu beachten sei, sagten die Hirten nicht ganz so deutlich.
Der Wojtyla-Papst beförderte Marcinkus am 28. September 1981, makabrerweise am dritten Todestag Papst Johannes' Pauls I., zum Pro-Präfekten für die Päpstliche Kommission für den Vatikanstaat; damit stieg Marcinkus nicht nur vom Bischof zum Erzbischof auf, sondern wurde praktisch auch geistlicher Gouverneur des Vatikanstaats.[67] Ist Johannes Paul II. etwa eine Parsivalnatur wie sein Vorgänger Pius X.[68], dem alles recht war, was an seinem Hof geschah, weil er nichts von alldem verstehen wollte? Oder weiß er nur zu gut, was gespielt wird, und ist damit ein Mittäter ersten Ranges?
Alle Anzeichen sprechen dafür, daß Wojtyla nicht der tumbe Tor ist, als der er in den ersten Jahren seines Pontifikats ausgegeben wurde. Er kokettierte zwar nach seiner von vielen (nicht vom CIA!) als überraschend interpretierten Wahl als »ein Bischof, der kein Römer ist«.[69] Aber die Selbstdarstellung eines Polen in Rom überspielte, was Johannes Paul II. stets war: ein Römer in Polen. Daß sich diese Lebensmentalität auch auf den kurialen Alltag auswirkt, bleibt kaum zweifelhaft: Der Wojtylapapst läßt bei der Kurie hin und wieder die Zügel schleifen, aber genau das ist durchaus gewollt. Im Gegensatz zu den genannten, Cölestin V. und Pius X., den beiden heiliggesprochenen

Päpsten, erweist sich Johannes Paul II. nicht als Versager gegenüber den Realitäten des Papsttums, sondern als deren Vollstrecker.
Die polnischen Bischöfe nahmen den früheren Kollegen nach seinem Amtsantritt in Schutz und meinten, Wojtyla sei »ein Papst, der nicht nur die verschlungene Mentalität der römischen Kurie nicht begreift, sondern sie auch nicht begreifen will, und der statt dessen die glasklare Idee von einer Kirche hat, die in die Geschichte nicht als Machtinstitution eingestiegen ist, sondern als Gemeinschaft der Gläubigen in aller Welt«.[70] Das hört sich richtig an, ist aber doppelt falsch. Zum einen handelt es sich in der Frage des geschichtlichen Einstiegs der Kirche um eine fromme Lüge, denn wenn eine Kirche als Machtinstitution eingestiegen ist, dann die römische. Zum anderen hat Wojtyla die verschlungene Mentalität der Kurie vollkommen begriffen; welchen Platz er im Gefüge des Vatikans einnimmt, wird gleich zu zeigen sein.
Nach dem vielumrätselten Attentat auf Wojtyla vom Mai 1981 wurde einem Prälaten die Frage gestellt, ob der eingetretene Zustand (ein schwerkranker Papst) der Situation ähnlich sei, die zwischen dem Tod eines Papstes und der Wahl seines Nachfolgers bestehe, eben jenem Interregnum, das als »Sedisvakanz« bezeichnet wird. Die Antwort war nicht untypisch: »Für viele von uns hat seit der Wahl Wojtylas zum Papst die Sedisvakanz bestanden.«[71] Wer eine sich selbst tragende Organisation wie die vatikanische Kurie kennt, weiß, daß die Drahtzieher über den Zustand einer solchen Sedisvakanz am wenigsten trauern. Daß Wojtyla sie agieren läßt, wie sie wollen, ist aber kein Zufall, auch kein Unfall im Geschäftsleben, sondern Programm. Mit solchen Päpsten fuhr man im Kirchenfürstentum noch immer am besten.
Wer Wojtyla vorwirft, er glänze nicht nur durch Abwesenheit, sondern auch durch Faulheit, wer ihm die sich stapelnden Aktenberge vorhält, die unbearbeitet liegen, sieht nicht, daß dieser Papst damit die Erwartungen der Kurie auf das genaueste erfüllt. Wie dachte doch einmal ein Prälat? »Wir würden mit all unseren Aufgaben wunderbar fertig, wenn nur der Papst nicht wäre.«[72] Die Gefahr, daß einige Hirten im Vatikan ihren Aufgaben nicht »wunderbar« gerecht werden, besteht nicht, solange Wojtyla ihren Papst macht.

Wie ein US-Kardinal seine Schäferstündchen finanzierte

Klappern gehört zum geistlichen Handwerk, und gegenüber kirchenfürstlichem Klagen ist besondere Vorsicht am Platz. Wenn Oberhirten über den Mangel an Finanzen lamentieren, haben sie ihr Geld schon beiseite gebracht. Freilich ist die Geldbeschaffung von Kirchenfürsten heutzutage nicht immer gleich mühelos zu bewerkstelligen. Die USA zum Beispiel kennen keine Kirchensteuer, also müssen die Oberhirten, denen die gebratenen Tauben nicht wie in Deutschland in den Mund fliegen, sich um den Glaubensmarkt bemühen. Ein Kirchenfürst hat im immensen Kreis der braven Gottesmänner, die nur einfach ihren Dienst tun, aufzufallen.[73] Er muß in Gottes eigenem Land Charisma beweisen, und inmitten der allgemeinen Raffgier und Casino-Mentalität auch ein wenig Geschäftssinn; dafür darf er ruhig etwas exaltiert wirken.

Nach diesen Kriterien war der Erzbischof von Chicago, Kardinal John Patrick Cody, ein Meister unter seinesgleichen. Es gelang ihm aufgrund besonderer Buchführungskünste Millionen für seinen Pferch – und vor allem für sich selbst – zu raffen. Die genaue Höhe seiner Einkünfte gab der Hirte zwar nie bekannt, aber es steht fest, daß es mehr als 250 Millionen Dollar pro Jahr waren, über die er gebot.[74] Cody war vorher Bischof von New Orleans gewesen, und einer seiner Priester hatte gesagt: »Als dieser Dreckskerl Chicago bekam, haben wir eine Fete gefeiert und das Tedeum gesungen. Was uns anging, so verbuchten wir den Wechsel als Glück für uns und als Pech für Chicago.«[75]

Der als clever geltende Cody war auch einmal Schatzmeister der US-Kirche, hinterließ in zwei Diözesen Schulden von jeweils 30 Millionen Dollar, setzte im Juni 1970 zwei Millionen Dollar Kirchengelder bei Börsenspekulationen in den Sand, überstand den Skandal – und rückte zum Hirten der reichsten Diözese der USA auf.[76] Das neue Amt führte er nach den bewährten Gesetzen der Doppelmoral: Zum einen setzte er Priester, die seinen Vorstellungen nicht entsprachen, kurzerhand auf die Straße, ohne an die Altersversorgung der Betroffenen auch nur einen Gedanken zu verschwenden.[77] Auch schloß er Schulen für Farbige mit der Begründung, es sei keineswegs Aufgabe seiner Kirche, schwarzen Mittelschichtsprotestanten eine Schulbildung zu ermöglichen.[78] Im übrigen könne sich die Diözese diese teuren Schulen nicht mehr leisten. Zum anderen teilte er die unter Zölibatären oft anzutreffende Ansicht, Frauen seien Wesen, die Gott zur Linderung der auferlegten Einsamkeit geschaffen habe, und leistete sich eine Geliebte. In diesem Fall spielte Geld, Herdengeld, keine besondere Rolle.

Die Erzdiözese Chicago verfügte bereits 1970 über ein Gesamtvermögen von über einer Milliarde Dollar, und Cody sah dieses Vermögen wie die laufenden Einkünfte als persönliche Habe. Er war jahrelang nicht bereit, einen überprüfbaren jährlichen Rechenschaftsbericht vorzulegen. Als er schließlich vom Druck der öffentlichen Meinung dazu gezwungen wurde, gab er ein Dokument heraus, das weder Angaben über seine Immobilienkäufe noch über Investitionen in Wertpapiere enthielt.[79] Diözesangelder in Höhe von 60 Millionen Dollar sollten in Chicago mündelsicher angelegt sein; der Hirte weigerte sich standhaft, irgend jemandem mitzuteilen, in welcher Form die Gelder angelegt waren und wem genau die Zinsen zuflossen. Unter diesen Umständen fielen Fehlbeträge in Millionenhöhe kaum ins Gewicht. Cody hatte Möglichkeiten, Geld beiseite zu schaffen und weitaus besser zu verwenden, als es seine Hirtenworte forderten. Aber, wie gesagt, Korruption ist im Kirchenfürstentum konstitutiv.

Nach der Hirtendoktrin bleibt allein der Bischof Gesetzgeber in seiner Diözese. Ohne sein Wort ist kein Geld auszugeben; er allein setzt einen Diözesanhaushalt in Kraft. Und mögen viele Bischöfe ihre Sprengel korrekt verwalten, die Ausnahmen können auch ganz gut leben. Cody lieferte den Beweis dafür, wie gründlich es einem Oberhirten gelingt, seine absolute Macht zu konkretisieren, die Hand auf das Geld zu halten oder es, nach Gusto, auszugeben.

Hirte Cody hatte seinen Verwendungszweck: Zum einen tätigte der Vatikan riesige Geldgeschäfte mit seiner und der kirchenfürstlichen »Chicago-Connection« Hilfe[80], zum anderen verwandte der Kardinal seine Schwarzgelder darauf, im Vatikan eine eigene Hausmacht aufzubauen und – mit freundlichen Kleinigkeiten wie goldenen Feuerzeugen oder Uhren für Prälaten und Bischöfe – bei Laune zu halten.

Der Herr sollte die Investitionen nicht bereuen. Als die Geschichte mit seiner Geliebten aufflog, der er Grund und Boden in Florida besorgt und eine lebenslange Rente aus Diözesangeldern zugewendet hatte, und als Priester ihn als notorischen Lügner bezeichneten, war es hilfreich, im Vatikan eine Menge bestochener Prälaten hinter sich zu wissen. Die Connection funktionierte prächtig, und Cody, der mittlerweile sogar eine Werbeagentur bemüht hatte, um sein Bild in der Öffentlichkeit zu schönen[81], war gerettet. Paul VI., der den Oberhirten Chicagos hatte ablösen – und ihn zum Kurienkardinal befördern – wollen, bekam Angst vor der eigenen Courage und beließ alles beim alten.

Der päpstliche Abgesandte, Kardinal Baggio (Freimaurer auch er), hatte nicht vermocht, den Kollegen zum Verzicht zu bewegen. Die beiden Kirchenfürsten hatten sich, so Ohrenzeugen, lange gestritten und angebrüllt, aber Cody hatte sich auf seine ständigen Geldgeschenke an Rom berufen und war keinen Millimeter gewichen. Er, der sogar päpstliche Mahnschreiben ignorieren durfte, blieb seiner Geliebten treu. Cody, der die Lebensgefährtin selbst zu seiner Kardinalserhebung mit nach Rom gebracht hatte, schloß eine Lebensversicherung für sich selbst ab und nannte die Frau, die er als seine Cousine ausgab, als Begünstigte. Darüber hinaus buchte der Hirte – im Namen der Erzdiözese Chicago und auf deren Rechnung – eine lange Liste von Versicherungen für den Sohn seiner Freundin.

Verleumdungen? Nicht, daß keine Beweise gegen den Kirchenfürsten vorgelegen hätten. Die »Chicago Sunday Times« stellte zwei Jahre lang Recherchen gegen den Oberhirten an. Die US-Justiz ging gegen ihn vor, erließ Auflagen, forderte Gegenbeweise und blieb ohne Erfolg. Der Erzbischof (»Ich regiere nicht das Land, doch ich regiere Chicago«) widerstand bis zuletzt. Er lehnte es ab, auch nur einen einzigen der gegen ihn erhobenen Vorwürfe zu entkräften. Der glänzende Taktiker schaffte es immer wieder, die gegen ihn geführten Angriffe als Taten gegen »die ganze Kirche« auszugeben.[82] Und er hatte seit 1978 einen mächtigen Bundesgenossen, den mächtigsten überhaupt, Papst Johannes Paul II. Da Cody tönte, er sei »nur Gott und Rom verantwortlich«[83], konnte nichts geschehen, was der Papst nicht gewollt hätte. Offensichtlich war das private Lebens-

glück des Hirten Cody, der die Einkünfte aus seinem Pferch allein kontrollierte, Wojtyla wichtiger als das der 2,4 Millionen Menschen auf dem Weideland von Chicago.
Erzbischof Eugene Marino von Atlanta, der höchste und wichtigste farbige Würdenträger der katholischen Kirche in den USA, hatte weitaus weniger Glück. Der 56jährige Hirte mußte seinen Hut nehmen, nachdem bekannt geworden war, daß er sein Herz an eine 27jährige Frau verloren hatte. Der liebeskranke Kirchenfürst hatte der attraktiven Sängerin ein Jahr lang sein Gehalt zugewandt und den Kauf ihres Hauses mitfinanziert. Kaum war er aber zurückgetreten, bekannte ein Pastor, er habe mit derselben Dame wie der Erzbischof ein Verhältnis gehabt.[84]
Der kanadische Erzbischof A. Penny wird nach derselben Meldung mittlerweile beschuldigt, die Sexualvergehen von 20 katholischen Priestern und Laienmitarbeitern seines Sprengels gedeckt zu haben. Der Oberhirte wollte vertuschen helfen, was immer deutlicher wurde und die Medien wach werden ließ: Zwischen 1983 und 1988 wurden in den USA rund 200 Priester und Mönche wegen sexueller Belästigung von Kindern angeklagt.

Weshalb Johannes Paul II. nur zweite Wahl ist – und für eine Handvoll Mächtige doch die allererste

Die Bilder gleichen sich. Unmittelbar vor einer Papstwahl und kurz danach ist die (katholische) Welt voller automatenhafter Euphorie.[85] Zunächst wird jeder neue Papst mit Vorschußlorbeeren überhäuft. Journalisten, die noch weniger über den Heiligen Vater wissen als andere Betrachter, stellen die vorzüglichsten Eigenschaften, die vielfältigsten Charakterzüge des Gewählten heraus. Die Typologie des Amtes steht fest: Der neue Pontifex übertrifft den eben verschiedenen Vorgänger, hebt sich wohltuend ab, läßt kühne Träume zu. Wer will, atmet auf, sieht seine Wünsche im neuen Herrn bestätigt, stimmt in den Jubelchor ein.
Papst Wojtyla, der frühere Laienschauspieler, genoß die Auftritte sichtlich. Das Bad in der Menge erfrischte den Herrn mit dem schlitz-

ohrigen Charme. Doch Johannes Paul II., durch seine ständigen Auslandsreisen bekannt wie berüchtigt, hat nicht viel anzubieten. Heinrich Böll, der schon früh gemeint hatte, am besten schweige man über Wojtyla, behielt recht. Der Jubelsturm des Beginns flaute ab, selbst in der Heimat des Papstes. Nach einer Erhebung des staatlichen Meinungsforschungsinstituts wollten 1991 nur noch 14 Prozent der Polen »ihren« Papst bei dessen viertem Besuch persönlich sehen; 1978, bei der ersten Visite, waren es noch 49 Prozent.[86] Johannes Paul II. ist auf das Maß zurechtgestutzt, das ihm zukommt. Freilich: Den Taktikern, die ihn wählten, dankte er auf seine Art, und das mag diesen ausreichen, ihn einen weiteren »großen Kirchenfürsten des 20. Jahrhunderts« zu nennen.

Ich hüte mich, solche Größe über Gebühr zu bestreiten, seit ich lernte, daß rechte Schafe keine kleinen Oberhirten zulassen können. Ich entnehme in regelmäßigen Abständen der einschlägigen Presse, jeder neuere Papst sei zumindest »heiligmäßig« und müsse so bald wie möglich heiliggesprochen werden. Bestimmt denkt die Jubeljournaille dabei auch an Pius XII. Oder, wie es seit Monaten in eingeweihten Kreisen flüstert, an Pillen-Papst Paul VI., einen »Märtyrer« seines Standes. Ich warte ab, wer – als zweiter nach dem unbedeutenden Pius X.[87] – das Rennen machen wird. Der Pferch ist für jede Überraschung gut.

Was freilich kaum je zu hören ist: Der Kardinal von Krakau, Karol Wojtyla, war 1978, als es darum ging, nach dem Tod Pauls VI. einen neuen Papst zu suchen, keineswegs die erste Wahl. Dieser Hirte, beim Zweiten Vatikanum nur ein Hinterbänkler, bekam erst seine Chance, nachdem Johannes Paul I. so plötzlich hatte abtreten müssen. Peinlich genug für den gegenwärtigen Amtsinhaber. Er weiß gut (und andere wissen es auch), daß er noch wenige Wochen vor der eigenen Wahl, beim ersten Konklave (August 1978), dem Hl. Geist offensichtlich nicht zugesagt hatte und die richtigen Männer erst nach dem Tod des ungleich besseren Mannes im zweiten Konklave (Oktober 1978) auf ihn zurückgriffen. Aber Wojtyla kann mit dem Makel des Lückenbüßers leben. Nach Art derer, die es werden möchten, hatte er noch kurz vor dem Konklave gemeint, er werde bestimmt nicht Papst.

Schauen wir dem Heiligen Vater, nach dem nichtkatholischen Kenner Ronald Reagan »der moralische Fels einer prinzipienlos gewordenen westlichen Welt«[88], ins Gesicht, vergessen wir nicht das auf allen Schnappschüssen vorherrschend Verkniffen-Schlaue, erinnern wir uns an Heinrich Heine, der fand, »daß die Pfaffen in der ganzen Welt, Rabbiner, Muftis, Konsistorialräte, Popen, Bonzen, kurz das ganze Diplomatische Corps Gottes, im Gesichte eine gewisse Familienähnlichkeit haben, wie man sie immer findet bei Leuten, die ein und dasselbe Gewerbe betreiben... Die geistlichen Kaufleute, solche, die von Religionsgeschäften ihren Unterhalt gewinnen, erlangen daher auch im Gesichte eine Ähnlichkeit.«[89]
Karol Wojtyla wuchs in einem »überschaubaren, engen Quadrat von Korrektheit und Kirche, Kleinstadt und k. u. k. Kleinbürgertum«[90] auf. Diese Herkunft prägt ihn. Johannes Paul II. ist weder eine Leuchte im denkerischen Durchdringen überkommener Doktrinen noch ein irgendwie befähigter Organisator, vom vorwärtsweisenden Elan ganz zu schweigen. Daher muß er sich, vielleicht ein besserer Kenner der eigenen Mittelmäßigkeit als andere, mit seinen Möglichkeiten bescheiden. Die zweite Wahl erhofft von sich keine umstürzlerischen Denkleistungen. Wojtyla tut nur, was er kann. Er singt gern, wie zu hören ist, trinkt abends ein Glas polnischen Wodka, behält sein altes Weltbild bei, kennt Reiche des Bösen und des Guten, spezialisiert sich auf dasjenige Privileg seines Amtes, das die Stellung eines Oberhaupts am unkompliziertesten zu realisieren erlaubt, und verlegt sich aufs seelsorgerlich-politische Reisen. Das ist trickreich gehandelt: Bei Millionen hält sich der Eindruck, dieser Papst tue überhaupt etwas, gar etwas bedeutend Neues. Und dieser Eindruck verwischt zugleich die Wirklichkeit: Genaugenommen geschieht gar nichts; ein überholtes Kirchenfürstentum schleppt sich fort wie gewohnt. Aber Wojtyla unterhält sich und die Seinen blendend: Hirtenausflüge lohnen sich. Sie bringen den Papst in viele Länder der Erde. Und ganz nebenbei tragen sie denen, die ihn einladen und im Erfolgsfall den Statthalter Gottes vorführen können, größten Gewinn ein.
Purpurträger Cody, den Paul VI. und Johannes Paul I. aus seinem Hirtenamt entfernen wollten, begrüßte im Oktober 1979 den neuen

Chef bei dessen Ankunft auf dem Flughafen von Chicago. Das war protokollarisch korrekt. Daß der Kardinal dem Boß aber schon auf dem Flugplatz ein »persönliches Geschenk« in die Hand drückte, war weniger üblich.[91] Normal war hingegen wieder, daß Wojtyla dieses Geschenk, ein Kästchen mit 50000 US-Dollar Inhalt, sogleich einsteckte. Cody, der nie erklären konnte, woher das Geld für sein Geschenk stammte, durfte Chicago weiterregieren.

Der US-Kirchenfürst, angefeindet und vom Haß in seiner Bischofsstadt gezeichnet, hatte es geschafft, Wojtyla zu überzeugen. Er schlug aus seinen ständigen Geldzahlungen an Polen, aus der Größe des polnischen Bevölkerungsanteils in Chicago und aus dem freundschaftlichen Verhältnis zum neuen Papst sogar das Kapital für eine Gegenoffensive. Schon im Wahljahr 1978 konnte er es sich leisten, einen von Wojtyla angetragenen Kurienposten auszuschlagen. Auch durfte er zu Hause herumerzählen, dieser Papst habe ihm bedeutet, die Angelegenheit sei für ihn erledigt.

Wojtyla und die vatikanische Mafia, von Vertrauensleuten Codys durchsetzt, hielten bis zuletzt ihre Hand über Cody, auch als die amerikanische Anklagebehörde gegen den Kardinal wegen seiner Finanzmanipulationen vorging. Der Oberhirte lebte nach dem US-amerikanischen Prinzip: »Der Sinn des Lebens ist, an seinen äußersten Rand – aber nicht dafür ins Gefängnis zu gehen«[92], und sein Papst deckte ihn voll. Im Januar 1981 erließ eine Jury eine Reihe von Verfügungen gegen Cody, doch der Kirchenfürst konnte es sich ungestraft leisten, den gerichtlichen Auflagen zu widerstehen und die angeforderten Unterlagen über seine Transaktionen nicht herauszurücken. 1982 starb Cody in Amt und Würden. Sein Testament beweist zwar nicht seine Unschuld (soweit ließ Cody es nun doch nicht kommen), dafür enthält es den gut kirchenfürstlichen Satz: »Ich vergebe meinen Feinden, aber Gott wird es nicht tun.«[93]

Von den Besuchen des Papstes Wojtyla profitieren einige andere mehr, die besuchte Herde am wenigsten. Sie bleibt im Kirchenfürstentum völlig funktionalisiert. Schafe stellen die Staffage des gelenkten Jubels dar. Und sie werden von der angeblich obersten Instanz der Weltmoral ein weiteres Mal zur Raison gebracht: der Papst als personifizierte Ordnungsmacht, eines der beliebtesten, weil gewinnträchtigsten Themen im Verhältnis zwischen Staat und Kirche. Interessierte Politiker denken: Lassen wir ihn wieder predigen, lassen wir ihn möglichst viele Herden ansprechen, zeigen wir uns neben dem Hirten in Weiß, und der Glanz seiner »Moral« fällt auch auf uns. Dann haben wir die gemeinsamen Schäfchen wieder im trockenen...

Das Zusammenspiel ist uralt und so erprobt, daß es bei Bedarf nur seine Methoden, nicht aber seine Spielregeln wechselt. Was die Dogmatik des Kirchenfürstentums als Führung des Hl. Geistes feiert, nämlich die Tatsache, daß Oberhirten bisher alle Stürme überstanden, ist die Folge weltkluger Diplomatie. Da sich die Hirten immer mit den stärksten Gewalten verbanden, gleich ob diese sich ablösten (»wir können es mit allen«), standen sie stets auf seiten der Sieger – und vermochten es auf diese relativ gefahrlose Weise, ihre machtpolitischen und finanziellen Interessen von einem Jahrhundert ins nächste zu befördern.

»Ketzer« wurden, als Abweichler vom Pfad der staatlich wie kirchlich geforderten Tugend, von beiden »Gewalten« blutig verfolgt. Das gemeinsame Vorgehen gegen »Rebellen«/«Ketzer« verband die Komplizen hier wie dort. Päpste finanzierten, so Pius V. mit 150000 Goldkronen für Maria Stuart[94], die Ketzersuche der weltlichen Herrscher. Umgekehrt sahen Politiker nicht ungern, wenn Kirchenfürsten sich für säkulare Belange einsetzten. Beispiele für den Status des Papstes als eines »curé-gendarme« (Pfarrpolizisten), wie die Franzosen sagen, gibt es genug. 1833 führte Frankreich den bisher nicht vorhandenen Religionsunterricht in den Volksschulen als Pflichtfach ein (was er in der Bundesrepublik noch immer ist). Die von den Sprößlingen reicher Familien besuchten Gymnasien wurden seinerzeit von dieser Verpflichtung ausgenommen. Denn nur »die Kinder des Volkes bedurften einer Religion, um sie vor sozialistischem und revolutionärem Gedankengut zu schützen. Das war nicht notwendig für die der Bourgeoisie.«[95]

Das Muster ist immer gleich gestrickt: Als Johannes Paul II. 1980 nach Paris kommen wollte, paßte dies nur wenigen ins Konzept. Aber die wenigen setzten ihre Interessen durch und scherten sich nicht um die Mehrheit. Demonstranten gingen auf die Straße, um sich den Prediger zu verbitten. »Laizisten«, wie der Hirtenjargon sie abwertet, beriefen sich auf die Trennung von Kirche und Staat, die Frankreich – im Gegensatz zu der laschen Praxis der Bundesrepublik – strikt beachtet. Ein Papst in Paris? Der Besuch aus öffentlichen Steuermitteln bezahlt? Wojtyla im Schutz von 15000 Polizisten? Priester riefen zum Boykott der Visite ihres obersten Chefs auf. Kein Wunder, daß statt der erwarteten Hunderttausende nur einige zehntausend zur Papstmesse auf dem Flugfeld von Le Bourget erschienen. Das staatlich gelenkte Fernsehen konnte statt der üblichen Hubschrauberaufnahmen nur Detailbilder von einem sich drängenden Volk zeigen, als stünden Millionen bereit. Ähnliche Erfahrungen machte Wojtyla, der in den Niederlanden Hirten von haarsträubender Kirchlichkeit eingesetzt hatte, bei seinem Besuch in diesem Land.[96]

Doch womit rechnet das Kirchenfürstentum als feste Größe seiner Kalkulation? Die Parteitaktiker setzen sich durch. Giscard d'Estaing brauchte diesen Hirtenbesuch ebenso dringend wie sein Konkurrent bei der Wahl für das höchste Staatsamt, der Sozialist Mitterand. Letzterer sagte, mit Rücksicht auf den antiklerikalen Teil seiner Wählerschaft, die Einladung zum Empfang »selbstverständlich« ab – und kam dann doch, als Privatperson. Georges Marchais, Chef der Kommunisten, schüttelte dem Papst gleich zweimal die Hand, vergaß für ein paar Augenblicke, daß Religion Opium für das Volk sei, und erinnerte daran, daß Katholiken und Kommunisten Hand in Hand für das Heil der Armen zu kämpfen hätten.[97]

Der Gaullist Chirac schließlich machte als Bürgermeister von Paris einen Millionenkredit aus dem Stadtsäckel locker; das bestätigt die alte Übung zum x-tenmal. Alle Visiten des nach eigenem Bekunden nur aus innerkirchlichen Gründen einfliegenden Papstes werden zum überwiegenden Teil außerkirchlich finanziert. Das mittlerweile »khomeinisierte« Polen, ein Land, das von ausländischen Krediten lebt und dessen Kindergärten, Altersheime, Krankenhäuser sich in einem beklagenswerten Zustand befinden, belastete 1991 den Staatssäckel mit rund 50 Millionen DM für Wojtylas Besuch.[98] Solange sich freilich Mittel und Wege finden, diese Gelder lockerzumachen, wäre dieser Papst nicht am richtigen Platz, nähme er sie nicht in Anspruch.

Kümmert sich Johannes Paul II. jedoch auf diese teure Weise um das von Marchais beschworene »Heil der Armen«?
Am Rande: Wojtyla stattete im November 1990 Neapel einen Kurzbesuch ab, um gegen die »Degenerierung des öffentlichen Lebens« zu predigen. Die Visite war aufwendig und erfolgreich zugleich: Die Behörden der Hafenstadt hatten 10 Millionen Mark aufgewendet, um den eintägigen Papstbesuch zu finanzieren, und ein beträchtlicher Teil dieser Summe wurde von der einheimischen Mafia kassiert. Die Staatsanwaltschaft ermittelt noch.
Was sich unterdessen zu Hause tat, in Rom, wo man den jetzigen Pontifex am allerwenigsten anzutreffen meint? Nach dem Tod Johannes' Pauls I., der, mit Vergil zu sprechen, der Welt nur gezeigt, nicht gegeben war, schloß sich das Wasser des vatikanischen Sees sofort wieder. Der Stein, der hineingeworfen worden war, hatte zwar kleinere Kreise gezogen, war aber versunken. Wer das Sagen bekam, waren die Männer, die schon vor diesem lästigen Zwischenspiel regierten. Und Johannes Paul II., die zweite, richtige Wahl, tat nichts, um die vatikanische Mafia zu bremsen. Im Gegenteil, dieser Papst, der sich in seine Landausflüge flüchtet, stört keinen wirklich Mächtigen. Das macht ihn, der dem Buchstaben des Dogmas und des Gesetzes nach doch alles allein regeln könnte, für die Einflußreichen so praktisch, so tauglich.
Kirchenhistoriker W. Brandmüller sieht alles erheblich anders: »Das Kardinalskollegium ist letzten Endes ein Organ des Willens Gottes. Das Wesentliche der Rolle der Papstwähler ist es, daß sie ... unter Ausscheidung irdischer Motive den Willen Gottes erkennen und vollziehen. Dadurch werden sie zum Organ, durch das Gottes Vorsehung für die Kirche wirksam wird.«[99]
So kann nur der Historiker urteilen, der die höchst irdische Geschichte der Papstwahlen nicht zur Kenntnis nimmt. Eine »Ausscheidung irdischer Motive« fand sich bei diesen Wahlgängen nie; im Fall Wojtylas zeigt sich keine Ausnahme. Der Pole war längst schon von jenen einflußreichen Gruppen, die ihre Eigeninteressen mit dem Wehen des Hl. Geistes identifizieren und »Vorsehung« spielen, zum Papst ausersehen. Johannes Paul II. schloß sich denn auch sofort nach seiner Wahl den Auffassungen jener Kleingruppe

an, für die er spricht und deren Beifall er erntet. Er ist mit einem Teilmilieu identifiziert, und zwar mit dem »richtigen«. Abweichende Erfahrungen und Risiken verstand er zeitlebens abzuwehren. Als der Jungpriester Wojtyla vom Studium aus Rom zurückkam und seine Freunde ihn fragten, was er denn nun vorhabe, antwortete er: »Was der Fürstbischof für mich ausdenkt!«[100]
Dieser Papst, der in Mexico City mehr Menschen auf die Beine brachte als die Olympischen Spiele 1968 und die Fußballweltmeisterschaft 1970 zusammen[101], ist zwar kein wirklicher Papst des Volkes, doch ein Medienstar, der als »Volkspapst« inszeniert wird. Kein Wunder, daß ihm die größte deutsche Programmzeitschrift schon früh die »Goldene Kamera« verlieh.[102] Doch während Wojtyla seine Show abzieht, tun hinter seinen Kulissen die Mächtigen, was ihnen rentierlich erscheint. Das Oberhaupt des Kirchenfürstentums tritt als heiliger Narr eines Systems auf, als dessen zeitlose Vertreterin die römische Kurienorganisation zu gelten hat.
Der Herr im Vatikan ist nichts anderes als die »Totalität der Knechte« (Franco Basaglia). Das Kirchenfürstentum hält sich einmal mehr einen Souverän, der sich für die gewohnte Rollenteilung nicht zu schade ist: Während der Chef in aller Welt den Asphalt der Rollbahnen küßt, sorgt die Heim-Mannschaft dafür, daß die Kassen klingeln. Klar, daß die strengen Moralpredigten Seiner Heiligkeit, die Tausende Kilometer fliegt, um Aidskranken den Kondomgebrauch zu untersagen, es nie schaffen, ein paar Meter im Vatikan zurückzulegen und beispielsweise in die dort beheimatete Bank vorzudringen.
Denn am Tatort Vatikan, nach Wojtyla die Stätte, »die die Vorsehung als Bleibe für den Stellvertreter Christi erwählt hat«[103], geht es weiter wie gehabt. Der Heilige Stuhl bleibt auf seinem Geld hocken, und die Kurie ist längst zu einem Cody-Territorium geworden, in dem man nur noch Gott und dem Papst gegenüber verantwortlich ist. Nun bleibt Gott bekanntlich weit weg und schweigsam, und der Papst ist entweder ganz weit weg oder ebenso schweigsam. Erzbischof Marcinkus, der als Nachfolger des Kardinals Cody gehandelt wurde[104] und sich dann nicht einmal mehr auf die Straße trauen konnte, zog daher noch lange die Fäden. Zwar kocht er zur Zeit auf

wesentlich kleinerer Flamme als bisher (aus optischen Gründen läßt man ihn gegenwärtig nicht in vorderster Linie kämpfen), doch ist er deswegen nicht aufs Abstellgleis geschoben. Im übrigen war Marcinkus nicht der einzige Kirchenfürst, der mit Haftbefehl gesucht wurde: Von der Turiner Justiz angeklagt war ein weiterer Hirte, der wegen seiner mutmaßlichen Verwicklung in den Steuerhinterziehungsskandal mit einer Schadenssumme im Gegenwert von mehreren Milliarden US-Dollar ausgeschriebene Monsignore Donato de Bonis; auch dieser Herr stand auf der Freimaurer-Liste, auch er versteckte sich mit Wissen des Papstes.[105]

Johannes Paul II. distanzierte sich seinerzeit auch nicht von Ugo Poletti, dem Kardinalvikar von Rom und Mitglied einer Loge. Dieser Kirchenfürst war im Auftrag des »Bischofs von Rom« für die seelsorglichen Belange einer Stadt zuständig, die für ihre fortschreitende Glaubensfeindlichkeit bekannt ist. Poletti hatte 1973 den Ex-General Raffaele Giudice für den Posten des Chefs der italienischen Finanzpolizei empfohlen. Nachdem Giudice aber an einem milliardenschweren Mineralölsteuerschwindel (Diesel wurde steuersparend als Heizöl deklariert) mitgewirkt hatte und aufgeflogen war, schwor Seelenhirt Poletti flugs, diesen Mann habe er nie empfohlen. Die Lüge hatte auffallend kurze Beine: Die Turiner Staatsanwaltschaft konnte eine Kopie des Empfehlungsbriefs Polettis als Beweisstück vorlegen.[106] Den Wojtyla-Papst rührte die Überführung des Kirchenfürsten nicht. Er durfte sich rühmen, einen ertappten Lügner als seinen Stellvertreter in Rom seines »vollen Vertrauens« versichert[107] und weiterbeschäftigt zu haben. Niemand, nicht einmal der naivste Hirte, darf zur Ehrenrettung seines Papstes meinen, Wojtyla kenne die Wahrheit nicht. Johannes Paul II. kennt sie, um so handeln zu können, wie er es tut, nur zu gut.

Wojtyla empfing wenige Monate vor dem weltweit registrierten Skandal um die Vatikanbank auch den zwielichtigen Finanzmanager Roberto Calvi in Privataudienz und sagte ihm zu, er werde ihn zum Hauptbevollmächtigten für die Neuordnung der päpstlichen Finanzen machen – wenn Calvi es schaffe, das durch Manipulationen entstandene Milliardenloch in der Papstkasse zu stopfen.[108] Von einem Papst, der sich – »Oberste Moralinstanz der Erde« – auf derlei

einläßt, haben Finanzartisten jeglicher Couleur nicht viel Moral zu befürchten.
Calvi, Duzfreund von Marcinkus, hatte bereits über ein Jahrzehnt hinweg den Vatikan in Finanzangelegenheiten beraten. Von ihm stammt eine vorsichtige Schätzung, die Anfang 1982 das Vermögen allein des sogenannten »Istituto per le opere religiosi« (IOR), der Geldwaschanlage des Papstes, auf zehn Milliarden US-Dollar bezifferte. Dieses fromme Institut, 1942 von dem geldsachverständigen Pius XII. gegründet und künftig von den Päpsten kontrolliert, ist nicht die Bank des Vatikans, wie Schönredner schreiben, sondern die des jeweiligen Papstes.[109]
Man ist nicht eben untätig. Investitionen fanden sich in den sechziger Jahren beispielsweise bei Beretta, dem Hersteller von Handfeuerwaffen, und beim Istituto Farmacologico Serono, das Empfängnisverhütungsmittel produzierte.[110] Die Società Generale Immobiliare, deren Mehrheit dem Papst gehörte, war unter anderem an der Erstellung des Watergate-Komplexes in Washington, D. C., beteiligt.[111] Unter der Leitung des Herrn Sindona verwandelte sich diese Gesellschaft in eine der blühendsten und bedeutendsten Immobilienfirmen der Welt, und der Mehrheitsaktionär, der Stellvertreter Christi auf Erden, konnte sich freuen. Seiner Società gehörten zumindest anteilig nicht nur der Watergate-Komplex, sondern auch die Paramount-Studios in Hollywood, einige hundert Grundstücke für Ferienwohnungen in Oyster Bay, Long Island, sowie in Montreal das Stock Exchange Building, der höchste Wolkenkratzer der Welt, und der Port Royal Tower.[112] Hinzu kamen luxuriöse Wohnsiedlungen in ganz Italien, Golfplätze und Hotelanlagen in aller Welt, Läden an den Champs-Élysées in Paris.
Auf diesem Hintergrund erschien es als Beweis besonderer Hirtensorge, als Kardinal Vagnozzi, der mit der vatikanischen Wahrheit schon in der Affäre Sindona keine Schwierigkeiten hatte, öffentlich erklärte, der Gesamtbesitz des Vatikans an Aktien und Immobilien beliefe sich auf weniger als 125 Millionen Dollar.[113] Moral? Wo liegt sie versteckt, wenn Päpste bei passender Gelegenheit von ihrer Armut faseln und ihre Schäfchen unter Hinweis auf die defizitären Verhältnisse des Hl. Stuhls zur Kasse bitten? Der Herrenmoral ent-

spricht die Knechtshaltung derjenigen, die noch immer zahlen, ohne sich endlich informieren zu lassen.
Wer den Vatikan mit Spenden bedient oder Kirchensteuer abführt, muß wissen, was er finanziert: Er bezahlt bestimmte politische Vorlieben des jeweiligen Papstes mit und trägt dazu bei, die Fehlspekulationen von Kirchenfürsten mit seinem Scherflein auszugleichen. Denn die Vatikanbank zahlt noch immer einen Teil der Riesensummen zurück, die ihr als Frucht der kriminellen Aktivitäten von Prälaten zuflossen.[114] Der Vatikan hat sich jedenfalls bereit erklärt, wenigstens 250 Millionen Dollar an die durch den Bankrott des Roberto Calvi geschädigten Gläubiger zurückzuerstatten. Interessant, daß der Vatikan freiwillig und »ohne Anerkenntnis einer Schuld« zahlt; eine in Finanzkreisen einmalige Geste.
Wojtyla mußte Vorsorge treffen, seine Einkünfte entsprechend anzuheben; so wurden unter anderem Kunstschätze des Vatikans zum erstenmal in der Geschichte auf Weltreise geschickt und die Exklusivrechte an der Berichterstattung über die Restaurierung der Sixtinischen Kapelle an eine japanische Gesellschaft verscherbelt.[115] Der Papst sah sich schließlich sogar gezwungen, das Jahr 1983 zu einem »außerordentlichen Heiligen Jahr« zu erklären, das Pilger und Geld einbringen sollte.[116] Da auch dies nicht im erhofften Ausmaß half, versuchte man sich mit dem Vertrieb von Schallplatten, die die Ansprachen des Stellvertreters Christi musikuntermalt unters Volk bringen sollten: Allein für 1987 rechneten Prälaten einen Reinertrag von 13 Millionen Dollar aus den womöglich verkauften 30 Millionen Platten hoch.[117]
Freilich gibt es seit kurzem einen Kommentar aus berufenerem Munde zu den 250 Millionen Nachzahlung. Im Frühjahr 1991 gelang es den WDR-Journalisten E. Sieker und H. Blondiau, einen Hauptakteur in seiner toskanischen Villa zu interviewen, der sich bisher aus guten Gründen bedeckt hielt. Lucio Gelli, der gleich noch als der eigentliche Drahtzieher in Italien und im Vatikan vorzustellen sein wird, ist ein Mann, der es wissen muß. Er sagte in der Sendung des WDR vom 30. April 1991: »Genauso bekannt war mir, daß der Vatikan sehr viel Geld verdient haben mußte, um danach in der Lage zu sein, 250 Millionen Dollar zurückzugeben. Wie man

weiß, nimmt die Kirche, aber sie gibt nicht. Das bedeutet: Wenn die Kirche in diesem Fall gegeben hat, dann muß sie vorher enorm viel genommen haben... Das liegt auf der Hand. Wenn überhaupt, empfängt die Kirche Barmherzigkeit, sie gibt sie aber nicht an andere.«

Erzbischof Marcinkus, den der Ex-Mafioso Ledl in diesem Interview mit dem WDR als »eiskalt, berechnend, lächelnd über Leichen gehend« beschrieb, sagte noch in einem Interview vom März 1982 über Calvi: »Er verdient unser Vertrauen. Daran zu zweifeln gibt es für mich keinen Grund.«[118] Calvi war damals schon zu vier Jahren Gefängnis und einer Geldstrafe von 13,7 Millionen Dollar verurteilt. Und der Milliardenschaden, den Calvi dem Kirchenfürstentum zugefügt hatte, war Marcinkus zum Zeitpunkt seines Interviews bereits seit sieben Monaten bekannt. Kein Grund, den Komplizen nicht zu decken?

In dem erwähnten WDR-Interview meinte der italienische Publizist Leo Sisti über das geistige und moralische Klima jener Komplizen-Jahre im Vatikan: »Calvi lenkte das Geld um, und Marcinkus stand Schmiere.« Und nach dem angeblichen Selbstmord Calvis (London, Juni 1982) äußerte seine Witwe den Verdacht, ihr Mann sei von Mördern getötet worden, die der Vatikan gedungen habe, »um den Bankrott der Vatikanbank vertuschen zu können«[119]. Wer die Geschichte der Kirchenfürsten auch nur ansatzweise kennt, wird zumindest historische Parallelen ausmachen, die den Verdacht dieser Frau nicht ganz unwahrscheinlich machen. Denn die Kirche heiligt die Mittel.

Nur eine kleine Auswahl aus der Papstgeschichte[120]: Benedikt VII. wurde 983 von seinem Nachfolger umgebracht; dasselbe Mißgeschick passierte auch Johannes XIV. im darauffolgenden Jahr; Bonifaz VII., der Verantwortliche, wurde seinerseits ein Jahr darauf ermordet, verstümmelt und durch die Straßen Roms geschleift. Eine an Clemens II. (†1047) durchgeführte Autopsie erbrachte Anhaltspunkte für einen Giftmord. Lucius II. starb 1145 eines gewaltsamen Todes. Leo X. entging 1517 nur knapp einem von Kardinälen geplanten Mordanschlag. Und im 20. Jahrhundert? Der Tod des Papstes Pius XI. (1939) soll, so halten sich Gerüchte bis heute, von

Mussolini mitinszeniert worden sein;[121] der Ratti-Papst paßte, obwohl er anfangs den Duce als Geschenk der Vorsehung begrüßt hatte[122], nicht mehr ins Kalkül.
Der Duzfreund und Geschäftspartner Calvis, Marcinkus, sollte übrigens von Papst Johannes Paul II. einen langjährigen Herzenswunsch erfüllt bekommen und zum Kardinal erhoben werden[123]; nur der Einwand des päpstlichen Außenministers Agostino Casaroli (auch sein Name stand auf der Freimaurer-Liste), der angesichts der schwerwiegenden Verfehlungen des Kandidaten einen weltweiten Gesichtsverlust des Kirchenfürstentums befürchtete, ließ Wojtyla von seinem Plan Abstand nehmen. Fürs erste? Man weiß nie. Offensichtlich wiegen bei Wojtyla Sünden im Bett (falls es sich nicht um Oberhirten handelt) schwerer als Finanzverbrechen. Das könnten sich alle merken, die immer noch zur Beichte gehen.
Der gegenwärtige Pontifex maximus, der lateinamerikanische Priester wegen ihrer politischen Betätigung tadelt (die nicht ins Herren-Konzept paßt), schleust Millionen nach Polen, um dort, wo die Uhren anders gehen als sonst auf der Welt, Polithirten zu fördern. Die Gesamtsumme der Gelder, die im Auftrag des Vatikans heimlich in die Kassen der Walesa-Solidarität flossen, betrug schon 1984 über 100 Millionen Dollar.[124] Diese Privilegierung ist nicht neu; schon Pius IX., der die Gewissensfreiheit bekanntlich als »abgeschmackte Faselei« abtat, hielt 1863 eine Bittprozession für »Polen, das Bollwerk des Christentums« ab.[125]
Präsident Walesa hat allen Grund, sich die Madonna ans Revers zu heften, auf Staatskosten eine Kapelle zu Ehren der »gesegneten Jungfrau Maria, Königin von Polen« im Präsidentenpalast errichten zu lassen, auf den intensiven Marienverehrer Wojtyla zu setzen und diesen nach wie vor mit einem Kniefall zu begrüßen. Auf einem heimlich mitgeschnittenen Tonband sagt der wissende Calvi: »Wenn Casaroli je einem dieser Finanziers in New York begegnen sollte, die für Marcinkus arbeiten, Geld an die ›Solidarität‹ schicken, dann würde im Vatikan kein Stein auf dem anderen bleiben. Oder wenn Casaroli auch nur eines von diesen Blättchen Papier fände, von denen ich weiß – dann gute Nacht, Marcinkus. Gute Nacht, Wojtyla. Gute Nacht, Solidarität... Wenn die Dinge in Italien einen

bestimmten Lauf nehmen sollten, dann wird sich der Vatikan ein Gebäude in Washington, hinter dem Pentagon, mieten müssen, ganz schön weit weg vom Petersdom.«[126]
Einmal mehr erleben wir einen Pontifikat der Doppelmoral mit, einen neuerlichen Petrus-Skandal. Der Journalist David Yallop fällt ein vernichtendes Urteil über den Hirten Wojtyla: »Das Pontifikat Johannes Pauls II. hat sich als Glücksfall für Geldjongleure und Krämerseelen, für Kriecher und Lumpen, für internationale Polit- und Finanzgangster ... erwiesen.«[127]
Auch unter Johannes Paul II. finden sich Ansätze eines erneuten Nepotismus. Der »Macharski-Skandal« wirbelte beispielsweise einigen Staub auf. Während Eugenio Pacelli, später Pius XII., zwölf Jahre hatte wachen und beten müssen, bis er den Sprung vom einfachen Bischof zum weit einflußreicheren Kardinal machen durfte, Angelo Roncalli, später Johannes XXIII. iunior, sogar 19 Jahre, Giovanni Montini (Papst Paul VI.) neun Jahre und Wojtyla selbst auch neun, brach der Nachfolger Wojtylas in Krakau, Franciszek Macharski, alle Rekorde: Ende Oktober 1978 noch einfacher Priester, war er Ende Dezember schon Erzbischof und bereits im Juni des folgenden Jahres Kardinal.[128]
Daß der amtierende Papst seine Kardinäle nach eigenem Gusto kreiert, ist im Kirchenfürstentum nicht ungewöhnlich; schließlich sind Kardinäle stets Kreaturen des jeweiligen Pontifex. Bei der Erhebung von 1991 findet sich neben den – gleichsam von Dienstalters wegen – beförderten Kurienmitgliedern der knapp 90jährige Jesuit Paul Dezza. Dieser hatte sich Wojtyla dadurch empfohlen, daß er zwischen 1981 und 1983 den größten Orden der Kirche wieder auf Vordermann brachte und die zeitweilig als rebellische Denker geltenden Jesuiten völlig dem Papst unterwarf. Johannes Paul II. ernannte auch »Bischöfe aus dem Untergrund« zu Kardinälen, Hirten also, die ihre Kreation vor allem dem Umstand zuschreiben dürfen, sich vor der Wende in Osteuropa unbeliebt gemacht zu haben. Das ist kirchenpolitische Taktik, zumal Wojtylas Zeichen »eindeutig nach Osten gerichtet«[129] sind und der Papst sich für das Kirchenfürstentum eine blühende Zukunft verspricht, wenn die entstandenen weltanschaulichen Lücken möglichst perfekt durch Hirten-Ideolo-

gien gefüllt werden. Auch die Erhebung des Berliner Oberhirten Sterzinsky zum Kardinal weist in diese Richtung; Bischof Karl Lehmann (Mainz), der Vorsitzende der Deutschen Bischofskonferenz, dem persönliche Gegensätze zu Wojtyla nachgesagt werden (was ihm Augenmaß bescheinigt), hatte 1991 das Nachsehen.
Wojtylas Wende nach Osten hat nicht allein ideologische Gründe. Handfeste materielle und politische Interessen sind im Spiel. Bei seinem Besuch in Ungarn unterstützte Johannes Paul II. im August 1991 die Unabhängigkeitsbestrebungen Kroatiens. Wie erwähnt, hatte der Vatikan schon zu Hitlers Zeiten merkwürdig intensive Beziehungen zum katholischen Regime dieses Landes[130] – und die gilt es, unter gewandelten Umständen zu pflegen. Ob schon ein Hirte mit Geld bereitsteht? Ich erinnere daran, daß das Kirchenfürstentum in Sachen Geld und Geldwaschsysteme größten Stils der Schulmeister ganz Europas war und auch in Geheimdienst-Angelegenheiten geldwerte historische Vorsprünge vor CIA und KGB besitzt. Und daß noch keine Kirchenreform je die Finanzen der Gewaltigen im Fürstentum tangierte.
Bei gleicher Gelegenheit mahnte Wojtyla denn auch die Ungarn, die materiellen Mittel nicht zu verweigern, die die Kirche brauche, »um ihre Mission erfolgreich erfüllen zu können«.[131] Der Papst wußte, was er wollte. Die Missionstätigkeit seiner Kirche hatte es immerhin geschafft, bis zur Bodenreform von 1945 in Ungarn rund 575000 Hektar Grund anzusammeln und die Bischöfe zu den größten Grundbesitzern im Land werden zu lassen.[132]
Was gibt es noch Neues von Wojtyla? Zur Überraschung aller Nichteingeweihten, also der Mehrheit der gläubig-gehorsamen Gotteslämmer, erschien in dem zum 27. November 1983 in Kraft getretenen Kirchenrechtsbuch der Passus, die Zugehörigkeit zu einer Freimaurerloge ziehe künftig keine automatische Exkommunikation mehr nach sich. Woher dies? Nach so vielen und so langwierigen Kämpfen der Wahrheit gegen den Irrtum? Der Papst hatte seine Gründe: Sein Kardinalstaatssekretär, Jean Villot, der zweite Mann im Staat, blieb bis zu seinem Tod Mitglied einer Loge (aufgenommen in Zürich am 6. 8. 1966). Kardinal Baggio, Legat Pauls VI. in Sachen Cody, war am 14. August 1957 Freimaurer geworden.[133]

Prälat Macchi, wie erwähnt Privatsekretär Pauls VI. und damit einer der einflußreichsten Männer im Vatikan, stand auf der ominösen Logen-Liste, die Papst Johannes Paul I. zu Gesicht bekommen hatte.[134]

Die italienische Loge P 2 lehnt ihren Namen an den einer Vorgängerin an, die 1848 von Giuseppe Mazzini geführt worden war. Mit der Hilfe der P 2 tätigte der Vatikan Milliardengeschäfte und nahm maßgeblichen Einfluß auf die italienische Politik. Sie war von Vertrauensleuten, auch Kirchenfürsten, durchsetzt. Ihr gehörten zwei amtierende Kabinettsmitglieder an, viele Angehörige des italienischen Geheimdienstes und der Militärhierarchie, Diplomaten, Industrielle, Polizeibeamte, Bankiers, Journalisten (unter diesen der Herausgeber der angesehensten Zeitung Italiens, des »Corriere della Sera«). Auch die republikanische Partei der USA war repräsentiert.[135]

Eines schönen Tages flog die Loge auf, und ihr Gründervater Licio Gelli, der sich den maurerischen Titel »Höchster Regulator des Universums« zugelegt hatte[136], um seinen Einfluß kundzutun, mußte sich zunächst einmal nach Südamerika absetzen. Das letzte Wort scheint in der Angelegenheit allerdings noch nicht gesprochen: Italiens Staatspräsident Cossiga versuchte im Frühjahr 1991, einigen Logenmitgliedern »Patriotismus« zuzusprechen und die gesamte Vereinigung wenigstens ansatzweise zu rehabilitieren.[137] Und Gelli läßt sich mittlerweile von der ARD interviewen.

Der heimliche Herrscher Italiens hatte sich einmal das halbe Land verpflichtet; unter denen, die ihm Dank schulden, sind die Politiker Bettino Craxi, früherer Premier, und Giulio Andreotti, zur Zeit Ministerpräsident, der schon 1984 zwei Mißtrauensanträge im Parlament in Sachen Gelli überstehen mußte.[138] Craxi, Chef des Partito Socialista, hatte im übrigen vor Jahren über Calvi 30 Millionen Dollar Spendengeld erhalten; er galt als kommender Mann.[139]

Die Beziehungen Gellis konnten sich immer sehen lassen. An der Hochzeit seiner Tochter Maria Grazia hatten Robert McNamara, Direktor der Weltbank, Henry Kissinger und Richard Nixon teilgenommen.[140] Bei der Amtseinführung von Jimmy Carter wie von Ronald Reagan stand Gelli, Duzfreund des Kardinals Bertoli, auf der

Liste der Ehrengäste. Und noch eine Besonderheit dieses Herrn: Er sammelte Fotos, Schnappschüsse zum Beispiel, die Wojtyla nackt an seinem Swimmingpool auf der Dachterrasse des Vatikanpalastes zeigten.[141]

Ein hüllenloser Heiliger Vater? Es gibt Schlimmeres. Beispielsweise die Zusammenstellung von – zufälligen? – Ereignissen aus der Regierungszeit Johannes' Pauls II., die aufdecken, wie dünn das Mäntelchen ist, das der Papst trägt. Bei Wojtyla weiß die linke Hand nicht, was die rechte gerade tut. Für diese unter Nicht-Hirten als doppelbödig geltende Haltung gibt es viele Beweise. Ich führe einige an:

▷ Wojtyla predigt 1978, er sei sich, als Bischof von Rom, »sehr wohl darüber im klaren, was Evangelisierung und Seelsorge in einer Stadt bedeuten, deren historisches Zentrum reich ist an Kirchen, die niemand mehr besucht, während gleichzeitig neue Stadtteile und Siedlungen entstehen, für die man, oft unter Kämpfen, dafür sorgen muß, damit sie neue Kirchen, neue Pfarreien und die anderen Grundvoraussetzungen für die Verkündigung des Evangeliums erhalten«[142]. Zugleich trennt er sich nicht von dem kompromittierten Kardinalvikar Poletti, sondern bestätigt diesen als verantwortlichen Hirten für ebendieses Rom.

▷ Vor der Amerikanischen Bischofskonferenz sagt der Papst 1979 über das Hirtenamt: »Das Vatikanische Konzil betont die Rolle des Bischofs bei der Verkündigung der vollen Wahrheit des Evangeliums und der Proklamation des ›unverkürzten Geheimnisses Christi‹ . . . Ich bin sicher, daß meine und eure Nachfolger diese Forderung vertreten werden, bis Christus wiederkommt in Herrlichkeit.«[143] Als Wojtyla dies predigt, denkt er vielleicht daran, daß er gerade 50000 Dollar Schwarzgeld aus dem Geheimfonds des Kardinals Cody einstecken durfte.

▷ 1979 erklärt Wojtyla in Dublin, daß die Laien »in allen sittlichen Fragen, die die Echtheit des christlichen Lebens betreffen, auf die Bischöfe als ihre Führer, Hirten und Väter blicken«[144]. Daß die angesprochenen Laien auch auf Bischöfe wie Marcinkus und Benelli, Villot und Baggio, ja Cody als Führer, Hirten und Väter blicken könnten, sagt Wojtyla, der zu dieser Zeit schon alles wissen muß, wohlweislich nicht.

▷ Auf den Philippinen verkündet Johannes Paul II. den dortigen Priestern und Seminaristen: »Die Kirche braucht das Zeugnis des um des Gottesreiches freiwillig übernommenen Zölibats ihrer Priester. Der Zölibat steht nämlich keineswegs im priesterlichen Leben am Rande. Er gibt Zeugnis für eine Dimension der Liebe, die an der Liebe Christi selber Maß genommen hat.«[145] Zu ebendieser Zeit weiß er schon, daß er Chicagos Oberhirten, der anderweitig Maß für seine Liebe nahm, trotz tausendfacher Proteste in seinem Amt belassen wird.

▷ Papst Wojtyla schärft immer wieder die Liebe und die Treue zu Äußerlichkeiten ein: »Zur Treue gehört ferner die genaue Einhaltung der liturgischen Normen, welche die kirchliche Autorität erlassen hat. Abzulehnen ist daher auch jene Haltung, die willkürlich und ohne amtliche Billigung Neuerungen einführt... Die Treue bezieht sich auch auf die große Disziplin der Kirche... Sie ist nicht von der Art, daß sie niederdrückt oder, wie man sagt, abtötet; sie will vielmehr die rechte Ordnung des mystischen Leibes Christi schützen...«[146] Als er vermeintlich so unangreifbar über die Treue und die Disziplin predigt, schützt er Finanziers, die Unterschlagungen in Millionenhöhe begingen, und vertraut ihnen die Zukunft der vatikanischen Finanzen an.

▷ Im Juni 1984 spricht dieser Papst in der Schweiz über Ethik im Bankwesen und meint, »auch die Welt der Hochfinanz ist eine Menschenwelt, unsere Welt, und muß sich daher an unseren moralischen Maßstäben messen lassen«[147]. Während Wojtyla so zum Fenster hinaus predigt, gewährt er einer Reihe mutmaßlicher Großbetrüger, durchweg Manager der kirchenfürstlichen Hochfinanz, Unterschlupf.

▷ Als Johannes Paul II. die Apartheid in Südafrika mit herben Worten geißelt, macht sich seine Hausbank daran, der Apartheids-Regierung einen 172-Millionen-Dollar-Kredit zu gewähren.[148]

▷ Im Dezember 1985 finden bei Bombenanschlägen in Wien und Rom 20 Menschen den Tod. Der Papst verurteilt die für diese

Terrorakte Verantwortlichen (die in Libyen zu suchen waren, wie jeder wußte) auf das schärfste. Zwei Tage nach der Bombenexplosion handelt der Bevollmächtigte der Vatikanbank in Tripolis Modalitäten eines Millionenkredits für Libyens Staatschef Ghaddafi aus.

▷ »Die Welt muß wissen, daß Afrika in Armut versinkt«, stellt Wojtyla im Januar 1990 fest. Wer sein Herz vor solchem Elend verschließe, mache sich der »brudermörderischen Verelendung« schuldig. Im September desselben Jahres weiht der Papst die Basilika »Unsere Liebe Frau vom Frieden« im Geburtsort des Diktators der Elfenbeinküste und nimmt den Protzbau nebst einem Park (dreimal so groß wie der Vatikan) zum Geschenk an.[149]

Protzen ist hirtenübliches Stilmittel; das weiß der Diktator, dessen Land inzwischen zahlungsunfähig ist. 7800 Quadratmeter an Glasfenstern wurden verbaut, dreimal soviel wie in der Kathedrale von Chartres, 120000 Quadratmeter Marmor aus Italien in das Land am Rand der Sahelzone geschafft, um eine Triumphstraße für Johannes Paul II. zu pflastern. Ein Palast mit 20 Luxuszimmern, die »Päpstliche Afrika-Residenz«, wurde errichtet, um Wojtyla und sein Gefolge für eine einzige Nacht zu beherbergen. Fast 1900 Scheinwerfer zu 1100 Watt strahlen den afrikanischen Petersdom an; neun Familien von zehn verfügen an der Elfenbeinküste nicht über Strom. Nur jeder zwölfte Einwohner des Landes ist katholisch. Das muß sich ändern, meint Wojtyla und gibt die Losung von der »Afrikanisierung der Kirche« aus. Der Dom des Diktators, mittlerweile im Besitz des Kirchenfürstentums, ist gewiß ein Markstein auf dem Weg in diese Richtung.

Wie aber will Wojtyla dem Verdacht begegnen, ein Papst mit gespaltener Zunge zu sein, und glaubwürdig eine Option für die Armen vertreten, wenn er Tag für Tag zuallererst die Option für den Reichtum seiner Kirche wahrt? Zwar wird man dem obersten Kirchenfürsten nicht direkt vorwerfen, daß die Stadtverwaltung der hochverschuldeten Metropole Rio de Janeiro zu seinem Besuch im Jahre 1980 die Statue Christi auf dem Corcovado-Berg mit Hilfe einer halben Million Liter Wasser und einigen Tonnen Reinigungsmittel waschen ließ, damit sie »so weiß wie die Soutane des Papstes« würde.[150] Doch weihte Johannes Paul II. damals eine Kapelle ein, anstelle derer fünfhundert Wohnungen für die Armen hätten errichtet werden können. Eine wohlfeile Begründung für diese Bereicherungsmoral bot der Papst in Abidjan, als er das materielle Wohlbefinden seiner Organisation mit dem Wachsen des »Gottesreiches« identifizierte: »Das Reich Gottes in uns wächst nicht ohne Mühe und Anstrengung. Man baut Kirchen nicht mühelos, nein. Ich weiß,... welche Opfer ihr für den Bau bringt. Die darüber erstaunt sind, daß man Kirchen baut, statt alle Mittel für die Verbesserung des materiellen Lebens einzusetzen, haben den Sinn für die geistlichen Wirklichkeiten verloren; sie verstehen nicht den Sinn des Wortes Christi: ›Der Mensch lebt nicht vom Brot allein‹ (Mt 4, 4).«[151]

Durch die zweite Reise von Papst Johannes Paul II. nach Brasilien entstanden für die Städte, die das katholische Kirchenoberhaupt im Oktober 1991 besuchte, Kosten in Höhe von sieben Milliarden Cruzeiros (rund 23,6 Millionen Mark). Maceio, die Hauptstadt des armen nordöstlichen Bundesstaates Alagoas investierte in eine dreistündige Visite Johannes' Pauls II. allein zehn Millionen Mark. Ein neuerbautes Amphitheater sollte die rund eine Million Menschen fassen, die zur Papstmesse erwartet wurden.

Für die Gottesdienste in zehn Städten Brasiliens, die der Papst vom 12. bis 21. Oktober besuchte, wurden riesige Freiluftaltäre errichtet. Über Lautsprecheranlagen sollten die Ansprachen des Papstes kilometerweit hörbar sein.

Der Papst redet, lamentiert, klagt an. Zu einer Verbesserung der Zustände trägt er sowenig bei wie seine Vorgänger. Anstatt endlich, nach zweitausend Jahren, mitanzupacken und selbst Opfer zu bringen, saugt seine Organisation mit aus. Sie knebelt seit Jahrhunderten nicht nur geistig (»der Mensch lebt nicht nur vom Brot«). Sie verbraucht nachweislich auch ein Vielfaches dessen, was sie gibt, für ihren Funktionärskader und dessen sorgenfreies Leben.

Die Moral von der Geschichte? Ein brasilianischer Bischof höhnt bereits, in seinem Land habe »heute jeder sein Papstzitat«[152], denn

Wojtyla sagte in alle politischen Richtungen etwas. Kirchenfürsten lieben opportunistische Haltungen; anders hätte ihr Reich nicht überlebt. Sie schätzen von Berufs wegen prostitutive Argumentationen. Sie scheuen sich nie, Bibelworte und Vernunftgründe so lange zu drehen und zu wenden, bis sie zu ihren augenblicklichen Interessen passen. Und die Mär vom Hirten und der Herde erwies sich, weltgeschichtlich gesehen, als eine der verderblichsten Ideologien, die sich Menschen gegen Menschen ausdenken können. Denn sie ist verantwortlich für eine weltgeschichtlich einmalige Doppelmoral, die den Schafen fromme Sprüche, den Hirten gutes Geld einbringt. Denn der sogenannte Gläubige gehört sich nicht; er kann nur Mittel sein, er muß verbraucht werden, er hat jemanden nötig, der ihn verbraucht.[153]

Was die vatikanische Ethik vom guten Hirten betrifft, könnte als Merksatz gelten: Moral trägt der gelernte Kirchenfürst nur stundenweise, von Fall zu Fall, wenn und solange sie eben paßt. Der Oberhirte täuscht dann eine Verhaltensweise vor, die in bestimmten Situationen anzuwenden ist, weil irgendwelche Beobachter – oder die Weltöffentlichkeit – einem gerade auf die Finger sehen. Gott sei Dank, wird er sich sagen, daß der größte Teil der Amtszeit nach anderen, konträren Moralvorstellungen abläuft.

Offenbar merken immer mehr Menschen, wie wenig sie von solchen Oberhirten haben. Während 1980 noch 64 Prozent der Bundesdeutschen den amtierenden Papst für »ausgezeichnet« bis »gut« hielten, sind es neun Jahre später nur noch 29 Prozent, die zu diesem Urteil kommen.[154] Manchmal denke ich mir, daß der alte Pseudo-Malachias, eine der besseren Fälschungen der Kirchengeschichte, mit seinen Weissagungen über die Zukunft der Päpste doch nicht so unrecht hatte. Nach seiner Prophezeiung (aus dem 16. Jahrhundert) soll es nach Wojtyla nur noch einen Papst geben – und mit diesem Petrus II. Romanus das Ende kommen.[155] Vielleicht ist das wahr. Stürbe das Kirchenfürstentum endlich, gäbe es jedenfalls eine Gewinnerin: die Menschheit.

Literaturhinweise und Anmerkungen

I. Inspektion einer Herren-Kultur

1 Vgl. H. Herrmann, Die Kirche und unser Geld. Daten-Tatsachen-Hintergründe, Hamburg 1990, S. 98–101
2 Ders., a.a.O., S. 61–104, mit Beispielen
3 Vgl. H. Fuhrmann, Von Petrus zu Johannes Paul II. Das Papsttum: Gestalt und Gestalten, München 1980, S. 206
4 L. v. Ranke, Die römischen Päpste in den letzten vier Jahrhunderten, Wien o. J., S. 805
5 H. Herrmann, Papst Wojtyla. Der heilige Narr, Reinbek 1983, S. 219
6 Zitiert nach: K. Deschner, Opus diaboli. Fünfzehn unversöhnliche Essays über die Arbeit im Weinberg des Herrn, Reinbek 1987, S. 211 f.
7 Vgl. Herrmann, Papst Wojtyla, S. 220, und Deschner, Opus, S. 216
8 Zitiert nach: G. Czermak, Christen gegen Juden. Geschichte einer Verfolgung, Nördlingen 1989, S. 227
9 Zitiert nach: Czermak, a.a.O., S. 227
10 Vgl. Czermak, a.a.O., S. 228
11 K. Deschner/H. Herrmann, Der Anti-Katechismus. 200 Gründe gegen die Kirchen und für die Welt, Hamburg 1991, S. 151, auch zum folgenden
12 Ranke, a.a.O., S. 40
13 Fuhrmann, a.a.O., S. 172; Ranke, a.a.O., S. 770
14 Ranke, a.a.O., S. 770
15 Ders., a.a.O., S. 183 f.
16 Ders., a.a.O., S. 264
17 Ders., a.a.O., S. 273
18 Ders., a.a.O., S. 628
19 Ders., ebda.
20 Ders., a.a.O., S. 612 f.
21 Ders., a.a.O., S. 641 f. und 653
22 Ders., a.a.O., S. 724
23 Ders., a.a.O., S. 220
24 Ders., ebda.
25 Ders., a.a.O., S. 220
26 Ders., a.a.O., S. 229
27 Deschner, Opus, S. 15
28 Zitiert nach: U. Ranke-Heinemann, Widerworte. Friedensschriften und Streitreden, München 1989, S. 68
29 Zitiert nach: A. C. Hudal, Römische Tagebücher. Lebensbeichte eines alten Bischofs, Graz-Stuttgart 1976, S. 179
30 Hudal, a.a.O., S. 187 f.
31 Süddeutsche Zeitung vom 16. 8. 1991, S. 4 und 8

Warum wären viele auch mal ganz gern Papst geworden?

1 Wer ist wer? Das deutsche Who's who?, XXV. Ausgabe, Lübeck 1986, S. 877. J. Meisner, damals noch Bischof von Berlin, 1989 unter umstrittenen Umständen zum Erzbischof von Köln gemacht. Vgl. H. Herrmann, Schluß mit der Willkür des Papstes, in: STERN Nr. 51/1988 vom 15. 12. 1988, S. 52 f.
2 L. Schöppe, Konkordate seit 1800. Originaltext und deutsche Übersetzung, Frankfurt a. M./Berlin 1964, S. 43 f.
3 H. Herrmann, Die Kirche und unser Geld. Daten-Tatsachen-Hintergründe, Hamburg 1990, S. 75
4 N. Lo Bello, Vatikan im Zwielicht.

Die unheiligen Geschäfte des Kirchenstaates, München 1990, S. 250
5 H. C. Zander, zitiert nach: H. Herrmann, Papst Wojtyla. Der heilige Narr, Reinbek 1983, S. 13
6 Vgl. A. Holl, Mystik für Anfänger, Stuttgart 1977, S. 13
7 H. Herrmann, Die sieben Todsünden der Kirche. Ein Plädoyer gegen die Ausbeutung von Menschen, München 1992, S. 35
8 Vgl. H. Fuhrmann, Von Petrus zu Johannes Paul II. Das Papsttum: Gestalt und Gestalten, München 1980, S. 29f.
9 Zitiert nach: Herrmann, Papst Wojtyla, S. 106
10 H. E. Feine, Kirchliche Rechtsgeschichte. Bd. I Die katholische Kirche, Weimar 1950, S. 101; Fuhrmann, a.a.O., S. 90; K.-H. Ohlig, Braucht die Kirche einen Papst? Umfang und Grenzen des päpstlichen Primats, Düsseldorf 1973, S. 63; S. Sipos/L. Galos, Enchiridion iuris canonici, 6. Aufl. Rom 1954, S. 149, Anm. 20
11 W. Raith, Ein Zwitter in Sankt Peter? Über die Schwierigkeiten des Westens, die Hintergründe für den Machtzuwachs des Papstes zu erkennen, in: taz vom 16. 3. 1991, S. 16
12 Herrmann, Kirche, S. 109
13 Zitiert nach: K. Deschner, Kriminalgeschichte des Christentums, Bd. II Die Spätantike, Reinbek 1988, S. 111f.
14 Vgl. Herrmann, Papst Wojtyla, S. 17
15 Vgl. Fuhrmann, a.a.O., S. 90
16 Ders., ebda.
17 Vgl. Fuhrmann, a.a.O., S. 23
18 J. Blank, zitiert nach: Deschner, Kriminalgeschichte, II, S. 55; vgl. Ohlig, a.a.O., S. 29 und 32
19 Deschner, Kriminalgeschichte, II, S. 58; Ohlig, a.a.O., S. 42 und 44
20 Vgl. Lo Bello, a.a.O., S. 11f., und Deschner, Kriminalgeschichte, II, S. 61
21 Lo Bello, a.a.O., S. 14; Ohlig, a.a.O., S. 45
22 Lo Bello, a.a.O., S. 12, und Deschner, Kriminalgeschichte, II, S. 65
23 K. Deschner/H. Herrmann, Der Anti-Katechismus. 200 Gründe gegen die Kirchen und für die Welt, Hamburg 1991, S. 138
24 Deschner, Kriminalgeschichte, II, S. 69
25 Ders., ebda, S. 69f., und Fuhrmann, a.a.O., S. 78–80
26 Zitiert nach: Deschner, Kriminalgeschichte, II, S. 70, dort auch umfangreiche Belege zum Thema
27 Ohlig, a.a.O., S. 55
28 Fuhrmann, a.a.O., S. 54
29 H. Kühner, Das Imperium der Päpste. Kirchengeschichte, Weltgeschichte, Zeitgeschichte. Von Petrus bis heute, Zürich/Stuttgart 1977, S. 119
30 Fuhrmann, a.a.O., S. 59
31 Zitiert nach: Kühner, a.a.O., S. 175
32 Zitiert nach: Kühner, a.a.O., S. 193f.
33 Kühner, a.a.O., S. 198
34 Ders., a.a.O., S. 214
35 Ders., a.a.O., S. 221
36 Ders., a.a.O., S. 224
37 Ders., a.a.O., S. 129
38 F. Gregorovius, zitiert nach: Kühner, a.a.O., S. 131
39 Kühner, a.a.O., S. 341
40 Deschner, Kriminalgeschichte, II, S. 81
41 Ders., ebda., S. 82
42 Ders., ebda., S. 86
43 Sermo 82, 1 zitiert nach: Ohlig, a.a.O., S. 9. Vgl. R. Schermann, Woran die Kirche krankt. Kritische Betrachtungen eines engagierten Priesters, Düsseldorf/Wien 1981, S. 168
44 Zitiert nach: Hudal, a.a.O., S. 13
45 Herrmann, Papst Wojtyla, S. 182
46 Fuhrmann, a.a.O., S. 92
47 Fuhrmann, a.a.O., S. 93
48 Ders., a.a.O., S. 94
49 Ders., a.a.O., S. 96f.

50 Deschner, Kriminalgeschichte, II, S. 90
51 Abbildung bei: Fuhrmann, a.a.O., S. 91
52 Vgl. Fuhrmann, a.a.O., S. 106
53 Ders., a.a.O., S. 185
54 Zitiert nach: Fuhrmann, a.a.O., S. 72
55 Vgl. dens., a.a.O., S. 16
56 J. A. Möhler, zitiert nach: Fuhrmann, a.a.O., S. 19
57 Vgl. Holl, a.a.O., S. 59
58 Zitiert nach: Schermann, a.a.O., S. 169
59 Zitiert nach: Fuhrmann, a.a.O., S. 182
60 Zitiert nach: Fuhrmann, a.a.O., S. 183
61 H.-J. Wolf, Neuer Pfaffenspiegel. Sünden der Kirche. Das Geschäft mit dem Glauben, Herrsching 1990, S. 595, Anm. 167
62 Fuhrmann, a.a.O., S. 33
63 Ders., a.a.O., S. 32
64 Ders., a.a.O., S. 32f.
65 W. Polkowski, Waffen aus Pergament, in: Frankfurter Rundschau vom 24. 12. 1990, S. 24
66 Abbildung bei: Fuhrmann, a.a.O., S. 41
67 Fuhrmann, a.a.O., S. 98
68 Ders., a.a.O., S. 103
69 L. v. Ranke, Die römischen Päpste in den letzten vier Jahrhunderten, Wien o. J., S. 215
70 Abbildung bei: Fuhrmann, a.a.O., S. 152
71 Abbildung ebda.
72 So der päpstliche Protonotar Minuzio Minucci, zitiert nach: Fuhrmann, a.a.O., S. 160
73 Fuhrmann, a.a.O., S. 164
74 K. Deschner, Ein Jahrhundert Heilsgeschichte. Die Politik der Päpste im Zeitalter der Weltkriege, Bd. I, Von Leo XIII. 1878 bis zu Pius XI. 1939, Köln 1982, S. 19; ders., Abermals krähte der Hahn. Eine Demaskierung des Christentums von den Evangelisten bis zu den Faschisten, Reinbek 1972, S. 439f.; ders., Opus diaboli. Fünfzehn unversöhnliche Essays über die Arbeit im Weinberg des Herrn, Reinbek 1987, S. 50f.
75 Fuhrmann, a.a.O., S. 170
76 Deschner, Heilsgeschichte, I, S. 31
77 Fuhrmann, a.a.O., S. 172
78 Anonymus, Das Encyclica-Büchel oder das Rundschreiben des Papstes vom 8. Dezember 1864. Explicirt für den Bürger und Landmann, München 1865, S. 51 f.
79 F. X. Seppelt/G. Schwaiger, Geschichte der Päpste. Von den Anfängen bis zur Gegenwart, München 1964, S. 420
80 Deschner, Heilsgeschichte, I, S. 51
81 Vgl. G. O. Sleidan, Deutschland und der Vatikan. Ein Beitrag zur politischen Orientierung, 2. Aufl. Berlin 1921, S. 36–42
82 Hudal, a.a.O., S. 143. Vgl. Sleidan, Deutschland, S. 38f.
83 Selbst Bischöfe waren nicht vor ihren Päpsten sicher, falls sie die »Frage« anders beantworteten als ihre Chefs: Hudal, a.a.O., S. 143
84 Deschner, Heilsgeschichte, I, S. 113f.
85 Ders., Heilsgeschichte, I, S. 352f.
86 Fuhrmann, a.a.O., S. 30
87 Zitiert nach: Wolf, a.a.O., S. 24
88 Zitiert nach: Wolf, a.a.O., S. 25
89 Wolf, a.a.O., S. 471
90 Hudal, a.a.O., S. 53f.
91 Fuhrmann, a.a.O., S. 144
92 Ders., a.a.O., S. 82
93 Vgl. Fuhrmann, a.a.O., S. 12
94 Vgl. dens., a.a.O., S. 15
95 Hudal, a.a.O., S. 34
96 Vgl. dens., a.a.O., S. 29
97 Zitiert nach: Hudal, a.a.O., S. 33
98 Vgl. Hudal, a.a.O., S. 147
99 Ranke, a.a.O., S. 617
100 Vgl. Kühner, a.a.O., S. 206f.
101 Vgl. dens., a.a.O., S. 210
102 Vgl. Fuhrmann, a.a.O., S. 132f., mit Abbildung

103 Zitiert nach: Fuhrmann, a.a.O., S. 135
104 Fuhrmann, a.a.O., S. 134
105 Ders., a.a.O., S. 137
106 Ders., a.a.O., S. 117
107 Ders., a.a.O., S. 120
108 Ders., a.a.O., S. 123
109 Vgl. Kühner, a.a.O., S. 143f.
110 Fuhrmann, a.a.O., S. 23
111 S. Sipos/L. Galos, Enchiridion iuris canonici, 6. Aufl. Rom 1954, S. 149
112 Details und Abbildungen bei: Fuhrmann, a.a.O., S. 31, 37, 47 und 78
113 Ranke, a.a.O., S. 39
114 Ders., a.a.O., S. 151
115 Ders., a.a.O., S. 446
116 Vgl. Fuhrmann, a.a.O., S. 212
117 Vgl. dens., a.a.O., S. 197f.
118 Ders., a.a.O., S. 62
119 Vgl. Wolf, a.a.O., S. 134
120 Vgl. ebda., S. 594, Anm. 155
121 Bundesministerium für das Post- und Fernmeldewesen, Hrsg., Ersttagsblatt Deutsche Bundespost 16/1984 Sonderpostwertzeichen »88. Deutscher Katholikentag München 1984«
122 G. Czermak, Christen gegen Juden. Geschichte einer Verfolgung, Nördlingen 1989, S. 266 und 348
123 Deschner, Kriminalgeschichte, II, S. 113
124 Vgl. Deschner, Kriminalgeschichte, II, S. 114
125 Ders., Kriminalgeschichte, II, S. 119
126 Ders., ebda., S. 121
127 Ders., ebda., S. 117
128 Ders., ebda., S. 112
129 Zitiert nach: Kühner, a.a.O., S. 261
130 H. Herrmann, Girolamo Savonarola. Der Ketzer von San Marco, München 1977, S. 303–309
131 Kühner, a.a.O., S. 290
132 Czermak, a.a.O., S. 217f.
133 Kühner, a.a.O., S. 293; Ranke, a.a.O., S. 189
134 A. Fraser, Maria Stuart. Königin der Schotten, Herrsching 1989, S. 344; Wolf, a.a.O., S. 250
135 Czermak, a.a.O., S. 219; Kühner, a.a.O., S. 297
136 Deschner, Heilsgeschichte, I, S. 112; Kühner, a.a.O., S. 374
137 Zitiert nach: Deschner, Heilsgeschichte, I, S. 105
138 Deschner, Heilsgeschichte, I, S. 179
139 Vgl. dens., ebda., S. 165–168
140 Ders., ebda., I, S. 171

Weshalb mußte das richtige Geld von den richtigen Leuten verteilt werden?

1 K. Deschner, Opus diaboli. Fünfzehn unversöhnliche Essays über die Arbeit im Weinberg des Herrn, Reinbek 1987, S. 35
2 Vgl. A. C. Hudal, Römische Tagebücher. Lebensbeichte eines alten Bischofs, Graz/Stuttgart 1976, S. 41 und 44f.
3 Hudal, a.a.O., S. 54
4 Ders., a.a.O., S. 152
5 K. Deschner, Abermals krähte der Hahn. Eine Demaskierung des Christentums von den Evangelisten bis zu den Faschisten, Reinbek 1972, S. 225
6 Ders., Abermals, S. 422
7 Vgl. H. Herrmann, Die Kirche und unser Geld. Daten – Tatsachen – Hintergründe, Hamburg 1990, S. 166f. und 211
8 Vgl. J. Bommer, Der Bischof, in: Anzeiger für die Seelsorge 4/1991, S. 134ff.
9 Zitiert nach: Bommer, a.a.O., S. 135
10 Bommer, a.a.O., S.136
11 R. Schermann, Woran die Kirche krankt. Kritische Betrachtungen eines engagierten Priesters, Düsseldorf/Wien 1981, S. 145
12 Vgl. A. Borst, Lebensformen im Mittelalter, Frankfurt a. M./Berlin/Wien 1979, S. 502ff.
13 Borst, a.a.O., S. 503
14 Ders., a.a.O., S. 525
15 E. v. Lehe, Geschichte des Landes Wursten, Bremerhaven 1973, S. 165

16 Ders., a.a.O., S. 134f.
17 Ders., a.a.O., S. 170
18 J. Markale, Die Druiden. Gesellschaft und Götter der Kelten, München 1989, S. 278. Vgl. K. Deschner/H. Herrmann, Der Anti-Katechismus. 200 Gründe gegen die Kirchen und für die Welt, Hamburg 1991, S. 38
19 H. R. Hilty, Risse. Erzählerische Recherchen, Bern 1977, S. 91
20 H. Fuhrmann, Von Petrus zu Johannes Paul II. Das Papsttum: Gestalt und Gestalten, München 1980, S. 219
21 Hilty, a.a.O., S. 19
22 Ders., a.a.O., S. 95
23 Ders., a.a.O., S. 31
24 Ders., a.a.O., S. 18
25 Ders., a.a.O., S. 93
26 Vgl. H. Herrmann, Vaterliebe. Ich will ja nur dein Bestes, Reinbek 1989, S. 132–136
27 Vgl. Hudal, a.a.O., S. 280
28 K. Deschner, Kriminalgeschichte des Christentums, Bd. I, Die Frühzeit, Reinbek 1986, S. 149. Vgl. W. Fricke, Standrechtlich gekreuzigt. Person und Prozeß des Jesus aus Galiläa, Reinbek 1988, S. 54
29 Abbildung bei: Fuhrmann, a.a.O., S. 88
30 Herrmann, Vaterliebe, S. 69f.
31 Zitiert nach: K. Deschner, Kriminalgeschichte des Christentums, Bd. II, Die Spätantike, Reinbek 1988, S. 144
32 Zitiert nach: Deschner, Kriminalgeschichte, II, S. 112
33 Zitiert nach: Deschner, Kriminalgeschichte, II, S. 147
34 Deschner, Kriminalgeschichte, II, S. 153
35 Vgl. Deschner, Kriminalgeschichte, II, S. 155
36 Deschner, Kriminalgeschichte, II, S. 234
37 H.-J. Vogt, Politische Erfahrung als Quelle des Gottesbildes bei Kaiser Konstantin d. Gr., in: Dogma und Politik. Zur politischen Hermeneutik theologischer Aussagen, Mainz 1973, S. 37, 41 und 52ff.
38 Deschner, Kriminalgeschichte, II, S. 172 und 254f.
39 Ders., Kriminalgeschichte, II, S. 173
40 Ders., Kriminalgeschichte, II, S. 223
41 Ders., Kriminalgeschichte, II, S. 237
42 Ders., Kriminalgeschichte, II, S. 173
43 Ders., Kriminalgeschichte, II, S. 183
44 Ders., Kriminalgeschichte, II, S. 197
45 Ders., Kriminalgeschichte, II, S. 198
46 Ders., Kriminalgeschichte, II, S. 201
47 Zitiert nach: Deschner, Kriminalgeschichte, II, S. 200
48 R. Krämer-Badoni, Judenmord – Frauenmord – Heilige Kirche, München, S. 268
49 A. Fraser, Maria Stuart. Königin der Schotten, Herrsching 1989, S. 258
50 Deschner, Kriminalgeschichte, II, S. 201f.
51 Zitiert nach: Deschner, Kriminalgeschichte, II, S. 202
52 Vgl. Hudal, a.a.O., S. 173ff.
53 Hudal, a.a.O., S. 177
54 Vgl. J. F. Bernard, Talleyrand. Diplomat-Staatsmann-Opportunist, München 1989, S. 7, 10, 25, 28, 39, 66, 87, 89f., 96, 104, 196, 228, 232, 292, 327, 483, und D. Cooper, Talleyrand, Leipzig o. J., S. 46, 106 und 158
55 Vgl. H. Herrmann, Mit Führer und Papst gen Osten. Lebenserinnerungen eines ehrlichen »Nazi«-Bischofs, in: H. Herrmann, Zu nahe getreten. Aufsätze 1972–1978, Frankfurt a. M./Bern/Las Vegas 1979, S. 255
56 Zitiert nach: K. Deschner, Ein Jahrhundert Heilsgeschichte. Die Politik der Päpste im Zeitalter der Weltkriege, Bd. II, Von Pius XII. 1939 bis zu Johannes Paul I. 1978, Köln 1983, S. 135
57 Zitiert nach: Deschner, Heilsgeschichte, II, S. 135
58 Hudal, a.a.O., S. 241

59 Zitiert nach: Deschner, Heilsgeschichte, II, S. 160
60 Hudal, a.a.O., S. 263
61 Ders., a.a.O., S. 21
62 Deschner, Heilsgeschichte, II, S. 402–404
63 Ders., Heilsgeschichte, II, S. 402. Zum Ganzen: E. Klee, Persilscheine und falsche Pässe. Wie die Kirchen den Nazis halfen, Frankfurt a. M. 1991
64 Hudal, a.a.O., S. 305 und 307
65 Ders., a.a.O., S. 311
66 Ders., a.a.O., S. 209
67 Ders., a.a.O., S. 209f.
68 Zu Sr. Pasqualina vgl. N. Lo Bello, Vatikan im Zwielicht. Die unheiligen Geschäfte des Kirchenstaates, München 1990, S. 32–40, und Deschner, Heilsgeschichte, II, S. 359
69 Hudal, a.a.O., S. 131
70 Ders., a.a.O., S. 134
71 Zitiert nach: Hudal, a.a.O., S. 107
72 Zitiert nach: Hudal, a.a.O., S. 108
73 Deschner, Heilsgeschichte, II, S. 73f., 128 und 355f.
74 Zitiert nach: Hudal, a.a.O., S. 80
75 Deschner, Heilsgeschichte, II, S. 73
76 Ders., Heilsgeschichte, II, S. 148 und 376f.
77 Ders., Heilsgeschichte, II, S. 350; Hudal, a.a.O., S. 221
78 Deschner, Heilsgeschichte, II, S. 147f. und 376f.
79 Hudal, a.a.O., S. 235
80 Ders., a.a.O., S. 121
81 Ders., a.a.O., S. 81 und 200
82 Zitiert nach: Hudal, a.a.O., S. 211
83 Hudal, a.a.O., S. 215 und 225
84 Vgl. dens., a.a.O., S. 194 und 211
85 Hudal, a.a.O., S. 218
86 Zum ganzen Komplex vgl. H. Herrmann, Heil Jesus!, in: Konkret, Heft 3/März 1988, S. 55f., sowie S. Rahner, F. H. Richter, S. Riese, D. Stelter, »Treu deutsch sind wir – wir sind auch treu katholisch.« Kardinal von Galen und das Dritte Reich, Münster 1987
87 Richter/Stelter, a.a.O., S. 102
88 Dies., a.a.O., S. 103
89 Dies., a.a.O., S. 32
90 Dies., a.a.O., S. 47 und 102–104
91 Dies., a.a.O., S. 86
92 Dies., a.a.O., S. 99
93 Dies., a.a.O., S. 83

Wie hielten Kirchenfürsten sich da oben?

1 K. Deschner-H. Herrmann, Der Anti-Katechismus. 200 Gründe gegen die Kirchen und für die Welt, Hamburg 1991, S. 54
2 G. O. Sleidan, Deutschland und der Vatikan. Ein Beitrag zur politischen Orientierung, 2. Aufl. Berlin 1921, S. 38
3 Vgl. K. Deschner, Ein Jahrhundert Heilsgeschichte. Die Politik der Päpste im Zeitalter der Weltkriege, Bd. I, Von Leo XIII. 1878 bis zu Pius XI. 1939, Köln 1982, S. 137–169
4 Zitiert nach: Deschner, Heilsgeschichte, I, S. 237
5 G. O. Sleidan, »I. K. U.« Internationale Betätigungen des deutschen Katholizismus im Weltkrieg, Berlin 1918, S. 19
6 Sleidan, I. K. U., S. 9
7 Ders., ebda., S. 10
8 Zitiert nach: Deschner, Heilsgeschichte, I, S. 237
9 G. O. Sleidan, Papst, Kurie und Weltkrieg. Historisch-kritische Studie, 2. Aufl. Berlin 1918, S. 152
10 Sleidan, I. K. U., S. 32
11 Ders., ebda., S. 34
12 N. Koch, Die Bildungsrevolution. Ein medienphilosophisches Fazit, Witten-Bommern 1990, S. 46
13 Sleidan, I. K. U., S. 14
14 Ders., ebda., S. 28
15 E. Winter, Die Sowjetunion und der Vatikan, Berlin 1972, S. 176
16 Koch, a.a.O., S. 47
17 L. v. Ranke, Die römischen Päpste in den letzten vier Jahrhunderten, Wien o. J., S. 567

18 Leo XIII. am 20. 6. 1894, zitiert nach: Sleidan, Papst, S. 110
19 Acta Apostolicae Sedis VII/1915, S. 365; deutsch bei: Sleidan, Papst, S. 112
20 Enzyklika »Ad beatissimi Apostolorum principis« Benedikts XV. vom 1. 11. 1914; Acta Apostolicae Sedis VI/1914, S. 585. Zitiert nach: Sleidan, Papst, S. 113
21 Vgl. Sleidan, Papst, S. 114f.
22 Osservatore Romano Nr. 355 vom 25. 12. 1917
23 Osservatore Romano Nr. 348 vom 18. 12. 1917
24 Sleidan, Papst, S. 180
25 Ders., ebda., S. 181
26 Ders., ebda., S. 54–56
27 Ders., ebda., S. 62
28 H. v. Hülsen/J. Rast, Rom. Führer durch die Ewige Stadt, Darmstadt 1960, S. 247
29 Vgl. R. Pörtner, Operation Heiliges Grab, Düsseldorf/Wien 1977, S. 51–64
30 Zitiert nach: H. Herrmann, Ketzer in Deutschland, München 1982, S. 100
31 Herrmann, ebda., S. 66
32 Zitiert nach: Herrmann, Ketzer, S. 75
33 H. Döbler, Hexenwahn. Die Geschichte einer Verfolgung, München 1977, S. 226f. und 234–239
34 Ders., a.a.O., S. 128
35 Koch, a.a.O., S. 47
36 H. Herrmann, Papst Wojtyla. Der heilige Narr, Reinbek 1983, S. 121
37 Ders., Papst Wojtyla, S. 202ff. und 220
38 Kardinal P. Gasparri am 2.3. 1917. Zitiert nach: Sleidan, I. K. U., S. 22
39 Hülsen/Rast, a.a.O., S. 290
40 Ranke, a.a.O., S. 291
41 S. Rahner, F.H. Richter, S. Riese, D. Stelter, »Treu deutsch sind wir – wir sind auch treu katholisch.« Kardinal von Galen und das Dritte Reich, Münster 1987, S. 78f.
42 Zitiert nach: U. Ranke-Heinemann, Widerworte. Friedensschriften und Streitreden, München 1989, S. 187f.
43 Zitiert nach: Ranke-Heinemann, a.a.O., S. 188
44 B. Tuchman, Die Torheit der Regierenden. Von Troja bis Vietnam, Frankfurt a. M. 1989, S. 86
45 K. Deschner, Opus diaboli. Fünfzehn unversöhnliche Essays über die Arbeit im Weinberg des Herrn, Reinbek 1987, S. 76
46 Ders., ebda.
47 Zitiert nach: K. Deschner, Kriminalgeschichte des Christentums, Bd. I, Die Frühzeit, Reinbek 1986, S. 515
48 Ders., Kriminalgeschichte, II, S. 22
49 Tuchman, a.a.O., S. 92
50 Deschner, Opus, S. 72–76
51 Ranke-Heinemann, a.a.O., S. 140
52 Zitiert nach: Ranke-Heinemann, a.a.O., S. 138
53 Vgl. Sleidan, Deutschland, S. 23
54 M. v. Faulhaber, Der Krieg im Lichte des Evangeliums, München o. J., S. 36. Zum folgenden vgl. ebda., S. 37–45.
55 Deschner, Opus, S. 81
56 Zitiert nach: Rahner u. a., a.a.O., S. 92
57 Dies., ebda.
58 Deschner, Opus, S. 82
59 Ders., Opus, S. 82f.
60 Ders., ebda., S. 83
61 Ders., ebda.
62 Zitiert nach: Ranke-Heinemann, a.a.O., S. 128
63 Dies., a.a.O., S. 129
64 Dies., a.a.O., S. 200
65 Dies., ebda.
66 Zitiert nach: Materialien und Informationen zur Zeit (MIZ) 2/91, S. 2
67 KNA vom 1. 3. 1991 und MIZ 2/91, S. 57
68 Vgl. MIZ 2/91, S. 5
69 Zitiert nach: PEK, Presseamt des Erzbistums Köln. Dokumente, Nr. 226 vom 1. 2. 1991, S. 1–4 und MIZ 2/91, S. 5f.

70 G. Kehrer, Gesellschaftliche Bedingungen und Konsequenzen einer politischen Theologie, in: Dogma und Politik. Zur politischen Hermeneutik theologischer Aussagen, Mainz 1973, S. 121 f.
71 Vgl. H. Herrmann, Die sieben Todsünden der Kirche. Ein Plädoyer gegen die Menschenverachtung, München 1992, S. 159
72 H. Herrmann, Vaterliebe. Ich will ja nur dein Bestes, Reinbek 1989, S. 173
73 H. Kühner, Das Imperium der Päpste. Kirchengeschichte, Weltgeschichte, Zeitgeschichte. Von Petrus bis heute, Zürich/Stuttgart 1977, S. 231 f.
74 Deschner, Opus, S. 18
75 Ders., ebda.
76 Ders., Opus, S. 18
77 Tuchman, a.a.O., S. 83
78 Dies., ebda., S. 138
79 Ranke, a.a.O., S. 42
80 Tuchman, a.a.O., S. 111
81 Dies., a.a.O., S. 119
82 Dies., a.a.O., S. 139
83 Zitiert nach: Tuchman, a.a.O., S. 120 f.
84 Tuchman, a.a.O., S. 128
85 Deschner, Kriminalgeschichte, I, S. 200
86 Deschner, Opus, S. 19
87 Kühner, a.a.O., S. 151
88 Ders., ebda.
89 Deschner, Opus, S. 20
90 Ders., ebda.
91 Ders., Opus, S. 20
92 H. R. Hilty, Risse. Erzählerische Recherchen, Bern 1977, S. 156
93 N. Lo Bello, Vatikan im Zwielicht. Die unheiligen Geschäfte des Kirchenstaates, München 1990, S. 135
94 Hilty, a.a.O., S. 177
95 Tuchman, a.a.O., S. 120
96 Hilty, a.a.O., S. 190
97 Ders., ebda.
98 Ders., a.a.O., S. 193
99 Vgl. Deschner, Opus, S. 234 f.
100 Ders., ebda.
101 Ders., Opus, S. 235
102 Vgl. Sleidan, Papst, S. 54 f. und 64
103 Herrmann, Papst Wojtyla, S. 133 (mit Beispielen)
104 Ägidius von Viterbo, zitiert nach: Tuchman, a.a.O., S. 114
105 Kühner, a.a.O., S. 276
106 Deschner, Kriminalgeschichte, II, S. 337
107 Tuchman, a.a.O., S. 95
108 Dies., ebda.
109 H. E. Feine, Kirchliche Rechtsgeschichte. Bd. I, Die katholische Kirche, Weimar 1950, S. 402 f.
110 Ranke, a.a.O., S. 244
111 Tuchman, a.a.O., S. 88
112 Dies., ebda.
113 Ranke, a.a.O., S. 245
114 Tuchman, a.a.O., S. 81
115 Dies., a.a.O., S. 113
116 Dies., a.a.O., S. 97
117 Dies., a.a.O., S. 109
118 Zitiert nach: Ranke, a.a.O., S. 246
119 Ders., a.a.O., S. 501
120 Ders., a.a.O., S. 260
121 Deschner, Opus, S. 57
122 Ranke, a.a.O., S. 280
123 Kühner, a.a.O., S. 233
124 Ders., a.a.O., S. 249
125 Sleidan, Deutschland, S. 75
126 Ders., a.a.O., S. 255
127 Feine, a.a.O., S. 446
128 Die Welt vom 17. 5. 1991, S. 24
129 Kühner, a.a.O., S. 309
130 Ders., a.a.O., S. 311 f.
131 Ranke, a.a.O., S. 645
132 Ders., a.a.O., S. 653
133 Kühner, a.a.O., S. 112
134 Ders., a.a.O., S. 318
135 Ders., a.a.O., S. 329
136 Ranke, a.a.O., S. 644 f.
137 Kühner, a.a.O., S. 231 f.
138 Tuchman, a.a.O., S. 131 f.
139 Dies., a.a.O., S. 135
140 Ranke, a.a.O., S. 282
141 H.-J. Wolf, Neuer Pfaffenspiegel. Sünden der Kirche. Das Geschäft mit dem Glauben, Herrsching 1990, S. 340
142 Ders., a.a.O., S. 343

143 W. und A. Durant, Kulturgeschichte der Menschheit, Bd. 14, Das Zeitalter Voltaires, Köln 1985, S.19
144 P. Lacroix, The Eighteenth Century in France, London o. J., S. 138
145 Wolf, a.a.O., S. 26f.
146 Ranke, a.a.O., S. 701
147 Ders., a.a.O., S. 702
148 Ders., a.a.O., S. 698
149 Durant, a.a.O., S. 20
150 Dies., a.a.O., S. 20f.
151 Dies., a.a.O., S. 21
152 Dies., a.a.O., S. 20
153 Dies., a.a.O., S. 56
154 Dies., a.a.O., S. 530
155 A. Fraser, Maria Stuart. Königin der Schotten, Herrsching 1989, S. 38
156 Ranke, a.a.O., S. 64
157 Ders., a.a.O., S. 43
158 Zitiert nach: Wolf, a.a.O., S. 636, Anm. 345
159 Ranke, a.a.O., S. 659

Warum kannten Kirchenfürsten weder Frauen noch Kinder?

1 K. Deschner, Das Kreuz mit der Kirche. Eine Sexualgeschichte des Christentums, 12. Aufl. München 1989, S. 204
2 Zitiert nach: Deschner, Kreuz, S. 451
3 Deschner, Kreuz, S. 209
4 Ders., Kreuz, S. 451
5 N. Lo Bello, Vatikan im Zwielicht. Die unheiligen Geschäfte des Kirchenstaates, München 1990, S. 131
6 Ders., a.a.O., S. 21
7 Ders., a.a.O., S. 210
8 Zitiert nach: Lo Bello, a.a.O., S. 210
9 U. Ranke-Heinemann, Widerworte, München 1989, S. 146. Vgl. Süddt. Zeitung vom 17. 10. 1991
10 R. Schermann, Woran die Kirche krankt. Kritische Betrachtungen eines engagierten Priesters, Düsseldorf/Wien 1981, S. 89f.
11 Ders., a.a.O., S. 94
12 Zitiert nach: G. Denzler, Das Papsttum und der Amtszölibat. Erster Teil: Die Zeit bis zur Reformation, Stuttgart 1973, S. 62
13 Deschner, Kreuz, S. 176
14 G. Denzler, Zur Geschichte des Zölibats. Ehe und Ehelosigkeit der Priester bis zur Einführung des Zölibatsgesetzes im Jahre 1139, in: Stimmen der Zeit, 1969, S. 394f.; M. Boelens, Die Klerikerehe in der Gesetzgebung der Kirche unter besonderer Berücksichtigung der Strafe. Eine rechtsgeschichtliche Untersuchung von den Anfängen der Kirche bis zum Jahre 1139, Paderborn 1968, S. 135
15 Deschner, Kreuz, S. 178
16 Denzler, Papsttum, S. 113
17 Deschner, Kreuz, S. 179
18 Ders., Kreuz, S. 180
19 Zitiert nach: Deschner, Kreuz, S. 189f.
20 H. Kühner, Das Imperium der Päpste. Kirchengeschichte, Weltgeschichte, Zeitgeschichte. Von Petrus bis heute, Zürich/Stuttgart 1977, S. 131f.
21 Deschner, Kreuz, S. 192
22 Zitiert nach: Denzler, Papsttum, S. 110
23 H.-J. Wolf, Neuer Pfaffenspiegel. Sünden der Kirche. Das Geschäft mit dem Glauben, Herrsching 1990, S. 389
24 Zitiert nach: Denzler, Papsttum, S. 105
25 Wolf, a.a.O., S. 389
26 R. Friedenthal, Ketzer und Rebell. Jan Hus und das Jahrhundert der Revolutionskriege, München 1977, S. 241ff.
27 Zitiert nach: Deschner, Kreuz, S. 189
28 Historia Europae, 1571, cap. 35. Vgl. M. Bauer, Das Geschlechtsleben in der deutschen Vergangenheit, Berlin o. J., S. 68, und O. Stoll, Das Geschlechtsleben in der

Völkerpsychologie, Berlin 1908, S. 959
29 Wolf, a.a.O., S. 357
30 Zitiert nach: Deschner, Kreuz, S. 194
31 B. Tuchman, Die Torheit der Regierenden. Von Troja bis Vietnam, Frankfurt a. M. 1989, S. 82
32 Deschner, Kreuz, S. 196 und 397
33 W. Sombart, Liebe, Luxus und Kapitalismus, Frankfurt a. M. 1967, S. 75
34 Wolf, a.a.O., S. 357
35 Deschner, Kreuz, S. 398
36 Tuchman, a.a.O., S. 112
37 Dies., a.a.O., S. 97f.
38 Zitiert nach: Denzler, Papsttum, S. 74
39 Deschner, Kreuz, S. 32
40 Ebda.
41 Deschner, Kreuz, S. 74
42 Ders., Kreuz, S. 75
43 Zitiert nach: Schermann, a.a.O., S. 78
44 Denzler, Papsttum, S. 61
45 Zitiert nach: Denzler, Papsttum, S. 136
46 Denzler, Papsttum, S. 133
47 Zitiert nach: Deschner, Kreuz, S. 247
48 Denzler, Papsttum, S. 61
49 Deschner, Kreuz, S. 363
50 Ders., Kreuz, S. 378
51 Ders., Kreuz, S. 381 und 384
52 Ders., Kreuz, S. 381
53 Ders., Kreuz, S. 429
54 Schermann, a.a.O., S. 96
55 Deschner, Kreuz, S. 443
56 Zitiert nach: Deschner, Kreuz, S. 328
57 Deschner, Kreuz, S. 390
58 Zitiert nach: Wolf, a.a.O., S. 322
59 Wolf, a.a.O., S. 286
60 Ders., a.a.O., S. 295
61 Deschner, Kreuz, S. 92
62 Ders., Kreuz, S. 91
63 Ders., Kreuz, S. 101
64 L. v. Ranke, Die römischen Päpste in den letzten vier Jahrhunderten, Wien o. J., S. 302
65 Deschner, Kreuz, S. 104
66 Ders., Kreuz, S. 105; vgl. Wolf, a.a.O., S. 215
67 Deschner, Kreuz, S. 122
68 Ebda.
69 Denzler, Papsttum, S. 118
70 Deschner, Kreuz, S. 338
71 Denzler, Papsttum, S. 130
72 Deschner, Kreuz, S. 159f.
73 Zitiert nach: Deschner, Kreuz, S. 452
74 H. Herrmann, Die Angst der Männer vor den Frauen, Hamburg 1989, S. 93
75 K. Deschner, Opus diaboli. Fünfzehn unversöhnliche Essays über die Arbeit im Weinberg des Herrn, Reinbek 1987, S. 95
76 Herrmann, Angst, S. 94
77 R. Krämer-Badoni, Judenmord – Frauenmord – Heilige Kirche, München, S. 175
78 Ebda.
79 Zitiert nach: Krämer-Badoni, a.a.O., S. 176
80 Krämer-Badoni, a.a.O., S. 191
81 J. Solé, Liebe in der westlichen Kultur, Frankfurt a. M./Berlin/Wien 1979, S. 91
82 Zitiert nach: Ranke-Heinemann, a.a.O., S. 139

Was kam bei alldem heraus, zum Beispiel im heiligen Köln?

1 Zitiert nach: H.-J. Wolf, Neuer Pfaffenspiegel. Sünden der Kirche. Das Geschäft mit dem Glauben, Herrsching 1990, S. 43
2 Vgl. Wolf, a.a.O., S. 337
3 L. v. Ranke, Die römischen Päpste in den letzten vier Jahrhunderten, Wien o. J., S. 360
4 A. Schindling, Kurfürst Clemens August, der »Herr Fünfkirchen«. Rokokoprälat und Reichspolitiker 1700–1761, in: Clemens August. Fürstbischof, Jagdherr, Mäzen. Katalog zu einer kunsthistorischen Ausstellung aus Anlaß des 250jäh-

rigen Jubiläums von Schloß Clemenswerth, Hrsg. Landkreis Emsland, Meppen-Sögel 1987, S. 15
5 Zitiert nach: Clemens August, Ausstellungskatalog, S. 262
6 Bilder und Karten bei: Schindling, a.a.O., S. 20f.
7 M. Braubach, Die österreichische Diplomatie am Hofe des Kurfürsten Clemens August von Köln 1740–1756, in: ArchHVNrh 111, 1927, S. 11
8 B. Demel, Kurfürst Clemens August von Bayern, 1700–1761) als Hoch- und Deutschmeister, in: Clemens August, Ausstellungskatalog, S. 83
9 E. Wagner, Schloß Clemenswerth – ein Höhepunkt jagdlicher Zentralanlagen in Europa, in: Clemens August, Ausstellungskatalog, S. 120
10 Schindling, a.a.O., S. 22
11 Zitiert nach: A. Hanschmidt, Das Niederstift Münster unter Kurfürst Clemens August, in: Clemens August, Ausstellungskatalog, S. 29
12 Hanschmidt, a.a.O., S. 30
13 Ders., a.a.O., S. 38
14 Demel, a.a.O., S. 99, Anm. 22
15 Demel, a.a.O., S. 105, Anm. 199
16 H.-G. Aschoff, Das Fürstbistum Hildesheim zur Regierungszeit Clemens Augusts, in: Clemens August, Ausstellungskatalog, S. 50
17 W. Seegrün, Das Bistum Osnabrück im Bischofsreich des Clemens August von Bayern, in: Clemens August, Ausstellungskatalog, S. 66
18 Clemens August, Ausstellungskatalog, S. 167
19 A. Bertram, Geschichte des Bistums Hildesheim, Bd. 3, Hildesheim/Leipzig 1925, S. 166
20 Clemens August, Ausstellungskatalog, S. 436 f.
21 Vgl. Clemens August, Ausstellungskatalog, S. 464 und 475
22 Wagner, a.a.O., S. 146 und 150
23 Abbildung bei: Wagner, a.a.O., S. 135
24 H.-R. Jarck, Clemens August – Jagdherr im Hümmling, in: Clemens August, Ausstellungskatalog, S. 153f.
25 Clemens August, Ausstellungskatalog, S. 165
26 Clemens August, Ausstellungskatalog, S. 410
27 Der Spiegel 2/1991 vom 7. 1. 1991, S. 182 (aus der Süddeutschen Zeitung)
28 H. Herrmann, Die Kirche und unser Geld. Daten-Tatsachen-Hintergründe, Hamburg 1990, S. 15
29 H. Herrmann, Papst Wojtyla. Der heilige Narr, Reinbek 1983, S. 215f.
30 Ders., Papst Wojtyla, S. 215
31 Ders., Papst Wojtyla, S. 217
32 R. Schermann, Woran die Kirche krankt, Düsseldorf/Wien 1981, S. 61

II. Wegweiser durchs Weideland

1 Zitiert nach: H. Herrmann, Papst Wojtyla. Der heilige Narr, Reinbek 1983, S. 50

Wer gefällt dem Heiligen Geist am besten?

1 K. Deschner/H. Herrmann, Der Anti-Katechismus. 200 Gründe gegen die Kirchen und für die Welt, Hamburg 1991, S. 66f., 178f. und 287
2 F. W. Menne, Kirchliche Sexualethik gegen gesellschaftliche Realität. Zu einer soziologischen Anthropologie menschlicher Fruchtbarkeit, München/Mainz 1971, S. 244
3 Menne, a.a.O., S. 248, Anm. 101
4 R. Schermann, Woran die Kirche krankt. Kritische Betrachtungen eines engagierten Priesters, Düsseldorf/Wien 1981, S. 103
5 M. Lehmann, Preußen und die katholische Kirche seit 1640, 7 Teile,

Stuttgart 1878–1894; hier Bd. 2, Nr. 458, S. 399 (Übersetzung von mir)
6 S. Sipos/L. Galos, Enchiridion iuris canonici, 6. Aufl. Rom 1954, S. 204
7 H. Herrmann, Papst Wojtyla. Der heilige Narr, Reinbek 1983, S. 226
8 H. Mynarek, Herren und Knechte der Kirche, Köln 1973, S. 239. Zum Thema Ratzinger vgl. auch: H. Herrmann, Heilige Inquisition aus Bayern, in: Konkret 1/1982, S. 18f.
9 Zitiert nach: Mynarek, a.a.O., S. 239
10 Zitiert nach: Mynarek, ebda.
11 Mynarek, a.a.O., S. 242
12 Zitiert nach: Schermann, a.a.O., S. 153
13 Schermann, a.a.O., S. 155
14 Zitiert nach: Schermann, a.a.O., S. 153
15 Schermann, a.a.O., S. 147
16 Zitiert nach: Schermann, a.a.O., S. 150
17 Zitiert nach: Schermann, a.a.O., S. 149
18 Ders., ebda.
19 Zitiert nach: Schermann, a.a.O., S. 153
20 Frankfurter Rundschau vom 7. 2. 1991

Wie leben Oberhirten – und auf wessen Kosten?

1 Zitiert nach: E. J. Lengeling, Die neue Ordnung der Eucharistiefeier. Allgemeine Einführung in das Römische Meßbuch. Endgültiger lateinischer und deutscher Text. Einleitung und Kommentar, 2. Aufl. Münster 1971, S. 82
2 S. Sipos/L. Galos, Enchiridion iuris canonici, 6. Aufl. Rom 1954, S. 211
3 Dies., a.a.O., S. 211, Anm. 36
4 R. Schermann, Woran die Kirche krankt. Kritische Betrachtungen eines engagierten Priesters, Düsseldorf/Wien 1981, S. 184
5 Vgl. H. Herrmann, Geistliche Standeskleidung gestern und heute, in: Linzer theol.-prakt. Quartalschrift 120, 1972, S. 145–148
6 Schermann, a.a.O., S. 180
7 G. Denzler, Das Papsttum und der Amtszölibat. Erster Teil: Die Zeit bis zur Reformation, Stuttgart 1973, S. 116
8 Schermann, a.a.O., S. 180
9 Ders., a.a.O., S. 184
10 Zitiert nach: H.-J. Wolf, Neuer Pfaffenspiegel. Sünden der Kirche. Das Geschäft mit dem Glauben, Herrsching 1990, S. 35
11 H. Fürst v. Pückler-Muskau, Briefe eines Verstorbenen. Ein fragmentarisches Tagebuch, Bd. 2, Berlin 1987, S. 373
12 Lengeling, a.a.O., S. 411
13 Zitiert nach: Lengeling, a.a.O., S. 414
14 Zitiert nach: Lengeling, a.a.O., S. 156
15 Sipos/Galos, a.a.O., S. 148
16 Dies., a.a.O., S. 149
17 R. Peyrefitte, Die Schlüssel von St. Peter, Karlsruhe 1964, S. 44
18 Instruktion »Inter Oecumenici« von 1964; vgl. Lengeling, a.a.O., S. 266
19 Ders., ebda.
20 Schermann, a.a.O., S. 199
21 H. Herrmann, Papst Wojtyla. Der heilige Narr, Reinbek 1983, S. 61–65. Vgl. H. Herrmann, Scheingefechte im Vatikan. Anmerkungen zum »Fall Lefèbvre«, in: liberal 18, 2976, S. 781–788
22 Sipos/Galos, a.a.O., S. 211
23 G. Hasenhüttl, Schwarz bin ich und schön. Der theologische Aufbruch Schwarzafrikas, Darmstadt 1991, S. 55
24 Mitteilung von W. G. Keweloh, Rheinbach, der mir aus eigener Anschauung als Mitarbeiter kirchlicher Entwicklungshilfedienste berichtete. Vgl. die ähnliche Lage der Priesteramtskandidaten in der ehemaligen DDR.

25 Hasenhüttl, a.a.O., S. 72
26 Vgl. Stern vom 11. 4. 1990, S. 254
27 Hasenhüttl, a.a.O., S. 74
28 Ders., a.a.O., S. 54f.
29 Die Welt vom 25. 3. 1991, S. 6
30 Schermann, a.a.O., S. 165
31 K. L. Woodward, Die Helfer Gottes, München 1991, S. 39f.
32 Ders., a.a.O., S. 49
33 Süddeutsche Zeitung vom 8. 6. 1991, S. 8
34 Deutsches Allgem. Sonntagsblatt vom 10. 5. 1991, S. 17
35 Zitiert nach: S. Siegert/N. F. Hoffmann, Mozart, Hamburg 1988, S. 27
36 Zitiert nach: Denzler, a.a.O., S. 127
37 Zitiert nach: Schermann, a.a.O., S. 172
38 H. Herrmann, Die Kirche und unser Geld. Daten – Tatsachen – Hintergründe, Hamburg 1990, S. 118
39 Katholische Nachrichten-Agentur (KNA) vom 7. 1. 1987
40 Wolf, a.a.O., S. 37
41 Herrmann, Kirche, S. 120
42 Handwörterbuch des Steuerrechts, Bd. 1, München/Bonn 1972, S. 650
43 H. Marré, Die Kirchenfinanzierung in Kirche und Staat der Gegenwart, Essen 1982, S. 65. Nach dem Haushaltsplan für das Bistum Berlin von 1989 waren für »Bischof und Domkapitel« 706000 DM, für »Weltmission« 32000 DM vorgesehen
44 Personal-Schematismus des Bistums Münster 1972, S. 48/49
45 Vgl. H. Frisch, Kirche im Abseits, München/Zürich 1978, S. 190ff.
46 Amtsblatt für die Diözese Rottenburg-Stuttgart Nr. 17/91 vom 14. 6. 1991, S. 568
47 Neues Deutschland vom 5. 2. 1991, S. 3
48 Vgl. Herrmann, Kirche, S. 80
49 Herrmann, Kirche, S. 67
50 Ders., Kirche, S. 70
51 Katholische Nachrichten-Agentur (KNA) vom 13. 6. und 16. 9. 1988. Zur Renovierung des Frankfurter Doms, die Gesamtkosten in Höhe von 28,5 Millionen DM verursachen und die katholische Kirche nur 3 Millionen DM kosten wird: Westfäl. Nachrichten vom 15. 12. 1990
52 Herrmann, Kirche, S. 76
53 Ders., Kirche, S. 77 und 79
54 Pückler-Muskau, a.a.O., S. 640
55 H. Herrmann, Die sieben Todsünden der Kirche. Ein Plädoyer gegen die Ausbeutung von Menschen, München 1992, S. 193
56 K. Deschner, Opus diaboli. Fünfzehn unversöhnliche Essays über die Arbeit im Weinberg des Herrn, Reinbek 1987, S. 17 und 71f.
57 Vgl. dens., Opus, S. 12 und 50
58 R. Hernegger, Macht ohne Auftrag. Die Entstehung der Staats- und Volkskirche, Olten/Freiburg 1963, S. 25
59 K. Deschner, Kriminalgeschichte des Christentums, Bd. I, Die Frühzeit, Reinbek 1986, S. 245
60 Vgl. Hernegger, a.a.O., S. 53f.
61 Herrmann, Kirche, S. 37
62 K. Deschner, Ein Jahrhundert Heilsgeschichte. Die Politik der Päpste im Zeitalter der Weltkriege, Bd. II, Von Pius XII. 1939 bis zu Johannes Paul I. 1978, Köln 1983, S. 287
63 J. Neumann, Die gesellschaftliche und religionspolitische Bedeutung der katholischen Kirche in Deutschland, in: J. Albertz (Hrsg.), Die Rolle der Großkirchen in der Gesellschaft der Bundesrepublik, Wiesbaden 1983, S. 75f.
64 KNA vom 9.7. und vom 14. 7. 1990
65 Deutsches Allgem. Sonntagsblatt vom 10. 5. 1991, S. 17. Vgl. H. Herrmann, Die sieben Todsünden der Kirche. Mit einem Nachwort von H. Böll, Reinbek 1978, S. 114f.
66 Zitiert nach: Deschner, Opus, S. 69
67 C.-D. Schulze, Kirche als Körperschaft öffentlichen Rechts. Von der Wohlstandsehe der deutschen evangelischen Landeskirchen mit dem

Staat und ihrer babylonischen Gefangenschaft im öffentlichen Dienst. Eine staatskirchenrechtliche Problemskizze, Berlin 1990, S. 13

68 FAZ vom 4.8.1984, zitiert bei: E. Fischer, Das Bundesverfassungsgericht und das Gebot der Trennung von Staat und Kirche, in: Kritische Justiz 3/1989, S. 302

69 Zu diesem Kampftitel vgl. Sipos/Galos, a.a.O., S. 149, Anm. 20, und H. Kühner, Das Imperium der Päpste. Kirchengeschichte, Weltgeschichte, Zeitgeschichte. Von Petrus bis heute, Zürich/Stuttgart 1977, S. 64

70 KNA vom 20.10.1987. Vgl. zur wachsenden Begehrlichkeit von Kirchenfürsten auf Einfluß und Kontrolle bei privaten Anstalten: Die Welt vom 23. 3. 1991

71 Augsburger Kirchenzeitung vom 13. 8. 1989

72 Ders., Kirche, S. 161

Warum halten Kirchenfürsten gar nichts von der Demokratie?

1 H. Herrmann, Die sieben Todsünden der Kirche. Ein Plädoyer gegen die Ausbeutung von Menschen, München 1992, S. 43 ff.

2 K. Deschner, Ein Jahrhundert Heilsgeschichte. Die Politik der Päpste im Zeitalter der Weltkriege, Bd. I, Von Leo XIII. 1878 bis zu Pius XI. 1939, Köln 1982, S. 20

3 G. May, Demokratisierung der Kirche. Möglichkeiten und Grenzen, Wien/München 1971, S. 26

4 Ders., a.a.O., S. 42

5 Ders., a.a.O., S. 73

6 Vgl. Herrmann, a.a.O., S. 145

7 H. Herrmann, Die Kirche und unser Geld. Daten-Tatsachen-Hintergründe, Hamburg 1990, S. 95

8 Hirtenbrief vom 1. 11. 1917, zitiert bei: J. Neumann, Die gesellschaftliche und religionspolitische Bedeutung der katholischen Kirche in Deutschland, in: J. Albertz (Hrsg.), Die Rolle der Großkirchen in der Gesellschaft der Bundesrepublik, Wiesbaden 1983, S. 63

9 Zitiert nach: K. Deschner, Abermals krähte der Hahn. Eine Demaskierung des Christentums von den Evangelisten bis zu den Faschisten, Reinbek 1972, S. 440

10 Deschner, Abermals, S. 425 ff., ders., Opus diaboli. Fünfzehn unversöhnliche Essays über die Arbeit im Weinberg des Herrn, Reinbek 1987, S. 50 ff. und 61 ff.; K. Deschner/H. Herrmann, Der Anti-Katechismus. 200 Gründe gegen die Kirchen und für die Welt, Hamburg 1991, S. 124

11 E. Fischer, Das Bundesverfassungsgericht und das Gebot der Trennung von Staat und Kirche, in: Kritische Justiz 3/1989, S. 306

12 Vgl. H. Münzel, Lohnabhängige im Kirchendienst, in: Kritischer Katholizismus 5, 1972, S. 15, und H. Herrmann, Die sieben Todsünden der Kirche. Mit einem Nachwort von H. Böll, Reinbek 1978, S. 119–128

13 Zitiert nach: B. Tuchman, Die Torheit der Regierenden. Von Troja bis Vietnam, Frankfurt a. M. 1989, S. 141

14 Herrmann, Todsünden, S. 139 ff.

15 G. Kehrer, Gesellschaftliche Bedingungen und Konsequenzen einer politischen Theologie, in: Dogma und Politik. Zur politischen Hermeneutik theologischer Aussagen, Mainz 1973, S. 123

16 F. W. Menne, Kirchliche Sexualethik gegen gesellschaftliche Realität, München/Mainz 1971, S. 218

17 Vgl. Herrmann, Kirche, S. 30 f.

18 Zitiert nach: H. Herrmann, Papst Wojtyla. Der heilige Narr, Reinbek 1983, S. 234

19 Zitiert nach: Herrmann, Papst Wojtyla, S. 54 f.

20 Vgl. H. Herrmann, Rede eines wie-

dergeborenen Weltkindes an einem früheren Thema entlang, in: G. Denzler (Hrsg.), Lebensberichte verheirateter Priester. Autobiographische Zeugnisse zum Konflikt zwischen Ehe und Zölibat, München/Zürich 1989, S. 191

21 Zitiert nach: K. Deschner, Kriminalgeschichte des Christentums, Bd. III, Die alte Kirche, Reinbek 1990, S. 547

22 Vgl. H. Herrmann, Ehe und Recht. Versuch einer kritischen Darstellung, Freiburg/Basel/Wien 1972, S. 137ff. und 143–149 sowie dens., Todsünden, S. 81–90

23 Zitiert nach: Herrmann, Papst Wojtyla, S. 214

Was treibt man im Vatikan, wenn Tage und Nächte lang sind?

1 R. Schermann, Woran die Kirche krankt. Kritische Betrachtungen eines engagierten Priesters, Düsseldorf/Wien 1981, S. 155

2 H. Herrmann, Papst Wojtyla. Der heilige Narr, Reinbek 1983, S. 69

3 Ders., a.a.O., S. 71

4 Ders., a.a.O., S. 64

5 Zitiert nach: Schermann, a.a.O., S. 207

6 A. B. Hasler, Wie der Papst unfehlbar wurde. Macht und Ohnmacht eines Dogmas, München 1979, S. 210

7 Vgl. dens., a.a.O., S. 212–214

8 Schermann, a.a.O., S. 25–28

9 Zitiert nach: Herrmann, Papst Wojtyla, S. 64f.

10 Ders., a.a.O., S. 65

11 N. Lo Bello, Vatikan im Zwielicht. Die unheiligen Geschäfte des Kirchenstaates, München 1990, S. 143

12 Zitiert nach: Schermann, a.a.O., S. 209

13 Ders., a.a.O., S. 178

14 Herrmann, Papst Wojtyla, S. 9

15 Hasler, a.a.O., S. V

16 H. Küng, Zum Geleit. Der neue Stand der Unfehlbarkeitsdebatte, in: Hasler, a.a.O., S. XIII

17 Zitiert nach: Herrmann, Papst Wojtyla, S. 77

18 Zitiert nach: Herrmann, ebda.

19 Herrmann, Papst Wojtyla, S. 80

20 Schermann, a.a.O., S. 23

21 Herrmann, Papst Wojtyla, S. 75

22 Hasler, a.a.O., S. 14; H. Herrmann, Ketzer in Deutschland, München 1982, S. 258f.

23 K.-H. Ohlig, Braucht die Kirche einen Papst? Umfang und Grenzen des päpstlichen Primats, Düsseldorf 1973, S. 101

24 Hasler, a.a.O., S. 19; vgl. Ohlig, a.a.O., S. 91

25 Hasler, a.a.O., S. 125

26 Ders., a.a.O., S. 135f.

27 Ders., a.a.O., S. 136

28 Ders., a.a.O., S. 37

29 Ohlig, a.a.O., S. 111

30 Hasler, a.a.O., S. 67f.

31 Ders., a.a.O., S. 56

32 Ders., a.a.O., S. 50

33 Ders., a.a.O., S. 149

34 Ders., a.a.O., S. 61

35 Ders., a.a.O., S. 84

36 Ders., a.a.O., S. 87

37 Zitiert nach: Hasler, a.a.O., S. 90

38 A. Hagen, Gestalten aus dem schwäbischen Katholizismus. Teil II, Stuttgart o. J., S. 172

39 Hasler, a.a.O., S. 189

40 Ders., a.a.O., S. 192

41 Ders., a.a.O., S. 196

42 Ders., a.a.O., S. 163f.

43 Ders., a.a.O., S. 88

44 Ders., a.a.O., S. 203

45 Ders., a.a.O., S. 204

46 H. Kühner, Das Imperium der Päpste. Kirchengeschichte, Weltgeschichte, Zeitgeschichte. Von Petrus bis heute, Zürich/Stuttgart 1977, S. 109

47 Zitiert nach: Hasler, a.a.O., S. 188

48 Zitiert nach: G. O. Sleidan, Papst, Kurie und Weltkrieg. Historisch-kritische Studie, 2. Aufl., Berlin 1918, S. 58

49 K. L. Woodward, Die Helfer Gottes, München 1991, S. 140
50 Ders., a.a.O., S. 280
51 Lo Bello, a.a.O., S. 47
52 K. Deschner/H. Herrmann, Der Anti-Katechismus. 200 Gründe gegen die Kirchen und für die Welt, Hamburg 1991, S. 193
53 Lo Bello, a.a.O., S. 47
54 Woodward, a.a.O., S. 241
55 Zitiert nach: Woodward, a.a.O., S. 258
56 Woodward, a.a.O., S. 211
57 Ders., a.a.O., S. 232
58 Vgl. H. Herrmann, Streit um Strukturen statt um Sterbliche. Überlegungen über die »Bafile-Affäre« hinaus, in: Kritischer Katholizismus 6, 1973, S. 22f.
59 Schermann, a.a.O., S. 72
60 Woodward, a.a.O., S. 97
61 Ders., a.a.O., S. 361
62 Ders., a.a.O., S. 148
63 Ders., a.a.O., S. 127
64 Ders., a.a.O., S. 443
65 Ders., a.a.O., S. 89
66 Ders., a.a.O., S. 188
67 Woodward, a.a.O., S. 485. Vgl. FR vom 8.7.1991
68 K. Deschner, Ein Jahrhundert Heilsgeschichte. Die Politik der Päpste im Zeitalter der Weltkriege, Bd. II, Von Pius XII. 1939 bis zu Johannes Paul I. 1978, Köln 1983, S. 31f.
69 Vgl. Lo Bello, a.a.O., S. 41
70 G. O. Sleidan, Deutschland und der Vatikan. Ein Beitrag zur politischen Orientierung, 2. Aufl., Berlin 1921, S. 20
71 Ders., Deutschland, S. 21
72 Woodward, a.a.O., S. 298
73 Vgl. dens., a.a.O., S. 284–290
74 Vgl. dens., a.a.O., S. 19–22
75 K. Deschner, Opus diaboli. Fünfzehn unversöhnliche Essays über die Arbeit im Weinberg des Herrn, Reinbek 1987, S. 267
76 Woodward, a.a.O., S. 152
77 Ders., a.a.O., S. 151
78 Ders., a.a.O., S. 165
79 L. v. Ranke, Die römischen Päpste in den letzten vier Jahrhunderten, Wien o. J., S. 786
80 Woodward, a.a.O., S. 390 und 396
81 Hasler, a.a.O., S. 252
82 Ders., a.a.O., S. 248
83 Zitiert nach: Hasler, a.a.O., S. 253
84 Woodward, a.a.O., S. 84
85 Ders., a.a.O., S. 137
86 Ders., a.a.O., S. 139
87 E. Eichmann/K. Mörsdorf, Lehrbuch des Kirchenrechts auf Grund des Codex Iuris Canonici, Bd. II, Sachenrecht, 9. Aufl. München/Paderborn/Wien 1958, S. 359
88 S. Sipos/L. Galos, Enchiridion iuris canonici, 6. Aufl., Rom 1954, S. 595
89 Eichmann-Mörsdorf, a.a.O., S. 360
90 Deschner, Opus, S. 54
91 Lo Bello, a.a.O., S. 128
92 G. Bomans, Römische Impressionen, Frankfurt a. M./Berlin 1967, S. 165f.
93 Ders., a.a.O., S. 171
94 E. Eichmann/K. Mörsdorf, Lehrbuch des Kirchenrechts auf Grund des Codex Iuris Canonici, Bd. III, Prozeß- und Strafrecht, 8. Aufl. Paderborn 1954, S. 429
95 Lo Bello, a.a.O., S. 125f.
96 Ders., a.a.O., S. 129
97 H.-J. Wolf, Neuer Pfaffenspiegel. Sünden der Kirche. Das Geschäft mit dem Glauben, Herrsching 1990, S. 141
98 Zitiert nach: M. Gritzner, Handbuch der Ritter- und Verdienstorden aller Kulturstaaten der Welt innerhalb des XIX. Jahrhunderts, Nachdruck Graz 1962, S. 314
99 Ders., a.a.O., S. 317
100 Lo Bello, a.a.O., S. 130
101 I. Bachmann, Was ich in Rom sah und hörte, in: Merian-Heft 12/37 Rom, S. 6
102 R. Peyrefitte, Die Schlüssel von St. Peter, Karlsruhe 1964, S. 48
103 Lo Bello, a.a.O., S. 34
104 Bomans, a.a.O., S. 29

105 Lo Bello, a.a.O., S. 94f.
106 Ders., a.a.O., S. 153f.
107 H. v. Hülsen/J. Rast, Rom. Führer durch die Ewige Stadt, Darmstadt 1960, S. 121
108 Lo Bello, a.a.O., S. 124
109 Ders., a.a.O., S. 137
110 Zitiert nach: Peyrefitte, a.a.O., S. 98f.
111 Hülsen/Rast, a.a.O., S. 44
112 Dies., a.a.O., S. 252
113 L. Waltermann, Hrsg., Rom, Platz des Heiligen Offiziums Nr. 11, Graz/Wien/Köln 1970, S. 116–127
114 Ders., a.a.O., S. 129f.
115 Hagen, a.a.O., S. 391–396
116 Lo Bello, a.a.O., S. 167–170
117 Wolf, a.a.O., S. 356
118 Zitiert nach: Wolf, a.a.O., S. 592f.
119 L. v. Ranke, Die römischen Päpste in den letzten vier Jahrhunderten, Wien o. J., S. 471
120 M. Mellini, Così annulla la Sacra Rota. Divorzio di classe nell'Italia clericale, Roma 1969, S. 72
121 Lo Bello, a.a.O., S. 165
122 K.-H. Ohlig, Braucht die Kirche einen Papst? Umfang und Grenzen des päpstlichen Primats, Düsseldorf 1973, S. 96
123 Hasler, a.a.O., S. 199
124 Hülsen-Rast, a.a.O., S. 162f.
125 Schermann, a.a.O., S. 175
126 Abbildung bei: Hasler, a.a.O., S. 62
127 Abbildung bei: Hasler, a.a.O., S. 51
128 Schermann, a.a.O., S. 171
129 S. Sipos/L. Galos, Enchiridion iuris canonici, 6. Aufl. Rom 1954, S. 150
130 Hasler, a.a.O., S. 271, Anm. 20
131 Ders., a.a.O., S. 87
132 Ders., a.a.O., S. 59 und 271, Anm. 14
133 Zitiert nach: Schermann, a.a.O., S. 172
134 Zitiert nach: Sleidan, Deutschland, S. 7
135 Bomans, a.a.O., S. 30
136 Herrmann, Papst Wojtyla, S. 9
137 Ders., Papst Wojtyla, S. 106
138 Ders., Papst Wojtyla, S. 230
139 Lo Bello, a.a.O., S. 158
140 Ders., a.a.O., S. 150–155
141 Zitiert nach: Schermann, a.a.O., S. 84
142 Vgl. Lo Bello, a.a.O., S. 22–25
143 Vgl. dens., a.a.O., S. 185–190, und Frankfurter Rundschau vom 26. 11. 1990 sowie Züricher Tagesanzeiger vom 22. 11. 1990
144 S. Ebelseder/R. Lambrecht, Augen zu und durch, in: Stern Nr. 16/90 vom 11. 4. 1990, S. 254–257
145 Zitiert nach: G. O. Sleidan, Papst, Kurie und Weltkrieg. Historisch-kritische Studie, 2. Aufl. Berlin 1918, S. 27
146 Zitiert nach: Sleidan, Papst, S. 35f.
147 Zitiert nach: Sleidan, Papst, S. 34
148 Zitiert nach: Sleidan, Papst, S. 150
149 Sleidan, Deutschland, S. 25
150 Sleidan, Papst, S. 44
151 Ders., Deutschland, S. 34f.
152 Zitiert nach: Sleidan, Papst, S. 33
153 Sleidan, Deutschland, S. 36
154 Ders., Deutschland, S. 79
155 Zitiert nach: Wolf, a.a.O., S. 499
156 G. Oesterle, Aus der Praxis – für die Praxis. Jungfräulichkeit in der kirchlichen Ehesprechung, in: W. M. Plöchl/I. Gampl (Hrsg.), Im Dienste des Rechtes in Kirche und Staat, Wien 1963, S. 352. Zum Thema: H. Herrmann, Die Löcher kennt allein der Experte, in: Konkret Sexualität 1981, S. 56–58
157 Zitiert nach: Ranke, a.a.O., S. 685
158 B. Kraatz, Das Dorf, in: Merian-Heft 12/37 Rom, S. 53
159 H. Herrmann, Die Kirche und unser Geld. Daten – Tatsachen – Hintergründe, Hamburg 1990, S. 152
160 Zitiert nach: Deschner, Opus, S. 203
161 Ranke, a.a.O., S. 285
162 Hülsen/Rast, a.a.O., S. 228
163 Dies., a.a.O., S. 98
164 N. Ginzburg, Und der Stein besiegt die Jahreszeiten, in: Merian-Heft 12/37 Rom, S. 36f.

165 Wolf, a.a.O., S. 345
166 Hülsen/Rast, a.a.O., S. 213
167 Dies., a.a.O., S. 272
168 Ginzburg, a.a.O., S. 38
169 Hülsen/Rast, a.a.O., S. 321f.
170 Dies., a.a.O., S. 318
171 Herrmann, Ketzer, S. 258f.
172 Hülsen/Rast, a.a.O., S. 400
173 Deschner, Opus, S. 53
174 K. Deschner, Abermals krähte der Hahn. Eine Demaskierung des Christentums von den Evangelisten bis zu den Faschisten, Reinbek 1972, S. 428
175 K. Deschner, Kirche des Unheils. Argumente, um Konsequenzen zu ziehen, München 1974, S. 71
176 H. Herrmann, Die Kirche und unser Geld, Hamburg 1990, S. 153
177 Hülsen/Rast, a.a.O., S. 156
178 Lo Bello, a.a.O., S. 242
179 Ders., a.a.O., S. 236f.
180 H. J. Fischer, Gelder für himmlische und weltliche Zwecke. Die Finanzen des Vatikans, in: FAZ vom 24. 12. 1982
181 Der Spiegel Nr. 22/64 vom 27. 5. 1964, S. 43
182 Lo Bello, a.a.O., S. 187
183 Zitiert nach: Sleidan, Papst, S. 9f.
184 Lo Bello, a.a.O., S. 222f.
185 Ders., a.a.O., S. 218 und 222
186 F. Gröteke, Soll und Haben in St. Peter, in: Die Zeit vom 5. 10. 1979, S. 23
187 Lo Bello, a.a.O., S. 135
188 Zitiert nach: Deschner, Heilsgeschichte, II, S. 288
189 Lo Bello, a.a.O., S. 234f.
190 Kirchliches Amtsblatt für die Diözese Rottenburg-Stuttgart Nr. 17/91 vom 14. 6. 1991, S. 566
191 Deschner, Abermals, S. 429. Vgl. zur gegenwärtigen Lage: Die Welt vom 14. 3. 1990, S. 5
192 G. O. Sleidan, »I. K. U.« Internationale Betätigungen des deutschen Katholizismus im Weltkrieg, Berlin 1918, S. 18

Wann kehren Kirchenfürsten mal vor der eigenen Tür?

1 Zitiert nach: B. Tuchman, Die Torheit der Regierenden. Von Troja bis Vietnam, Frankfurt a. M. 1989, S. 141
2 Kirchliches Amtsblatt für die Diözese Rottenburg-Stuttgart Nr. 17/91 vom 14. Juni 1991, S. 570
3 K. Deschner, Ich brauche kein Gottesbild, in: J. Brauers (Hrsg.), Mein Gottesbild. Fünfzig Beiträge namhafter Autoren, München 1990, S. 44
4 K. Deschner, Kriminalgeschichte des Christentums. Bd. I, Die Frühzeit, Reinbek 1986, S. 143, 149f., 152, 157ff., 160–170, 173, 277, 281 und 307
5 K. Deschner, Abermals krähte der Hahn. Eine Demaskierung des Christentums von den Evangelisten bis zu den Faschisten, Reinbek 1972, S. 457f. sowie K. Deschner/H. Herrmann, Der Anti-Katechismus. 200 Gründe gegen die Kirchen und für die Welt, Hamburg 1991, S. 30
6 Einzelheiten bei: K. Deschner, Ein Jahrhundert Heilsgeschichte. Die Politik der Päpste im Zeitalter der Weltkriege, Bd. II, Von Pius XII. 1939 bis zu Johannes Paul I. 1978, Köln 1983, S. 210–254.
7 Die Welt vom 6. April 1991, S. 2
8 R. Winter, Gottes eigenes Land? Werte, Ziele und Realitäten der Vereinigten Staaten von Amerika, Hamburg 1991, S. 306
9 Zitiert nach: H.-J. Wolf, Neuer Pfaffenspiegel. Sünden der Kirche. Das Geschäft mit dem Glauben, Herrsching 1990, S. 499
10 F. Nietzsche, Werke in sechs Bänden, Bd. IV (Hrsg. K. Schlechta), München 1980, S. 1234 (Der Antichrist)
11 Vgl. zum folgenden L. Ledl, Der Fall Ledl. Im Auftrag des Vatikans. Ein Bericht, 2. Aufl. Wien 1989, S. 85f.

12 N. Tosches, Geschäfte mit dem Vatikan. Die Affäre Sindona, München 1989, S. 61
13 Ders., a.a.O., S.63
14 Ders., a.a.O., S. 139
15 Ders., a.a.O., S. 207
16 Ledl, a.a.O., S. 242
17 J. Bellers (Hrsg.), Politische Korruption. Vergleichende Untersuchungen, Münster 1989, S. 5
18 Vgl. I. Bayer, Korruption im sowjetischen Gesellschaftstyp. Beispiel UdSSR und Tschechoslowakei, in: Bellers, a.a.O., S. 147
19 Ders., a.a.O., S. 148
20 N. Lo Bello, Vatikan im Zwielicht. Die unheiligen Geschäfte des Kirchenstaates, München 1990, S. 252
21 Vgl. Ledl, a.a.O., S. 106f., 111f. und 132f.
22 Ledl, a.a.O., S. 107
23 Vgl. dens., a.a.O., S. 117–135, 183 und 252ff.
24 Ledl, a.a.O., S. 284f.
25 Vgl. dens., a.a.O., S. 280
26 D. A. Yallop, Im Namen Gottes? Der mysteriöse Tod des 33-Tage-Papstes Johannes Paul I. Tatsachen und Hintergründe, München 1988, S. 233
27 Lo Bello, a.a.O., S. 226
28 Ders., a.a.O., S. 227
29 Ders., a.a.O., S. 228
30 Ders., a.a.O., S. 230f.
31 Ledl, a.a.O., S. 10
32 Ders., a.a.O., S. 98
33 Ders., a.a.O., S. 105
34 Yallop, a.a.O., S. 230
35 Yallop, a.a.O., S. 54
36 Vgl. dens., a.a.O., S. 334
37 Ders., a.a.O., S. 246
38 Ders., a.a.O., S. 353
39 Ders., a.a.O., S. 337
40 Ders., a.a.O., S. 310
41 Tosches, a.a.O., S. 141
42 Ders., a.a.O., S. 142
43 Vgl. Ledl, a.a.O., S. 193
44 Yallop, a.a.O., S. 310
45 Ders., a.a.O., S. 415
46 Vgl. dens., a.a.O., S. 172, und Lo Bello, a.a.O., S. 254
47 Lo Bello, a.a.O., S. 260
48 Tosches, a.a.O., S. 13
49 Ders., a.a.O., S. 238
50 Ders., a.a.O., S. 278
51 Zitiert nach: Tosches, a.a.O., S. 240
52 Lo Bello, a.a.O., S. 263
53 Ders., a.a.O., S. 263
54 Yallop, a.a.O., S. 424
55 Vgl. Lo Bello, a.a.O., S. 260f., und Yallop, a.a.O., S. 191
56 Yallop, a.a.O., S. 197
57 Ders., a.a.O., S. 452
58 Ders., a.a.O., S. 203
59 Ders., a.a.O., S. 422
60 Ders., a.a.O., S. 215
61 Ders., a.a.O., S. 397
62 Ders., a.a.O., S. 398
63 Ders., a.a.O., S. 64f.
64 Ders., a.a.O., S. 67
65 Zitiert nach: Yallop, a.a.O., S. 123
66 Zitiert nach: Yallop, a.a.O., S. 124
67 Yallop, a.a.O., S. 407
68 Deschner/Herrmann, a.a.O., S. 206 bis 209
69 H. Herrmann, Papst Wojtyla. Der heilige Narr, Reinbek 1983, S. 37
70 Zitiert nach: Herrmann, Papst Wojtyla, S. 44
71 Zitiert nach: Herrmann, ebda.
72 Zitiert nach: Yallop, a.a.O., S. 253
73 Vgl. R. Winter, Ami go home. Plädoyer für den Abschied von einem gewalttätigen Land, Hamburg 1989, S. 125
74 Yallop, a.a.O., S. 16
75 Zitiert nach: Yallop, a.a.O., S. 260
76 Yallop, a.a.O., S. 261
77 Ders., a.a.O., S. 262
78 Ders., a.a.O., S. 263
79 Ders., a.a.O., S. 265
80 Ders., a.a.O., S. 266
81 Ders., a.a.O., S. 268
82 Ders., a.a.O., S. 419
83 Ders., ebda.
84 Die Welt vom 16. 8. 1990, S. 3
85 K. Deschner, Die Politik der Päpste im 20. Jahrhundert, Reinbek 1991, S. 546

86 Süddeutsche Zeitung vom 31. 5. 1991, S. 4
87 K. Deschner, Ein Jahrhundert Heilsgeschichte. Die Politik der Päpste im Zeitalter der Weltkriege, Bd. I, Von Leo XIII. 1878 bis zu Pius XI. 1939, Köln 1982, S. 105–180
88 Zitiert nach: Deschner, Politik, S. 555
89 Zitiert nach: G. Schimansky, Immer Ärger mit der Kirche?, in: E. Lade (Hrsg.), Christliches ABC heute und morgen, Heft 2/91, Gruppe 4, S. 252
90 R. A. Krewerth, Johannes Paul II. Der Papst, der alle Herzen gewinnt, Bergisch Gladbach/Zürich 1979, S. 80
91 Yallop, a.a.O., S. 418f.
92 Winter, Ami, S. 125
93 Yallop, a.a.O., S. 420
94 A. Fraser, Maria Stuart. Königin der Schotten, Herrsching 1989, S. 224
95 Zitiert nach: U. Wickert, Frankreich. Die wunderbare Illusion, Hamburg 1989, S. 85
96 Deschner, Politik, S. 589
97 Wickert, a.a.O., S. 83
98 Süddeutsche Zeitung vom 31. 5. 1991, S. 4
99 Zitiert nach: Krewerth, a.a.O., S. 44
100 Herrmann, Papst Wojtyla, S. 231
101 Krewerth, a.a.O., S. 179
102 Ders., a.a.O., S. 163
103 Zitiert nach: Herrmann, Papst Wojtyla, S. 36
104 Yallop, a.a.O., S. 420
105 Ders., a.a.O., S. 448f.; vgl. Lo Bello, a.a.O., S. 250
106 Yallop, a.a.O., S. 449
107 Lo Bello, a.a.O., S. 251
108 Yallop, a.a.O., S. 411
109 Tosches, a.a.O., S. 53
110 Ders., a.a.O., S. 125
111 Ders., a.a.O., S. 126
112 Ledl, a.a.O., S. 87, und Tosches, a.a.O., S. 131
113 Lo Bello, a.a.O., S. 261. Vgl. Yallop, a.a.O., S. 128f.
114 Yallop, a.a.O., S. 448
115 Ledl, a.a.O., S. 290
116 Tosches, a.a.O., S. 271
117 Ledl, a.a.O., S. 290
118 Zitiert nach: Yallop, a.a.O., S. 424
119 Yallop, a.a.O., S. 430
120 Vgl. H. Kühner, Das Imperium der Päpste. Kirchengeschichte, Weltgeschichte, Zeitgeschichte. Von Petrus bis heute, Zürich/Stuttgart 1977, S. 124. und Lo Bello, a.a.O., S. 92f.
121 Lo Bello, a.a.O., S. 27, 97f. und 101; Ledl, a.a.O., S. 230
122 Vgl. Deschner, Heilsgeschichte, I, S. 340f.
123 Yallop, a.a.O., S. 424f.
124 Ders., a.a.O., S. 432. Vgl. auch S. Ebelseder/P. Juppenlatz, Schmutziges Geld, Hamburg 1982, S. 301
125 Herrmann, Papst Wojtyla, S. 203
126 Zitiert nach: Yallop, a.a.O., S. 431f.
127 Ders., a.a.O., S. 365
128 Herrmann, Papst Wojtyla, S. 29
129 Die Welt vom 30. 5. 1991, S. 5. Zur Ostpolitik Wojtylas vgl. Deschner, Politik, S. 561–564 und 583
130 Deschner, Heilsgeschichte, II, S. 210–254
131 Süddeutsche Zeitung vom 19. 8. 1991, S. 1
132 Süddeutsche Zeitung vom 19. 8. 1991, S. 3
133 Yallop, a.a.O., S. 291
134 Ders., a.a.O., S. 454
135 Tosches, a.a.O., S. 12
136 Ders., a.a.O., S. 187
137 FAZ vom 23. 3. 1991
138 Vgl. Yallop, a.a.O., S. 435 und 454. Zu den Beziehungen zwischen Andreotti und Sindona vgl. auch: Ebelseder/Juppenlatz, a.a.O., S. 293 und 302ff.
139 Tosches, a.a.O., S. 269. Vgl. auch Ebelseder/Juppenlatz, a.a.O, S. 298 zu den Zuwendungen an die Democrazia Cristiana
140 Ledl, a.a.O., S. 269
141 Yallop, a.a.O., S. 442
142 Zitiert nach: Herrmann, Papst Wojtyla, S. 38f.

143 Zitiert nach: Herrmann, Papst Wojtyla, S. 53
144 Zitiert nach: Herrmann, Papst Wojtyla, S. 55
145 Zitiert nach: Herrmann, Papst Wojtyla, S. 40
146 Zitiert nach: Herrmann, Papst Wojtyla, S. 45
147 Zitiert nach: Yallop, a.a.O., S. 453
148 Yallop, a.a.O., S. 453
149 Vgl. Stern vom 11. 4. 1990, S. 254
150 Herrmann, Papst Wojtyla, S. 222
151 Zitiert nach: Herrmann, Papst Wojtyla, S. 168
152 Deschner, Politik, S. 565
153 Nietzsche, a.a.O., S. 1221
154 W. Nastainczyk, Wendezeit auch für die Kirche (I). Perspektiven der Neuevangelisierung, in: Anzeiger für die Seelsorge 9/1991, S. 339
155 H. Fuhrmann, Von Petrus zu Johannes Paul II. Das Papsttum: Gestalt und Gestalten, München 1980, S. 75

Personenregister